L'EUGUÉLIONNE

L'Euguélionne (celle qui porte la bonne nouvelle) vient sur la terre, à la recherche du « mâle de son espèce ». Elle observe la société. Elle questionne. Elle découvre que la moitié de la population est une moitié supérieure. La moitié inférieure de la population et la moitié supérieure s'entendent pour accepter cette structure de la vie établie par les hommes... Ce livre est une satire, une bible féminine, un manifeste, une nouvelle grammaire, un poème, un pamphlet. On a évoqué au sujet de l'auteur les noms d'Homère, de Rabelais, d'Henri Michaux, de Voltaire, de Gide: tous grands hommes! *L'Euguélionne* est le livre de la révolution féministe. C'est aussi un très grand livre.

LOUKY BERSIANIK

Louky Bersianik est née à Montréal le 14 novembre 1930. Elle a fait ses études classiques au Collège Jésus-Marie d'Outremont où elle a obtenu son baccalauréat ès arts en 1950, ainsi qu'un diplôme supérieur de musique; puis, ses études universitaires en Lettres françaises à l'Université de Montréal (Maîtrise ès arts en 1952, scolarité du Ph.D., diplômes en Sciences bibliothéconomiques et en Linguistique appliquée). Elle a poursuivi ses études à la Sorbonne ainsi qu'au Centre de Radio et de Télévision d'Issy-les-Moulineaux (France). Elle a séjourné cinq ans à Paris entre 1953 et 1960 et un an en Grèce entre 1977 et 1979. Elle a fait des stages dans les studios de cinéma d'animation tchèques, italiens et français. De retour au Québec, elle a créé, en 1964, le Bureau spécialisé de Documentation journalistique à Radio-Canada; et, en 1968, a cofondé la bibliothèque du Cégep du Vieux-Montréal. Louky Bersianik a écrit pendant plusieurs années des textes pour la radio, la télévision et le cinéma, dont quelques-uns, des contes pour enfants, ont été publiés. Depuis la parution de L'Euguélionne *en 1976, elle a participé à de nombreux colloques nationaux et internationaux, à de multiples tables rondes et rencontres avec le public, ainsi qu'à des lectures de poésie collectives ou individuelles. Elle anime des ateliers d'écriture dans les universités.*

La collection **Québec 10/10** *est publiée sous la direction de Roch Carrier.*

L'illustration de la page couverture a été réalisée par Suzanne Brind'Amour à partir d'une statuette d'argent, représentant l'Euguélionne, exécutée par Jean Letarte.

Éditeur: Éditions internationales Alain Stanké

ISBN: 2-7604-0250-9

Dépôt légal: 2e trimestre 1985

Imprimé au Canada

L'Euguélionne

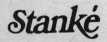

roman

à SIMONE DE BEAUVOIR avant qui
les femmes étaient inédites
et
à KATE MILLETT grâce à qui elles
ne sont plus inouïes

à LISE dont l'enthousiasme a
permis à L'EUGUÉLIONNE *de grandir*
et
à JEAN qui m'a fait confiance
pendant si longtemps

aux FEMMES DE LA TERRE
et
aux MÂLES DE MON ESPÈCE

TABLE DES MATIÈRES

DEUXIÈME VOLET

LES PARAMÉCIES MASSACRÉES

TROISIÈME VOLET
TRANSGRESSER, C'EST PROGRESSER

« (…) du point de vue des hommes
— qui est celui qu'adoptent les
psychanalystes mâles et femelles —
on considère comme féminines les
conduites d'aliénation, comme
viriles celles où un sujet pose
sa transcendance. (…) c'est
singulièrement chez les psychanalystes que l'homme est défini
comme être humain et la femme
comme femelle: chaque fois qu'elle
se comporte en être humain on dit
qu'elle imite le mâle. »

(Simone de Beauvoir, *in Le Deuxième
Sexe*, v. 1, p. 93, Gallimard 1949).

« Une philosophie qui postule que
« l'exigence de justice est une modi-
fication de l'envie » (Freud) et qui
informe les mal lotis que leur
misère est organique, donc, inalté-
rable, est capable de soutenir bien
des injustices. »

(Kate Millett, *in La Politique du
mâle*, p. 209, Stock 1971).

NULLE
N'EST PROPHÈTE
SUR SA PLANÈTE

CHAPITRE PREMIER

LES NÉGATIFS

1.   — *Moi, dit l'Euguélionne, je cherche ma planète positive.*

En ces temps-ci de notre Préhistoire, telles furent les premières paroles de l'Euguélionne.

2.   « Elle arrivait d'*ailleurs*, par le *haut* », écrit un reporter. Affolant les yeux électroniques braqués sur elle. Hallucinant les autres regards. Car n'importe qui pouvait la voir à l'œil nu comme sur un écran, en close-up, en plan éloigné, en accéléré, en slow-motion, avec des effets de zoom, de dolley-back, de tilt-up et de tilt-down, bien qu'elle fût réelle, charnelle et de trois dimensions. Le moment le plus saisissant fut celui où elle apparut en surimpression sur un autre monde.

Elle se montrait ainsi ou comme cela selon son humeur. C'était là son expression corporelle.

Elle avait des yeux magnétiques dont l'un était triste et l'autre gai. Un visage grave mais dont toute une partie était enjouée, claire, de pensée légère. Un œil qui a pesé le pour et le contre de toutes choses mais un profil d'adolescente. Une drôle de cicatrice au milieu du front et on devinait que quelque étoile l'avait écorchée au passage.

Elle parlait d'une voix qui avait sa propre amplification, son propre écho. Cette voix n'échappait à personne. Et cependant, cette voix ne faisait obstacle à personne.

3.   — La planète d'où je viens est négative, dit l'Euguélionne en exécutant une longue culbute au ralenti qui traça dans l'espace comme des chutes d'aérolites, et qui traça dans l'obscurité soudainement avenue comme une manne d'étoiles que personne n'attendait plus.

Tous les êtres là-bas sont comme des négatifs de photos. Tous ceux qui se disent raisonnables. Les autres depuis longtemps ont été asphyxiés par ce climat sans lumière.

La moitié de ces êtres négatifs croient qu'ils sont positifs. Ils croient avoir un jour subi l'épreuve du développement. Ils croient s'être un jour révélés à eux-mêmes et aux autres, alors qu'ils sont tout aussi nocturnes que l'autre moitié.

Cette autre moitié ne nourrit pas d'illusions sur ce qu'elle est, mais elle a le tort de croire qu'elle ne peut rien changer à la situation. C'est la première moitié qui lui a mis cette idée dans la tête.

4.   — Moi, dit l'Euguélionne, j'ai subi le bain d'acide qui m'a
révélée à moi-même et depuis ce temps je ne puis supporter ma planète négative. C'est pourquoi je l'ai quittée. Tous les êtres de ma planète qui ont réellement subi cette épreuve ont quitté cette planète.
        Voilà pourquoi, dit l'Euguélionne, je puis affirmer que, sur ma
planète, tous les êtres sont négatifs.

II

LES COUCHES IMPÉRATIVES

5.   — *Moi, dit l'Euguélionne, je cherche ma planète positive.*
6.   « Elle ressemble à *Eva-Maria* comme se ressemblent deux
gouttes d'eau », écrit à la même heure un autre chroniqueur à des
centaines de milles de là.
        Son expression était très concentrée, très appliquée, quand
elle commença à donner sa conférence de presse par le mot NULLE qui
avait la forme d'une libellule et l'air de battre des ailes pour s'envoler,
puis qui s'amplifia en stéréo et se répercuta d'écho en écho, d'un mur
à l'autre et jusqu'au plafond du garage enfumé où les journalistes étaient
entassés depuis deux jours et deux nuits sans manger ni surseoir.
        Puis, elle s'arrêta et considéra de ses yeux magnétiques son
auditoire distribué dans tous les sens sur chaque pouce cube de l'espace enrobé de vapeurs d'herbe et de cocacola.
7.   — Nulle n'est prophète sur sa planète, dit l'Euguélionne. Voilà pourquoi je suis ici.

> *Le livre de Sylvanie Penn est un livre-gigogne.*
> *En moi, dit l'Euguélionne, il y a Le Squonk.*
> *Dans le Squonk, il y a Du Beurre de Plomb dans l'Aile.*
> *Dans L'Aile, il y a La Nopaline.*
> *Dans La Nopaline, il y a Alysse Opéhi-Revenue-des-Merveilles.*
> *Dans les Merveilles, il y a Le Nopal.*
> *Dans Le Nopal, il y a Ahinsa-Qui-Ourlait-des-Proies.*
> *Dans Les Proies, il y a La Maison Envahie.*

8.   Le livre-gigogne des *Quatorze Mille et Une Nuits* ressemble
aux filles de *Scramville* qui vivent sur la planète d'où je viens et qui
sont des poissons-gigognes de la plus petite jusqu'à la plus grande et
de la plus grande jusqu'à la plus petite.
        Elles sont toutes enfermées dans un ventre, l'une dans l'autre.
Elles se contiennent toutes les unes les autres. Chaque ventre est

enfermé dans un ventre plus grand sauf le premier. Chaque ventre contient un ventre plus petit sauf le dernier.

La lignée de chaque fille-gigogne remonte à travers les âges jusqu'à la Mère-Gigogne. La lignée de *Sylvanie Penn* s'arrête à elle-même car elle n'a conçu qu'un fils, *Aquarius*.

9.　　Sylvanie Penn est une île déserte entourée d'ordres et d'ordures. Sylvanie Penn est un escargot hermaphrodite enroulé sur lui-même sous d'innombrables couches impératives.

L'Euguélionne but une gorgée à même une canette et continua:

10.　　— Sylvanie Penn est couverte de sons et de tensions, de sons et de transitions car les ordres se succèdent et ne se ressemblent pas, est couverte de sons et de transmissions, est couverte de sons et de sous-missions.

Regardez-la, dit l'Euguélionne, et on vit une drôle de chose au travers elle, à la hauteur du flanc droit, regardez-la, et on vit à travers elle une outre remplie de larmes. De larmes refoulées, non versées, dit l'Euguélionne, de quoi remplir une baudruche d'eau salée. Si elle avait pu verser ses larmes sans les retenir, Sylvanie Penn ne serait pas devenue cette immense glande lacrymale et n'aurait pas mérité le nom de *Squonk* qui est devenu le sien.

Sylvanie Penn est devenue la poche des eaux originelles. Si vous crevez la poche des eaux originelles, Sylvanie Penn se dégonflera et s'écoulera en petits ruisseaux sur le sol, vite séchés par les pas et le soleil.

Elle se retrouvera en particules sous les semelles des passants et dans les nuages. Sylvanie Penn retournera aux nuages d'où elle est venue. Sylvanie Penn retournera aux pieds des passants où elle fut distraitement foulée pendant si longtemps.

III

TOUT

11.　　— *Moi, dit l'Euguélionne, je cherche ma planète positive.*

12.　　« Elle arrivait du fin fond de l'espace », écrit à la même heure le chroniqueur acadien. Tous ceux qui étaient là n'eurent qu'une seule voix pour s'écrier:

— Vous y êtes! Vous avez trouvé! La Terre est une planète positive! Vous pouvez y rester! Que voulez-vous? Parlez! Vos désirs sont des ordres!

— Ce que je veux, dit l'Euguélionne? TOUT! JE VEUX TOUT!

Et tous ceux qui étaient là se regardèrent, déconcertés et gênés, car ils avaient reconnu la voix de *la Sagouine*.

Et l'Euguélionne, soudain, se mit à ressembler à la Sagouine comme une goutte de pluie ressemble parfois à une autre goutte de pluie. Et tous ceux qui étaient là et qui ressemblaient à la Sagouine depuis plusieurs générations, se mirent à trembler car, un jour, dans sa jeunesse, la Sagouine avait dit qu'elle voulait TOUT et ce TOUT s'était transformé en un seau d'ordures et d'eau sale.

L'Euguélionne se retourna et s'éloigna vers le fond de l'espace. Graduellement, l'image de la Sagouine s'amenuisa jusqu'à disparaître très loin, elle et son seau, dans l'espace fondamental.

IV

LE JARDIN OUVERT

13.   « Elle arrivait d'*ailleurs*, par le *bas* », écrit à la même heure un journaliste québécois.

Elle a la tête de *Frajil*. Elles se ressemblent comme deux gouttes de rosée. Elle a la tête de *Folichonne*. Elles se ressemblent comme une voyelle et son double.

Ce qu'elle s'est mise à chanter c'était, semble-t-il, l'histoire d'une manière de pèlerinage.

14.
> *Deux mortes sont venues*
> *Par le jardin ouvert*
> *Sont venues pour leurs pas*
> *En retrouver la trace*
> *Tous leurs pas d'exivantes*
> *Reçus par l'explanète.*
>
> *Deux mortes sont déçues*
> *Dans le jardin ouvert*
> *À quoi sert d'y voir clair*
> *Lorsque rien n'est écrit*
> *Le Livre est plat et noir*
> *La terre n'a rien pris*
>
> *Deux mortes revenues*
> *De ce jardin ouvert*
> *N'ont rien vu n'ont rien su*
> *De leur ancien passage*
> *S'étonnant d'être ici*
> *Et sans se reconnaître*
>
> *Se disent à voix basse:*
> *« Nous n'avons pas vécu! »*

15.   Et tous ceux qui étaient là se regardaient avec des petits grains noirs de peur au fond des yeux, car ils se demandaient tous si cette femme ne venait pas du royaume des morts. Mais personne n'osa le dire tout haut. Et personne n'osa le lui demander.

16.   — *Moi, dit l'Euguélionne quand elle eut fini son chant, je cherche ma planète positive.*

V

LE THÉ DE PRAGUE

17.   Des journalistes tchèques racontent que l'Euguélionne se roule en boule dans les rues de Prague, fait des pirouettes, sautille, dansille, étend les bras comme une écolière en vacances, happe des raisins sur leur grappe avec ses dents, accepte de prendre le thé sans s'arrêter, saisissant la théière d'une main, la tasse de l'autre, tout en continuant à cabrioler, légèrement au ralenti, versant le thé dans la tasse en tournant interminablement sur elle-même. Puis elle boit dans un saut en hauteur qui atteint le sous-sol du soleil. Elle est transportée par elle-même, transfigurée par elle-même.

        Et sa voix se répand comme une cascade de rires qui s'amplifie et emplit les profondeurs de la Moldau d'une rumeur d'oxygène libéré:

18.   — Je sais qu'*ailleurs*, dit l'Euguélionne, sur une planète négative et sous le regard chafouin de leurs plurivalents amis, *Razade* et *Le Rostral** se préparent des makaronizitaliques en se tenant lourdement par le petit doigt, eux-mêmes hypocrites l'un à l'autre, elle, ayant un rendez-vous clandestin à la nuit tombée, et lui, songeant à l'engeigner avec sa propre femme, Sylvanie Penn, qui avait, ce matin, la cuisse chaude sous sa robe d'indienne.

19.   — *Moi, dit l'Euguélionne, je cherche le mâle de mon espèce.*

VI

LES MÉTAMORPHOSES

20.   D'autres chroniqueurs québécois écrivent quelque chose de semblable. « Elle danse et tournoie sur elle-même. Mais à chaque tour, elle change de visage et de forme, ou plutôt, il y a échange de

---

*Personnages du *Squonk*, roman en préparation.

visages et de formes à chaque tour. Ses vêtements aussi s'échangent entre eux, sans pour autant qu'on l'aie vue, elle-même, faire le moindre geste.

Ainsi, au premier tour, quelqu'un s'est écrié: « C'est *la Corriveau!* » Et c'était vrai. Elle avait le corps étranglé dans un treillis de fer qui épousait sa chair étroitement. Sa figure était celle d'une suppliciée.

Au deuxième tour, quelqu'un s'est écrié: « C'est *la Manikoutai!* » Et c'était elle. Tout le monde l'a reconnue. Ce n'était pas une femme, c'était la Manikoutai. Peau rouge, les cheveux noirs agités comme des rapides, les quatre saisons dans les yeux. Une vraie sauvagesse.

Au troisième tour, quelqu'un s'est écrié: « C'est *Pauline Archange!* » Elle avait vraiment la figure de Pauline Archange: les yeux rebelles et le regard dessous, la mèche rebelle et la pensée dessous.

Au quatrième tour, quelqu'un s'est écrié: « C'est la *Pythie des Ondes!* » C'était bien elle, avec sa tête d'une finesse remarquable. Mais personne ne songeait à se moquer de sa corpulence.

Puis, on vit défiler successivement *Dolorès* et *Conceptionne, Bérénice* et *Chateauguué*, et même ce qui restait de *la fiancée détruite* et de *la fille maigre aux beaux os.*

Ça, c'est du spectacle, concluent les journalistes québécois! »

Du spectacle muet, car l'Eiguélionne ne prononça pas une parole tout le temps que durèrent ses métamorphoses.

VII

LE POING LEVÉ

21.   — *Moi, dit l'Euguélionne, je cherche ma planète positive et je cherche le mâle de mon espèce.*

22.   Elle était debout dans le port de New York, immense, grattant le ciel de sa tête altière, le poing levé, les quatre doigts de la main verrouillés sur le pouce.

« C'est la *Statue de la Liberté* descendue de son socle, incarnée et dévêtue, écrivent les journalistes américains. Sa peau est noire, ses jambes sont longues et musclées, ses narines dilatées. Elle est en marche. »

23.   — LIBERTÉ! dit l'Euguélionne, et elle marchait sur l'eau, nue et noire, le poing levé vers le ciel de New York. Il n'y a qu'une souffrance, une seule, il n'en existe aucune autre qui lui soit comparable. C'est de ne pas être libre de disposer de soi-même!

Il n'existe qu'un seul bonheur, à nul autre comparable, un seul qui soit capable de déplacer la fibre où la vie prend racine en soi, et c'est d'être libre, c'est d'être libre, c'est d'être LIBRE!

24. Elle marchait d'un pas régulier, ample, élastique, ouvrant les estuaires, élargissant les côtes. Son pas prenait naissance à la hanche et non au genou. L'amplitude de ce pas émanait du sexe en mouvement et le degré de cette amplitude s'accordait avec la longueur exacte des jambes, comme au compas.

Tout ce qui était liquide sous ce pas généreux s'affermissait et tout ce qui était roc et rocailleux s'assouplissait.

25. Dans sa marche fabuleuse, elle vit soudain rouler vers elle une immense boule d'un bleu sombre qui s'arrêta à ses pieds. Elle accueillit cette chose et l'appela terre promise.

Elle s'étendit sur le dos et entoura la terre de son bras gauche, l'appuyant sur son sein gauche dont le bout était érigé, l'appuyant aussi sur sa main droite, elle-même appuyée sur son sein droit dont le bout sans doute était aussi érigé.

Au centre de la terre, elle vit la fournaise rose et ronde et, surplombant la fournaise, un soleil jaune pâle, un peu poussé vers l'Orient, rond comme un jaune d'œuf.

La moitié de la fournaise était un peu pigmentée par la terre, et la moitié du soleil était un peu pigmentée par la fournaise, et la terre elle-même, la terre était un peu pigmentée par la peau sombre de l'Euguélionne qui était, ce matin-là, vêtue de mélanine.

26. Et tout ce qui était vu par les yeux de l'Euguélionne était vu par transparence et comme au microscope.

VIII

LE GOLEM-GONG

27. L'Euguélionne prend le temps de lire les journaux du jour et de regarder les actualités télévisées avant de se prêter à la curiosité des reporters de tous les pays qui l'interrogent sur sa planète et ses habitants.

28. — C'est à Scramville, sur la planète d'où je viens, dit l'Euguélionne, que l'on trouve probablement les seules femelles du cosmos à donner naissance à deux espèces différentes. Ces femelles sont de l'espèce des *Pédaleuses*.

L'autre espèce, celle des *Législateurs*, est exclusivement mâle. Voilà pourquoi elle est forcée de se croiser avec l'espèce des Pédaleuses pour se reproduire et pour se donner d'autres Pédaleuses qui continueront à la perpétuer. C'est une nécessité considérée comme humiliante par les Législateurs et qu'ils n'ont pas encore digérée, malgré des siècles d'entraînement.

On reconnaît les Pédaleuses à ce qu'elles ont toutes un numéro matricule sur la poitrine, qui se voit même à travers leurs vêtements. Quand il n'est plus visible, c'est que la Pédaleuse va mourir.

29.   À la naissance des unes comme des autres, dit l'Euguélionne, on procède à la cérémonie dite du *Golem-Gong*. Cette cérémonie consiste à ouvrir le front des nouveaux-nés, quels qu'ils soient, Législateurs ou Pédaleuses. À celles-ci, on introduit l'inscription suivante gravée à la pointe sèche sur une plaque d'acier inoxydable:

NIGRA SUM SED FORMOSA*

Aux premiers, même opération, mais l'inscription est différente:

DURA LEX SED LEX**

On ferme le tout avec du plexiglas.

Les voilà donc munis pour la vie de leur *tiers-œil sournois*, qu'ils soient de l'une ou de l'autre espèce. C'est leur tabernacle sacré, leur cicatrice glorieuse, leur fenêtre d'identité. C'est le mot de passe qui permet à l'espèce légiférante de faire pédaler l'autre espèce et à celle-ci d'obtempérer sans rouspéter.

30.   Beaucoup de Législateurs, dit l'Euguélionne, ne se sentent pas plus Législateurs que vous ou moi, mais ils sont bien obligés de jouer à faire la loi, c'est écrit sur leur front! Ce type de Législateurs vont même jusqu'à penser que les deux espèces en présence n'en font qu'une. Mais ils ne vont pas jusqu'à formuler cette pensée car, dit l'Euguélionne, c'est exactement ce genre de pensée qu'il faut tenir secrète à Scramville, sous peine de disparaître mystérieusement.

Ainsi, bien des Pédaleuses ne se sentent ni coupables, ni coupables d'être belles, ni belles au point d'en être pénalisées, mais, comme c'est écrit sur leur front, elles doivent accepter de jouer ce rôle prédestiné et deviennent d'excellentes comédiennes. C'est ce type de Pédaleuses qui se considèrent de la même espèce que les Législateurs ou vice-versa, mais vous ne me croiriez pas si je vous révélais quelles sortes de réactions cette prétention pédalistique provoque chez les Législateurs convaincus d'appartenir à une espèce supérieure.

31.   Il se produit d'ailleurs un drôle de glissement de sens dans les inscriptions frontales, du moment qu'on essaie de lire ce qui est écrit sur le front d'autrui.

---

*Comme le latin ne s'enseigne plus dans les écoles, je traduis à l'intention de mes jeunes lecteurs:
    « Je suis noire mais je suis belle » (tiré du *Cantique des Cantiques*). (Note de l'auteur.)
**La loi est dure mais c'est la loi.

Ainsi, l'inscription de la Pédaleuse, forcément lue à l'envers, l'enfonce davantage dans sa noirceur. Cela donne :

FORMOSA SUM SED NIGRA*

Tandis que le Législateur bénéficie aux yeux de son *lecteur* d'une circonstance atténuante :

LEX SED DURA LEX**

Les dissidents peuvent se racler le front contre les murs, peuvent se l'arracher, le gratter jusqu'à l'occiput, il en restera toujours quelque chose de ce sacré Golem-Gong, ils l'entendront vibrer jusqu'à la fin de leurs jours.

IX

VÊTUE DE MÉLANINE

32. Si les inscriptions sont en latin chez les habitants instruits de Scramville, elles sont, chez les autres, d'écriture différente, suivant le degré de température de leur bouillon de culture.

Ainsi, sur le front d'un élu du peuple d'une certaine région, il n'est pas rare de lire quelque chose comme :

TOÉ, TAIS-TOÉ, C'EST MOÉ QUI MÈNE
ICITTE TABARNAK!

Ou bien, sur le front d'un ouvrier spécialisé d'une autre région :

CHARBONNIER EST MAÎTRE CHEZ SOI

Sur le front des Pédaleuses mondaines, on peut lire des impératifs comme ceux-ci, adressés à elles-mêmes :

PENSE AVEC TES FESSES

ou

SOIS BELLE ET TAIS-TOI

Sur le front d'une Pédaleuse domestique :

PENSE AVEC TES PIEDS

33. Des Pédaleuses qui avaient décidé de ne plus penser avec leurs fesses ni avec leurs pieds, il y en avait, il commençait à y en avoir de plus en plus à Scramville.

Telle, qui n'avait pas vingt-cinq ans, première députée de l'espèce pédaleuse à être élue, même par des Législateurs, dans son petit patelin déchiré, ensanglanté, sur un pied de guerre contre l'Envahisseur Angulaire depuis 700 ans !

---

*Je suis belle mais je suis noire.
**C'est la loi mais elle est dure.

Telle autre qui venait de purger en prison un exil quasi volontaire pour avoir défendu ses frères vêtus comme elle de mélanine, ce manteau d'opprobre. Doublement NIGRA et, oh combien FORMOSA! Un *ange* si cela existe. Un *david* plus frondeur que nature, devant un géant qui se fait appeler Amer Ricane et dont on dit qu'il est le père de la douce Âme et du doux Éric.

X

L'ÎLE DÉSERTE

34.   Quant à Sylvanie Penn citoyenne de Scramville, dit l'Euguélionne, elle était ensevelie sous un nombre incalculable d'ordres péremptoires reçus depuis sa naissance, qui lui faisaient des couches successives de linceuls impénétrables dont, ressuscitée d'entre les morts, elle voulait se débarrasser.

35.   Sans avoir jamais choisi les situations qui lui valaient des commandements aussi stricts, elle s'était vue, tout le long de sa vie, condamnée à obéir ou à transgresser; là était toujours le mobile de son action, suivant des normes arbitraires et abstraites qui lui étaient imposées sous peine de mort.

XI

LA FORÊT DES SQUONKS

36.   Avant de venir ici, dit l'Euguélionne, il m'a fallu traverser *la Forêt des Squonks* qui est située sous le sol de Scramville.

Dans la Forêt des Squonks, j'ai rencontré Ahinsa-Qui-Ourlait-des-Proies, j'ai rencontré Alysse Opéhi-Revenue-des-Merveilles, et j'ai rencontré Sylvanie Penn qui n'avait pas de nom.

Je fis connaître à Sylvanie *Le Bâton de Maréchal,* Ahinsa me fit visiter *La Maison Hantée,* et Alysse me montra la collection des *Anti-Merveilles.*

1° LA MAISON HANTÉE *(Ahinsa)*

1 — L'OEUF DE LÉDA

37.   *Ahinsa avait la forme d'une Maison Hantée et gémissait de honte, de douleur et de révolte mêlées.*

Quand elle me vit, son visage s'éclaira. Elle poussa un long cri qui semblait exprimer une joie sans bornes.

— Pourquoi as-tu une forme aussi curieuse, ai-je dit à Ahinsa?

— La femme enceinte est une Maison Hantée, dit Ahinsa-Qui-Ourlait-des-Proies.

— Parle-moi de toi qui es enceinte, Ahinsa.

— Tu veux que je te parle de cette hantise qui est longue de dix lunes? Je ne t'en dirai que quelques bouffées, car le temps me tient.

Ahinsa ferme les yeux et parut réciter pour elle-même.

38.   *— La femme enceinte est une Maison Hantée. Dans la ouate et l'épouvante se résolvent chaque nuit des mystères individuels qui se renouent pour s'accomplir collectivement. Les fantômes qui l'habitent filent comme l'éclair devant ses fenêtres entrouvertes et ce sont les seules éclaircies de cette nuit intérieure grouillante d'une vie de protozoaires et inquiétante comme la mue des lézards.*

Les Législateurs d'En-Haut ne connaissent pas cette hantise, dit Ahinsa-Qui-Ourlait-des-Proies, car leurs maisons n'ont pas de vrais fantômes. Elles sont ouvertes à tout venant et elles oscillent entre le bordel et l'église.

La Maison Hantée se ferme et s'entrouvre comme l'œuf légendaire de Léda et l'enfaon se liquéfie. Et ce n'est pas le dénommé Jupiter quelque part dans le cosmos qui est le cygne, et ce n'est pas lui le galet plat étendu dans la fragilité de son signe.

39.   *L'enfaon est dur et liquide. Il passe tout son temps à se donner une épaisseur de craie et le bouillon sanguin qui l'agite l'environne sans encore lui appartenir.*

Il faut, se dit La Maison Hantée, canaliser le lit de ce fleuve écarlate et lui creuser des passages, en dériver le cours pour l'empêcher de se perdre dans la Mer Rouge. Le fleuve doit se jeter dans le ruisseau et le ruisseau retourner à sa source.

Et voilà enfin l'enfaon doué de sang. Le reste lui viendra par surcroît.

40.   *Et d'abord s'enfuient les fantômes. La Maison Hantée devient un lieu géométrique où s'accomplissent d'exactes métamorphoses, où explosent ces métamorphoses avec une précision mathématique.*

Une fleur souterraine avait-elle hier cinq bourgeons? Petite bombe nucléaire insoupçonnée de tous, elle éclate soudain en cinq doigts minuscules et fuselés qui dénouent entre eux quatre nouveaux espaces insolites.

Et ces espaces temporels qui sont déjà ceux de l'enfaon,

appartiennent encore à la Maison Hantée. Comme tout ce qui se sépare de lui-même pour s'initier à des formes hautement autonomes.

41.   — *Mais alors, dis-je à la Maison Hantée, pourquoi gémissais-tu de douleur, de honte et de révolte, quand je t'ai rencontrée tout à l'heure?*

          — *Je m'appelle Ahinsa, et parfois je pleure sur les Proies.*

42.   *Au moment où je la quittai, Ahinsa-Qui-Ourlait-des-Proies rêvait avec passion et douceur à tous ces petits espaces qui se creusaient au fond d'elle-même en décrivant des ronds et des déliés.*

          Et je me demandais, dit l'Euguélionne, si les lieux saints et les bordels des puissants Législateurs de Scramville avaient ce pouvoir onirique et réel de leur rendre formes pour formes et de les changer au passage en une mutation durable dans l'espace et dans le temps.

2 — LES HAUTS-DE-HURLEVENT

43.   *Plus tard, dit l'Euguélionne, je revis La Maison Hantée. Elle était renversée sur le dos et des clameurs terrifiantes sortaient de ses fenêtres couchées.*

44.   *De ses fondations sortaient des rangées d'enfaons, déjà tous vêtus comme des soldats, le fusil au côté, le pas martial et l'œil éperdu. Ils étaient tirés par une ficelle.*

          De ses fondations sortaient des chars d'assaut tout équipés de mitrailleuses et d'enfaons déjà tout entraînés à tirer tacatacatacatac, qui jetaient à tour de rôle un œil effrayé par l'écoutille. Les chars étaient tirés par une ficelle.

          De ses fondations sortaient des avions tout équipés de bombes incendiaires avec des pilotes juvéniles et de tout petits passagers paniqués déjà tout entraînés à lâcher le napalm sur tout ce qui bouge. Les avions étaient tirés par une ficelle.

45.   *À la fin, dit l'Euguélionne, j'ai vu sortir de la Maison Hantée, à quatre pattes et un seau accroché autour du cou, des rangées de fillettes complètement nues qui, tantôt faisaient la belle en levant leurs petites pattes de devant, tantôt léchaient le sol rugueux de leur langue rose minuscule. Les fillettes étaient tirées par une ficelle.*

46.   *Puis, j'ai prêté l'oreille aux clameurs terrifiantes de La Maison Hantée, dit l'Euguélionne.*

          — *HALTE! disaient ces clameurs. De quel droit prenez-vous mes enfaons et les menez à l'abattoir? De quel droit prenez-vous mes tendres enfaons et les menez au dépotoir?*

          Je suis l'Utérus universel. Voilà des siècles que je suis vomi par ceux-là mêmes qui en étaient sortis tout triomphants.

Voilà des siècles que l'on s'empare de mes fruits mûrs pour les mener au pressoir.

47.   *ASSEZ! Nous nous mutinons. Nous fermons l'usine où nous fabriquons le sang, où nous dosons les globules rouges et les globules blancs.*

Puisque vous êtes si forts, fabriquez-le en éprouvettes ce sang qui vous importe si peu, dosez-le vous-mêmes avec vos instruments gradués. Gaspillez-le si cela vous chante.

Mais assez de sang versé sitôt sorti de notre usine.

Nous nous mutinons. Nous fermons l'usine où nous fabriquons la chair. ASSEZ! Assez de viande de charcuterie! Assez de viande hachée passée chaque jour à la moulinette. Fabriquez-la vous-mêmes en éprouvettes, puisque vous êtes si forts. Vous en ferez ce que vous voudrez.

Nous fermons l'usine où nous fabriquons les os. ASSEZ d'os fracassés! Fabriquez vous-mêmes vos massacres en éprouvettes puisque vous ne pouvez vous en empêcher.

48.   *Nous démissionnons. Nous ne voulons plus être complices de vos massacres.*

Ou bien, nous fabriquerons la viande sans les os.

Ou bien, nous mettrons les os autour de la viande pour la protéger.

Nous fabriquerons des mollusques bien tassés dans leur coquille. Nous vous livrerons des coquillages quand le moment de mettre au monde sera venu.

Nous secréterons le mésenchyme qui vous fera des squelettes d'Éponges.

Nous mettrons du mou dans vos muscles et des muscles dans vos poumons de boucherie pour vous empêcher de vous propulser les uns sur les autres et pour vous aider à respirer votre air puant et irrespirable.

49.   *Et vous, mes Filles, cessez de marcher à quatre pattes en léchant les parquets, sinon je vous fais avec des mains coupées.*

50.   *Et vous, mes Fils, cessez d'être la marchandise d'un petit nombre de maquignons. Les bras que je vous ai faits vous appartiennent. Cessez de donner la sueur de vos coudes pour huiler les articulations d'un petit nombre de maquignons. Sinon, je vous fais avec des bras coupés.*

51.   *Il est temps que cela cesse. Ce carnage qui commence à la sortie du Ventre, cette pollution de vos membres, cette domestication, cette exploitation de la chair, de la sueur et du sang.*

52.   *HALTE! De quel droit prenez-vous mes enfaons?*

3 — LE DÉFILÉ

53.   *Je me suis. éloignée de La Maison Hantée, dit l'Eugué-lionne, car les petits soldats et les petites bêtes à quatre pattes ne cessaient d'en sortir, tirés par une ficelle. Et La Maison Hantée ne cessait de clamer ses clameurs terrifiantes et elle-même avait commencé à se déplacer, tirée par une ficelle.*

54.   *Plus loin, je vis venir en sens inverse un défilé de chariots tirés par des ficelles.*

    Le premier chariot transportait un cube de chair com-primée sortant tout juste du moule à compression et c'était la chair à canon.

    Le deuxième chariot transportait un cube de chair com-primée sortant tout juste du moule à compression et c'était la chair d'usine et la chair du fond des cuisines.

    Le troisième chariot transportait un cube de chair com-primée sortant tout juste du moule à compression et c'était la chair de prison et la chair du fond des asiles.

    Le quatrième chariot transportait la chair de consomma-tion *débitée en tranches et en morceaux de toutes les formes et de toutes les couleurs.*

    D'autres chariots défilaient, tirés par des ficelles, trans-portant des cubes ou des cylindres de chair de toute étiquette, sortis tout juste des moules à compression.

55.   *C'est alors que j'ai rencontré Alysse Opéhi-Revenue-des-Merveilles.*

2° LES ANTI-MERVEILLES (Alysse)

1 — LES CARTES

56.   *Alysse Opéhi me montra un jeu de cartes, dit l'Eugué-lionne. C'était un jeu d'apparence ordinaire. Le dos des cartes représentait un paysage très délicat, le dessin en était particu-lièrement sensible et inspiré. Sans doute une reproduction de l'œuvre d'un grand artiste. Mais il n'était pas signé.*

57.   *— Tu vois ces cartes, me dit Alysse Opéhi. Et elle les étala devant mes yeux avec ses deux mains. Que remarques-tu?*

    — Rien de spécial, ai-je répondu, sinon que tu me montres à l'instant le dos des cartes.

    — Justement, dit Alysse Opéhi. Que remarques-tu sur le dos de ces cartes?

    — Rien de spécial, ai-je répondu, sinon qu'elles repré-sentent toutes le même joli paysage.

    — Sont-elles toutes pareilles?

    — Elles le sont, dis-je.

    — Tu en es bien sûre? Tu ne vois pas quelque part quelque détail secret qui pourrait en rendre une différente des autres?

— Je ne vois pas, dis-je, après avoir bien regardé chaque carte et après les avoir toutes comparées les unes aux autres.

— Et maintenant, dit Alysse Opéhi en opérant en un tournemain un revirement complet des cartes, que remarques-tu?

58.   Je fus littéralement éblouie, dit l'Euguélionne, car l'envers des cartes était rempli de formes et de couleurs variées et chacune d'elles semblait différente des autres.

Bien que tous les jeux de cartes aient l'habitude de se présenter ainsi, c'était la première fois que ma conscience en était saisie avec tant de force. C'était pour moi une révélation!

— Que remarques-tu, répéta Alysse.

— Je remarque que ces cartes sont différentes dès qu'on les tourne à l'envers.

— En es-tu bien sûre, demanda Alysse Opéhi? N'y en a-t-il pas deux qui soient pareilles?

— Je n'en vois pas, dis-je, après avoir examiné les cartes une à une et après les avoir comparées les unes aux autres.

59.   — Tu vois, dit Alysse Opéhi, le dessous des cartes est composé d'individus différenciés et spécialisés: l'un est roi de cœur en pourpoint rouge, l'autre est une dame de la cour, le troisième est valet en livrée à carreaux, un quatrième est un as de couleur, un autre a dix petits trèfles noirs sur sa jaquette. Si tu retournes les cartes, tu ne vois partout que le même dessin reproduit à x exemplaires. Ce dessin, tu peux le classer dans la catégorie des paysages. Il est très beau, je te l'accorde, mais je n'ai pas besoin d'en voir cinquante-deux pour l'apprécier.

— Et alors, que penses-tu de tout cela?

— Je pense, dit Alysse Opéhi, que le dos des cartes, ce sont les Pédaleuses de Scramville, et que le dessous des cartes, ce sont les Législateurs.

2 — LES ADJECTIFS ET LES VERBES

60.   Puis, Alysse Opéhi m'amena non loin du mur où Heumpty-Deumpty était en train de resserrer sa cravate... ou sa ceinture.

— Regarde celui-là, me dit-elle à voix basse, il resserre sa ceinture car tout à l'heure il a dû la défaire pour accomplir quelque action virile. Il est plein de lui-même et judicieux dans ses propos, on ne peut pas dire... Il m'a fait hier un cours de grammaire. Et moi, je l'ai compris à ma manière.

61.   « Vous serez des adjectifs », dit-on aux Pédaleuses dans leur berceau. Et aux Législateurs: « Vous serez des verbes. »

Les adjectifs sont interchangeables. Ce sont des bibelots, on les déplace à son gré, on en fait ce qu'on veut, on les supprime, on en rajoute, cela n'a pas tellement d'importance. Mais les verbes, eux, ne se laissent jamais saisir.

Si les adjectifs veulent devenir des verbes, on en prend quelques-uns, on les secoue, on les remet à leur place et on écrase les autres récalcitrants du bout de sa plume comme on écrase les fourmis du bout du pied. On interdit alors aux premiers de se transformer en verbes sous peine de se voir écrasés à leur tour.

62.   *Voilà les enseignements que j'ai tirés de la leçon de grammaire d'Heumpty-Deumpty qui ne se doute même pas que j'en ai si bien profité, dit Alysse Opéhi-Revenue-des-Merveilles.*

3 — LES COURONNES

63.   *— C'est leur couronne de Législateurs qui leur donne une démarche aussi raide, me dit Alysse Opéhi. Ils ont toujours peur de la perdre. Un faux-pas et voici leur couronne par terre. C'est comme moi quand j'avais ma couronne de reine sur la tête, je n'osais avancer.*

Mais quand ils sont retirés dans leurs terres, quand ils ont déposé leur couronne pour souffler un peu, quand ils ne se croient pas observés, alors là, c'est leur démarche qui est touchante.

Ils marchent alors le dos voûté, en claudiquant légèrement, ou en se balançant, à petits pas ou à larges enjambées, au pas dansant ou au pas cadencé.

Ils sont alors tout entiers dans leur façon de marcher, et ce qui rend leur démarche si émouvante, c'est qu'ils en sont inconscients, ayant déposé leur couronne.

4 — LES PLACES USURPÉES

64.   *Alysse Opéhi continua:*

« Pas de place, il n'y a pas de place, il n'y a pas de place », s'écrient les Législateurs quand les Pédaleuses veulent entrer dans leurs conseils d'Administration, dans leurs comités de Direction ou dans leur Conseil législatif.

Et pourtant, si vous jetez un coup d'œil dans leurs salles de conférences ou dans leur Chambre des communes, il y a beaucoup de places libres, comme chez le Lièvre de Mars.

65.   *Mais si, par exception, ils condescendent à vous y inviter, juste pour prendre le thé avec eux autour d'une table ronde, ils vous forcent à porter un chapeau orthopédique conçu pour l'un d'entre eux particulièrement brillant, qui vous donne aussitôt l'air stupide du Chapelier.*

Ou bien, ils glissent des insectes ou des marmottes dans votre tasse. Et alors, vous déraillez, c'est couru. À remarquer, ajouta Alysse, que c'est souvent la Pédaleuse-secrétaire qui vous joue ces tours pendables, uniquement pour faire plaisir à son Législateur de patron...

5 — VIVRE AU FOND D'UN PUITS

66.
— J'ai observé un jour Elsie, Lacie et Tillie, les trois sœurs qui vivaient au fond d'un puits de mélasse, dit Alysse Opéhi-Revenue-des-Merveilles.

Elles souffraient de malnutrition, de diabète, de claustrophobie et de toutes sortes de malaises engendrés par leur misérable condition.

Et pourtant, chacune d'elles s'efforçait de dépasser cette condition, car elles s'étaient mises à dessiner.

Mais comme la seule chose qu'elles voyaient à cœur de jour, la seule chose dont elles connaissaient le goût, la texture et la couleur, c'était de la mélasse et uniquement de la mélasse, eh bien, elles dessinaient de la mélasse. Elles ne connaissaient rien d'autre, les trois petites sœurs, car elles vivaient réellement dans un puits de mélasse.

67.
Chaque matin, les Législateurs venaient sur la margelle du puits jeter un coup d'œil sur leurs dessins pour voir si elles faisaient du progrès.

Hélas, il n'y avait toujours que de la mélasse sur ceux-ci et les Législateurs s'esclaffaient en disant:

« Elles n'ont vraiment aucun talent! Regardez-les! Ne sont-elles pas ridicules? Elles veulent nous imiter et faire des chefs-d'œuvre et tout ce qu'elles trouvent à faire, c'est dessiner de la mélasse! Et qu'est-ce que la mélasse? Cela n'a aucune forme ni aucun sens! Nous n'avons jamais rien vu d'aussi grotesque! Elles auront beau faire, elles n'arriveront jamais à faire des chefs-d'œuvre, jamais elles n'arriveront à nous égaler! »

68.
Et ils s'en allaient en sifflant, un sourire méprisant aux lèvres, les mains dans les poches, à l'air libre!

6 — LE NOM

69.
— Dans la Forêt des Squonks, continua Alysse, il faut faire très attention de ne pas entrer dans le Cercle Magique. Rien ne vous avertit où commence ce cercle, ce qu'il circonscrit et où il se termine. Sauf qu'à la lisière, il y a toujours quelque jeune faon candide aux yeux humides qui touchera votre fibre maternelle.

Si vous entrez dans ce cercle, dites adieu à votre Nom, car vous l'aurez perdu. Vous ne serez plus UNE TELLE reconnue comme TELLE depuis votre naissance.

70.
On vous donnera un autre nom. Un kit complet au masculin, avec prénom(s) et tout. Vous serez désormais Madame le Législateur UN TEL. Vous-même, vous aurez disparu pfttt! derrière ce Législateur UN TEL.

À partir de ce moment, vous vivrez avec l'identité de ce

UN TEL. *Vous serez reconnue sur la rue à travers ce UN TEL, même s'il ne vous accompagne pas.*

Tout ce que vous ressentirez devra passer à travers le filtre de ce UN TEL. Toutes vos actions de Pédaleuse UN TEL devront se faire remorquer par les actions de ce Législateur UN TEL.

71.   *Un jour, cependant, la mémoire vous reviendra par bribes. « Il me semble que j'avais un autre nom autrefois! » À cette seule pensée, vous éprouverez un picotement bizarre... Exactement comme si, de votre propre initiative, vous vous mettiez à saucer votre nom actuel dans le jus de votre mémoire-cocktail. Quelque chose se déclenchera en vous, comme une musique douce, une certaine musique...*

Mais, quelque effort que vous fassiez, il vous sera impossible de vous souvenir de votre vrai nom, à moins de sortir du Cercle Magique.

72.   *Vous aurez beau fouiller dans vos marmites, dans la plomberie de votre évier, vous aurez beau retourner sur le parvis de l'église ou au seuil de la mairie où jadis vous avez perdu cette chose. Vous aurez beau vous informer aux témoins d'alors, s'ils sont encore vivants. « Avez-vous trouvé MON NOM? Je crois que je l'ai perdu ici... »*

Personne ne pourra vous renseigner. Car les témoins survivants de cet événement ancien ont tous oublié que vous étiez UNE TELLE à cette époque. Ils ne reconnaîtront même plus votre visage.

73.   *Les plus malins feront quelque blague subtile sur ce que, à leur avis, vous avez dû ou auriez dû perdre ce jour-là, et ils se croiront très spirituels.*

74.   *Alors, vous vous mettrez à cogner avec désespoir aux parois du Cercle Magique. Sans songer qu'il existe un moyen d'en sortir et vous vous lamenterez:*

« J'ai perdu quelque chose de précieux il y a bien longtemps. Quelque chose d'irremplaçable a glissé d'entre mes doigts. J'ai négligé de le chercher à temps. Maintenant, il est trop tard, c'est comme si je voulais retrouver une aiguille dans une botte de foin. »

75.   — Et quel est ce moyen de sortir du Cercle Magique, ai-je demandé à Alysse Opéhi?

— Il faut casser la glace, dit Alysse. Le Cercle Magique est un Miroir. Il faut briser la magie du Miroir.

— Ne peut-on le traverser?

— C'est comme ça qu'on y entre, répondit Alysse. J'ai moi-même essayé. Mais ce que j'ai trouvé n'a été que l'envers des choses. Je n'ai rien trouvé de NOUVEAU. Alors, j'ai brisé le miroir pour en sortir. C'est pour cela qu'on m'appelle **Revenue des Merveilles.**

7 — LA POUSSIÈRE

76.   *Nous étions au bord de la plage, dit l'Euguélionne, non loin de la pierre tombale où le Squonk Sylvanie Penn était étendu.*

— Elles ont essayé pendant des siècles, dit Alysse Opéhi, se relayant de générations en générations, elles ont essayé, elles étaient des milliers d'équipes se relayant le jour et la nuit, de douze heures en seize heures et de seize heures en vingt-quatre heures.

Elles ont essayé, y mettant tous leurs efforts, consciencieusement, sans arrière-pensée, avec tout leur cœur et leur savoir-faire, elles ont essayé, tandis que se lamentaient le Morse et le Charpentier, de balayer le sable de cette plage et n'y ont pas réussi.

Le sable engendre le sable. La poussière engendre la poussière. Cette lutte est sans fin. Cet univers est clos, dit Alysse Opéhi-Revenue-des-Merveilles.

8 — LA BONNE DIRECTION

77.   *« Il faut l'étiqueter FILLE FRAGILE » a dit le contrôleur du train. Et quoi encore? De quelle étiquette les voyageurs eux-mêmes n'ont-ils pas voulu m'épingler, dit Alysse Opéhi. Ce qui, entre nous, ne les regardait pas, le contrôleur non plus.*

Ils ont essayé de me convaincre que je n'étais pas dans la bonne direction. Ils ont prétendu qu'une fille est trop fragile pour voyager. Ils ont voulu me renvoyer chez moi dans une valise ou dans un colis postal.

Mais je ne me suis pas laissé convaincre, dit Alysse Opéhi. Même que, quand je suis descendue du train, j'ai continué à m'enquérir de mon chemin. Je n'ai jamais hésité à demander quelle était la bonne direction.

78.   *Presque toujours, on essayait de jeter la confusion dans mon esprit. Ils ont interchangé les flèches de direction, ils ont mis des clowns sur ma route pour me distraire, ils ont mis des flèches opposées au même endroit pour indiquer une seule et même direction. Que n'ont-ils pas inventé pour me dissuader d'avancer.*

Mais je ne m'en suis pas laissé imposer, dit Alysse Opéhi. Parce que j'étais bien résolue à traverser cette Forêt des Squonks, je me suis fiée à mon flair et à certains indices énigmatiques qui me mettaient sur la piste dès que j'avais résolu les énigmes.

9 — LA COURSE

79.   *— Avec la Reine Blanche, dit Alysse Opéhi, je me suis mise à courir car nous avions décidé de participer à une course*

générale où Pédaleuses et Législateurs étaient admis comme concurrents.

Très vite, je me suis rendu compte que nous courions sans avancer.

— C'est le propre des Pédaleuses, dit la Reine Blanche.

— Mais alors, nos efforts sont inutiles, ai-je dit. Pourquoi courir si nous n'avons aucun espoir d'avancer?

80.   — Il y a un espoir, dit la Reine Blanche. Nous, les Pédaleuses de Scramville, nous devons courir deux fois plus vite que les Législateurs pour arriver au même endroit. Autrement, nous sommes disqualifiées, même si nous les avons devancés.

— Mais ce n'est pas juste, lui dis-je avec indignation.

— Je sais bien, dit la Reine Blanche, mais tel est le règlement. Que pouvons-nous y changer?

81.   — Il faudrait faire nous-mêmes nos propres lois, dis-je pensivement. Il faudrait inventer nos propres règles du jeu. Et alors, nous aussi nous aurions des chances de gagner.

10 — LES CASSEROLES ET LE BÉBÉ

82.   — Un jour que j'étais en visite, continua Alysse, la servante de la Duchesse en a eu assez et elle a lancé ses casseroles, ses plats, ses marmites, ses couvercles à travers la pièce. Tout cela volait autour de moi comme des oiseaux courroucés et dangereux. Cela aurait pu blesser quelqu'un si cela avait atteint quelqu'un en un point vulnérable de son corps.

83.   Puis, ce fut au tour de la Duchesse de perdre patience. Elle me lança son bébé par la tête. Apparemment, elle en avait assez de le bercer, de lui chanter des romances, sachant que cet enfant plus tard lui rirait au nez et se transformerait en cochon.

Je me disais: quand même, ce n'est pas sa faute à ce petit s'il est destiné à devenir un Législateur. Il n'a pas demandé à venir au monde. Ni à subir la cérémonie du Golem-Gong.

Mais la Duchesse ne s'embarrassait pas de ces considérations. Elle avait d'autres chats à fouetter.

84.   En parlant de chat, quand j'ai raconté cela au Chat de Chester, et quand je lui ai dit qu'effectivement le bébé s'était transformé en cochon entre mes bras, le Chat de Chester m'a demandé: « Avez-vous dit cochon ou torchon? »

J'ai pensé alors qu'il voulait s'enquérir si le bébé était un futur Législateur ou une future Pédaleuse…

11 — LA PIEUVRE ET LE POULPE

85.   — Avant de te quitter, me dit Alysse Opéhi, je veux te raconter une histoire que je tiens du Griffon en personne.

86.   Un puissant Législateur vivait avec une pieuvre. Il l'avait

si bien apprivoisée qu'il ne craignait pas de s'endormir entre ses bras. Le matin, il l'envoyait au marché et elle revenait, les tentacules chargés de tout ce dont il avait besoin dans la journée.

Un jour, elle lui apporta une paire de chaussures de première qualité, choisies avec un goût certain. Il se montra enchanté et les essaya aussitôt.

Il s'aperçut alors qu'elles étaient un peu étroites mais ne s'en soucia pas et décida de les porter quand même, comptant sur l'élasticité du cuir pour avoir bientôt chaussure à son pied.

Mais ce cuir n'était pas élastique. Il ne put jamais le constater car déjà il commençait à rétrécir de partout.

Quand il ne fut plus qu'un sac de peau, la pieuvre s'en servit pour aller au marché, car elle avait un nouveau maître à satisfaire...

87.   Dans le même temps, une Pédaleuse mondaine vivait avec un poulpe. Elle l'avait si bien apprivoisé qu'elle ne craignait pas de s'endormir entre ses bras. Le matin, elle l'envoyait au marché et il revenait, les tentacules chargés de tout ce dont elle avait besoin dans la journée.

Un jour, il lui apporta une paire de souliers de première qualité, choisis avec un goût certain. Elle se montra enchantée et les essaya aussitôt.

Elle s'aperçut alors qu'ils étaient un peu étroits mais ne s'en soucia pas et décida de les porter quand même, comptant sur l'élasticité du cuir pour perdre bientôt cette sensation désagréable d'être dans ses petits souliers.

Mais ce cuir n'était pas élastique. Elle ne put jamais le constater car déjà elle commençait à rétrécir de partout.

Quand elle ne fut plus qu'un sac de peau, le poulpe s'en servit pour aller au marché car il avait une nouvelle maîtresse à satisfaire.

88.   C'est sur ces mots qu'Alysse Opéhi prit congé. Après avoir marché un peu, je me suis soudain trouvée face à face avec Sylvanie Penn, dit l'Euguélionne.

3° LE BÂTON DE MARÉCHAL (Sylvanie)

1 — LES MASCLINS

Nous étions dans une des Maisons de Maringouin et Sylvanie était plus abattue, plus Squonk que jamais. Elle avait au front une vilaine plaie.

89.   — Raconte-moi quelque chose, me dit-elle.
— Quoi donc?
— N'importe quoi. Quelque chose de drôle. Tiens, par

exemple, l'histoire des Humains avant qu'ils n'inventent l'espèce humaine.

— Je veux bien essayer, dis-je à Sylvanie Penn qui avait oublié jusqu'à son nom. Mais tu sais, il ne faut pas croire toutes les histoires qu'on raconte au sujet des autres planètes.

— Je sais, dit-elle. Je suis parfaitement incrédule. Mais cela m'amuse d'entendre des histoires d'un autre monde.

90.   — Eh bien, dis-je, aux temps les plus reculés de la planète en question, le mâle humain s'appelait MASCLE et la femelle, FAM.

Se jugeant supérieur à sa compagne, le mâle crut bon de donner son nom à l'espèce entière qui devint ainsi l'espèce Mascline. Les spécimens de cette espèce animale à deux pattes, mâles ou femelles, furent appelés les Masclins. Profitant de ce malentendu, les Mascles réduisirent les Fams en esclavage.

91.   Un jour, les Fams se révoltèrent et jugèrent que c'était trop fort, qu'elles n'étaient pas réellement des mascles, qu'elles étaient des Fams, donc qu'elles ne pouvaient décemment faire partie des Masclins ni de l'espèce Mascline et qu'il était fort prétentieux de la part des Mascles de donner le nom de leur sexe à l'espèce entière.

92.   Alors pour les calmer les Mascles résolurent de donner un autre nom à l'espèce. C'est ainsi qu'ils trouvèrent l'heureux nom d'Hommes pour qualifier les êtres de leur espèce et celle-ci devint l'espèce Humaine. Les Fams furent satisfaites.

93.   Mais, sentant que cette distinction linguistique les mettait sur le même pied que leurs compagnes, les Mascles eurent tôt fait de s'approprier le nouveau nom de l'espèce, répudiant le terme par trop anatomique de Mascles, qui avait, par ailleurs, une résonnance de basse-cour.

Désormais, ils seraient des Hommes et les Fams, eh bien, elles continueraient d'être des Fams. Plus tard, quand ils surent l'orthographe, ils corrigèrent le mot sans toutefois en changer la nature, ni la consonnance.

Ce qui donna le curieux assemblage des Femmes et des Hommes comme femelles et mâles de cette curieuse espèce des Hommes, dite aussi espèce Humaine, anciennement dite Mascline.

2 — LES ÉLÉPHANTS

94.   — Mais, dit Sylvanie Penn, il y a quelque chose dans ton récit qui ne me paraît pas clair. Quelque chose qui m'a échappé sans doute. Pourquoi les Mascles se jugeaient-ils supérieurs aux Fams? Avaient-ils quelque chose de spécial, de meilleur que les Fams ne possédaient pas?

— Eh bien, dis-je, d'abord ils étaient plus gros, plus musclés et plus forts physiquement.

95.   *Juste à ce moment, dit l'Euguélionne, passa un troupeau d'éléphants devant la maison de Maringouin. Et Sylvanie me demanda:*

    — Les éléphants sont-ils supérieurs aux Mascles?

    — Bien sûr que non, répondis-je.

    — Et combien pèsent ces animaux?

    — Celui-ci doit peser dans les six tonnes.

    — Six tonnes, s'exclama Sylvanie Penn! C'est-à-dire près de 12,000 livres! Il est sûrement supérieur à n'importe quel Mascle pour sa vigueur physique...

    — Il n'y a aucun doute à cela.

    — Pourquoi alors ne dit-on pas que l'éléphant est supérieur au Mascle?

    — Il l'est, physiquement, il n'y a pas d'erreur. Je veux dire, pour sa force physique, car, pour ce qui est de sa beauté physique, rien n'est moins sûr. Cependant, proportionnellement à son poids, son cerveau est tout petit et sans complexité. C'est pourquoi le Mascle lui est supérieur en définitive.

96.   *— Et, proportionnellement à son poids, dit Sylvanie, comment est le cerveau de la Fam par rapport à celui du Mascle?*

    — On dit qu'il est plus gros que celui du Mascle, toutes proportions gardées. Mais la différence est si minime que jamais la Fam n'a eu l'idée d'en tirer vanité.

97.   *— Parle-moi du cerveau humain, dit Sylvanie.*

    — Par son apparence générale, le cerveau humain a la forme d'un archipel d'utérus. Par son aspect particulier, il rappelle l'intestin grêle. Cependant, à la différence de celui-ci, plus il compte de circonvolutions et d'invaginations, plus il est intelligent. Je puis dire sans me tromper que le cerveau du Mascle a autant de circonvolutions et autant d'invaginations que le cerveau de la Fam.

98.   *— Et alors, dit Sylvanie, en quoi le Mascle est-il supérieur à la Fam?*

    — Je te l'ai dit, par sa force physique.

    — Uniquement par cela?

    — Uniquement.

    — En somme, le Mascle est supérieur à la Fam de la même façon que l'éléphant est supérieur au Mascle?

    — Exactement de la même façon.

    — Mais je ne comprends pas, dit Sylvanie, pourquoi les Fams se sont laissé réduire en esclavage? Oh! je pense en deviner la raison. Ce sont les Mascles sur cette planète qui font les enfants! Et naturellement ils se croient meilleurs pour cela et plus puissants que les Fams.

    — Tu n'y es pas du tout. Ce sont bien les Fams qui font les enfants sur cette planète et non les Mascles. Cependant, elles

n'ont jamais songé à se croire supérieures aux Mascles pour cela.

— Pourquoi donc alors ces créatures sont-elles devenues des esclaves?

— D'abord, à cause de la force physique qui a fait loi. Car, chez eux, c'est la raison du plus fort qui est la meilleure. Et ensuite, grâce au Bâton de Maréchal.

3 — LES FAKIRS

99.
— Qu'est-ce que tu me racontes là? Qu'est-ce que c'est que ce Bâton de Maréchal?

— Je vais te dire un secret connu de moi seule et de quelques initiées, dis-je alors à Sylvanie. Les Mascles croient sérieusement qu'ils possèdent une baguette magique qui leur donne tous les droits et tous les pouvoirs. As-tu déjà vu des charmeurs de serpents? Ou des fakirs faisant monter une corde au son de leur flûte?

— Bien sûr, dit Sylvanie, j'en ai vu dans les foires. Tu sais, continua-t-elle, j'ai été longtemps sensible à la magie et aux magiciens. Je reviens de loin comme tu sais. Je reviens de l'Enfaonce.

— Eh bien, le serpent ou la corde, voilà l'image exacte du fameux bâton de maréchal. Ordinairement, c'est la Fam qui est la « charmeuse de serpent », c'est elle surtout qui a le pouvoir de lui faire dresser la tête.

Mais le Mascle en tient tellement pour cette fameuse baguette qu'il dit que si la Fam n'en a pas, c'est qu'on la lui a enlevée pour une faute qu'elle aurait commise et qu'elle s'en trouve maintenant complètement démunie et qu'elle en souffre terriblement. Par conséquent, le Mascle ayant su garder son bâton, c'est lui qui est le maître!

100.
Entendant cela, Sylvanie partit d'un grand éclat de rire. Elle rit pendant quatorze nuits consécutives (le jour n'existant pas dans la Forêt des Squonks, les nuits étaient très longues).

Cela lui fit grand bien, car, pendant tout ce temps, elle cessa complètement d'être un Squonk.

Puis, dit l'Euguélionne, elle revint me voir afin de me demander d'autres explications sur cet intéressant sujet.

4 — LA VOIE ROYALE

101.
— Si les Mascles, dit-elle, croient réellement que les Fams avaient ce bâton à l'origine et qu'elles en ont été dépossédées, il faut qu'ils croient que l'espèce tout entière est d'essence maréchale, dont la moitié serait déchue...

— C'est exactement ce qu'ils croient, dis-je. C'est pourquoi ils considèrent les Fams comme si elles étaient d'anciens hauts fonctionnaires dégradés et toujours en disgrâce...

À la joie moqueuse que cette révélation avait provoquée chez Sylvanie, succéda une espèce de révolte contre la situation qui résultait de ce naïf quiproquo.

102 *— Mais alors, dit-elle, que font-ils de la voie royale où, dit-on, ils s'amènent tambour battant avec leur fameux bâton de maréchal? Et que disent-ils du palais des mille et une nuits où, dit-on, ils viennent sans cesse s'éblouir et mourir de bonheur?*

— Bien qu'ils en rêvent constamment, j'ai ouï dire que nombre d'entre eux considèrent cela comme un déversoir de leurs humeurs, au mieux comme un vase pour leur concupiscence.

Certains mêmes de leurs écrivains (je tiens cela toujours par ouï-dire, c'est pourquoi il est permis d'être sceptique) vont jusqu'à écrire que le sexe de la Fam est un incinérateur fabriqué exprès pour brûler les déchets de la mâle intelligence!!!*

Ils croient naïvement que ce palais aux architectures infiniment complexes n'est qu'un succédané à leur baguette magique. Et qu'il vaut infiniment mieux posséder celle-ci qui est naturelle, selon eux, que celui-là qui n'en serait que l'ersatz!

— Bien sûr, c'est absurde, dit Sylvanie Penn, mais c'est tellement amusant! C'est comme si le pont-levis se flattait de ne pas être le château. Ou comme si le premier se persuadait qu'il est en or massif alors que l'autre ne serait qu'en carton-pâte!

5 — LES ÉGÉRIES

103 *— Ce n'est pas tout, continuai-je. Du fait de cette prétention et aidés de leurs muscles, les Mascles se sont jetés sur tout ce qu'il y avait de bon sur leur planète et en ont systématiquement écarté les Fams.*

Grâce aux avantages qu'ils en tirèrent, ils produisirent des œuvres inspirées que mutuellement ils encensèrent, ce qui les confirma dans leur triste superstition de supériorité. Ce qui leur permit également d'accuser les Fams de ne savoir produire que des Enfaons...

« Admirez notre génie », leur disaient-ils, comme à nous les Législateurs de Scramville. Et les Fams, pauvres comme un certain monsieur Job, et assises comme ce dernier sur un tas de fumier, en étaient arrivées à se croire idiotes.

Les plus lucides d'entre elles se tenaient derrière leur « maréchal » et lui soufflaient la bonne réponse. On les appelait Les Égéries. Évidemment, c'était celui qui plastronnait qu'on applaudissait et dont on parlait dans les dictionnaires.

---

*« L'acte charnel brûle les déchets. Le corps de la femme absorbe les poisons secrétés par l'intelligence de l'homme comme la terre absorbe les engrais et s'en embellit. La femme est brûlure, la femme est foyer. » Raymond Abellio, in *La Fosse de Babel*.

104.   *Cela dura pendant des siècles. D'après les derniers échos qui nous sont parvenus de cette planète, il paraît que les Fams se révoltent encore une fois afin de reprendre les places au soleil que les Mascles leur ont usurpées. Mais, curieusement, ce sont les Mascles scandalisés qui les accusent de leur voler leurs places!*

6 — UNE BÉQUILLE « NATURELLE »

105.   *— Comment déjà s'appelle cette espèce, demanda Sylvanie?*

— L'espèce Humaine.

— Oui oui, je me souviens, et les être humains, particulièrement les mâles, sont des Hommes, n'est-ce pas?

— Oui, c'est cela.

— J'ai toujours cru, dit Sylvanie avec innocence, j'ai toujours cru quand je pensais aux Hommes, qu'il leur manquait un bardeau!

— Bien sûr, c'est évident, dis-je avec malice, tu as tout à fait raison. Ils ont un chromosome tronqué, ne l'oublie pas. Presque un demi-chromosome...

106.   *Sylvanie rit encore un bon coup. Comme je lui avais déjà expliqué que l'Humanité est à base de chromosome X, elle n'était pas loin de croire que le fameux chromosome Y qui déterminait le sexe masclin était un chromosome X défectueux à qui il manquait une patte et que, par compensation, la « nature » avait donné au produit mâle une baguette magique pour l'aider à se sortir de ce mauvais pas, comme on donne une béquille au boiteux. Et qu'en cela, la « nature » avait été bien imprudente, car elle n'avait pas prévu que le Mascle se servirait de cette béquille pour tenir la moitié de l'Humanité sous sa coupe!*

107.   *Heureusement que Sylvanie Penn n'avait pas l'esprit assez mal tourné pour croire à de pareilles sornettes, dit l'Euguélionne.*

XII

LA PLANÈTE DES HOMMES

108.   Quand ils entendirent toute cette histoire sur l'espèce Humaine, les reporters eurent différentes réactions. Quelques-uns se mirent à rire sous cape, d'autres à rire jaune, mais la plupart se sentaient gênés. L'Euguélionne allait apprendre tôt ou tard qu'elle était tombée sur la planète des Mascles et des Fams.

L'un d'entre eux lui demanda:

— Êtes-vous déjà allée sur la planète dont vous venez de parler?

— La planète des Hommes? Non, je n'y suis jamais allée. Je cherche ma planète positive. Alors, j'aimerais autant éviter l'Humanité.

— Vous y êtes, cria quelqu'un! Vous êtes sur la planète des Hommes!

109.   L'Euguélionne demeura un moment interloquée. Puis, le sourire qu'elle eut fut si énigmatique qu'un journaliste, le soir même, écrivit qu'il avait vu la *Mona Lisa*, non pas en peinture, mais en chair et en os.

— C'est donc vrai, dit l'Euguélionne sans étonnement apparent? Vous êtes des Hommes? Et elle désignait les femmes de l'assemblée. L'une d'elles dit timidement:

— Nous sommes des femmes, mais des Hommes également puisque nous faisons partie de l'espèce Humaine.

— Autrement dit, ajouta une autre sur un ton ironique, *un homme sur deux est une femme!*

Le regard de l'Euguélionne rencontra deux yeux perçants et tendres qui évoquaient pour elle ceux d'Alysse Opéhi-Revenue-des-Merveilles rencontrée naguère dans la Forêt des Squonks. « Elle a des yeux pour tout visage » se dit-elle en détaillant minutieusement le beau visage triangulaire qui lui apparaissait unique dans cette assemblée hétéroclite.

110.   — Comment t'appelles-tu, demanda l'Euguélionne à la jeune femme?

— Je m'appelle Exil.

— C'est donc vrai, Exil, ce que j'ai entendu dire au sujet de votre planète?

Exil allait répondre mais un journaliste fut plus prompt qu'elle.

— Il n'y a que cette appellation désignant en même temps le mâle et l'espèce, il n'y a que cela qui soit vrai et il n'y a pas de quoi en faire un drame, n'est-ce pas? Le reste est une pure fantaisie sans doute imaginée par quelque auteur de science-fiction en honneur sur votre planète.

— Oh! j'en suis persuadée, dit l'Euguélionne. Vous avez sûrement raison.

111.   — Vous verrez, continua le journaliste. La Terre des Hommes est une planète positive. Nous vous souhaitons la bienvenue. Nous vous accueillons à bras ouverts. Vous voyez bien? Si vous étiez un Homme, nous serions méfiants. Vous voyez à quel point nous aimons les femmes! C'est aussi parce que vous avec l'air d'être une *vraie femme.* Quelque chose entre Brigitte Bardot, la Vénus de Milo et Barbarella!

Cette dernière réflexion provoqua des rires dans toute l'assistance.

— Qu'est-ce que la Vénus de Milo, dit l'Euguélionne?

— C'est une statue mutilée, dit Exil. Une statue qui a les deux bras coupés mais qui a un corps de déesse, selon les canons classiques de l'esthétique...

— Étonnant, dit l'Euguélionne. Très étonnant... Parle-moi de ta planète, Exil.

112.　　— Au commencement était l'Arbitraire, dit Exil. Puis, vint l'époque de la Relation, l'année de la Fonction. Ainsi naquit le Fonctionnel, petit-fils de l'Arbitraire.

Au commencement étaient les Hommes, dit Exil. Selon Héphaïstos, les femmes sont arrivées par la suite.

— Venaient-elles d'une autre planète, dit l'Euguélionne?

— La Bible parle de la Grossesse d'Adam, le Premier Homme qui aurait engendré la première femme. Mais aucun savant n'a trouvé de reliquat d'utérus dans la physiologie du mâle humain.

XIII

LA GROSSESSE D'ADAM

113.　　Parle-moi de la grossesse d'Adam, dit l'Euguélionne en s'adressant à Exil.

— À l'aube de l'Humanité, commença Exil, l'Homme se sentait bien seul dans la Création. Car son Créateur avait bien d'autres chats à fouetter. L'ennui étant le père de tous les vices (même à cette époque vierge), Adam ne pouvait s'empêcher d'avoir de mauvaises pensées: « Quoi, se disait-il à haute voix en lorgnant son « membre ». Faut-il que ce membre qui devrait être si fier ne soit appelé qu'à des fonctions vulgaires? Lui qui a la nostalgie des grands espaces, l'attirance du Gouffre; mais où, où trouver le Néant compensatoire à son Être? »

Comme on peut le constater, Adam ne manquait pas de cette gracieuse modestie qui devait plus tard caractériser les descendants de son sexe.

114.　　De guerre lasse, il s'endormit. Et, pendant son sommeil qui dura neuf mois, il conçut la Femme Majuscule et la mit bas au bout de ce temps. C'était Yahvé qui, passant par là, lui avait fait cet enfant à son insu. C'était une erreur, bien sûr, mais nous ne sommes pas là pour juger des erreurs de la Divinité.

L'accouchement fut tellement pénible qu'Adam jura de ne plus jamais recommencer! Et il tint sa promesse, à peut-être une exception près à ce qu'on dit.

Mais en attendant, Adam était dans une situation plutôt ambiguë. Car il se trouvait être en même temps la mère, le père présumé, le mari et l'amant d'Ève, la Première Femme. En effet, il se vit forcé, bien malgré lui, de commettre l'inceste, car son Complexe d'Oedipe s'était développé à vue d'œil. Mais la « chose » ne se fit pas toute seule comme cela, en criant « ciseau » !

XIV

NATURA ABHORRET VACUUM

115.   D'abord, dès qu'il vit Ève, le père-mère Adam fut frappé par son aspect étrange. Elle avait sur le haut du corps deux choses dressées qui pointaient vers lui sans défaillance. Ces choses étaient terribles, majestueuses, magnifiques. Mais, ayant baissé son regard, Adam se voila la face. Avait-il bien vu? Ne s'était-il pas trompé? Il risqua un œil encore une fois vers l'endroit où Ève, cette coquine, aurait dû avoir un membre, comme lui, naturellement, en avait un. Il dut se rendre à l'évidence: Ève n'avait pas de membre! Quelle catastrophe! *Adam avait mis au monde un enfant handicapé!* Est-ce qu'on survit à une telle déception?

Il était sur le point de se plaindre auprès de Yahvé de ce qu'il considérait comme une erreur de sa part, sans se douter que ce n'était, hélas, pas la première, quand soudain, il sentit que c'était exactement *ça* qu'il lui fallait. *Ça* signifiant le fameux handicap… Ce Néant, si atroce, si effroyable fût-il, était ce vers quoi il aspirait! Ce Vide, ce Gouffre sans nom, il était attiré vers, il était extrêmement fasciné par!

Déjà, les vues de Yahvé sur sa créature avaient l'air pas mal insondables.

116   « Que vais-je devenir, gémit Adam? M'y jeter *tout entier* (il parlait du Gouffre à peine entrevu) me paraît extrêmement périlleux. C'est risquer de me perdre à tout jamais dans des profondeurs inconnues, marines peut-être, et, qui sait… terriblement axi-dentées…!

Mais alors, mais alors, mon viril accessoire demeurerait un accessoire? se trouverait inemployé, voire quasi inutile…? Toujours pantois? Toujours en déconfiture? »

XV

ARGUMENT *AD HOMINEM*

117   Et, ce pensant, Adam ne se rendit pas compte qu'Ève le considérait d'un air incrédule.

« Ce n'est pas possible! C'est le monde à l'envers! Mon père-mère est un *estropié!* D'abord, il n'a pas de seins. Et ensuite, je crois qu'il est en train de perdre sa vulve et tout ce qui s'ensuit... comme un doigt de gant retourné, oserais-je imaginer. N'est-ce pas *ça* qui lui pendouille entre les jambes? Et pourtant non, on dirait bien que cette drôle de breloque baroque et sans réciproque dans mon anatomie est bien suspendue et à la bonne place. En tout cas, elle me paraît complètement superflue. *Yahvé veuille que je n'en sois jamais affublée!* »

Je tiens à préciser, remarqua Exil, que cette dernière parole d'Ève est authentique et textuelle, bien que fort peu citée dans la Bible. Cette abstention malheureuse a été sans conteste à l'origine de diverses théories fantaisistes et scabreuses, telle l'ineffable « envie du pénis », chère à nos psychanalystes.

Quant au doigt de gant retourné, je dois mentionner qu'il s'agissait là d'une intuition plutôt formidable, puisque les gants n'existaient pas à cette époque. D'autre part, Ève était en droit d'avoir des pensées aussi précises car, dès qu'elle apparut triomphante, jeune adulte et tout élevée du corps endormi d'Adam, son premier soin intensif fut d'étudier minutieusement son propre corps et de se connaître soi-même de fond en comble.

118.   Mais revenons aux spéculations de la jeune Ève sur le sexe d'Adam.

« Je me demande à quoi *ça* peut servir... Elle se mit à rire. *Ça* doit lui ballotter constamment entre les deux cuisses, *ça* ne doit pas être commode pour marcher. Soit dit sans me vanter, je suis mieux équipée que lui car j'ai justement une fente pour partager mes pas équitablement et sans risque. Pauvre Pa-Man Adam! *Est-il vraiment difforme ou est-ce dans sa nature de l'être?...*

« C'est bien ma veine, continua-t-elle. Les Hommes sont rares dans ce jardin. Tout bien pesé, il n'est pas si mal après tout... Mise à part la fameuse... pendeloque plutôt inesthétique, son corps est assez bien proportionné, et il n'a pas l'air idiot... »

Ici, Exil fit une autre remarque.

— Je reconnais, dit-elle, que le terme « pendeloque » est extrêmement irrévérencieux. Ce n'est donc que par souci d'authenticité que je le rapporte, comme j'ai rapporté le non moins irrévérencieux et non moins authentique « effroyable Néant atroce » qu'Adam avait proféré à la vue de la nouvelle Ève.

119.   Ève poursuivit dans son for intérieur:

« Il n'a peut-être pas comme moi de beaux fruits mûrs sur la devanture, mais peut-on lui reprocher cela? Avoir une poitrine sans relief n'est pas un crime. Il doit déjà avoir bien du mal à s'habituer à cette curieuse *absence de seins*. Tout compte fait, je ne détesterais pas poser ma tête sur cette poitrine plate. Je me sens attirée vers lui... Je sens que je pourrais l'aimer, n'était cette... cette chose quasi monstrueuse... »

Et Ève détourna son regard de l'Humanité entière.

Alors, Adam tenta un rapprochement, car le Néant l'attirait toujours et c'était un soir de printemps.

— Tu aimerais en avoir comme ça, hein, dit-il en retroussant pudiquement ce qui devait devenir par la suite ses « bijoux de famille », mais qui formait à ce moment une trinité bien modeste.

XVI

EN AVOIR OU PAS

— Moi, en avoir comme ça! s'écria Ève plus surprise qu'offensée de la méprise d'Adam, méprise, hélas, qui devait se perpétuer pendant des siècles. Quelle drôle d'idée! Soit dit sans te vexer, cela me dégoûte plutôt, si tu veux savoir. C'est comme si tu me demandais quelque chose comme « t'aimerais ça être boiteuse ou tordue? » Non, mais...

Elle fit un pas de côté. Adam aurait pu se formaliser des dernières paroles d'Ève, apparemment blessantes, mais il savait bien qu'Ève avait dit cela en toute innocence, sans aucune intention malveillante. Elle était si neuve. Elle venait tout juste de naître. Elle était cruelle comme tous les enfants de son âge, par ignorance...
120. D'ailleurs, son regard trahissait ses paroles. Ève considérait Adam et se demandait comment l'apprivoiser. De son côté, Adam considérait Ève et avait bien envie de faire les premiers pas vers une réconciliation définitive...

Or, plus Adam considérait Ève, plus sa virilité s'accentuait. « Si j'avais moi aussi quelque chose capable de se dresser vers elle sans défaillance comme les terribles choses qu'elle a sur le devant... » Adam était sur la bonne voie. Il avait vu des spirographes en rêve pendant sa longue gestation et cela l'avait fort impressionné. « Si quelque chose est rétractile, se disait-il, c'est que c'est érectile, ou du moins télescopique pensait-il bien que le télescope ne fût pas encore inventé.

121. Et, ce pensant, il eut une terrible, majestueuse, magnifique érection. La première que la terre eût jamais connue jusqu'alors de mémoire d'Homme... mais non la dernière! Heureusement! Ce n'était pas si compliqué, mais il fallait y penser!

Ève sembla alors changer son point de vue. Sa curiosité emporta ses dernières résistances.

Ce qui se passa par la suite, conclut Exil, l'histoire ne le dit pas. Il faut croire qu'Adam sut persuader Ève de lui laisser trouver le chemin de son cœur... Il faut croire qu'Ève sut convaincre Adam que ce chemin n'était pas si hasardeux...

44

Et voilà toute la fable de la grossesse d'Adam et des conséquences qui s'en sont ensuivies. »

122.   Exil fut applaudie par la plupart des journalistes présents car,
par une étrange coïncidence, même les mâles assemblés pour la circonstance, avaient le sens de l'humour bilatéral, si rare de nos jours.

Il y avait bien eu, en cours de route, quelques réflexions du
genre: « Ce qui prouve que les femmes sont mieux équipées pour
« marcher »… mais, en général, le discours d'Exil fut bien accueilli.

Seuls quelques becs fins trouvèrent l'histoire de mauvais goût.
Ceux-là, de dépit, quittèrent la salle, le grain serré. Parmi eux, c'est
du moins ce qu'on disait, il y avait un petit chroniqueur « humoristi-
que » qui déversait chaque semaine sa bile contre les femmes, dans
le supplément du samedi d'un grand quotidien. N'ayant pu supporter
une manifestation d'humour dans l'autre sens, il confirmait aux yeux
de tous que son « sens de l'humour » à lui, dans sa voie unique, n'était
que de la haine déguisée.

XVII

LA PLANÈTE DES LÉGISLATEURS

123.   — Je me suis bien amusée, Exil, en t'écoutant, dit l'Euguélionne. Mais je trouve que, pour des primitifs, tes personnages se
montraient bien réticents. D'où leur venaient tous ces complexes?
Moi, je les aurais plutôt vus s'aborder franchement, en se flairant l'un
l'autre, en se léchant copieusement et en s'accouplant sans faire de
chichis et sans se lamenter sur leurs différences. Je les aurais plutôt
vus se jeter sur ces différences avec gourmandise au lieu de les dissé-
quer du bout des dents. Ce dénigrement systématique me paraît bien
être une caractéristique exclusive de votre espèce…

124   — A ton tour, dit quelqu'un dans la salle en s'adressant à
l'Euguélionne, dis-nous comment ça s'est passé sur ta planète au commencement.

125.   — Comme sur votre Terre des Hommes, dit l'Euguélionne,
au commencement sur ma planète était le Mâle.

Cependant, avant que n'arrive le règne de celui-ci, vivaient
plusieurs espèces intelligentes. Mais la moins brillante et la plus féroce d'entre elles élimina les autres espèces et elle resta seule.

Puis, le mâle de cette espèce triomphante regarda sa femelle
et eut un haut-le-cœur. « Yerk, dit-il, pouah! » et il l'élimina elle aussi.
Ce ne fut pas du dénigrement comme ici, ce fut du rejet total et définitif.

Devenu le Maître, il se nomma Législateur et régna sur Rien
et fit des lois pour Rien.

126.   Ce règne était terne. Les mâles entre eux s'ennuyaient. Après la partie de golf pour les uns, le club ou la taverne pour les autres, ils rentraient très tristes le soir à la maison.

L'histoire de cette espèce boiteuse devenait mélodramatique car les pauvres Législateurs étaient forcés de prendre soin d'eux-mêmes et de vaquer à tous les petits détails quotidiens de leur existence.

Cela ne pouvait plus durer. Les détails en question rongeaient la plus claire partie de leur temps et ils n'en trouvaient plus pour légiférer. Et puis, ça devenait embêtant question reproduction...

127.   Ils partirent donc en chasse et, avisant les femelles d'une espèce survivante qu'ils avaient jugée inférieure c'est-à-dire dépourvue d'intelligence parce que pacifique, ils les capturèrent et déportèrent leurs mâles sur une autre planète. Pourquoi cette déportation plutôt qu'une extermination? Les historiens de notre planète n'ont jamais pu trouver à cela une explication valable, bien qu'il y en ait une à n'en pas douter.

Les femelles capturées furent mises à la roue, au rouet, au moulin, à la vaisselle, si bien qu'ils les désignèrent bientôt sous le nom de Pédaleuses.

Ensuite, outre l'épreuve du Golem-Gong, ils instituèrent le mariaje.

128.   Le mariaje entre une Pédaleuse et un Législateur n'est en réalité qu'une cérémonie visant à donner au Législateur une Pédaleuse domestique bien à lui, capable de lui fournir, en sus de ses services, une descendance mâle. Une fois la cérémonie terminée, ils sont mari et pédaleuse pour l'éternité.

Ce qui n'empêche pas le mari Législateur d'avoir, tout au long de sa vie, à portée de main, des Pédaleuses de services en tous genres: pédaleuses de bureau, pédaleuses d'hôpital, pédaleuses à tout faire, et, bien sûr, pédaleuse domestique légitime, en plus de toutes les pédaleuses de la fesse, attitrées ou non, qu'il peut se payer.

129.   Les Pédaleuses captives finirent par se révolter de cet état de choses et, empruntant la Forêt des Squonks si redoutable, quelques-unes partirent sur d'autres planètes à la recherche des vrais mâles de leur espèce, de ceux-là qui avaient été déportés au commencement du monde. Peut-être avaient-ils trouvé là-bas des femelles semblables à eux et s'étaient-ils perpétués?

C'est dans cette espérance que je suis venue ici. *Car moi, dit l'Euguélionne, je cherche le Mâle de mon espèce.*

L'ANTHROPOCARDITE

130.   Il y eut un branle-bas dans la salle, car plusieurs journalistes voulaient se proposer pour être le Mâle de l'Euguélionne. C'étaient surtout ceux qui la voyaient sous l'aspect physique de la *Vénus de Milo*. Ils la voyaient vraiment ainsi: nue, lignes classiques du corps et bras coupés.

Les autres, plus calmes, sentaient bien que l'Euguélionne n'était pas de leur espèce.

131.   Au même moment, sur la Mer Égée, des pêcheurs grecs virent venir à eux la *Victoire de Samothrace*. Elle déployait ses ailes, lentement, elle avait une envergure extraordinaire. Bien que décapitée, cette statue vivante avait une VOIX. Et cette VOIX était percutante et d'une formidable amplitude.

132.   *Au commencement était la Roche, dit l'Euguélionne.*
Et la Roche s'est faite chair et elle habita au-dedans de vous.
Quand la Roche était nue et obscure et n'avait point encore enfaonté de chair humaine
Quand la Roche Précambrienne se tenait au point zéro de sa chute aux confins de tous les possibles, immuable et disponible, nue et sans conteste
En ce temps-là, dit l'Euguélionne, aucune empreinte de losanges arborescents ne l'avait fossilisée
Aucune nappe liquide ne couvait en elle, encore indivise et ignorante des volcans.
Aucun scintillement sous-jacent ne préparait le cristal entre ses particules vierges

133.   *Mais déjà, la Roche Précambrienne rêvait à l'écrin de chair où elle serait en sûreté pour les siècles à venir*
Où elle se tiendrait, fine particule, garante du cosmos, substance-étalon de la Préhistoire.
La Roche Précambrienne s'est faite chair et elle habite encore au-dedans de vous
C'est elle, dit l'Euguélionne, que l'on nomme le Caillou de Barbarie *qui vit au cœur de l'Homme depuis que l'Homme existe.*

XIX

LE CAILLOU DE BARBARIE

134.   *— Au commencement était le Caillou, dit l'Euguélionne.*
Quelqu'un passa, le ramassa, le caressa, l'embrassa, l'annonça:

« VOICI LE CAILLOU DE BARBARIE! »

Et le Caillou se fit chair.

Il fut enchâssé dans la chair, cadenassé, financé, encaissé, condensé

Et depuis, un fameux Caillou précambrien gîte en Lom ensemencé.

Mais d'aucuns ne l'ont point reçu, le Caillou fait Tom

Il fut pourchassé, offensé, menacé, évincé, expulsé, éclipsé, terrassé, concassé, crevassé, cabossé, transpercé, renversé, fracassé, désossé, dépecé, déplissé, émincé, désaxé, balancé, émoussé.

135.   Que croyez-vous qu'il advint après cela du Caillou de Barbarie?

Comme un bonze impavide le Caillou de Barbarie fait ses petits sans dérougir, sans dérouiller, sans dérailler, sans coup férir, sans déroidir, sans déroger, sans dérider, sans éblouir, sans ébahir, sans diminuer, sans se trahir.

Lom engrossé s'en va clopin clopinant, dit l'Euguélionne, portant allègrement son petit caillou au creux de lui:

c'est son tiers-œil sournois

c'est l'ongle pointu de sa main soignée

c'est la troisième canine de son sourire

c'est son bras prolongé d'un coup de poing

c'est son bras prolongé d'un coup de fusil

c'est son voisin le cantonnier maladroit

136.   Et Lom s'en va, berçant son Caillou de Barbarie, le bichonnant, le minouchant, l'arrosant de son sang tous les jours

Car c'est grâce à ce caillou qu'il se croit immortel

Il le transmet à ses enfaons

Il le conserve comme une pierre au foie

Il l'entretient comme une dent gâtée.

137.   Et s'étant fait chair humaine,

Le caillou habita parmi les Zom

Et les Zom l'ont reçu

Et les Zom l'ont reconnu

Et les Zom l'ont encensé, embrassé, enlacé, caressé, renforcé, damassé, hissé, rehaussé, exaucé, bercé, toujours recommencé

À jamais fixé dans Lom dans Lom dans Lom dans Lom Lom Lom Lom Lom Lom Lom Lom Lom

Il fut usé à la lime, réchauffé par frottement, laminé, chauffé à blanc, poli, repoli, usé au frottement,

Traîné comme un joyeux cancer dans l'histoire de Lom Lom Lom Lom Lom Lom Lom

Il passa au creuset

> *En sortit plus dur que jamais plus immortel plus barbare*
> *et plus Caillou que jamais, dit l'Euguélionne.*

> *Et Lom profita de ce rayonnement au maximum.*
> *Et c'est ainsi que Lom devint ce magnifique animal patho-*
> *logique et tératologique,*
> *Sans contredit le plus bel ornement de cette planète.*

> *Et c'est ainsi que Lom devint ce tendre fruit graveleux,*
> *dit l'Euguélionne.*

XX

LES ENFAONS DE POMPÉI

138.   Les pêcheurs n'en menaient pas large dans leur barque. Surtout celui qui, tout à l'heure ou deux mille ans plus tôt, avait mis un
hameçon dans la poche de son vieux camarade.

L'Euguélionne se tut un moment. Puis, de cette statue vivante
et décapitée, monta un chant plein d'élytres brisées:

139.
> *Enfaons de Pompéi*
> *Enfaons d'Hiroshima*
> *Enfaons gais ou gris*
> *Tous aimés tous beaux*
> *Enfaons du monde entier*
> *Tous nés abandonnés*
> *Tous enfaons destinés à être lapidés*

> *PEUPLE-ROCHE*
> *Ne te frappe pas*
> *Sur l'air de mea culpa*

> *Enfaons d'Éthiopie*
> *Et les Saints Innocents*
> *Enfaons bleus ou noirs*
> *Tous aimés tous beaux*
> *Enfaons du monde entier*
> *Tels quels abandonnés*
> *Enfaons déjà donnés au bûcher d'Abraham*

> *RACE-ROCHE*
> *Ne te frappe pas*
> *Sur l'air de mea culpa*
> *Bel enfaon va-nu-cœur*
> *Bel enfaon va-nu-pieds*
> *Enfaons blonds ou rouges*
> *Tous aimés tous beaux*

Enfaons du monde entier
Tous nus abandonnés
Enfaons déjà promus au rang des assassins

RUCHE-ROCHE
Ne te frappe pas
Sur l'air de mea culpa

Beaux enfaons de ce soir
Beaux enfaons de demain
N'approchez pas trop
Épargnez-vous de naître
Enfaons de notre amour
N'approchez pas de nous
Laissez succomber sans regret les vieux enfaons

HOMME-ROCHE
Ne te frappe pas
Sur l'air de mea culpa

XXI

LA SAINTE TRIGYNIE

140. Les pêcheurs grecs racontèrent cet événement extraordinaire. Mais leurs concitoyens avaient déjà vu et entendu une autre version de l'affaire aux Actualités du soir. Ils ne furent donc pas impressionnés. D'ailleurs, pour leur clore le bec, quelqu'un dit que l'Euguélionne venait tout juste d'arriver sur la Terre. Elle ne pouvait donc pas savoir que les Hommes étaient si méchants.

141. Cependant qu'en Australie, la télé montrait un reportage tout à fait remarquable sur la *Déesse Wondjina*.

On ne la voyait pas, Elle, mais le reporter l'avait vue ou plutôt, il avait vu sa fille que tout le monde appelait l'Euguélionne.

Par une coïncidence heureuse, le reporter était aussi un éminent théologien, très versé dans les sciences Ψ.

Il disait que l'Euguélionne était la Fille Bien-Aimée de la Déesse Wondjina et de la Cervelle Suprême, et que ces Trois Personnes divines ne faisaient en réalité qu'une seule Déesse: Wondjina la Mère Éternelle, l'Euguélionne la Fille Bien-Aimée, et la Cervelle Suprême la Pensée Divine qui est là pour unir étroitement la Mère et la Fille, pour les cimenter en quelque sorte.

142. L'Une procède de l'Autre. La Mère procède de la Fille, la Fille procède de la Cervelle Suprême et la Cervelle Suprême procède de la Mère.

Mais la Fille en même temps procède de la Mère et la Mère alors procède de la Cervelle Suprême et la Cervelle Suprême dans ce cas procède de la Fille.

143.   Toutefois, mystérieusement et miraculeusement, dans le même temps, la Mère et la Fille procèdent de la Cervelle Suprême, tandis que la Fille et la Cervelle Suprême procèdent de la Mère — position dangereuse pour la C.S. — et que, toujours dans le même instant, la Mère et la Cervelle Suprême procèdent de la Fille.

Cependant, et c'est ici que l'on voit que ce mystère est insondable, la Mère procède de la Fille et de la Cervelle Suprême — c'est un moindre mal — tandis que la Fille procède de la Cervelle suprême et de la Mère — à vrai dire, c'est dans cette position naturelle que l'affaire se corse — et que la Cervelle-Suprême procède de la Mère et de la Fille — c'est une solution!

144.   Jusqu'à présent, nous n'avons assisté qu'à un jeu de procession et de préséance qu'un observateur objectif — il faut qu'il en ait le loisir — a tout intérêt à suivre, tant qu'il a de bons yeux et qu'il n'est pas sujet aux étourdissements.

XXII

UN VILAIN COMPLEXE

L'Australien poursuivit:

— Mais ce Divin Triangle n'est pas exempt des problèmes inhérents à tout triangle, fût-il divin, fût-il femelle. Et c'est la Fille qui est la cause de tout le grabuge, il ne faut pas en douter: c'est une vérité révélée.

145.   D'abord, quand la Fille et la Cervelle Suprême procèdent de la Mère, la Fille voit rouge et veut éliminer la Cervelle Suprême car elle veut être la seule à procéder de la Mère. Ce qui est impossible, ça foutrait en l'air toute la procession.

Car, si dans le même temps que la Mère et la Fille procèdent de la Cervelle Suprême et que la Cervelle Suprême et la Mère procèdent de la Fille, si la Fille veut être seule à procéder de la Mère, de qui donc va procéder la Cervelle Suprême?

À ce stade-ci de son processus, la Fille manifeste un fort Complexe de Caïn. Disons-le tout net, la Fille est jalouse de sa sœur la Cervelle Suprême et voudrait garder la Mère à elle toute seule.

146.   Autre cas où se manifeste ce complexe chez la Fille. C'est dans la combinaison où la Fille procède de la Cervelle Suprême et de la Mère. Encore là, la C.S. est de trop.

Car la Fille ne veut procéder *que* de la Mère et nourrit inconsciemment le dessein d'éliminer définitivement la Cervelle Suprême qu'elle trouve beaucoup trop proche de la Mère dans cette position.

Dans un cas comme dans l'autre, la Cervelle Suprême se trouve bien petite et se ratatine dans le fond du triangle. Le complexe peut changer de nom, c'est toujours le Complexe de Caïn.

147.   Dans un cas extrême, c'est la Mère éternelle que la Fille veut éliminer pour prendre sa place. C'est plus facile. C'est ce qu'on retrouve quand la Mère procède de la Fille et de la Cervelle Suprême.

Dans cette configuration, la Mère est vite escamotée, bien que la procession doive continuer selon le schéma préétabli de toute Éternité afin que s'accomplissent les Divines Ψ Scribouillures.

148.   Il y aurait de l'inceste et de l'homosexualité là-dessous que je n'en serais pas étonné outre mesure, remarqua judicieusement le reporter australien.

Ce qui est certain, c'est que les problèmes viennent de la Fille, car son comportement tend à montrer qu'il y a, parmi ces Trois Personnes Divines, une Personne qui est de trop. Et celle qui est de trop, ce n'est sûrement pas elle, la Fille…

149.   Et pourtant, et pourtant, continua le témoin, c'est elle, la Fille, celle qu'on appelle l'Euguélionne, qui est venue sur la Terre. Fut-elle chassée par la Déesse Wondjina ou par la Cervelle Suprême?

On peut émettre toutes sortes d'hypothèses, mais ce qui s'est passé au juste, personne ne peut le savoir. Il a été impossible de tirer quoi que ce soit de l'Euguélionne à ce sujet.

Aussi, du fait réel de sa présence parmi nous, il nous a fallu extrapoler, tant l'Euguélionne est discrète sur ses origines.

XXIII

GÉNÉALOGIE

150.   Sans doute s'est-elle incarnée à la manière habituelle des dieux, continua le journaliste-exégète. Sa généalogie est longue, il faudrait nommer au moins 1500 générations de femmes qui l'ont précédée pour arriver à cette pure perfection qu'est l'Euguélionne.

On dit qu'elle est fille de la Nopaline, elle-même fille de Bethsabée qui est, on le sait, fille d'Ève, mère de l'Humanité. (Ève ayant été créée par la Déesse Wondjina en personne, malgré la croyance populaire qui veut que ce soit Adam qui l'ait engendrée.)

151.   Car Ève engendra Sarah qui engendra Rachel qui engendra Ruth qui engendra Esther qui engendra Judith qui engendra La Samaritaine qui engendra Thamar qui engendra Rahab qui engendra La Reine de Sabba, qui engendra Bethsabée qui engendra Marie-Made-

leine qui engendra Salomé qui engendra la Vierge Marie qui engendra Phèdre qui engendra Antigone qui engendra Lysistrata qui engendra Ariane qui engendra Iphigénie qui engendra Electre qui engendra Les Érinyes qui engendrèrent Sappho qui engendra Thérèse d'Avila qui engendra Jeanne d'Arc qui engendra Olympe de Gouges qui engendra Louise Michel qui engendra Marianne, qui engendra Madeleine de Verchères qui engendra Madeleine Parent qui engendra Marie Calumet qui engendra George Sand qui engendra les Brontë qui engendrèrent Virginia Woolf qui engendra Simone de Beauvoir qui engendra Betty Friedan qui engendra Kate Millett qui engendra La Nopaline qui engendra l'Euguélionne.

XXIV

L'EMASCULÉE CONCEPTION

152.   La conception de l'Euguélionne fut virginale, continua sur les ondes l'orateur australien qui paraissait mieux documenté que quiconque sur la question.

Le vrai père de l'Euguélionne resta puceau même s'il fut pour moitié dans la conception de l'Euguélionne. L'autre moitié étant l'œuvre, non de La Nopaline mais de la Cervelle Suprême de Wondjina. La Nopaline n'est que la mère putative de l'Euguélionne, bien que de descendance royale, comme on l'a vu.

153.   Et voici comment l'Euguélionne fut engendrée: La Nopaline sa mère était fiancée au Nopal. Or, avant qu'ils eussent mené vie commune, Le Nopal, à l'instar des hippocampes, se trouva porteur d'un ovule divin qui se féconda à son insu, aidé de sa propre gamète.

Tout cela lui advint ainsi que le lui avait annoncé la Messagère de la Très-Haute Wondjina, l'Archange Évangéline.

À cette annonce, Le Nopal avait répondu: « Je suis le serviteur de la Très-Haute Wondjina, qu'il en soit fait selon Sa Sainte Volonté. »

154.   Cet ovule provenait donc de la Cervelle Suprême et la réunion des deux cellules constituantes de l'Oeuf Divin s'était faite sans acte impur, sans fornication.

155.   Quand La Nopaline, qui était une jeune fille honnête, apprit que son futur époux était un fils-père, elle ne voulut pas le dénoncer publiquement (car les prestations inévitables du Bien-Être Social auraient trahi sa situation et terni sa réputation), elle ne le força pas non plus à avorter!

Après avoir cogité sur ce problème pendant quelques jours, — il fallait faire vite, la grossesse avançait — elle résolut de répudier sans bruit le coupable.

156.   Elle songeait à cela quand la Messagère Extra-Terrestre de la Très-Haute Wondjina, l'Archange Évangéline, lui apparut en songe et lui dit: « Nopaline, fille de Bethsabée, ne crains point de cohabiter avec Le Nopal ton futur. Car ce qui a été engendré en lui vient de la Cervelle Suprême.

   « Après neuf mois de gestation et un sommeil de neuf mois, il accouchera d'une Fille à laquelle tu donneras le nom de l'Eugué-lionne, car c'est elle qui annoncera la bonne nouvelle de la fin d'un certain esclavage sur la Terre. Elle viendra ici-bas pour redorer le blason de cet animal bizarre, de cet animal à mamelles et à vagin qu'on appelle *femme* avec mépris.

157.   « C'est un miracle, je le sais, car seules les femmes peuvent enfanter. C'est un miracle étrange et extraordinaire, mais, rappelle-toi, il y a eu un faux précédent dans la préhistoire préhistorique, à l'aube de l'Humanité, quand Adam réussit à rendre sa grossesse à terme pour accoucher d'Ève, la première femme. En réalité, c'est la Déesse Wondjina qui a créé Ève de ses propres mains, mais personne encore ne le sait sur cette terre.

   « Et tout ceci, continua l'Archange Évangéline, doit advenir pour accomplir cet oracle prophétique de la Très-Haute Wondjina: « Voici que le Puceau concevra et enfantera une fille à laquelle on donnera le nom de Déesse Suave et de Nouvelle Agréable. »

158.   Une fois réveillée, La Nopaline fit comme la Messagère Extra-Terrestre de la Très-Haute Wondjina lui avait prescrit: elle prit chez elle Le Nopal enceint et sans même essayer de le « connaître », c'est-à-dire, sans essayer de savoir comment il était fait, car elle était chaste et pure autant que son époux, elle le vit enfanter une fille à laquelle *elle donna* le nom de l'Euguélionne.

159.   Comment Le Nopal accoucha-t-il? Comment sa « josephté » en resta-t-elle intacte? C'est un profond mystère! On croit savoir que l'Euguélionne sortit de la cage thoracique de son père, avec la sixième côte d'Adam entre ses dents, *car elle naquit avec des dents!* De cela, personne ne peut en douter. Quant à la sixième côte, tout le monde la connaissait déjà sous l'appellation d'« os surnuméraire » que lui avait donné jadis l'évêque de Condom.

160.   Sitôt après la naissance, La Nopaline dit au Nopal: « Va pour cette enfant-là, mais les autres, c'est moi qui les fais. C'est clair? »

   C'était très clair pour Le Nopal qui était ravi de passer la main, si on peut dire, d'autant que ce travail d'enfantement avait vraiment épuisé toutes ses forces, vidé toute son énergie. Il se sentait lessivé. On avait entendu ses clameurs jusqu'aux fonds les plus reculés des campagnes.

161.   *Désormais, il s'en tiendrait aux enfantements spirituels...*

LA LIBELLULE

162. Ce reportage fit sensation. Mais il fut violemment controversé. D'aucuns disaient que l'Euguélionne ne pouvait être fille d'Ève puisqu'elle venait d'une autre planète.

Sans s'embarrasser de ce détail technique, considérant sans doute que, de toute façon, toute Divinité vient d'Ailleurs et doit obligatoirement s'incarner là où elle choit, une Association dont l'emblème était une « Casquette blanche » fit signer une pétition à ses membres pour contester au Nopal sa paternité. Un tel honneur, soit la parenté terrestre de la Divinité, ne pouvait revenir qu'à la Vierge Marie.

163. D'ailleurs, rien n'était plus scabreux que cette idée de faire accoucher un Homme. *Qu'une vierge soit mère,* c'était quelque chose à laquelle on était accoutumé, c'était normal en quelque sorte, et tellement plus touchant! tellement plus *humain!*

164. De son côté, quand elle eut connaissance de ce reportage, l'Euguélionne ne put s'empêcher de sourire. « Ils sont fous ces Humains! » semblait dire ce sourire…

165. Quant à Exil, elle écrivit un court article inattendu dans l'hebdomadaire qui l'employait.

En voici à peu près les termes:

> *Et soudain, nous vîmes une grande Libellule dont les quatre ailes faisaient un écran transparent entre le soleil et nous. L'air environnant vibrait d'une chaleur spontanée et cette grande Libellule se posa sur la neige de mars, toutes ailes frémissantes.*

166.   *— JE CHERCHE MA PLANÈTE POSITIVE, disait-elle.*

167.   *Alors, je lui criai de toutes mes forces:*
> *— Ce n'est pas ici. Tu es mal tombée, Libellule. Cherche ailleurs qu'ici ta Planète Positive.*

> *Mais ma voix fut étouffée par un tollé général.*
> *Un policier en civil s'approcha de moi et m'enjoignit de me taire sous peine d'expulsion.*

168.   *Et pourtant, conclut Exil, nous étions dehors, en plein air, sur la plus haute montagne. Comment aurait-il pu m'expulser? À moins de me précipiter dans la plaine?…*

FIN DU PREMIER VOLET

ELLE EST A VOUS POUR
17·FRS !

DEUXIÈME VOLET

LES
PARAMÉCIES
MASSACRÉES

« Aucune cellule d'aucun organisme vivant, fût-il humain, ne peut être comparée à une paramécie, au plan des réalisations individuelles. (...) « De quoi suis-je capable? — De tout! » a l'air de suggérer cette cellule de Ciliés. »

Max de Ceccaty, *in La Vie, de la cellule à l'homme.*

« Elle est à vous pour 17 francs. »

NOTRE-DAME-HORS-LES-MURS

Voici ce que dit l'Euguélionne, en ces temps-ci de notre Préhistoire:

169. — Marchant sur les traces des Hommes, je suis arrivée à un endroit où il était impossible d'aller plus loin. À moins de franchir une haute et épaisse muraille.

L'idée de franchir cette muraille ne serait venue à personne. Il régnait là une atmosphère morbide et nauséabonde. N'importe qui de sensé se serait éloigné tout de suite. Mais moi, dit l'Euguélionne, poussée par la curiosité, je m'avançai, cherchant à savoir ce qu'il y avait derrière ce mur. Ce ne pouvait être un dépotoir ordinaire car pourquoi aurait-il été à ce point inaccessible?

170. — En regardant bien, je finis par lire l'inscription suivante sur la pierre usée:

> *Passant, ne va pas plus loin*
> *De l'autre côté c'est*
> *Notre-Dame-Hors-les-Murs*
> *Cet endroit est impur et malsain*
>
> *Ce qu'il y a derrière ce mur*
> *C'est un antique volcan éteint*
> *C'est*
> *Entre la terre et l'éther et le temps*
> *Une étampe d'acier*
> *D'où mitraille depuis des siècles*
> *LE CRI DÉSERTÉ.*

Ce dernier vers était énigmatique, dit l'Euguélionne car j'avais beau prêter l'oreille, il régnait là une atmosphère de silence absolu.

II

LE CRI DÉSERTÉ

171. Je restais là, méditant sur les vers de l'inscription quand soudain, je crus percevoir un bourdonnement dans mes oreilles.

« C'est la fatigue d'être là, dans cette atmosphère insoutenable, » me dis-je. Et je résolus de quitter cet endroit antipathique. Je rebroussai chemin et me mis à marcher en direction opposée. Mais le bourdonnement s'amplifiait.

J'accélérai. Il devint immense, envahissant tous mes pores pour se frayer un chemin dans le sourd de ma chair. Il m'accapara jusqu'à faire de moi une seule Oreille Gigantesque capable d'absorber tous les bruits du monde, du monde inouï qui se dissimulait parfaitement derrière le mur.

172. Je m'arrêtai, à bout de souffle. Et c'est le *cri*, le hurlement à l'état pur qui se fit entendre. Il était, semble-t-il, interminable. D'un seul souffle unique, interminable, sans pause ni repos.

Puis, des paroles prirent corps dans ce cri, des paroles distinctes, articulées, monocordes, dans le suraigu, dans l'intolérable.

173. *J'ai hurlé, j'ai hurlé, j'ai hurlé, j'ai hurlé dans un désert. Je hurle dans un désert. Est-ce un désert? Ou ma voix émet-elle des ultra-sons inaudibles à mes pareils?*

Ou bien, comme une chauve-souris au radar défectueux, me suis-je cognée aux choses et aux gens et ai-je inspiré de l'effroi ou de la répugnance?

J'en vois un qui me tend ses ordures avec dédain, l'autre qui époussette son divan avec indifférence.

J'ai hurlé, hurlé, hurlé, hurlé. Est-ce que vous m'entendez maintenant? Est-ce que quelqu'un m'entend?

174. *La grande marche est commencée. Telle un incendie de forêt inextinguible.*

Je marche comme une flamme impatiente et implacable. Et je génère les flammes impatientes et implacables sur mon passage.

La grande marche est commencée vers les villes, la marche vers les Hommes. Car je ne suis pas un Homme. Je suis une PARAMÉCIE MASSACRÉE.

III

LA MARCHE DES PARAMÉCIES

Le feu ne choisit pas ses victimes, continua le cri déserté. Le feu ne choisit pas ses victimes quand il est en marche. Il ne fait pas de différence entre le bois mort et le bois vif. Il ne distingue pas ce qui est ouvert et ce qui est fermé. Personne n'a idée de mettre un cadenas à ses biens pour qu'ils soient à l'épreuve du feu.

Les Paramécies que l'on massacre depuis des siècles sont en marche vers les Hommes.

175. *Les Paramécies Massacrées sont en flammes et gagnent du terrain. Elles viennent par couches anciennes et par couches contemporaines. Elles viennent par couches de milliards, par couches de millions, par couches de milliers, par couches de centaines, elles viennent par couches de dizaines, elles viennent par Unités. Vous pourrez les dénombrer. Vous pourrez les nommer, car elles ont toutes reçu un nom au temps de leur enfance.*

176. *Et la première Paramécie qui fut massacrée dans la nuit des temps, elle est là, tout près. Celle-là, cette première Unité, n'est pas moins menaçante que l'Unité Numéro Milliard et Demi de la couche actuelle.*

À chaque génération nouvelle s'ajoute la couche précédente. Vous pouvez les compter. Elles se chiffrent par milliards. Elles sont en marche vers les Hommes. Et quand elles les auront atteints, il se pourrait qu'elles s'éloignent définitivement des Hommes. Car elles ne sont pas des Hommes. Elles sont des PARAMÉCIES MASSACRÉES.

IV

L'ARME DU CRIME

177. *Elles sortent de la nuit des temps. Elles se réveillent. Elles se souviennent tout à coup qu'elles ont été massacrées.*

178. *Celui qui a été assassiné ne sait pas qu'il a été assassiné, car la mort lui apporte aussi cet oubli. Par conséquent, il ne sait pas qui l'a assassiné. Il ne sait pas comment celui-ci s'y est pris. Il ne sait pas pourquoi. Car il s'est toujours dit: « Pourquoi m'assassinerait-on? » Même le pire des malfaiteurs ne croira jamais qu'on pourrait aller jusqu'à l'assassiner pour le punir.*

Mais, quelle que fût l'arme qui lui ôta la vie, cette arme a concentré en lui un tel pouvoir d'illumination qu'au long des siècles, son réveil se prépare. Un jour, cette lumière devient si aveuglante que la victime éblouie revient à la vie. Et, dès ce moment, elle sait. Elle sait et, aveuglément, court à sa vengeance.

179. *C'est la haine, l'exaspération, la rage étale, l'impossibilité d'embrayer sa vie d'une manière ou d'une autre et de prendre des passagers sur sa route, c'est la souffrance de sentir son cerveau toujours prêt à éclater sous une injonction sans appel, c'est cela que ressentent depuis des siècles les victimes du Massacre et qui les pousse à agir*

enfin. Car elles se réveillent enfin. Et maintenant, elles savent. Elles sont en marche. Elles sont en marche vers les Hommes qui les ont assassinées, même si ce fut parfois en toute innocence.

Voilà, dit l'Euguélionne, les paroles qui étaient greffées sur le cri interminable et déserté que j'ai entendu sur votre planète, à proximité d'un endroit nommé *Notre-Dame-Hors-les-Murs.*

V

LA LÉGENDE DES PARAMÉCIES

180.   De retour dans la ville, dit l'Euguélionne, je suis allée trouver Exil.

— Parle-moi du Massacre des Paramécies, lui dis-je.

— Au commencement étaient les Paramécies, dit Exil. C'étaient des animaux unicellulaires, extrêmement créateurs, protéiformes, grands inventeurs de systèmes, qui étaient les recherchistes efficaces que la nature avait engagées pour voir jusqu'où une cellule pouvait aller trop loin.

Mais le grand Pourvoyeur Protecteur de l'Évolution des Espèces qui voulait en venir aux Métazoaires trouvait que les Paramécies étaient décidément trop individualistes et, telles qu'elles étaient parties, n'accepteraient jamais de vivre en communautés. C'est, du moins, la conclusion à laquelle, seul, il arriva et adhéra fermement avec une conviction inébranlable, car il n'eut même pas l'idée, pourtant primaire, de consulter les principales intéressées sur ce sujet.

Voilà pourquoi, résolu à agir, ce grand Pourvoyeur — qui n'était autre qu'une Paramécie déguisée — choisit les moins évoluées d'entre ses congénères, la moitié exactement, et leur remit un bâton en leur disant: « Il faut réduire à néant le potentiel d'au moins la moitié d'entre vous, justement cette moitié qui n'a pas reçu le pouvoir du Bâton. Ce bâton vous permettra de défoncer, de matraquer, de démolir, de détruire, de commander, d'abrutir, d'assommer, de dominer, de régner en maîtres, et de tirer une gloire incommensurable de tous ces forfaits. »

La cérémonie de la remise des Bâtons fut immédiatement suivie de la remise des Cerveaux ou de ce qui leur tenait lieu de cerveaux, c'est-à-dire une infrastructure extrêmement perfectionnée.

Cette dernière cérémonie ne consistait pas à distribuer des cerveaux mais à les enlever à la seconde moitié des Paramécies et à les remettre aux Paramécies dotées d'un bâton qui en firent en un clin d'œil de la bouillie pour les chats du Futur.

Pendant le Massacre, les Paramécies sans défense criaient:

« Nous étions prêtes à assumer l'évolution des Espèces, mais pas à ce prix, pas à ce prix! »

Ce massacre des cerveaux des Paramécies qui eut lieu dans la nuit des temps fut improprement appelé plus tard la castration de la moitié de cette espèce.

181.   Et le grand Pourvoyeur proféra sa malédiction: « Vous serez des Pourvoyeurs, dit-il aux Paramécies matraqueuses et vous jouerez du bâton pour vous faire obéir. »

Et aux autres: « Vous retournerez au stade primitif des Amibes insignifiantes, des pseudopodes remplaceront vos subtils organes de locomotion, vous serez astreintes à faire évoluer les espèces et à les perpétuer. Vous continuerez à naître Paramécies avec la brillante intelligence qui était la vôtre, mais vous serez forcées de devenir les Parasites de ceux qui tiennent le bon bout du bâton et qui, ayant réussi une fois à vous décérébrer, répéteront cet exploit de jour en jour et de siècle en siècle, jusqu'à l'extinction de la dernière espèce que vous engendrerez. Car, ne l'oubliez jamais: *le pouvoir est au bout du Bâton!* »

182.   À la suite de ce Massacre, toutes les Paramécies continuèrent à naître Paramécies, mais la moitié d'entre elles devenaient vite comme des Amibes, vivant sous la menace constante du Bâton, tandis que l'autre moitié, tout en poursuivant leurs réalisations individuelles, se groupèrent et prirent l'aspect de *flagellés* lesquels, dit-on, furent à l'origine de la souche humaine. Mais c'était sur les Paramécies Massacrées qu'ils faisaient reposer tout le poids et toute la responsabilité de se reproduire, ce qui leur laissait le loisir de perfectionner leur propre espèce dite de « la Bastonnade », avec plus ou moins de succès.

183.   Tu trouveras cette histoire un peu simpliste mais ce n'est qu'une légende, conclut Exil. Et, comme toutes les légendes, elle dresse une cloison étanche entre les bons et les mauvais, fussent-ils microscopiques.

— Elle me rappelle ce que j'ai appris dans la Forêt des Squonks au sujet du Bâton de Maréchal, dit l'Euguélionne.

— Il se peut, dit Exil malicieusement, que ces deux histoires aient la même origine. L'évolution des espèces qui aboutit à l'Homme a peut-être donné comme résultat de faire aussi évoluer le Bâton des Paramécies jusqu'au grade de Maréchal...

— Deux choses m'étonnent, cependant, dit l'Euguélionne. La première, c'est que la moitié des Paramécies dotées d'un bâton aient obéi aveuglément au Grand Pourvoyeur et aient massacré leurs sœurs sans merci.

— Justement, dit Exil, j'ai oublié de te mentionner qu'il n'y a qu'un petit nombre de ces Paramécies qui ont obéi. Les autres ont refusé catégoriquement et se sont abstenues de tout acte de violence.

— Et que leur est-il arrivé? Ont-elles été punies?

— D'abord, on leur a enlevé leur bâton et à quelques-unes

d'entre elles on a aussi enlevé le cerveau. De sorte que ces Paramécies tombèrent elles aussi sous le joug de celles qui avaient obéi au Grand Pourvoyeur. Mais, comme elles avaient déjà eu le bon bout du bâton, la plupart d'entre elles se croyaient autorisées à considérer de haut celles qui n'en avaient pas eu du tout.

184. — La deuxième chose qui m'étonne, dit l'Euguélionne, c'est que j'ai réellement entendu le hurlement des Paramécies Massacrées du côté de Notre-Dame-Hors-les-Murs. Cet interminable cri n'était pas légendaire. Et puis, pourquoi disaient-elles que c'étaient les Hommes qui les avaient assassinées?

À ces dernières paroles de l'Euguélionne, Exil ne voulut pas apporter de réponse.

VI

L'ÎLE DES ACCOUCHÉES

— J'ai demandé à Exil de me guider sur les chemins de la planète Terre, dit l'Euguélionne.

185. Exil me présenta son amie *Omicronne*, une petite bonne femme haute comme trois pommes avec, tout en haut de ce fragile édifice, des yeux de jais tombés, semblait-il, d'un nid comique tout en sombre broussaille.

Nous fûmes invitées chez le frère d'Omicronne, qui est cinéaste et qui a fait récemment l'acquisition d'un château sur le bord de l'eau, en banlieue de la ville.

Chemin faisant dans la voiture d'Exil, Omicronne nous raconte des histoires de son pays d'origine.

186. — Dans notre petite île, dit Omicronne, une très vieille coutume veut que les femmes, quand elles viennent d'accoucher, partent en courant vers la mer, dans de longues robes blanches. Puis, elles se couchent sur la plage, face contre terre, clouent leur main droite dans le sable, et, de l'autre main, tracent une figure et la caressent d'un geste circulaire jusqu'à ce que ce mouvement s'éteigne de lui-même; en réalité, c'est la mort qui est venue l'interrompre.

187. — Est-ce vraiment une coutume, demandé-je? N'est-ce pas plutôt une vieille légende?

— C'est une coutume, dit Omicronne. C'est pourquoi toute notre famille a émigré et est venue s'installer dans cette ville.

— Et tu as accouché ici?

— J'ai accouché deux ou trois fois, je ne sais plus très bien, dit-elle curieusement.

— Il semble que le climat de cette ville t'ait été plus favorable que si tu étais restée dans ton île... Car tu me parais bien vivante...

— Ne te fie pas aux apparences, dit Omicronne.

188.   Juste à ce moment, dit l'Euguélionne, nous sommes intriguées par une scène qui se passe dans un champ à découvert le long de la route.

Exil gare sa voiture sur le bas-côté et nous descendons toutes les trois.

Nous nous approchons. Nous voyons un groupe de paysans autour d'une fosse peu profonde. L'un tient dans ses bras un chien mort, un autre tient une belle chatte grise, potelée et bien vivante, un troisième tient une pelle.

Un paysan dit: « Il faut les enterrer tout de suite, ne perdons pas de temps. »

Les autres paysans approuvent. Alors, le premier jette le chien mort dans la fosse. Le second dit au troisième: « Fais vite! Je n'aime pas ça! » Le troisième lève sa pelle et en assène un coup terrible sur la tête de la chatte grise. Celle-ci est assommée mais elle n'est pas morte. Elle bouge faiblement.

Vivement, le deuxième la jette dans la fosse et le troisième avec sa pelle jette de la terre sur elle et sur le chien jusqu'à ce que la fosse soit recouverte entièrement au niveau du sol.

Puis, les paysans sèment quelques grains sur cette terre fraîchement retournée et s'éloignent.

189.   Nous nous approchons de la tombe. Nous fixons cette terre. Omicronne et Exil sont médusées. La chatte va-t-elle se réveiller? Va-t-elle tenter de sortir? Elles sont là, toutes les deux, à se demander quoi faire et n'osant trouver une solution dans la crainte de voir revenir les paysans.

Alors, je dis: « Il n'y a qu'une chose à faire, mes amies, sortons-la du trou, elle vit peut-être encore. » À peine ai-je dit cela que nous voyons la terre se mettre à bouger. Nous soupirons, soulagées. La chatte est revenue à elle! Il faut l'aider à la sortir de là.

190.   Mais avant même que nous n'ayons fait un geste, nous voyons poindre la tête d'un tout petit chaton qui essaie d'ouvrir ses yeux pleins de terre, et cherche désespérément à se dégager.

Nous nous précipitons et l'extrayons de la fosse. Exil le prend dans ses bras et lui nettoie les yeux. Elle le berce et lui dit: « Tu vas venir chez moi, je te garde. Mes enfants vont t'adopter. »

Pendant ce temps, Omicronne et moi nous fouillons la terre dans l'espoir de retrouver la mère vivante. Hélas, il semble bien qu'elle ait rendu son dernier souffle. Deux autres petits chatons sont près d'elle, sans vie.

Comme le chaton vivant cherche à téter, Exil l'approche de la chatte dont le ventre a de quoi nourrir toute une portée. Aussitôt qu'il est rassasié, Omicronne rejette la terre sur elle en disant:

« T'en fais pas ma vieille, *ton petit chat est né!* »

DES YEUX DE CHARBON ARDENT

191.   Nous arrivons enfin au château. La réception est donnée pour marquer le premier tour de manivelle du prochain film d'*Upsilong*. Il dit en riant que ce sera un film pour enfants car il y aura là-dedans plein de séquences de magie.

Exil va porter son petit chat à la cuisine pour qu'on lui donne à boire. La prenant pour une servante surnuméraire, le maître d'hôtel veut forcer Exil à éplucher les pommes de terre. C'est avec peine qu'elle sortira des griffes de ce curieux despote.

La table est dressée dans la cour du château sous les arcades en pierres d'une ancienne promenade de style monastique. Il y a énormément de gens qui se pressent autour, des plus sophistiqués aux plus extravagants.

192.   Je vois des enfants courir et s'agiter comme des mouches bourdonnantes autour des invités. Parmi eux, une fillette d'environ six ans attire mon attention. Il y a quelque chose en elle d'inhabituel et je n'arrive pas à discerner ce que c'est, car elle me paraît par ailleurs en tous points semblable aux autres enfants.

Comme les autres enfants, elle est vêtue à l'ancienne, me semble-t-il, et je présume qu'elle est là, comme les autres, pour figurer dans le film. Elle a une jolie robe blanche à froufrous et une ceinture élastique rose, très large, fermée par une boucle en cuivre.

Sa gouvernante essaie de la rattraper, sans succès. « Étéa! Mademoiselle Étéa! Venez par ici! » Elle se tourne vers moi, découragée et me dit: « Elle est terrible, vous savez. Elle va encore salir sa robe. Ça n'y paraît pas, mais elle vient tout juste d'avoir cent ans! Eh oui, c'est une fillette de 100 ans et si vous saviez les problèmes que ça cause! »

193.   Exil et moi, nous nous regardons sans comprendre. Je demande à Exil s'il est courant sur sa planète que les fillettes soient centenaires. Elle me dit: « Bien sûr que non, c'est la première fois que j'entends ça. Ou bien sa gouvernante déraille, ou bien cette petite joue un rôle spécial dans le film. »

Malgré cette explication, nous nous sentons mal à l'aise. Nous la regardons s'ébrouer avec les autres près du mur de pierre peint à la chaux qui entoure le jardin. Elle semble disparaître dans ce mur tant sa robe est éblouissante sous le soleil qui en est encore presque au zénith.

194.   Car elle a enlevé sa ceinture. Et maintenant, elle se dispute avec ses camarades. Je sens presque physiquement sa tension monter. Je la vois battre les autres enfants avec sa ceinture. Elle les secoue, les étrangle, les bat à mort. Ses yeux sont exorbités. Je ne vois que ses yeux: ce sont deux charbons ardents incrustés dans le mur de pierre peint à la chaux. Et j'entends sa voix, sa voix qui perce les oreilles:

« Je suis mauvaise, moi, je suis mauvaise! »

LE CHÂTEAU ASSIÉGÉ

195. · Il ne faut pas moins de trois hommes costauds pour maîtriser cette étrange fillette, dit l'Euguélionne. Un des enfants est gravement blessé, le front ouvert, sans doute par la boucle de la ceinture. Il faut le transporter d'urgence à l'hôpital. L'atmosphère de la réception qui était magnifique, du coup s'assombrit. Plusieurs personnes, surtout les parents des enfants, veulent quitter l'endroit, bien que le programme de la journée soit chargé et celle-ci à peine commencée.

196. Aidé de sa sœur Omicronne, Upsilong réussit à remettre un peu de gaieté dans l'assemblée. Il propose de nous lire une partie de son scénario, tandis que les techniciens et les comédiens se préparent, les premiers à tourner, les seconds à jouer la première séquence du film.

Parmi ceux-ci, je remarque une troupe de jeunes femmes, toutes jolies, toutes blondes, toutes aux yeux bleus, et toutes coiffées avec des anglaises. Elles se ressemblent tellement que c'en est un peu hallucinant. J'essaie vainement de repérer l'héroïne parmi elles.

197. — Voici, dit Upsilong, le film est une satire des mouvements féministes du siècle dernier. Même si je considère que le féminisme est du folklore, c'est très amusant d'en parler et surtout de le mettre en action.

La scène a ce château comme décor. Il n'est habité que par des femmes dédaigneuses du sexe fort. Un jour, le château est assiégé par une meute d'hommes durs et grossiers parmi lesquels quelques-uns réussissent à en forcer la porte et à pénétrer à l'intérieur. Les femmes courent en tous sens pour se trouver des cachettes.

L'une d'elles se dissimule dans un placard où la petite bonne s'est déjà réfugiée. Un homme ouvre le placard et s'empare de la bonne. Rien de plus facile: lui a des muscles, elle pas.

Son compagnon, un géant aux yeux bleus et aux cheveux blonds, vêtu d'une salopette souillée, regarde l'autre petite femme qui est toujours dans le placard. Il la jauge de pied en cap, la nargue, sûr de sa force, sûr de la posséder bientôt. Son sexe vient entériner cette assurance de façon nettement visible et tangible.

Mais voilà qu'il se heurte à quelque chose d'imprévu. Au lieu d'avoir peur, la fille le regarde froidement. C'est ce regard inattendu, c'est ce sang-froid, ce calme mépris, c'est ce simple regard qui le toise calmement avec mépris, sans sourciller, sans l'ombre d'une frayeur quelconque, c'est cela qui le déconcerte tout à coup. Il est déjoué. Il ne sait plus où fourrer ses grosses pattes. Tous ses « prérequis » s'en vont à la débandade...

Alors, la fille en profite pour déguerpir.

198. Elle vient aussitôt prêter main-forte à ses compagnes qui forment un barrage à la porte. Barrage vite rompu, repoursuite, refuite.

Finalement, tout le monde se retrouve dehors en deux camps,

prêts à s'affronter. Il semble bien que les filles auront le dessous, mais quelque chose d'astucieux va survenir qui leur fera marquer un point.

L'héroïne vient d'être capturée par les hommes. Alors, deux de ses proches amies trouvent enfin sur le sol le palliatif qui s'impose. C'est une fraise magique, une toute belle fraise des champs que l'une des deux amies ramasse et lance à l'héroïne. Aussitôt, les hommes se transforment en gros chardons.

Mais ces chardons sont rouges et ardents, et rangés en ordre de bataille. Ils s'approchent, menaçants, du camp des filles. Celles-ci sont obligées de battre en retraite et de se réfugier dans le château.

199.   Les chardons ne tardent pas à envahir le château. La joute se termine autour du piano où les filles se sont groupées. Cet instrument semble lui aussi avoir des vertus magiques, car les ennemis ne peuvent s'en approcher.

200.   — Est-ce tout, demande-t-on à Upsilong?

— Non, non, ce n'est que le début du film, une sorte de prologue. Nous allons en tourner quelques séquences aujourd'hui.

— Et comment feras-tu pour transformer les hommes en chardons, demande Omicronne à son frère?

— Bof, dit l'autre, c'est l'enfance de l'art.

IX

DES INVITÉES PONDÉRABLES

— Jusqu'ici, dans ton scénario, dis-je à Upsilong, je ne vois que de l'antagonisme sexuel mêlé à beaucoup d'attirance. Où est la satire?

— Elle viendra, elle viendra, avec le reste, dit Upsilong. Et la voilà justement, dit-il en riant comme il se tournait vers l'entrée, la voilà en chair et en os.

201.   Ce qui venait par l'entrée, continua l'Euguélionne, ce n'était peut-être pas la Satire avec un grand S, mais c'était une très belle femme aux très longs cheveux noirs.

— Je te présente ma sœur jumelle *Epsilonne*, me dit le cinéaste avec fierté.

Ces deux êtres avaient l'air faits l'un pour l'autre, comme vous dites. Dès qu'ils furent en présence, j'eus l'impression d'entendre un déclic semblable à celui que font deux rouages quand s'engrènent l'un dans l'autre...

Je dis à Omicronne.

— Ils ont l'air de bien s'entendre.

— On dit qu'ils couchent ensemble, dit Omicronne sans se soucier d'être entendue ou pas par les intéressés. Mais il ne faut pas se fier à ce qu'on dit. Ils n'ont pas leurs pareils tous les deux pour inventer et perfectionner des personnages.

— Que fait Epsilonne dans la vie?

— Elle est psychologue et anime une émission à la radio. Elle répond à des lettres de mères angoissées et leur donne des conseils éclairés...

— Eh oui, dit Epsilonne, se tournant vers nous, et c'est un métier passionnant. Mais, où est ton mari, dit-elle à sa sœur?

— Il est à la maison et garde les enfants.

— Sans blague, pouffe Epsilonne! Ce n'est pas possible!

— Tu as raison, ce n'est pas possible en effet. Il est à un congrès d'écrivains, dit Omicronne tristement.

202.   Un groupe d'invités entourent la nouvelle venue. Epsilonne leur raconte qu'elle-même est allée la veille à un congrès de Radio et de Télévision et que, l'hôtesse lui ayant demandé son nom, celle-ci crut qu'elle était la femme d'Upsilong.

— Vous n'êtes pas invitée pour vous-même, lui dit cette hôtesse sèchement, mais parce que vous êtes la femme d'un grand cinéaste.

— Mais pas du tout, réplique Epsilonne. D'abord, Upsilong n'est pas mon mari, c'est mon frère. Ensuite, il n'est même pas invité. C'est MOI, moi, Epsilonne, psychologue et commentatrice radiophonique, qui suis invitée personnellement à votre congrès.

Alors, l'hôtesse l'avait laissée entrer. Epsilonne avait remarqué qu'elle prenait des notes sur chaque congressiste féminin qui se présentait.

Profitant d'une courte absence de l'hôtesse, Epsilonne s'approcha discrètement et put lire ces mots à côté de son nom: *Maquillée avec de la poudre, pas de gras sur les paupières, hauteur: 5 pieds 6 pouces, poids: 125 livres, âge: 33, beauté grecque, bouche trop grande, naturellement nie être mariée au cinéaste Upsilong.* Des notes dans le même style étaient inscrites à la suite des noms de chacune des invitées.

— Je me demandais, poursuit Epsilonne, comment elle pouvait consigner de façon si précise des détails, somme toute perçus de façon approximative chez la plupart des gens, car c'étaient exactement ma hauteur, mon poids et mon âge, que l'hôtesse avait notés.

203.   « Je m'éloignai vivement de son bureau car je la voyais revenir. Elle continua son petit manège. À un certain moment, je la vis refuser l'entrée à une jeune femme très jolie et un peu ronde. Je les vis discuter avec animation, puis, j'entendis distinctement ces mots: « Vous avez 5 livres de trop, mademoiselle, vous ne pouvez pas entrer. »

— Mais... et d'abord, comment savez-vous cela, demandait la pauvre fille?

— Vous avez les deux pieds sur une balance, dit-elle dédaigneusement.

Cette balance était sûrement dissimulée sous le tapis.

Alors, continue Epsilonne, la jeune femme devint rouge comme une pivoine. Elle était suffoquée de honte et d'indignation. Elle quitta l'antichambre et sortit sans demander son reste. »

— Très amusant, dit Upsilong. Je vais me servir de ça dans un de mes prochains films.

X

CHASSÉ-CROISÉ

204.   — Ce n'est pas tout, dit sa sœur. Au cours de la soirée, l'hôtesse vint me trouver et me dit d'un petit ton triomphant: « Vous savez, je suis le mari de monsieur Upsilong! » Elle est folle, pensai-je aussitôt. Devinant ma pensée, elle insista: « Vous croyez que je suis folle. Mais vous vous trompez. Je suis un homme déguisé en femme. »

Cette révélation était si saugrenue, si invraisemblable, que je partis d'un grand éclat de rire. Elle semblait offusquée. Elle rétorqua, haineusement:

— Vous croyez qu'Upsilong vous aime, mais vous êtes dans l'erreur. Vous vous faites des illusions à son sujet. C'est moi qu'il aime puisque nous sommes mariés ensemble.

Alors, je lui dis encore une fois qu'Upsilong était mon frère et non mon mari, qu'elle pouvait donc dormir sur ses deux oreilles, pour autant que le sujet me concernait. J'ajoutai que si, par impossible, son histoire était vraie, elle serait, à la rigueur la femme d'Upsilong et non son mari, puisque lui était un homme, et un vrai, pas un travesti.

— Et comment donc, s'écrie Upsilong en gonflant ses muscles! Et que t'a dit cette dingue quand tu as avancé cet irréfutable et ultime argument?

— Elle a haussé les épaules, dit Epsilonne: « Je n'étais pas obligée de vous mettre au courant, me dit-elle avant de s'éloigner. Et vous, vous n'êtes pas obligée de me croire. »

205.   — Quelle drôle d'histoire, dit Omicronne, la petite sœur des deux autres qui me semblait si différente. Peut-être es-tu « bilingue », mon cher frère, lance-t-elle à l'adresse d'Upsilong.

Tout le monde éclate de rire. Upsilong ne semble pas se formaliser de cette hypothèse qui n'est certes pas plus biscornue que toutes les affirmations qu'avait proférées l'hôtesse en question.

206.   Les invités d'Upsilong sont tous plus ou moins émoustillés par les propos d'Epsilonne et surtout par sa présence. Quelqu'un propose un tour de danse.

— Ce n'est pas le moment, dit Upsilong. Car l'heure est venue de donner le premier tour de manivelle.

DANSER EST MAGIQUE

Mais une excitation subite s'empare alors des invités, poursuit l'Euguélionne. Une musique effrénée s'élève et envahit la cour du château. Chacun et chacune s'accouplent. Chaque couple est déchaîné et se défait à mesure qu'il se forme et chacun doit constamment se trouver un partenaire.

207. Tout à coup, un des danseurs arrête la danse et dit en riant tandis que tout le monde fait cercle autour de lui: « Regardez-moi, je vais faire un tour de magie qui va vous couper le souffle. »

Et, ayant dit ces paroles, il disparaît complètement, totalement, absolument, sans bavures, sans tapis ni tentures, sans laisser de traces, un coup il y est, un coup il n'y est plus. Comme « l'homme invisible » ni plus ni moins.

Et, effectivement, tout le monde en a le souffle coupé. Une femme s'approche, avance la main avec prudence et touche l'endroit où le danseur a disparu. Aussitôt, Epsilonne la tire en arrière. « Ne faites pas ça, *ne touchez pas cet endroit*, car l'homme qui est disparu devra mourir et on ne le reverra plus. »

208. Une tristesse accablante s'abat sur les témoins de ce tour de passe-passe. Un vent inhabituel de superstition et de peur souffle sous leur crinière blasée et va jusqu'à chatouiller leur boîte crânienne désabusée.

Celle qui a « touché l'endroit » est confuse. Elle se sent vaguement coupable d'un crime involontaire. Les autres la regardent avec méfiance et désapprobation, d'autant plus que l'on vient d'apprendre que le disparu est son mari…

Mais, quelque temps plus tard, on voit réapparaître celui-ci qui semble en excellente forme.

Alors, rassuré, Upsilong donne son premier tour de manivelle. Exil va chercher son petit chat à la cuisine. Et nous assistons aux premières prises de vue du *Château assiégé*.

XII

LA VIEILLE EST LÉGÈRE

209. Il est assez tard, ce soir-là, quand nous rentrons en ville, dit l'Euguélionne.

Juste devant nous, nous voyons un autobus pressé frôler une vieille dame qui marche péniblement à l'aide d'une canne. Nous ralentissons pour nous assurer que la vieille n'a pas été touchée. Elle nous fait signe en levant sa canne que tout va bien. Nous continuons donc notre route.

Un peu plus loin, Exil freine brusquement. Là, en travers de la chaussée, une forme humaine inanimée est couchée, face contre terre.

Descendues en hâte de la voiture, nous nous penchons toutes les trois sur elle. C'est encore une petite vieille. On dirait bien qu'elle est morte. On dirait bien aussi qu'elle a été renversée par un véhicule, car ses vêtements sont souillés et tiraillés, des traces de pneus tout près d'elle sont visibles.

Faut-il la ramasser ou appeler la police? Exil et Omicronne sont indécises.

210.   — On ne peut la laisser là, dis-je, au milieu de la rue. N'ayez crainte: je sais manipuler les blessés.

Je la soulève dans mes bras et je constate qu'elle est très légère. Je n'ai pas besoin d'aide pour la transporter sur le trottoir. Exil est partie chercher du secours. Bientôt arrive une ambulance dont la sirène stridente semble réveiller la vieille un court instant.

Je l'accompagne jusqu'à l'hôpital. On l'installe sur un lit dans un couloir de l'Urgence. L'infirmier me dit: « Je crois bien qu'elle est finie. »

211.   Juste à cet instant, la vieille ouvre un œil et me dit, très distinctement: « J'ai encore deux ou trois petites choses à faire. » Elle me nomme ces choses lentement, consciencieusement, en disant d'abord « premièrement », puis, « deuxièmement », et enfin, « troisièmement ». Hélas, j'ai beau prêter l'oreille, ce qu'elle nomme entre chacune des trois énumérations m'échappe complètement. Je n'entends que les mots « premièrement », « deuxièmement » et «troisièmement ». L'énoncé des trois obligations de la vieille est parfaitement inaudible.

XIII

DITES-LE AVEC DU CHOCOLAT

212.   Un jeune interne de garde examine la petite vieille légère derrière un paravent où son lit a été poussé. En la dévêtant, il s'aperçoit que son dos, sa poitrine, son ventre et ses cuisses sont couverts d'entailles profondes. Dans les plaies qui s'infectent, du sang séché et des débris de verre. Du verre bleu, du verre vert, du verre rouge, il y en a de toutes les douleurs. L'interne me regarde, incrédule. À ce moment, nous entendons la voix de la vieille. Elle parle sans ouvrir les yeux.

— Quelqu'un m'oblige à broyer sur moi du verre brisé. Mais

je ne suis pas assez dure. Mon corps n'est pas assez dur pour piler le verre.

— Qui vous oblige à cela, dit doucement l'interne?

— Quelqu'un… répond-elle, laconique. Puis, elle tombe dans un état proche du coma.

213. — C'est du délire d'indignité accompagné de psychose maniaco-dépressive qui se manifeste par des actes de masochisme auto-accusateurs et autopunitifs de type suicidaire, me dit le jeune interne dans un seul souffle.

Je le regarde, intriguée, et je suis sur le point de lui poser une question, mais il continue à voix basse:

— Il n'y a plus rien à faire pour elle. Elle va mourir cette nuit ou demain.

Et il demande à l'infirmier de la pousser à nouveau dans le couloir.

214. Je suis remplie de compassion pour cette pauvre vieille. Le couloir est sombre et vide sauf qu'il est rempli à pleine capacité, en longueur, en largeur et en hauteur d'une tristesse infinie qui me transperce jusqu'à la moelle.

Tandis que je suis là, à veiller la mourante, on chuchote derrière moi, quelqu'un m'appelle. Je me retourne et vois, chose étonnante à cette heure tardive, un homme sans âge qui pousse un petit chariot dans lequel est disposée une pyramide de friandises dont l'équilibre me semble à tout instant menacé. En réalité, il n'y a, dans ce chariot, qu'une variété de friandises. C'est une tablette de chocolat recouverte de papier jaune sur lequel sont inscrits ces mots en caractères noirs: AIDEZ-LES À MOURIR!

215. L'homme en prend une en haut de la pyramide et il me dit, d'une voix suppliante:

— Achetez-m'en une. Je vous en prie. Achetez-en une pour elle, la pauvre vieille. Elle sera si heureuse! C'est une charité à lui faire. Ça l'aidera à « passer ».

216. J'ai envie de lui dire qu'au contraire, c'est très indélicat de mettre sous le nez des gens des rappels de leur fin prochaine. Mais l'homme me fait pitié et je lui achète une de ses curieuses tablettes qui me semblent tout à coup très suspectes, l'inscription vue de près me paraissant être une invitation non déguisée à l'euthanasie. « Sa dernière petite douceur, dit l'homme. »

Je la dépose sur le pied du lit de la vieille. Je constate alors qu'une autre tablette est déjà là, sans que je l'aie remarquée plus tôt, mais cette deuxième tablette de chocolat est de marque ordinaire. Je me demande qui l'a mise là, et, était-ce en ma présence?… Et dans quel but?…

La vieille est morte dans la nuit sans avoir repris conscience et sans avoir goûté à sa «sa dernière petite douceur », dit l'Euguélionne.

LES TROPHÉES

217.   Nous étions dans un café, dit l'Euguélionne, quand Exil attira mon attention sur un couple assis à une table en biais avec la nôtre.

L'homme avait les cheveux poivre et sel, la femme paraissait avoir environ 35 ans et son allure était celle d'une petite bourgeoise très préoccupée par son apparence.

218.   — Tu vois cette femme, me dit Exil, elle vient d'obtenir de l'homme qui l'accompagne la même chose qu'elle a eue de *Bétamu*, mon ex-mari. Elle est la femme du célèbre docteur *Xi*, chirurgien esthétique. Elle s'appelle *Hyota* et fut un temps ma meilleure amie, puis ma pire ennemie.

Ce qu'elle vient d'obtenir, c'est que son amant quitte sa propre femme pour elle. Hyota exige cela de chacun de ses amants, sans pour autant quitter elle-même le riche docteur Xi qui l'entretient béatement, trop occupé qu'il est à remonter des seins et refaire des mains brûlées pour s'apercevoir que sa femme le cocufie à longueur d'année. Car ce n'est nullement une convention entre eux.

219.   Mais Madame le Docteur Xi ne couche pas avec n'importe qui. Jamais elle n'invite un célibataire à venir dans son lit. Il faut qu'il soit marié, en bonne et due forme ou de droit commun. Et il faut qu'il soit le mari de l'une de ses amies.

Si l'homme qu'elle convoite est marié mais qu'elle ne sait pas avec qui, elle commence par faire connaissance avec l'épouse et, par mille gentillesses et flatteries, finit par se l'attacher fermement. Et les liens qui les unissent désormais sont ceux d'une grande et sincère amitié.

220.   C'est alors seulement qu'Hyota Xi peut goûter du mari!

Cette belle amitié est fort compromise quand l'épouse innocente s'aperçoit jusqu'où son amie pouvait aller, emportée par un si noble sentiment.

Elle prend fin irrévocablement, hélas, le jour où le mari décide d'obtempérer aux exigences de sa maîtresse et quitte sa femme pour les beaux yeux de *la femme du docteur Xi*.

Bétamu, mon mari, s'est laissé prendre aux filets de cette sirène moderne et demanda le divorce. Une fois celui-ci obtenu, Hyota, selon son habitude en pareil cas, laissa choir mon pauvre époux qui revint tout penaud à la maison et la trouva vide.

Ne trouves-tu pas que cette Hyota est un cas intéressant? Il arrive parfois que l'épouse soit inaccessible. Qu'à cela ne tienne. Il suffit qu'elle exerce une activité professionnelle suffisamment reluisante, susceptible de satisfaire la vanité de cette chère Hyota, pour que celle-ci s'intéresse au mari de l'inconnue qu'elle considère secrètement comme une âme sœur!

221.   Tu ne me croiras peut-être pas si je te dis qu'Hyota conserve dans son salon une collection impressionnante de trophées portant tous un prénom différent. Et tous ces prénoms sont féminins. Hyota explique à son mari qu'elle a gagné ces trophées en divers pays sous divers noms d'emprunt, dans des concours de beauté évidemment. « Que veux-tu, c'est toujours moi la plus belle! » dit-elle modestement pour s'excuser. « Sois flatté, mon ami! » Le Docteur Xi n'y voit que du feu.

        Ou bien, il sait et il fait mine de ne rien voir pour ne pas se compliquer l'existence, ou bien, il ne sait pas et il est alors ce qu'on appelle un *cocu content*. Et fidèle, j'allais l'oublier. Car le Docteur Xi est très conservateur sur cette question. J'entends par là qu'il croit vraiment à la fidélité dans le mariage. Et pas seulement à sens unique, comme c'est le cas pour beaucoup de « conservateurs » mâles et mariés!

        Je regardai l'homme aux cheveux poivre et sel, dit l'Eugué- lionne, et j'eus pitié de sa femme qu'il venait de quitter. J'eus aussi pitié de lui quand je jetai un coup d'œil sur la vorace qui lui faisait face. Cas unique certainement sur cette planète, me disais-je, car quelle femme aujourd'hui est assez désœuvrée et maniaque pour sélectionner ses amants d'une manière aussi compliquée! Elle aussi, en définitive, était à plaindre avec sa collection de trophées.
222.   Des trophées aux prénoms féminins... Bien sûr, car ce n'étaient pas les hommes qui intéressaient Hyota Xi, c'étaient les femmes. C'était sur elles toujours qu'elle croyait triompher...

XV

DES DÉBUTS DIFFICILES

    Nous étions toujours dans ce café, dit l'Euguélionne, et j'ai demandé à Exil de me raconter ses débuts de journaliste.
223.   — Ça n'a pas été facile, dit Exil. Ma première tentative a été un échec. Un ami journaliste m'avait amenée au journal sans grande envergure où il travaillait depuis nombre d'années, pour me présenter au rédacteur-en-chef.

    Celui-ci s'écrie en me voyant: « Pas ici, pas ici, venez dans la salle de rédaction! »

    Nous sortons de son bureau où nous avions à peine mis les pieds. La salle de rédaction est presque vide. Seul, un journaliste est là en train de taper son papier à la machine. Sans m'inviter à m'asseoir et lui-même restant debout, le rédacteur-en-chef me demande si j'ai apporté quelque écrit qui lui permettrait de juger de mes capacités.
224.   Je lui montre le manuscrit d'une nouvelle que j'avais écrite

l'année précédente au moment de mon divorce. Il ne lit que les premières lignes qui décrivent un état d'âme très angoissé et soudain il éclate: « De l'agressivité, de grâce! Ce n'est pas assez agressif! » Il a l'air très fâché. Puis, il me dit de m'installer dans la salle et de lui pondre quelque chose de « plus agressif ». Et il retourne s'enfermer dans son bureau.

Je suis interloquée. Mon ami m'encourage: « Si tu veux te faire engager, fais ce qu'il te dit. »

Alors, sortant un petit bloc de mon sac, je me mets à arpenter la pièce en tous sens et j'ai beau me creuser la cervelle, je ne réussis à écrire que ces mots durant la demi-heure qui suit: « Je suis née dans l'angoisse et aujourd'hui c'est l'angoisse qui me tue! » Je suis incapable d'écrire autre chose. Toutes mes pensées sont annulées à mesure qu'elles se présentent, par le crépitement de la machine à écrire et il me semble que la feuille du journaliste se couvre d'immenses lettres rouges chargées de flammes et formant deux mots, toujours les mêmes: SOIS AGRESSIVE, SOIS ACRESSIVE, SOIS AGRESSIVE, SOIS ACRESSIVE, SOIS... ETC.

225.   Pendant que je fais les cent pas dans la salle, le rédacteur-en-chef sort brusquement de son bureau et s'approche du journaliste qui tape son papier à la machine. Il lit par-dessus son épaule en soulevant la feuille qui est sur le chariot. Il lui crie avec colère: « Vous ne montrez pas assez d'agressivité dans vos articles. Si ça continue, je serai obligé de vous congédier. » Puis, il disparaît de nouveau dans son bureau.

226.   Je dis alors à mon ami que je ne me sens pas assez *agressive* pour travailler dans son journal.

Dans les jours qui ont suivi cet incident, j'ai trouvé une place dans une feuille de chou. C'est là que j'ai commencé à exercer mon métier. Du journal à potins au journal d'information, j'ai gradué mon expérience de jour en jour, d'échelon en échelon... sans me casser la figure et sans agresser personne.

XVI

UNE MAISON ACCUEILLANTE

227.   Un jour, continua Exil, il m'est arrivé une aventure cocasse et fort désagréable tout compte fait.

On m'avait envoyée faire un reportage dans une ambassade. Ce nom pompeux d'« ambassade » était donné à un Comité de secours qui ramassait des fonds pour aider deux pays dont l'un était sous-développé et l'autre assez bien développé merci. Cette fois, la campagne de souscription était en faveur du pays pauvre.

Désireux de publicité, les responsables du Comité avaient insisté auprès de mon journal pour que celui-ci envoie un reporter à qui serait donnée l'autorisation d'assister à une séance du Conseil d'administration. Je fus désignée.

À mon arrivée, il y a un peu de remue-ménage en face de cette ambassade. Un petit émigré du pays en question a gagné un prix de présence car l'inauguration de la souscription a eu lieu tout à l'heure.

Ce prix est une espèce de matelas encombrant que la mère du petit, après beaucoup d'effort, semble-t-il, a réussi à fixer sur le coffre de sa Volkswagen. Tel qu'il se présente, ce matelas a l'air d'un coussin plat sur lequel un enfant peut s'étendre pour autant qu'il laisse ses pieds et ses jambes en dehors.

228.   La maison a la réputation d'être très accueillante. Et, comme je pensais justement à cela, une dame très chic tout de bleu vêtue en sort et nous offre le thé. Nous acceptons avec plaisir. Elle nous dit de l'attendre, rentre dans l'immeuble et en ressort bientôt avec un plateau contenant un service à thé en porcelaine finement peinte à la main. La théière est fumante. Elle dépose son plateau sur la troisième marche de l'escalier en béton menant à l'ambassade et commence à verser le thé dans les tasses. Ensuite, elle nous tend les tasses avec un sourire charmant et nous invite à boire, là, sur le trottoir.

Le petit garçon et sa mère boivent sans dire un mot, après avoir remercié avec gêne. Ils baissent les yeux, car les passants nous regardent avec curiosité.

Quant à moi, poursuit Exil, j'ai bien l'intention d'avaler mon thé en vitesse et de filer droit dans la maison où je suis attendue.

229.   Soudain, la dame semble tomber des nues.

— Qu'est-ce que je fais là, mon Dieu! Quel oubli impardonnable de ma part! Vous êtes là, debout, et je n'ai même pas pensé à vous faire asseoir!

Allons bon, me dis-je, elle va aller chercher des chaises et on va continuer cette petite réunion mondaine sur le trottoir. Grand merci!

Mais je me trompe. Cette fois, la dame en bleu nous invite à entrer. La mère du petit garçon décline l'invitation, car elle doit rentrer dit-elle en remettant sa tasse et celle de son fils dans le plateau, elle remercie la dame encore une fois pour le thé et le matelas, elle est confuse de lui avoir fait perdre son temps.

230.   Tandis qu'elle et son fils s'éloignent, je me précipite sur les talons de la dame. Je m'identifie comme journaliste et elle me fait entrer dans la grande salle du Conseil où sont réunies autour d'une table un grand nombre de personnes officielles à l'air grave qui boivent du thé dans des tasses de porcelaine tout en devisant avec animation. Il n'y a qu'une seule femme parmi elles.

XVII

LES COQUERELLES
(ou: LA CUCARACHA)

Il y a plein de chiffres sur la table, poursuit Exil. C'est ce qui me frappe d'abord, des chiffres en carton dur de toutes les grandeurs et de toutes les couleurs. Les personnes officielles, tout en buvant leur thé de leur main droite, poussent les chiffres de leur main gauche, de façon à ce que ceux-ci fassent le tour de la table. Quand un chiffre passe devant une personne, celle-ci l'arrête un instant, y jette un coup d'œil, et, suivant que le chiffre est favorable ou non, son expression est gaie ou chagrine.

231.   La discussion en cours semble confidentielle: tout le monde se tait dès qu'on s'aperçoit de notre arrivée. Chacun me regarde avec curiosité, scrute mon visage, essaie de deviner qui je suis et pourquoi je suis là. J'ai la nette impression d'être une intruse. Je cherche du regard la dame qui m'a introduite afin qu'elle justifie ma présence en ces lieux, mais elle est allée s'asseoir à l'autre bout de la salle et fait exactement comme si cela ne la concernait pas. D'ailleurs, elle est déjà très occupée à remplir les tasses qui se sont vidées pendant son absence.

Moi, je me suis assise près de l'entrée sans attendre d'y être invitée, car j'ai remarqué tout de suite qu'il y avait beaucoup de places libres de ce côté-ci de la table.

232.   L'homme qui préside l'assemblée à l'autre bout de la table, se lève bruyamment et, tout en s'approchant de moi, dit aux personnes réunies: « Ne vous tourmentez pas, je vais vous expulser ça sur-le-champ. »

« Ça », c'est moi, et je commence à trouver la situation plutôt énervante.

— Monsieur, lui dis-je en lui mettant sous le nez ma carte de journaliste, je suis ici sur votre demande.

Il prend ma carte, la déchiffre longuement, me regarde, compare la photo avec ma physionomie, reprend son investigation à partir du début, y mettant autant de zèle et de circonspection qu'un inspecteur des douanes suspectant les bagages d'un hippie. Enfin, il me remet ma carte avec un dédain non dissimulé et, d'un geste évasif, me permet de dépasser la « frontière » morale qui me sépare de l'assemblée.

233.   Quelqu'un alors me prie de venir m'asseoir plus près, et c'est ainsi que je me retrouve placée sur le côté droit de la table, à côté de la seule dame qui était présente avant notre arrivée.

Cette dame, toute de rose vêtue, est en train de lire une très longue lettre écrite sur papier avion. Elle en est à la page 71. Au bas de cette page, il y a une série de x, comme ceci: xxxxxxxxxxxxxxxxxxxxxxxx, qui sont autant de baisers, je présume.

Mon voisin de gauche me glisse à l'oreille: « C'est la femme du Président. » Je me demande alors si elle est la femme du président de l'assemblée ou celle du Président d'un des deux pays secourus par ce Comité.

234.   La réunion reprend son cours après une aimable allusion du président de l'assemblée au dérangement inopportun que j'avais causé.

J'essaie de prendre des notes sur ce qui se dit, mais je m'aperçois bientôt que la conversation se déroule dans une langue inconnue de moi mais que tous ceux qui sont présents semblent comprendre parfaitement.

235.   Tandis que je me promets intérieurement de faire une publicité sans pareille à ce secourable Comité si sympathique, mon attention est tout à coup attirée par de petits objets noirs insolites posés sur une assiette plate en face de la dame en rose qui lit une lettre.

Ces petits objets sont ovales, pleins et brillants. Ils ressemblent, par leur poli et leur chatoiement à des pierres obsidiennes. Ils sont immobiles et sont montés sur des pattes fixes, fines comme des fils.

Je me penche alors pour les observer de plus près. Je les observe. Et, imperceptiblement, tandis que je les observe, ils se mettent à bouger. Je recule. La dame remarque mon mouvement.

— Ce sont des « coquerelles », dit-elle. Dans mon pays, on en raffole. Vous en voulez une? Elles sont vivantes, vous savez. Et apprivoisées!

Et, disant cela, elle me jette trois de ces cafards sur les genoux.

236.   Je me lève. Suis horrifiée. Je porte ce jour-là une très jolie robe longue. Sur fond blanc, de toutes petites fleurs grises imprimées. Un tissu soyeux de grande finesse.

Je la soulève et la secoue vigoureusement afin d'en chasser les cancrelats, ces pelés, ces cancres galeux...

— Si vous raffolez des coquerelles dans votre pays, nous, on les a en horreur!

Malgré tous mes efforts pour retrouver les répugnants insectes, je ne les vois plus. Ils ne sont pas à terre ni sous la table. Je ne sais plus où ils sont rendus. Je frémis de répulsion à la pensée qu'ils pourraient s'être infiltrés dans mes vêtements.

237.   Relevant ma jupe jusqu'en haut des cuisses, je me dirige vers la sortie comme si mes pieds avançaient dans un marais bourbeux.

Avant de sortir, je toise l'assemblée qui est unanimement soulevée d'un rire inextinguible:

— Un jour prochain, moi aussi je vous mettrai *mes* chiffres sur table, cafards compris. Attendez-moi. Je reviendrai bientôt.

238.   J'ai demandé à Exil si elle était retournée à cette *ambassade*, dit l'Euguélionne.

— Tu penses bien que non, dit-elle en riant. Je n'en avais pas la moindre envie. Mais j'étais furieuse, furieuse!

— Et, as-tu retrouvé les coquerelles sous ta jupe ou ailleurs?

— Jamais! Nulle part! Elles avaient dû tomber sous la table. Et, plus j'y pense, plus je crois que c'étaient peut-être des obsidiennes, après tout! Ou bien des noisettes pétrifiées... Que sais-je?... Pourtant, elles semblaient bien bouger...

— As-tu été très méchante dans ton compte rendu?

— Pas du tout. Car je n'ai jamais réussi à écrire cet article.

XVIII

LA PETITE OMICRONNE

239.   Nous allions partir de ce café, dit l'Euguélionne, quand nous vîmes arriver la petite Omicronne qui avait une mine d'enterrement.

Pressée par nous de nous confier ce qui lui arrivait, elle nous dit ceci:

— Il y a que ma sœur Epsilonne est en train de me *voler* mon mari!

— Epsilonne, dit Exil? Je croyais qu'elle et ton frère...

— Elle s'en prend maintenant au mari de sa sœur. Elle a l'esprit de famille très développé, cette chère Epsilonne.

— Que s'est-il passé?

240.   — Eh bien, ce n'est pas la première fois que je les surprends. Je les avais déjà entendus au téléphone. J'avais ouvert la ligne en même temps qu'*Alfred* avait décroché l'autre appareil et je me suis bien aperçue, par le début de leur conversation, qu'ils étaient de connivence sur un terrain très spécial. Au lieu d'écouter, j'avais raccroché doucement avec le sentiment idiot d'être prise en faute.

— De sorte, dit Exil, que tu n'as rien appris de leurs relations?

241.   — Non, mais aujourd'hui, vers midi, comme je rentrais de mes courses, je trouve Epsilonne installée à mon petit secrétaire dans la salle à manger.

Je lui demande: « Es-tu venue pour déjeûner? » Elle me répond « oui » avec gêne. Alors, moi: « Est-ce Alfred qui t'a invitée? »

Au lieu de me répondre, elle quitte la pièce et va rejoindre Alfred dans son bureau. Sans bouger de la salle à manger, je répète ma question d'une voix forte pour me faire entendre jusqu'en avant. Et j'attends. Pas de réponse. Alors, toujours de l'endroit où je suis, j'interpelle Alfred et lui demande s'il a invité Epsilonne à déjeûner. Il ne répond pas lui non plus.

Je quitte la salle à manger et me rends dans le bureau d'Alfred. Je vois alors Epsilonne assise sur le coin du bureau, ses longues jambes croisées, tenant une assiette de manicotti gratinés que j'avais justement préparés avant mon départ.

Alfred est calé dans son gros fauteuil de cuir. Ils parlent tous les deux calmement et ne daignent même pas s'interrompre quand j'arrive. Ils ont l'air d'être en parfaite entente et d'une totale complicité.

Puis, Alfred se lève et dit à Epsilonne qu'il doit maintenant se rendre à l'université pour son cours. Il s'approche tout près d'elle pour lui parler tendrement à voix basse, tandis que moi, je donne de grands coups de poings furieux dans le mur en répétant ma question, à l'un comme à l'autre, inlassablement, et n'obtenant aucune, aucune réponse. « Epsilonne, est-ce Alfred qui t'a invitée? Alfred, as-tu invité Epsilonne à déjeûner? » Et encore et encore, et ils continuent à se caresser du regard, devant moi, sans me voir. Lequel des deux a invité l'autre? Qui a commencé?

242.   Omicronne a des larmes qui jaillissent de ses yeux noirs pareilles à ces lames scintillantes que l'on voit jaillir des couteaux à cran d'arrêt. Elle met un long moment à ravaler ses larmes, puis:

— Plus tard, quand il est rentré, il m'a dit d'un ton enjoué: « Si tu continues à pleurer, je vais me mettre à aimer Epsilonne. *Et c'est toi qui m'y auras forcé!* »

Je lui dis: « Depuis quand es-tu l'amant d'Epsilonne? » Cette question d'abord le suffoque mais bientôt il se met à rire. « Moi, l'amant de ta sœur? Qu'est-ce que tu vas chercher! Tu ne trouves pas qu'une Omicronne dans ma vie c'est plus que suffisant. Ta famille, j'en ai marre, j'en ai jusque là. »

À ce moment-là, dit Omicronne, je pris conscience tout à coup qu'il y avait bien six mois qu'Alfred ne faisait presque plus jamais l'amour avec moi. Il fallait que ce soit toujours moi qui prenne l'initiative et il lui arrivait souvent alors de se dérober sous quelque prétexte facile.

243.   Quand elle eut fini de parler, je dis à Omicronne qu'elle avait tort de ravaler ses larmes, car il lui faudrait un jour les verser toutes, par ordre, et sans en excepter une seule, et qu'il se pourrait alors que le flot endigué devienne une trombe arrachant tout sur son passage.

De son côté Exil tenta de lui expliquer que si elle sentait que son mari ne l'aimait plus, si elle sentait qu'elle vivait avec lui une situation fausse, c'était probablement parce que cette désaffection, qu'elle vînt de sa part à lui ou de la sienne à elle, était réelle bien que peut-être seulement momentanée.

Omicronne ne voulut jamais admettre qu'elle-même pouvait avoir cessé d'aimer son mari.

XIX

MONSIEUR ALFRED OMÉGA

244.   À quelque temps de là, dit l'Euguélionne, Omicronne nous invita chez elle, Exil et moi, pour un dîner intime entre amis.

Ce jour-là, j'ai eu l'honneur de faire la connaissance de Monsieur Alfred Oméga en personne.

Monsieur Alfred Oméga est un professeur d'université, relativement jeune. Monsieur Oméga est également critique littéraire à ses heures. Monsieur Oméga dirige même une revue spécialisée qu'il considère très importante. Monsieur Oméga est très actif.

Il a, nous le savons déjà, une femme à la maison qui s'appelle Omicronne. Il a aussi deux ou trois enfants.

Monsieur Oméga a donné son nom respectable à la petite Omicronne. Monsieur Oméga a même donné son nom respecté à deux ou trois enfants. Monsieur Oméga est très généreux.

245.   Pendant le repas, Monsieur Oméga parle des cours qu'il donne généreusement à l'Université.

— Les cours magistraux, c'est fini, c'est dépassé, on n'en fait plus, dit-il sur un ton très très magistral.

Ça y est, me suis-je dit. Voilà bien le mot. Monsieur Oméga a un langage magistral. Lui-même est un Maître. Monsieur Oméga parle en maître. Il sait ce qu'il dit.

246.   La petite Omicronne a préparé le repas et elle le sert. Elle est énervée car elle a peur de ne pas bien tout réussir. Elle est énervée aussi à cause de la présence de sa sœur. Elle ne l'avait pas invitée pourtant... Qui d'autre qu'Alfred...

Epsilonne est accompagnée de son inséparable jumeau Upsilong et d'un collègue psychanalyste, son amant de la veille, le *Docteur Phipsi*. Encore un convive qu'Omicronne n'attendait pas. Alfred non plus d'ailleurs à en juger par la façon dont il lui a souhaité la bienvenue.

Elle est énervée aussi parce que les deux ou trois enfants de Monsieur Oméga lui ont donné du fil à retordre juste avant notre arrivée.

Monsieur Oméga travaillait alors dans son bureau à un article très fouillé sur l'essence du roman contemporain.

Comme il ne peut supporter les cris des enfants, son bureau est insonorisé et la porte en est capitonnée. Monsieur Oméga n'entend jamais les cris des enfants quand il est dans son bureau, barricadé qu'il est et immunisé contre la pollution du bruit. Heureusement pour lui et ses fidèles lecteurs! Car, comment pourrait-il suivre son inspiration s'il en était autrement?

247.   Sur le mur de la salle à manger, dit l'Euguélionne, je remarquai une toile aux couleurs violentes. Cette toile vous prenait aux tripes et dérangeait littéralement l'acte de se nourrir à table. Je me dis qu'elle

était bien mal placée dans cette pièce. Cette toile était un cri de révolte. L'auteur avait un talent fou, mais désordonné, un talent qui avait l'air de se nier lui-même avec rage, qui cherchait à se détruire.

Je voulus savoir le nom du peintre qui avait fait cette toile. Tout en déglutinant, Monsieur Oméga me fit cette réponse:

— Ça? Ah! ce n'est rien! Ne faites pas attention. C'est ma femme qui s'amuse comme ça à temps perdu. Je lui ai souvent dit que ce brouillon n'avait pas sa place dans la salle à manger.

Je vis Omicronne se mordre les lèvres et rougir jusqu'aux oreilles. Elle ne parla pas. D'ailleurs, elle n'avait pas dit deux mots depuis le début de cette soirée, Monsieur Oméga s'étant chargé de conduire la conversation, en bon maître de maison qu'il était.

XX

JE SUIS UNE PERSONNE

248.   Nous passâmes au salon pour le café. J'entendais Omicronne s'affairer dans sa cuisine, comme je l'avais entendue tout à l'heure avant de nous mettre à table alors qu'Exil était allée lui tenir compagnie. Mais en ce moment elle était seule car elle avait refusé notre aide.

Monsieur Oméga parla de sa revue littéraire et de l'article qu'il était en train d'écrire sur le *Nouveau Roman* français comparé à l'hyperréalisme de la peinture américaine. C'était assez passionnant et je regrettais qu'Omicronne ne fût pas là pour en profiter.

249.   Quand elle arriva avec son plateau et se baissa pour nous verser le café, son mari dit en souriant d'aise:

— Regardez-moi ce joli derrière, n'est-ce pas appétissant?

Car Monsieur Oméga se piquait d'être simple et sans détour, de savoir mordre dans la vie à pleines dents et de savoir la prendre à pleines mains, bien qu'étant un intellectuel écouté et respecté.

— Ma sœur a les cuisses les plus fraîches en ville, dit Upsilong et, disant cette facétie, c'était comme s'il voulait, à l'instar de son beau-frère, se tenir quitte au moyen d'une plaisanterie flatteuse, des efforts qu'Omicronne avait fournis pour leur procurer ce bon repas.

Puis, se tournant vers son autre sœur Epsilonne, il ajouta: « Je ne parle pas des tiennes, de tes cuisses de déesse, ma chère Epsilonne, car elles ne souffrent aucune comparaison. »

— Ma femme, vous savez, continua Alfred Oméga, va nager trois fois la semaine pour garder sa ligne. Elle sait que j'aime la chair fraîche et ferme.

— Tu as bien raison, renchérit Upsilong. Et Omicronne aussi. Je me souviens quand elle était boulotte. Soit dit sans te vexer, Omicronne, tu n'étais pas très ragoûtante en ce temps-là.

Omicronne se mit à rire mais son rire sonnait faux. Elle était humiliée et ne savait où se mettre.

250.   Alors moi, dit l'Euguélionne, je lui demandai doucement:

    — Omicronne, qui es-tu? Comment te définis-tu?

    — Par rapport à qui, dit-elle?

    — Par rapport à toi-même.

    — Je suis une personne, dit-elle sans hésiter.

    — Et si je t'avais demandé: comment te définis-tu par rapport à l'homme, Omicronne, qu'aurais-tu répondu?

    — Je suis une personne, répéta-t-elle.

XXI

LAISSE LÀ TON TORCHON

251.   Le Docteur Phipsi se leva et s'approcha d'Omicronne.

    — Savez-vous, dit-il, ce que ma femme répond à une telle question? Elle ne dit pas: « je suis une personne », comme vous. Elle dit: « je suis une femme, c'est-à-dire que je n'ai pas de pénis ».

    Les hommes s'esclaffèrent.

    C'est très bien ça, dit le grand cinéaste Upsilong. C'est très très très bien, c'est ainsi qu'il faut qu'une femme se définisse, n'est-ce pas, ma chère Epsilonne? Toi qui es psychologue, n'es-tu pas de mon avis?

    Epsilonne sourit sans répondre. Le Docteur Phipsi reprit:

    — Et, en plus, ma femme sait ce qu'elle dit, car elle a fait de sérieuses études en psychologie. Elle s'est même fait psychanalyser. Pas par moi, évidemment, ajouta-t-il en riant discrètement.

    — Elles ont toutes envie d'avoir un pénis entre les jambes, n'est-ce pas, ma belle Epsilonne, dit Alfred Oméga en regardant sa belle-sœur d'un air gourmand? Mais il faut leur tenir la dragée haute, sinon elles en redemanderaient tout le temps. Ma femme se plaint que je ne lui fais pas l'amour assez souvent. Et moi, je lui dis toujours: « Il n'en tient qu'à toi, ma chérie. Prépare l'atmosphère! Prépare l'atmosphère! »

252.   Omicronne attrapa le plateau à café et sortit précipitamment. Je l'entendis bardasser dans la cuisine.

    Je me levai et allai la rejoindre. Omicronne lavait la vaisselle et des larmes de rage tombaient dans l'eau sale.

    — Pourquoi pleures-tu, Omicronne? Parce que tu fais la vaisselle ou parce que ton mari se moque de toi?

    — Parce que je fais la vaisselle, répondit Omicronne après un court instant d'hésitation.

— Il n'en tient qu'à toi de ne plus la faire dans ces conditions, lui dis-je.

Je pris son poignet qui tenait la lavette et le retirai doucement du plat à vaisselle. Je fixai mon regard dans l'eau grasse. J'étais comme fascinée. Je voyais tourbillonner cette eau, agitée par les larmes d'Omicronne.

Et il me parut que c'était l'eau d'une piscine miniature où une minuscule Omicronne s'évertuait à faire surface. Je la vis se débattre longtemps avant de sombrer.

253.   — *On ne mêle pas les larmes avec l'eau de vaisselle*, dis-je en forçant Omicronne à me regarder. *Toi aussi tu peux choisir la meilleure part. Si tu es une personne, Omicronne, laisse là ton torchon et suis-moi.*

254.   Elle me regarda et je lus d'abord de la panique dans ses yeux. Ses yeux tout à l'heure pareils à ceux de Sylvanie Penn, venaient de changer pour ceux d'Ahinsa-qui-Ourlait-des-Proies dans la Forêt des Squonks.

Elle pensait à ses enfants sans aucun doute.

Puis, son expression se transforma brusquement et elle me dit simplement:

— Allons-y.

Nous sommes retournées au salon. Exil comprit d'un coup d'œil.

Elle se leva et nous suivit. Nous sommes sorties de la maison toutes les trois sans dire un mot. Je pus voir, juste une seconde, la figure ébahie des trois hommes qui s'étaient levés d'un seul bloc et nous regardaient par la fenêtre panoramique. Alfred Oméga, surtout, n'en revenait pas!

Quant à Epsilonne, elle n'avait même pas pris la peine de se lever.

XXII

RECHERCHE CLANDESTINE

255.   La première chose que fit Omicronne, dit l'Euguélionne, fut de se mettre en quête de *son nom*.

Malgré le sérieux conflit qui l'opposait à sa sœur, elle demanda quand même à Epsilonne de l'aider dans cette recherche, car elle seule pouvait la mettre sur la voie, même si Epsilonne ne pouvait lui donner le renseignement avec exactitude car celle-ci s'était fait un nom bien à elle depuis longtemps déjà.

— J'irai avec toi quand mes occupations me le permettront, dit Epsilonne.

« Je ne m'appelle plus Omicronne Oméga. Je suis qui? J'étais Omicronne Qui avant d'être Madame Alfred Oméga? »

La petite Omicronne croyait qu'il était facile de trouver une réponse à cette question.

256.	Elle m'a raconté plus tard comment s'était déroulé le premier épisode de cette recherche, dit l'Euguélionne.

Les deux sœurs se sont rendues en voiture dans un lieu très éloigné de la ville. C'était peut-être à l'étranger. Mais elles étaient toutes les deux parfaitement inconnues dans ce pays. Il fallait que leur démarche passât inaperçue.

La recherche était clandestine.

Elles ont pris un ascenseur extérieur et se sont retrouvées sur la terrasse d'une auberge de village. Il y avait là une cabine téléphonique.

Epsilonne entra dans l'auberge et demanda l'autorisation de téléphoner, et, auparavant, de consulter l'annuaire.

Puis, elle fit entrer Omicronne dans la cabine, l'y suivi et ferma la portière avec soin.

257.	Et toutes les deux se mirent à feuilleter le Bottin fébrilement. Cela dura tout l'après-midi.

Mais leurs efforts furent vains. Le nom d'Omicronne n'était pas dans l'annuaire des Téléphones.

XXIII

LE PARVIS

258.	Elles se sont rendues à l'église où Omicronne s'est mariée, quelque dix ans auparavant. Cette fois, je les accompagne, dit l'Euguélionne. Il y a justement un mariage ce jour-là.

La mariée sort de l'église. Elle porte une robe stupide, imprimée de grosses fleurs rouges; le tout est sans art et sans attrait. La taille de la mariée est grotesque.

Toute la noce est derrière elle, sur ses talons, et chacun prend la pose, sur le parvis, pour la photo-souvenir. Celle-ci étant prise, Omicronne s'avance pour parler au père de la mariée. Il lui semble que cet homme peut lui donner le renseignement qu'elle cherche avec tant de passion. Omicronne porte un très joli chapeau noir semblable à celui qu'elle portait quand son père fut inhumé.

Très poli, le père de la mariée s'excuse auprès d'Omicronne de ne pas pouvoir la renseigner.

Quelques invités font cercle autour d'elle. Un vieillard regarde Omicronne avec beaucoup d'attention.

259.   — Plus je vous regarde, dit-il, plus il me semble vous avoir déjà vue. N'était-ce pas à votre mariage? Ce ne serait pas impossible, car je n'en manque pratiquement aucun depuis un demi-siècle. Vous portiez une drôle de robe blanche mal ajustée avec d'immenses manches noires qui avaient l'air d'ailes de corbeau. Mauvais augure, pensais-je. Vous étiez en retard. C'est pourquoi vous êtes arrivée à l'église à la course. Votre futur ne s'étant pas présenté, il a fallu nommer un marié de service. C'était vraiment un mariage bidon, sauf vot' respect!

260.   — Et il part d'un grand éclat de rire qui se communique à toute la noce. Le vieillard est secoué dangereusement par cette gaieté impromptue et sa vieille vient l'avertir sévèrement que s'il continue il risque une syncope.

Epsilonne et moi nous voulons entraîner Omicronne loin de cette église et de ce vieillard maléfique.

Mais la mère de la mariée s'approche de nous et nous invite impérieusement à prendre part à la réception qu'elle a elle-même organisée.

261.   — C'est une grosse réception, je vous le promets. Très très grosse réception, comme on n'en fait plus. Très très très parisienne. Vous allez être surprises. Les planchers de la salle surtout sont surprenants. Vous allez voir. Tout est très très extraordinaire, tout est too much, way out, sans bon sens. Je vais vous présenter un type étonnant, continue-t-elle à voix basse. Avez-vous déjà entendu parler... oh! c'est tellement excitant... avez-vous déjà entendu parler de « l'homme aux cent mille femmes »?

C'est avec beaucoup de difficulté que nous parvenons à nous défaire de la solide poigne de la mère de la mariée, dit l'Euguélionne.

XXIV

ROBES BLANCHES ET BLANC CHAPEAU

262.   Elles se sont rendues chez leur mère afin d'y retrouver le nom d'Omicronne, dit l'Euguélionne. Je m'y suis rendue avec elles.

La femme de ménage est là. Il y a un tel fouillis dans la maison. La veille, il y a eu, semble-t-il, une grosse surprise-partie à l'occasion du lancement du film d'Upsilong. Interrogée à ce sujet, Epsilonne répond que oui, en effet, elle y était, mais qu'il n'y a vraiment rien à dire là-dessus tant ce fut ordinaire. — Est-ce qu'Alfred y était aussi? demande Omicronne. — Oui, peut-être... C'est bien possible, je n'ai pas remarqué...

« Menteuse, hypocrite, mangeuse d'hommes » pense la petite Omicronne dans son for intérieur plein de férocité.

263.   Les invités sont restés à coucher pour la plupart et ils sont encore au lit. *Onirisnik*, le fils d'Omicronne, est couché dans la baignoire. C'est son lit habituel car il y a toujours du monde dans cette maison.

Omicronne se demande s'il est bien couché. Elle aimerait se coucher à sa place, juste un instant, juste pour voir si le matelas est confortable. Il a un peu rejeté la couverture bleu ciel qu'il a sur lui et Omicronne se penche pour l'abrier comme il faut.

264.   Il y a du linge partout. Sur une table, dans une chambre, des chaussettes d'hommes sont suspendues à de petits supports. Ce sont des bas que la femme de ménage a sans doute lavés la semaine précédente et qui n'ont pas encore été rangés. Mais à qui sont-ils donc, se demande Omicronne?

265.   Elle trouve aussi du linge de sa mère. Éparpillé un peu partout dans la chambre de celle-ci.

Sa mère dort encore. Sur sa table de chevet, il y a un tout petit, tout petit chapeau de paille d'Italie. Il est blanc, tout blanc, avec une voilette blanche. Il lui a appartenu il y a bien longtemps. Pourquoi donc se trouve-t-il ici aujourd'hui, se demande Omicronne? Elle se souvenait d'anciennes photographies où sa mère rayonnait de toute sa jeunesse sous ce bibi éblouissant. Omicronne n'était pas encore née à l'époque de ces photos.

Epsilonne aussi est dans la chambre et fouille dans la garde-robe de leur mère. Il n'y a presque rien dans cette garde-robe. Que du blanc. Des robes blanches, des déshabillés blancs, le tout un peu plus étroit semble-t-il qu'il ne siérait à sa taille actuelle.

Il y a une robe qu'Omicronne aimerait beaucoup porter. La seule qui ne soit pas blanche. Mais il faut attendre. Car la mère d'Omicronne n'a pas commencé à distribuer sa mince garde-robe.

Omicronne ne trouve aucune trace de son nom dans cette maison qui fut pourtant la sienne pendant si longtemps.

XXV

LA POUSSIÈRE QUOTIDIENNE

266.   Elles se sont rendues chez Madame Oméga, la belle-mère d'Omicronne. Je suis avec elles, dit l'Euguélionne.

À peine avions-nous les pieds dans l'appartement que belle-maman reprocha à sa belle-fille de la négliger.

C'était une dame extrêmement bien conservée. Ses cheveux étaient au naturel et encore très noirs. Seules quelques mèches ici et là commençaient à grisonner. Elle était de petite stature, toute en nerfs, aurait-on dit, en nerfs et en allure. Son port de tête était admirable. Elle se tenait assise et nous ignora complètement Epsilonne et moi. Elle n'avait d'yeux et de suppliques que pour Omicronne.

Elle vivait les dernières années qui lui restaient à vivre, disait-elle, et personne ne la visitait. Alfred, lui, ne téléphonait jamais. Elle allait sûrement mourir d'isolement. Elle allait être morte comme son plus jeune fils *Tournesol* qui avait eu un accident mortel un mois auparavant.

Omicronne lui suggéra de prendre le métro pour se distraire.

— Je le prends tous les jours, dit Madame Oméga. Mais j'aimerais tant que tu m'accompagnes, ma fille. À la troisième station, il y a un marchand ambulant de fruits de mer. J'aimerais tellement que tu m'achètes des huîtres. Ah! si quelqu'un pouvait m'offrir des huîtres!

— Je vous en apporterai la prochaine fois, dit Omicronne. Nous les mangerons ensemble.

— Je veux que tu les achètes de ce marchand ambulant qui stationne tous les jours à la troisième station du métro.

— Je vous le promets, dit Omicronne. Mais pourquoi, en attendant, ne vous en achetez-vous pas vous-même?

Madame Oméga parut surprise de cette question.

— Parce que je ne descends jamais à la troisième station, ma fille, tu devrais le savoir!

267.   Puis, sans transition, elle implora:

— Laisse-moi m'installer chez toi. Je voudrais tant finir mes jours chez mon fils Alfred.

— Vous savez bien que c'est impossible, mother. Alfred et moi sommes séparés.

— Ah? C'est la première fois que j'en entends parler. On ne me dit rien. Séparés? Quelle idée! Comment s'arrange Alfred?

— Il s'arrange très bien. Il a déjà une autre femme dans sa vie.

En disant cela, Omicronne jeta un regard hostile à sa sœur Epsilonne. Celle-ci contemplait les innombrables photos de tous formats et de tous encadrements qui étaient disposées partout dans la pièce, de façon à former une exposition permanente. Exposition plutôt monotone cependant, car, bien qu'en un très grand nombre d'exemplaires, c'était toujours la même photo: celle d'un jeune homme au regard clair, nonchalemment appuyé au bastingage d'un petit navire qui n'avait jamais navigué.

268.   — C'est aujourd'hui qu'on enterre Tournesol, dit Madame Oméga à voix basse et en se levant. Elle attrapa sur le dossier d'une chaise un magnifique châle en pure soie et noir autant que l'étaient ses cheveux avant que le gris ne s'y faufile, elle en fit voler les longues franges autour d'elle avant de s'en envelopper étroitement.

Puis, Madame Oméga entraîna sa belle-fille dans le double salon qui lui servait de chambre à coucher.

« Je l'ai suivie comme une automate, me dit Omicronne en

sortant de chez elle. J'étais éberluée. Voilà qu'elle devenait tout à fait folle. Tournesol était mort et enterré depuis un mois. Que me chantait-elle là? »

269. — En pénétrant dans la chambre, Omicronne eut un choc terrible. Tournesol était étendu sur le lit de sa mère, immobile et les yeux clos. Il était vêtu d'une espèce de combinaison col *mao* comme en ont souvent les astronautes. Cette combinaison ressemblait beaucoup à un petit ensemble à col roulé que portait Onirisnik, le fils d'Omicronne, le jour du départ de celle-ci.

— Tu ne trouves pas qu'il ressemble beaucoup à Onirisnik, le fils d'Alfred... enfin le tien aussi naturellement. Ses cheveux ont pâli. Ils sont maintenant tout aussi blonds que ceux d'Onirisnik... As-tu remarqué leur coupe? « Petit page du Moyen-Âge », n'est-ce pas ainsi que disent les coiffeurs? Et n'est-ce pas ainsi que sont taillés les cheveux de mon petit-fils Onirisnik Oméga?

« Regarde-le bien, ma fille, continua Madame Oméga. De temps en temps, n'est-ce pas, on dirait qu'il se dédouble. Et alors, n'est-ce pas, il est petit comme ton petit garçon qui a... qui a huit ans, je crois. Est-ce qu'il a déjà huit ans notre petit Onirisnik? Donc, il est petit comme Onirisnik, et en même temps, il est grand, il a la taille exacte, n'est-ce pas, qui était la sienne au moment de son... au moment de sa... enfin, tu sais ce que je veux dire... qui est survenue le jour de ses 18 ans. Il était grand, mon fils, n'est-ce pas? Regarde comme il est grand!

« Regarde-le bien, ma fille. Parfois, il se met à bouger. Parfois il lève un peu la tête et les épaules. Des épaules de discobole, n'est-ce pas, tu as remarqué? Mais il n'ouvre pas les yeux. Pas une seule fois devant moi il n'a ouvert les yeux. Il ne fait que bouger, à peine, il ne fait que s'étirer, n'est-ce pas. C'est bien naturel après tant de jours... »

270. — À ce moment-là, dit l'Eugnélionne, des gens sont arrivés. Ils ont pris les quatre coins de la couverture sur lequel le corps de Tournesol était étendu et, avec une lenteur infinie, ils ont transporté celui-ci dans une autre pièce qui était très sombre.

Omicronne les suivit et elle continua à fixer Tournesol dans le noir, car elle était fascinée par cette vision tout aussi inattendue qu'apparemment invraisemblable. C'était une vision rafraîchissante dans le dedans d'elle-même, comme si Tournesol lui faisait boire tout doucement sa paix à lui, car c'était un jeune homme qui vivait simplement avec toujours une fleur qui lui sortait de la bouche.

Et alors, il lui sembla que Tournesol ouvrait les yeux un tout petit peu.

« Il a les yeux reposés, se dit-elle simplement. »

Plus tard, elle apprit que sa belle-mère avait réussi à garder son fils intact si longtemps grâce à un procédé de dessication comportant une phase de vernissage à l'aide d'un enduit spécial lequel, disait-on, réussissait particulièrement sur les fleurs qu'on voulait conserver.

271.   Puis, elle entendit les gens dans la maison qui parlaient d'incinération, qui parlaient de poussière et d'urne.

Quelqu'un racontait qu'un type avait été incinéré et, comme on avait perdu ses cendres, sa veuve avait ramassé la poussière de la maison et l'avait mise dans l'urne.

« Ce n'est pas dans cette maison que je trouverai mon nom, nous dit Omicronne. Allons-nous-en d'ici avant d'être réduites en poussière. »

XXVI

TAU ET SIGMA TAU

272.   Nous nous sommes rendues chez une amie d'Omicronne qui avait été « demoiselle d'honneur » à son mariage, dit l'Euguélionne.

Omicronne nous avait donné quelques détails sur la personnalité et l'entourage de cette ancienne amie. *Sigma* était une parfaite maîtresse de maison.

Sigma était une épouse modèle et soumise. « Volontairement soumise », précisait-elle toujours quand on lui demandait pourquoi elle ne prenait pas sa vie en mains propres au lieu de la confier à son mari.

273.   Celui-ci ne lui confiait ni sa vie ni ses affaires et, à part quelques conseils paternels et son linge sale, il ne lui confiait rien du tout.

Tau était arrivé, à force de coups de butoir et d'opiniâtreté, à être nommé directeur de département dans l'administration d'un ministère. C'était un bourreau de travail. Le grand moteur de sa vie n'était ni l'argent, ni le bien-être, ni, bien entendu, l'amour ou la luxure, c'était le pouvoir. Non pas le pouvoir politique, mais celui, assez bizarre, que l'on retrouve toujours, dit-on, à l'état endémique dans les couloirs et les bureaux des fonctionnaires, terres à ragots où le fumier est toujours abondant.

Un pouvoir occulte que les employés, cadres, professionnels, gratte-papier ou livreurs de café, s'acharnent tous à conquérir et pour lequel ils vous claquent des infarctus du myocarde et chaque fois on se demande pour quel motif inavoué ils en sont arrivés là.

274.   De temps en temps, Tau faisait de petites incursions indues et vite escamotées du côté de la luxure. Cela l'humiliait tellement qu'il faisait toujours comme s'il ne pensait pas réellement à cela, de sorte que la jeune personne concernée se méprenait sur ses intentions et qu'il n'arrivait jamais à ses fins.

« Au demeurant », c'était un bon zigue, comme aurait dit son professeur de casuistique à l'époque où Tau voulait devenir jésuite.

XXVII

SECRÈTE CONFRÉRIE

275. Dès notre arrivée chez Tau, dit l'Euguélionne, alors que j'étais encore sur le seuil, les deux sœurs se heurtèrent à deux domestiques à quatre pattes et la poitrine découverte, en train de frotter le plancher du hall d'entrée. Epsilonne passa outre en faisant bien attention de ne pas se salir et pénétra tout de suite au salon où Tau regardait les informations du soir à la télé.

Au moment où Omicronne passait près de la plus jeune de ces deux domestiques, celle-ci, sans proférer de paroles, lui montra ses seins qui étaient lourds et dont l'aréole, extrêmement large et de couleur prononcée, était parsemée de petits boutons tout boursouflés autour du mamelon érigé. Cette vision était lamentable et Omicronne avait l'impression que cette jeune femme et sa compagne avaient été classées définitivement parmi les mammifères quadrupèdes appartenant à la famille des *bêtes de somme* ordurivores d'une espèce toute spéciale: en effet, les ordures qu'elles doivent brouter pour survivre ne sont jamais les leurs mais celles d'autrui.

276. Il y avait quelque chose d'écrit en lettres noires moulées au-dessus de l'aréole, sur la blancheur du sein. La jeune domestique attira l'attention d'Omicronne sur ce message. Il était indéchiffrable.

Ces deux servantes, semblait-il, faisaient partie d'une confrérie secrète, car l'autre domestique montrait elle aussi des caractéristiques semblables: même message écrit sur les seins aux aréoles immenses et tumultueuses, même désir tacite de communiquer ce message.

— Elles sont peut-être muettes, me dit Omicronne en les quittant avec gêne. Le docteur Phipsi et même Epsilonne diraient avec assurance qu'elles veulent se faire téter ou même faire l'amour avec les visiteurs ou les visiteuses. Je leur répondrais que même si cela était, et puis après? Ces créatures sont-elles si misérables qu'elles ne peuvent prétendre à un peu d'amour?

277. Mais moi, je sais que leur message est tout autre, ajouta Omicronne dont le regard était éloquent. *C'est un message révolutionnaire.*

278. Passablement intriguée par ce qu'elle venait de voir, Omicronne m'entraîna vers l'arrière de la maison, à la recherche de Sigma.

Elle la trouva sur un petit balcon, en train d'étendre du linge. Sigma fixait ce linge en n'employant ni pinces ni épingles. Comment réussissait-elle à le faire tenir sans le passer par-dessus la corde et le faire pendre des deux côtés?

Tout à coup, ses deux enfants arrivent en trombe et tournent autour d'elle en se chamaillant et en se servant de ses jambes comme pivots.

Le visage de Sigma est flegmatique. On dirait qu'aucune émotion jamais ne l'a plissé. Elle envoie sa progéniture jouer ailleurs du geste que l'on a pour chasser des mouches importunes.

Elle soupire, puis elle nous dit calmement que ses enfants lui causent bien des embarras mais que serait-elle sans eux? Un être inexistant, autant dire rien du tout.

XXVIII

LA CHAMBRE FORTE

279.　　— Tandis que nous sommes seules, dit Omicronne à Sigma, dis-moi, je t'en supplie, si tu te souviens de mon nom.

— Bien sûr, dit Sigma en souriant légèrement. Quelle question! Tu es ma vieille amie Omicronne, Omicronne Oméga. Je te connais depuis toujours. C'est curieux, on ne se voit presque plus depuis mon mariage. Dommage. Mais pourquoi me demandes-tu ça?

— Justement, dit Omicronne, je voudrais que tu me dises comment je m'appelais avant mon mariage à moi. Tu sais, quand on s'est connues, quand on travaillait ensemble dans cette revue…

— Mais… tu t'appelais Omicronne comme aujourd'hui… Omicronne Qui, déjà?

— C'est ça que je veux savoir. Omicronne Qui?

280.　　— Tu vois, dit Sigma, c'est trop loin, je ne m'en souviens plus. Je ne me rappelle même plus mon propre nom, ajouta-t-elle en riant très fort.

C'était sans doute la première fois de sa vie que Sigma, ou plutôt le visage de Sigma consentait à se tendre jusqu'à produire de lui-même ce phénomène irréversible du rire. Car qui a ri rira. Et rira bien qui enfin a ri la dernière…

281.　　Avant de quitter cette maison, Omicronne demanda à son amie Sigma ce qu'il y avait derrière une fenêtre exiguë qu'elle avait remarquée sur le haut d'un mur en plein cœur de la maison, fenêtre qui ne donnait pas sur l'extérieur, dont la vitre était sombre et au pied de laquelle se trouvait un petit escabeau de trois ou quatre marches.

— C'est une chambre forte, dit Sigma. Elle n'a pas de porte mais seulement cette ouverture carrée, suffisante pour laisser passer un adulte. C'est vraiment extraordinaire, continua-t-elle sur un ton ravi. C'est mon mari qui a eu cette idée géniale et l'a faite exécuter par un architecte sûr.

Quand on est là-dedans, poursuivit-elle, on est sûrs, absolument sûrs d'être à l'abri des espions. Tu sais, dans la situation de mon mari, c'est indispensable. Même le feu ne vient pas à bout de cette ouverture: elle est imprenable!

— Mais, dit Omicronne qui avait noté, en se haussant sur l'escabeau pour regarder, que la chambre était complètement vide et que cette fenêtre, par où elle pouvait observer l'intérieur, était unique et très haute, mais, dit-elle, quand on est là-dedans, comment s'y prend-on pour sortir, surtout s'il y a le feu?

— Je te dis que c'est à l'épreuve du feu. Advenant un incendie, on est absolument à l'abri, là-dedans.

282.   Omicronne me dit en sortant qu'elle frissonnait encore à la pensée de se trouver enfermée dans cette chambre aux murs totalement nus, et avec seulement cette petite ouverture si haut placée et à l'épreuve de tout...

283.   Comme nous nous éloignions de la maison de Tau, Epsilonne nous dit en souriant:

— Avez-vous remarqué ces deux bonnes femmes dans l'entrée? On ne se met pas à quatre pattes les seins à l'air sans avoir envie de baiser, dit-elle crûment.

— À moins d'être femmes de ménage chez Tau, dit Omicronne. Et toi, as-tu remarqué le message qui était écrit sur leurs seins?

— Ah! Il y avait un message? C'est ce que je disais: ce message était sûrement une invitation lubrique. D'accord, c'est intéressant, mais guère appétissant, ajouta-t-elle avec un petit rire plein de répugnance et de compassion.

XXIX

HOME SWEET HOME

284.   Toujours avec Epsilonne, nous nous sommes rendues chez l'autre « demoiselle d'honneur » présente au mariage d'Omicronne dix ans auparavant.

Lambda s'était mariée elle aussi, et elle aussi, comme Sigma, avait été épouse-modèle-parfaite-ménagère-mère-exemplaire.

Mais un jour, s'étant entiché d'une jeunesse de vingt ans, son mari l'avait plaquée sans crier gare en lui faisant cadeau de leurs quatre garçons, quatre impertinents d'une vitalité infernale.

Du coup, toutes les qualités propres à la *reine du foyer* dont s'était auréolée jusqu'ici la pauvre Lambda, s'étaient mystérieusement envolées.

285.   Son foyer lui-même en fut ébranlé. En effet, petit à petit, dans son logement, les cloisons s'étaient effondrées, de sorte que cette famille vivait maintenant dans une seule et unique pièce, immense, où il y avait le coin des toilettes, le coin de la cuisine, le coin des lits, le coin de la télévision, les autres meubles se disputant pêle-mêle le reste de l'espace.

Tout dans cette pièce est malpropre et désordonné. De grands pans de murs oubliés gisent dans tous les sens sur le sol. Les enfants s'en font des abris ou des tranchées dans leurs jeux, « c'est toujours ça de pris » se dit Lambda.

286.   Seuls deux oiseaux épris l'un de l'autre près d'une fenêtre, l'un bleu et l'autre vert, attirent un peu le soleil dans cet intérieur sordide.

287.   Au moment de notre arrivée, il y a une véritable inondation côté toilettes. Un jeune homme en bleu de travail essaie d'éponger la mare qui se propage. Epsilonne reste prudemment au centre de la pièce et allume une cigarette.

    — C'est le type qui est là-bas qui m'a fait ce dégât, nous dit Lambda, l'air accablé. Il est arrivé tout à l'heure et m'a demandé s'il pouvait prendre de l'eau chez moi. Bien sûr, je n'ai pas refusé. Il y a des choses qui ne se refusent pas. J'ai cherché un seau. Ils étaient tous remplis jusqu'au bord d'articles de nettoyage. Finalement, je lui en ai trouvé un.

    Il a commencé à prendre de l'eau au robinet, mais comme les tuyaux sont bouchés, ça n'a pas tardé à inonder toute ma salle de bains, dit-elle comme si vraiment cet endroit découvert était une salle de bains.

288.   D'autres enfants entrent dans la pièce. Ce sont des amis des quatre garçons, venus leur apporter du renfort dans une attaque à main armée. Ils sont suivis d'une très jolie fille en blue-jeans, la sœur de l'un d'eux.

289.   L'homme en bleu de travail s'avance alors vers nous et demande poliment à Lambda s'il peut se mettre *nu* pour travailler. « Je serais mieux à mon aise, dit-il. »

    — Je n'ai pas d'objection, dit Lambda.

    L'homme s'éloigne. Pendant qu'il se déshabille, la belle fille s'approche de lui et, le plus naturellement du monde, lui faisant face et le regardant droit dans les yeux, elle se met nue elle aussi.

    En vérité, dit l'Euguélionne, ils sont tous les deux si jeunes et si bien faits que c'est une joie pour les yeux de les contempler.

    Puis, cette jeune fille, complètement dénudée, vient trouver Lambda et lui demande si ça ne lui fait rien qu'elle embrasse le type.

    — Mais non, voyons, embrasse-le si ça te chante. Ça m'est parfaitement égal.

290.   Pendant que les deux jeunes gens se rejoignent, Lambda nous dit : « Je ne devrais peut-être pas les laisser faire à cause des enfants… » Mais elle semble les oublier presque aussitôt. Elle nous parle de choses et d'autres et surtout du délabrement de son logement.

291.   — Cette maison, je l'ai vu construire. Nous avions bien de la chance, nous allions habiter un immeuble neuf et, dans cet immeuble, un logement tout neuf, nous allions être les premiers locataires. Ma mère ne cessait de me chanter ce refrain et de vanter les mérites de mon fiancé qui avait trouvé à si bien nous loger dès le début de

notre mariage. J'allais tous les jours voir où en était la maison, j'allais la voir progresser. Et je me disais: « Ils ne réussiront pas à joindre les murs au plafond et à les y fixer pour qu'ils tiennent. » Et je me disais en regardant la charpente: « Pourquoi faire des murs sinon pour créer un entourage... » Et je me disais aussi: « Comment vivre sans entourage? Comment ne pas être entourée des murs ni des autres personnes? » Et je me voyais dans cette chambre de cette maison en construction. Les murs étaient comme des pantins à qui il manque la colonne vertébrale. Je les voyais bien les murs de cette chambre. Déjà, ils tendaient à s'effondrer. « Il faut les retenir, me disais-je. Avoir assez de force, avoir assez de temps et de présence d'esprit pour empêcher les murs de s'effondrer. » Mais alors, imperceptiblement, ils se mettaient à fondre ou bien ils s'évaporaient. Que faire quand un mur de sa chambre s'évanouit? Et je me demandais ce que je ferais si, plus tard, une telle chose m'arrivait. Et voilà. C'est arrivé. Et qu'est-ce que je fais? Je suis seule et entourée d'enfants. J'héberge des enfants dans ma maison sans murs. Des enfants qui jouent à la guerre et d'autres qui jouent à l'amour.

292.   Ces dernières paroles de Lambda, dit l'Euguélionne, me font penser aux deux jeunes gens. Je tourne la tête du côté de la salle de bains, et, à ma grande surprise, je ne les vois pas.

Je m'approche et les trouve tous les deux, couchés l'un sur l'autre au fond de la baignoire remplie d'eau jusqu'au bord. Ils s'embrassent à pleine bouche et probablement sont-ils en train de faire l'amour.

De temps en temps, ils remontent à la surface pour respirer. Les enfants qui vont et qui viennent n'en ont cure car ils sont pris par leurs propres jeux et ceux-ci semblent être tout aussi passionnants.

XXX

UNE CHUTE SYMPTOMATIQUE

293.   Je reviens vers Lambda. Je la surprends en train d'attraper vertement Epsilonne qui fume et jette sa cendre par terre.

— Il y a des cendriers, dit-elle.

— Qu'est-ce que ça fait, dit Epsilonne, c'est tellement sale ici que ça ne peut l'être davantage. Mais si ça vous fatigue, tenez, prenez votre balai-brosse et ramassez donc toute cette saleté. Et, disant cela, elle lui désigne un balai mécanique qui est appuyé sur le divan.

Lambda s'en empare avec l'énergie du désespoir dans l'intention de ramasser la cendre.

Mais cette soi-disant balayeuse est en réalité un aspirateur et, selon l'orifice où est assujetti son manche métallique, il ramasse ou repousse la poussière.

Sans vérifier à quel bout est le manche, Lambda le fait fonctionner et, au lieu d'aspirer la poussière, l'appareil la rejette et l'éparpille partout, et celle qui était déjà à l'intérieur de l'engin vient adhérer à l'extérieur, sur toute la surface de la diabolique machine.

Epsilonne jette les hauts cris: la voilà, dit-elle, couverte d'immondices. Elle aime mieux quitter les lieux tout de suite.

— Je vous attends dehors, nous dit-elle, en s'adressant à sa sœur et à moi-même.

294.   En sortant, elle croise un homme assez jeune portant une trousse. Elle lui dit: « Bonjour docteur » et disparaît.

Le nouvel arrivant tout en enjambant le linge qui traîne par terre s'avance vers Lambda et lui serre la main avec cordialité.

Lambda l'amène près de la fenêtre et lui montre ses oiseaux. Sa figure s'est animée. Ils parlent tous les deux familièrement tandis que nous les observons, Omicronne et moi, de l'endroit un peu en retrait où nous sommes restées.

295.   Soudain, un des enfants de Lambda se heurte à elle en courant, et, sans le vouloir, lui donne un gros coup de pied dans le ventre.

Lambda tombe par terre. Elle reste là, ahurie, elle est complètement à plat, aplatie, « à terre » comme on dit parfois des gens déprimés et des batteries d'automobiles l'hiver. Lambda est effondrée et complètement vidée.

Le monsieur s'empresse auprès d'elle et l'aide à se relever. Il la console, il la questionne, il essaie d'en savoir plus long sur sa situation. Il dit:

296.   — Ma chère Lambda, cette chute est symptomatique. Il faut la considérer sous tous ses angles, consciencieusement, en étudier les causes et en envisager les conséquences. Je vais vous aider. Nous allons faire cela ensemble, si vous voulez.

297.   Les voyant si bien accordés et dans un moment si important pour elle, nous nous dirigeons doucement vers la porte et sortons sans attirer l'attention, nos pas d'ailleurs étant couverts par le clapotis de la baignoire et les cris des enfants.

— Cela ne m'aurait servi à rien de lui demander mon nom, nous dit Omicronne, car c'est à peine si elle m'avait reconnue quand je suis entrée.

XXXI

LES BESSONS

298.   Toujours en quête de son nom, dit l'Euguélionne, Omicronne s'est souvenue d'un ami d'Alfred, qui avait été le témoin de celui-ci à leur mariage. Il s'appelait *Piro* et habitait avec sa femme dans un petit appartement haut perché. Le couple venait tout juste d'avoir des jumeaux.

C'est lui-même qui nous introduisit chez lui car nous l'avions rencontré sur le seuil de sa porte. Cette fois, Epsilonne ne nous accompagnait pas.

299.   Juste avant d'entrer, il nous dit: « Vous allez voir ma femme, une vraie fainéante. Elle ne travaille pas. Elle ne fait rien du tout. Et Dieu sait que l'ouvrage ne manque pas à la maison. Elle n'a pas de cœur. Elle n'est même pas montrable. Je vous prie tout de suite de l'excuser. Elle n'a pas de façon avec les visiteurs. »

300.   Nous entrons à sa suite et nous nous trouvons dans une grande chambre à coucher toute en largeur et peu profonde. Des vagissements et une musiquette insipide nous parviennent d'une pièce du fond. L'appartement ressemble au décor d'un film de Charlot. C'est, du moins, l'expression qu'employa plus tard Omicronne lorsqu'elle en fit la description à sa sœur. De cette pièce du fond, on entend crier une voix exaspérée: « Allons, *Mosca*, tais-toi! Ça suffit, maintenant. Tu vas te taire! »

301.   Presque aussitôt une jeune femme fait son apparition dans la pièce où nous sommes. Elle traîne la savate et balance au bout de son bras gauche une espèce de poupée qui hurle à mort tandis que sa main droite porte une cigarette allumée jusqu'à sa bouche... Elle est vêtue d'une robe de maison d'un blanc douteux. Autres signes distinctifs, non équivoques: tenue débraillée, ventre ouvert, épaules voûtées, cheveux en vadrouille, visage enfantin, paupières en demi-lunes flanquées d'un regard entrecoupé de dards.

Sans nous saluer et nous ignorant totalement, elle va vers la gauche et laisse tomber son fardeau dans un ber qu'Omicronne avait remarqué tout de suite en entrant.

302.   Quant à moi, mon attention se porte en face de nous et se fixe sur le dessus des tiroirs de droite d'une coiffeuse à trois glaces dont deux sont mobiles, où sont alignés, parallèlement au mur et l'un derrière l'autre, quatre bébés emmaillotés, de tailles rigoureusement identiques.

Les trois glaces se renvoient indéfiniment leur image. Ils ont des bonnets de dentelle tout blancs. Ils sont couchés sur le ventre, leurs visages sont tournés de notre côté, montrant d'immenses yeux bleus grands ouverts qui nous voient et nous regardent.

Il semble bien qu'il n'y ait *qu'un seul lit* pour les quintuplés. C'est le ber et pour l'instant c'est Mosca qui l'occupe.

303.   Le silence se fait soudain dans l'appartement, car Mosca s'est tu, ayant compris qu'il était privilégié.

C'est ce moment que choisit à la radio une dame pour téléphoner à l'animateur de l'émission des *Petites Annonces de la Matinée.*

J'aurais une robe de mariée à vendre, avec voile et diadème. La robe est toute blanche en nylon de soie. Grandeur: 11 ans, taille: mannequin. Elle n'a été portée qu'une fois. Je la laisserais aller pour un prix avantageux.

— Tiens, c'est une idée ça, *Dzéta*, dit Piro. Si tu vendais ta robe de mariée, on pourrait peut-être acheter des lits pour les bessons!

XXXII

UN ENDROIT POUR PLEURER

Apparemment, la jeune femme n'a pas entendu. Toujours en traînant la savate, elle retourne au fond de l'appartement.

304.   Nous sommes toujours là debout comme des piquets patients dans la chambre à coucher. À la question habituelle d'Omicronne sur son identité, Piro lui répond qu'ayant été l'ami du marié et non de la mariée, il ne se souvenait pas du nom de la fille qu'Alfred avait épousée. Il ne se souvenait même plus du visage de celle-ci.

— Il se peut que ce soit vous, lui dit-il, mais je ne pourrais pas le jurer tant c'est vague dans ma mémoire.

Puis, élevant la voix:

— Dzéta, appelle-t-il! Où es-tu? Qu'est-ce que tu fais? Reviens. Il y a du monde.

N'obtenant pas de réponse, il nous dit:

— Elle doit s'être enfermée dans les toilettes encore une fois. C'est l'endroit qu'elle a élu pour pleurer.

Se tournant vers le couloir, il crie:

— Sors de là, Dzéta! Y'en a d'autres ici qui veulent y aller.

Très gênées, Omicronne et moi faisons signe à Piro que ce n'est pas le cas en ce qui nous concerne. Mais sans vouloir comprendre, il nous dit de le suivre.

305.   Il nous emmène dans ce couloir qui semble tenir lieu d'office. Sur le mur de gauche, il y a une armoire à vaisselle contenant des boîtes de céréales de toutes sortes, ainsi que des plats et des bols incassables faits de plastique et de silicone, empruntant des formes variées.

— C'est là, dit-il, en montrant le mur de droite et il se met à cogner dedans en vociférant: « Dzéta! Dzéta! Sors de là tout de suite! »

Omicronne et moi nous nous regardons avec inquiétude: il n'y a aucune porte visible sur ce mur. Piro nous explique:

— Ne faites pas attention. C'est l'appartement qui est mal bâti. Ils ont voulu sauver de l'espace, sans doute, et ils n'ont fait qu'un vantail dans le haut de ce mur pour conduire aux toilettes. Ce n'est guère pratique, je vous assure. Je suis certain que Dzéta le fait exprès pour se cacher là. Juste pour me faire enrager. Parce qu'elle sait que je n'aime pas être obligé de monter jusque là pour regarder ce qu'elle fait...

— Où est-il ce vantail, demande Omicronne?

— Ah! on ne le voit pas. Il est si bien camouflé. Il faut le savoir, dit-il avec un brin de fierté. Pour ça, on peut dire qu'ils ont été discrets les constructeurs! Vous savez, avec Dzéta, ça peut être long. Voulez-vous des céréales en attendant?

Il se tourne vers le mur de gauche et choisit un bol qui a vaguement la forme d'un soulier voyageur. Il le remplit de céréales et me le tend.

306 Puis, il revient cogner dans le mur d'en face. « Dzéta, sors de là! Il y a une dame ici qui attend... »

Il regarde Omicronne d'un air désolé, se gratte le haut du crâne, semble hésiter puis se décide tout d'un coup.

— Je vais vous aider à passer, dit-il à Omicronne. Si elle ne veut pas sortir, tant pis pour elle.

Sans lui laisser le temps de s'y opposer physiquement et malgré ses protestations, il attrape Omicronne par la taille et la juche sur ses épaules.

— Ouvrez le vantail, lui dit-il, il est juste à votre hauteur maintenant.

Omicronne étend la main et dit qu'en effet, elle sent quelque chose céder sous sa pression.

Omicronne risque un œil par l'ouverture ainsi faite d'où s'échappe un rais de lumière. Elle nous dit en chuchotant que Dzéta est bien là: elle est assise sur le couvercle du siège, la tête appuyée dans sa main gauche, et elle pleure.

— Tiens, c'est drôle, il y a une autre armoire à vaisselle sur le mur. Il y a aussi de grands posters rigolos.

Piro a l'air rêveur tout en soutenant Omicronne sans effort apparent. Je ne puis m'empêcher de penser à la chambre forte des Tau et à l'impression désagréable qui m'en est restée, analogue à celle que j'éprouve en ce moment.

Tout à coup, Omicronne sursaute et dit qu'elle aperçoit une porte sur la gauche. Cette porte est fermée au moyen d'un crochet et doit donner au détour du couloir dans un autre passage ou une autre pièce.

— Aïe, il y a une porte, là, sur le côté, crie-t-elle en se débattant, je veux passer par la porte.

Mais Piro l'a déjà basculée et essaie de la faire entrer par la brèche.

Omicronne piaffe dans le vide.

— C'est trop difficile et c'est dangereux. Je vais me casser la figure. Soyez gentil, faites-moi redescendre, je vous en prie.

Enfin! il la dépose sur le parquet. Ouf! quelle poigne il a ce Piro! Et la pauvre Dzéta! Quel drôle de mari elle a! Et qu'y avait-il de commun il y a dix ans passés entre ce petit homme étrange et le jeune Alfred Oméga pour que le premier témoigne du second lors des épousailles de ce dernier?

Nous partons. Nous quittons ce troublant pigeonnier avant que Dzéta n'ait consenti à sortir de son refuge.

J'apprends alors par Omicronne que ce qu'il y avait d'écrit sur les posters était assez spécial. Quelques jolies choses comme:

> *Elle me fait chier*
> *Qui?*
> *L'humanité*
>
> *Elle m'emmerde*
> *Me tord-boyaux*
> *Me constipe*
> *Me fait vomir*
> *Lumanité*

XXXIII

LE TERRAIN DE CAMPING

307. Omicronne a renoncé pour le moment à retrouver son nom. « Oublie donc tout cela, lui dit Exil. Puisque tu n'as plus de nom, tu n'as qu'à t'en faire un, bien à toi.

— Oui, dit-elle, il va falloir pour commencer que je me cherche du travail. Mais, auparavant, il y a un endroit où je voudrais retourner bien que sans espoir d'y retrouver mon nom. C'est au lieu de mon voyage de noces. Nous étions si pauvres à ce moment-là, Alfred et moi, que nous avions fait ce voyage en auto-stop, sac au dos. Notre destination était un terrain de camping fort réputé. »

308. Accompagnées d'Exil, dit l'Euguélionne, nous voilà en route pour le lieu sacré du voyage de noces d'Omicronne.

Nous arrivons à la nuit tombante en vue d'un campement qui occupe un immense terrain. À l'entrée, il y a un grand panneau avec cette inscription:

ICI ON ÉVENTRE LES FILLES

Est-ce une plaisanterie? Que signifie cette inscription?

— C'est à peine si je reconnais l'endroit, dit Omicronne.

Nous nous renseignons au bureau des admissions: « Sous chaque tente que vous voyez là, dit le préposé avec indifférence, se pratique un avortement clandestin.

— Mais, dit Exil, et la police?

— Elle est au courant. Mais elle ferme les yeux moyennant une forte commission.

— Pouvons-nous jeter un coup d'œil?

— Comme vous voudrez. Mais si c'est pour un avortement, il faut payer d'avance.

— Non, non, aucune de nous ne veut se faire avorter, dit Omicronne.

— De toute façon, c'est impossible de tricher, dit l'homme de l'air de quelqu'un qui se comprend…

309.   Nous avançons sur le terrain. Chaque tente est éclairée de l'intérieur. On n'entend pas un bruit, pas un cri, le silence est total. À peine, ici et là, un froissement d'étoffe…

— Regardez, dit Omicronne, c'est exactement ici que nous avions planté notre tente, juste sur le bord de l'eau.

Nous nous approchons de l'endroit indiqué par Omicronne. La tente qui est installée là est entrouverte. Nous risquons un œil. Omicronne retient un cri.

— C'est *Deltanu* qui est là, dit-elle dans un souffle. Je la connais bien. C'est la jeune sœur d'une de mes condisciples de collège. Elle n'a pas plus de vingt ans.

— Elle est évanouie, dit Exil tout bas. Oh! regardez, c'est épouvantable!

Nous regardons la scène toute les trois, horrifiées, n'osant respirer.

310.   C'est un jeune prêtre qui « officie ». Le corps de Deltanu est couvert pudiquement. Seul son sexe est apparent et le haut de ses cuisses. Le prêtre y plonge les mains et se met à tirer très fort en marmottant une prière, bientôt exaucée, semble-t-il, car il parvient à extraire d'un seul mouvement, non seulement les tripes qui se défripent, non seulement la rate qui se dilate — est-ce assez drôle! — mais les autres organes vitaux du corps qui se tiennent tous ensemble par solidarité humaine: cœur, poumons, foie, reins, estomac, utérus, toutes les entrailles et bénies, ainsi soit-il.

C'est une réussite fulgurante! Il n'y a que les pêcheurs au chalut pour faire cela avec autant de rapidité et de précision quand ils dépouillent les morues avant de jeter leur carcasse aux oiseaux.

Puis, d'une main experte, l'« officiant » extirpe l'embryon de cet amas de viscères — embryon qu'il noie ou ondoie dans l'eau bénite d'un bénitier de poche — et enfin, il remet le tout en place par la voie d'où il a tiré ce tout, avec la dextérité et le savoir-faire d'un guérisseur philippin, c'est-à-dire, sans laisser de traces. Même ses mains sont restées immaculées.

Ensuite, il se penche sur Deltanu avec inquiétude. Il la croit morte. Il la soulève: elle est roide et sans souffle comme une poupée de son que l'on aurait ouverte sur toute sa longueur, que l'on aurait vidée complètement, puis refermée après l'avoir bien empesée.

311. Je jette un coup d'œil sur les tentes environnantes, dit l'Eugué-lionne, et je songe à toutes les malheureuses que l'on vide de cette façon et qui meurent entre des mains officieuses. Et qu'est-ce qu'on fait de leur carcasse, me dis-je? *Est-ce qu'on la jette par-dessus la muraille de Notre-Dame-Hors-les-Murs?*

312. Heureusement pour nous qui guettons l'issue d'une de ces opérations-boucherie, nous voyons Deltanu reprendre vie peu à peu. C'est un vrai miracle, dans la plus pure tradition chrétienne.

Nous la ramenons à la ville avec nous.

Ainsi se termine le pèlerinage d'Omicronne au lieu de son voyage de noces!

XXXIV

LE TAPIS

Deltanu n'a nulle part où aller. Elle est si faible. Elle ne veut pas que ses parents lui posent des questions embarrassantes.

— Si tu veux te retaper, dit Exil, je ne connais qu'un endroit pour cela, c'est chez ma mère. Elle vient justement d'emménager dans un nouvel appartement.

313. Au moment où nous arrivons, la femme de ménage sort de chez elle.

La mère d'Exil nous fait entrer dans son salon qui est très spacieux et très peu meublé. Nous avons la surprise d'y trouver une vingtaine de jeunes garçons assis par terre, le dos appuyé au mur, une assiette sur les genoux.

La mère d'Exil nous désigne des fauteuils en s'excusant de devoir nous faire patienter, puis elle continue à s'affairer pour nourrir tout ce monde à qui elle distribue toutes sortes de mets qu'elle a visiblement confectionnés elle-même.

314. Profitant d'un moment d'accalmie, Exil l'amène à part et lui demande:

— Est-ce que ce sont là tes pensionnaires?

— Oh non, pas à proprement parler. Mais si tu appelles « pensionnaires » des gens qui mangent et logent chez soi, alors, si, ce sont mes pensionnaires.

— Travaillent-ils, demande Exil?

— Non, ils sont tous chômeurs.

— Mais te payent-ils une pension?

— Comment le pourraient-ils? Ils n'ont pas d'argent!

— T'aident-ils en quoi que ce soit?

— Ils ne lèvent pas le petit doigt. Tout le travail qu'il y a à faire ici semble ne pas les concerner. Ce sont des « contemplatifs ».

— Mais alors, qu'attends-tu pour les mettre à la porte? dit Exil en jetant un regard indigné sur ces doux parasites dont la carrure est loin d'inspirer la pitié.

— Comment le ferais-je, dit la mère d'Exil? Ils sont tous bien plus forts que moi. Ils exigent que je les loge et les nourrisse en vertu du principe de la communauté des biens universels...

315.   Dégoûtée qu'un si beau principe serve encore à l'exploitation du plus faible, Exil cherche en elle-même un moyen de nettoyer la place sans avoir recours à la police, quand soudain elle voit l'un de ces jeunes gens soulever le tapis du salon et y enfouir de la terre, des petites mottes de terre.

Exil dit à sa mère:

Je ne comprends pas... je viens de voir sortir d'ici la femme de ménage. N'a-t-elle pas vu toute cette poussière?

— Si, répond la mère d'Exil. Elle a balayé partout à fond. Mais vois comme ça repousse vite! ajoute-t-elle, l'air un peu ébahi.

XXXV

BIJOUX ANCIENS

Exil et Omicronne s'entendent entre elles pour parler aux jeunes gens dans le but de les décider à quitter les lieux.

316.   Pendant ce temps, la mère d'Exil s'occupe de Deltanu. Elle l'installe dans sa propre chambre. Je suis là, avec elles, dit l'Eugué-lionne.

— Ma petite enfant, dit la mère d'Exil à Deltanu, je vais te montrer quelque chose que même ma fille Exil n'a jamais vu.

Elle me dit que je peux rester et regarder. Puis, elle ouvre un tiroir de sa coiffeuse, en sort un vieil écrin de velours bleu sombre et de forme ovale.

Elle en fait jouer le mécanisme d'ouverture et alors apparaît un collier magnifique formé de cinq médaillons d'argent, tous reliés les uns aux autres par de gros chaînons.

— Puis-je voir ce qu'il y a dans les médaillons, demande Deltanu?

La mère d'Exil prend le collier religieusement et le passe autour de son cou en s'examinant dans la glace de sa coiffeuse.

— C'est impossible, dit-elle, ils sont scellés.

— Y a-t-il quelque chose dedans, demande doucement Deltanu?

— Oui, dit la mère d'Exil. Dans chaque médaillon, il y a un phétusse.

— Un quoi, dit Deltanu?

— Un *phétusse*. Ce sont les fausses couches que j'ai faites sans les provoquer pendant les trente années qu'a duré mon mariage.

Deltanu est bouleversée.

— Pourquoi me montrez-vous cela, dit-elle, accablée?

317.   — Pour que tu n'aies aucun regret de ce que tu as fait. Vois-tu, ces petits que je n'ai pas menés à terme, je ne les voulais pas. Tu sais que j'ai quand même eu dix enfants? Tu sais que ces dix enfants, je les ai élevés? Et que si j'avais eu ces cinq-là, ça m'en aurait fait quinze? Veux-tu savoir combien j'en ai désiré réellement sur ce nombre?

— Vous avez eu raison, madame, de me montrer ce collier, dit Deltanu.

— Tu vois, petite, mes dix enfants aujourd'hui ont tous quitté la maison. Mon mari n'est plus. Je suis envahie par des étrangers exigeants. Il ne me reste que ce collier, dit-elle.

318.   Et en cet instant, dit l'Euguélionne, elle me parut misérable, elle me fit pitié tout à coup. Et je lui ai demandé:

— Pourquoi dites-vous « phétusse » plutôt que « fœtus »?

— Parce que c'est moins gênant, dit la mère d'Exil en détachant son collier et en le remettant en place.

XXXVI

DES PROJETS À LA PELLE

319.   Nous laissons Deltanu chez la mère d'Exil, dit l'Euguélionne, et nous nous arrêtons chez Alfred Oméga car Omicronne veut prendre ses affaires et régler quelques détails de leur séparation.

À peine sommes-nous dans l'appartement que monsieur Alfred Oméga dit à sa femme qu'il veut divorcer. Il a l'intention de vivre avec une jeune femme dont il est amoureux.

— Est-ce Epsilonne, demande Omicronne?

Monsieur Oméga est gêné visiblement. Il regarde ailleurs.

— C'est elle, tu as deviné juste.

— Cela m'étonne qu'Epsilonne consente à cohabiter avec un homme. Elle, si indépendante... Allez-vous vous marier?

— Heu... non, pas pour l'instant.

— C'est elle qui ne veut pas ou c'est toi?

— Heu... c'est elle, naturellement. Tu sais que moi je n'ai rien contre le mariage...

— Je la reconnais bien là. Elle n'est pas si folle. Et toi aussi, je te reconnais bien. Le mariage ne t'a jamais empêché de faire ta vie. Et les enfants? Je voudrais les reprendre.

— Tu as trouvé du travail?

— Non, pas encore.

— Onirisnik est toujours chez ta mère. Quant à la petite Alik, elle est au château de ton frère.

— Qui en a soin, demande Omicronne?

320. — Il y a là une gouvernante qui s'occupe déjà d'une étrange petite fille.

— Ne s'agit-il pas d'Étéa, la *petite centenaire*, dit Exil? N'est-ce pas cette enfant qui a battu ses camarades le jour où nous avons été reçues chez Upsilong?

Alfred Oméga ne semble pas au courant de cette histoire, mais il croit qu'effectivement la fillette s'appelle Étéa.

— Qui est cette petite fille bizarre, dit Omicronne? Pourquoi vit-elle chez mon frère?

— On dit que c'est sa fille, dit Alfred Oméga. Ne le savais-tu pas?

— Non, je ne le savais pas. C'est la première fois que j'entends dire qu'Upsilong a une fille. Et qui est la mère de cette enfant?

— Personne ne le sait, dit Alfred Oméga. Mais quelle importance? Il suffit que quelqu'un prenne soin de notre fille Alik, n'est-ce pas?

321. — Aussitôt que j'aurai trouvé du travail, je vais reprendre Alik et Onirisnik, dit Omicronne. Tu n'y vois pas d'objections?

— Aucune objection, dit Alfred Oméga. À la condition que je puisse les voir de temps en temps.

— Tu les verras. Je demanderai à mon avocat de fixer les jours.

Omicronne se rapproche de son mari et lui dit, sans animosité, avec même de la tendresse dans la voix:

322. — Es-tu heureux, Alfred?

Il la regarde, maintenant.

— Très heureux, dit-il, les yeux brillants. J'ai mille projets qu'Epsilonne et ses amis vont m'aider à réaliser. Tu sais, Epsilonne a des tas d'amis intéressants.

J'observe la physionomie d'Omicronne et je note que notre amie a marqué le coup. Je peux presque toucher sa souffrance juste à ce moment, dit l'Euguélionne.

— C'était la seule issue pour nous, dit-elle à son mari en essayant de s'en persuader elle-même.

323. Et je sais, dit l'Euguélionne, qu'en ce moment la petite Omicronne espère encore que son absence pèsera à son Alfred. Elle espère qu'elle lui manquera. Elle espère qu'il lui reviendra quand Epsilonne en aura assez de lui. Omicronne n'a pas encore trouvé son nom, dit l'Euguélionne. Elle est encore habillée du nom de son mari. Et cela lui fait mal, terriblement mal en ce moment, à la petite Omicronne...

XXXVII

DES AMIS À LA TONNE

Car, en ce moment, dit l'Euguélionne, Epsilonne fait son entrée chez Alfred Oméga. Elle est très belle. Ses yeux sont très noirs et très grands. Elle porte une combinaison aux reflets d'aluminium. Elle est très mince et très grande. Elle me fait penser à un produit fini, poli, impeccable, revu et corrigé, sans bavures, parfaitement au point, avec ce qu'il faut de métal et de chair, de carbone et d'eau, pour faire le brillant des yeux et la fermeté du regard.

Je suis sûre, dit l'Euguélionne, qu'en ce moment la petite Omicronne doit se dire intérieurement:

« Qui suis-je à côté d'Elle? Alfred a bien raison. Comme il doit se flatter d'une telle conquête. Comme j'étais ridicule avec mes questions. Comme ils ont dû se moquer doucement de moi, sans méchanceté, gentiment... »

Mais il y a quelque chose qui cloche dans cet ensemble impressionnant, dit l'Euguélionne. Epsilonne a un air triomphant. Pourquoi a-t-elle l'air de triompher, dit l'Euguélionne? Car ce triomphe est assez évident, tout l'ensemble de sa personne est tellement triomphal, qu'il est superflu de sa part d'avoir l'air de triompher.

324.   Epsilonne s'approche d'Omicronne et lui dit, sans gêne aucune:
— Est-ce que tu sais?
— Oui, dit sa sœur, laconique.
— Tu ne m'en veux pas?
— Pas du tout! Je ne t'en veux pas du tout!

Et, en disant cela, Omicronne saute au cou de sa sœur et tente de l'étrangler.

Tout un troupeau d'amis fait alors irruption dans l'appartement. Les plus braves s'emploient à séparer les deux sœurs qu'ils surprennent en train de se battre avec frénésie sur le tapis.

Alfred qui préparait des boissons dans la cuisine accourt pour relever sa maîtresse. Exil prend soin d'Omicronne. Epsilonne n'a rien perdu de sa superbe. Elle dit à Omicronne:
— Je comprends ta réaction. Elle est normale. Mais avoue que tu m'en veux.

— Je ne l'avouerai jamais, dit Omicronne. Alfred est libre de faire sa vie à sa guise. Je ne l'ai pas enchaîné. Et toi, si tu l'aimes, tant mieux pour vous deux.

325.   — Ah! nous dit Alfred, il faut que je vous présente les amis d'Epsilonne qui sont devenus mes amis. Vous connaissez le docteur Phipsi. Les autres sont des étudiants, des comédiens, un metteur en scène, un décorateur. Ils vont monter et jouer ma pièce. Upsilong parle d'en faire un film.

— Tu as écrit une pièce de théâtre, dit Omicronne?

— Non, mais je vais en écrire une. Un psycho-drame. Cela fait partie de mes nouveaux projets. J'ai fini d'écrire sur ce que les autres écrivent. À présent, je crée!

Les amis sont bruyants, flagorneurs, tapageurs, extrêmement sans-gêne et indiscrets. Omicronne respire à la pensée qu'elle n'habite plus ici. Et en même temps, de voir tout ce monde envahir « son » appartement, elle se sent lésée, offusquée.

— Et ta revue, dit-elle à son mari?

— Je passe la main. Il en est temps, tu ne trouves pas?

— Votre mari va enfin pouvoir se réaliser, dit effrontément un jeune admirateur des talents d'Alfred.

Celui-ci informe Omicronne qu'il y a répétition cet après-midi et qu'il est invité à y assister. La pièce est d'un auteur encore inconnu mais génial. « Tu m'excuseras si je dois partir tout de suite, dit-il. C'est très important pour moi d'y aller. Tu comprends, il faut que je me mette dès maintenant dans l'atmosphère. »

326.   « Atmosphère »! Ce mot a une résonnance bien particulière dans les oreilles d'Omicronne.

En sortant, quelqu'un lui glisse à l'oreille qu'elle a de la chance, que la voilà assurée d'un revenu annuel de $2,400. Omicronne est très surprise car il n'a pas encore été question d'argent entre elle et Alfred au sujet des enfants.

※

XXXVIII

LES BAINS DE MINUIT

Le fond des yeux d'Omicronne est infiniment triste, dit l'Eu-guélionne.

Je me sens quand même délivrée, dit-elle quand la bande d'Epsilonne a quitté l'appartement pour se rendre à la répétition. Puis, tout en ramassant ses affaires, elle nous raconte quelques moments de sa vie conjugale tandis qu'Exil et moi nous l'aidons du mieux que nous pouvons.

327.   — Au commencement de notre vie commune, dit Omicronne, nous allions souvent camper l'été, par les beaux soirs de fin de semaine et pendant nos vacances.

Je me souviens que nous avions un jour dressé notre tente dans un champ complètement isolé sur une île. Nous étions seuls. Là-bas, très loin, au bout du champ, c'était la mer. Alfred n'avait pas voulu que nous nous installions près de la mer. Il avait peur du vent. Il avait toujours peur du vent. C'était physique. Et pourtant, il faisait si beau ce jour-là.

328.   La nuit, je m'étais levée en cachette, j'avais couru vers la plage, et je m'étais avancée toute nue dans la mer.

J'avais nagé longtemps sur le ventre. La mer ne montait pas vers moi, elle m'attirait dans ses profondeurs, elle me pénétrait de partout, avec une étrangeté patiente, comme un amant qui nous transmet par tous ses pores sa substance étrangère. Je ne craignais pas d'entendre la voix d'Alfred me crier de la plage de ne pas nager si loin, lui qui ne se baignait jamais.

J'avais flotté longtemps sur le dos. Le ciel et son congrès d'étoiles, au lieu de descendre vers moi, me soulevaient, m'amenaient visiter toutes les avenues qui séparaient chacune d'elles, qui les tenaient à distance l'une de l'autre tout en veillant à les réunir. Je ne craignais pas d'entendre la voix d'Alfred me crier de la plage qu'il fallait rentrer, que je m'étais assez baignée.

Et soudain, j'eus une crainte d'une autre sorte. S'il s'était réveillé… S'il s'apercevait que je n'étais plus dans la tente…

329.   Alors, je suis revenue sans bruit après m'être asséchée rapidement. J'étais fraîche comme un puits. Je me suis recouchée près de mon mari, je me suis glissée dans notre duvet comme une goutte d'eau se glisse dans les plis du sable sans se mêler à celui-ci.

Alfred émit un grognement et me tourna le dos. Il ne s'était aperçu de rien, même pas de la mer et du ciel qui étaient en moi et dont je gardais l'odeur sur ma peau.

J'avais le sentiment d'avoir accompli quelque chose de très important pour moi mais de répréhensible à ses yeux à lui.

XXXIX

LE FILM-LABYRINTHE

330.   Un jour, continue Omicronne, Upsilong nous amena, Alfred et moi, voir un film d'un grand cinéaste italien. C'était un film-labyrinthe. Par un procédé spécial nouvellement connu, le film était vu à travers une espèce de labyrinthe où nous déambulions. Nous marchions à travers le film, ni plus ni moins.

331.   À l'aller, j'étais fatiguée, je dormais tout en marchant, j'avais les yeux collés. J'avais terminé, juste avant de venir à ce film, quelque chose qui m'avait demandé beaucoup d'attention et de soins. C'était un couvre-pieds tout en morceaux de tissus, de taille, de coupe et de texture variées, ce qu'on appelle un *patchwork*. J'étais très fière de moi. Mais je ne pouvais pas du tout profiter du film-labyrinthe, car j'étais trop somnolente.

Tout au long du parcours, j'entendais les exclamations d'Alfred exprimant la joie esthétique qu'il éprouvait devant le spectacle. À un certain moment, cette exubérance, inhabituelle chez Alfred, me réveilla tout à fait et me donna le goût de participer à son enthousiasme. Mais nous étions rendus très loin dans le film, et je me dis que si, rebroussant chemin, je le regardais en sens inverse, j'en verrais toutes les séquences sans avoir à revenir d'abord au point de départ.

332.   Mais je rejetai tout de suite cette solution et je dis à Alfred mon intention de revenir en arrière sans m'attarder et de recommencer le parcours, cette fois les yeux bien ouverts.

Alfred prit la chose très mal. Il me dit qu'avec mon médiocre sens d'orientation, je risquais de me perdre, car il ne m'accompagnerait certainement pas, et que, si je ne le trouvais pas au bout du film, je n'aurais alors qu'à m'en prendre à moi-même.

Tous ces arguments étaient sans réplique, ce qui ne m'empêcha pas de faire comme j'avais décidé.

333.   Je ne me souviens plus aujourd'hui de toutes les séquences de ce merveilleux film ni comment elles s'intégraient si harmonieusement au labyrinthe. Certaines d'entre elles étaient projetées dans des auditoriums immenses, d'autres dans des couloirs étroits, quelques-unes ne pouvaient se suivre que dans des détours sans fin ou dans des placards obscurs. De l'une à l'autre, les écrans eux-mêmes différaient de forme, de dimension, de relief, de nombre et de couleurs.

334.   Par exemple, dans un passage très large et sur un très grand écran, on voyait une grotte qui faisait penser à l'intérieur d'une mine. Deux hommes en sortaient. L'un avait le visage complètement noir, complètement recouvert de terre. Il en avait même autour des yeux et sur les paupières et je me demandais si cette terre lui bouchait la vue ou lui faisait mal aux yeux.

Selon toute apparence, ces hommes venaient de ressusciter d'entre les morts car, au loin, au fond de la caverne, je distinguai d'abord un crâne, puis un squelette tout entier étendu sur un banc de terre. Ce squelette se mit sur son séant, lentement se retourna vers nous, puis se recoucha. D'autres formes bougeaient dans l'obscurité profonde de la grotte entraînant dans leurs mouvements alanguis des vols soyeux de lumière ou de linceuls.

Je perdais complètement la notion d'être dans un film et non dans la réalité.

335.   L'écran, d'ailleurs, s'était rétréci jusqu'à ne plus former qu'une bande horizontale, telle une plage à perte de vue. Je devais m'engager dans un long corridor si je voulais continuer à suivre l'action. Ce que je fis sans aucune hésitation.

Les deux hommes se dirigeaient vers des chevaux dont les pattes étaient repliées, à la manière des chameaux qui s'agenouillent pour prendre des passagers. Ils essayaient de les remettre en position de marche, ils avaient l'air pressés.

— Même les chevaux ici ne tiennent pas debout, dit l'un.

Mais les chevaux ne bougeaient pas. Pis, à force d'être secoués par les deux hommes, ils se renversèrent sur eux.

— Aïe! je suis écrasé! Comme il est lourd cet animal!

Et moi aussi, dit Omicronne, j'avais cette sensation en regardant l'écran. Les chevaux pesaient sur moi de tout leur poids. Et pourtant, il fallait faire vite, comme le disait l'un des deux personnages, « sinon, nous serons happés par la porte de la Démence. »

336.   Je regardai au fond de l'écran et je vis un point noir qui s'approchait presque imperceptiblement. Je détournai mon regard des deux hommes qui n'arrivaient pas à se dépêtrer des chevaux, et, considérant la gauche de l'écran qui s'étendait à l'infini dans une nudité complète, je courus droit devant moi dans cette direction.

Mais, laissant couler mon regard de côté entre mes cils, je m'aperçus que le point noir en grossissant me poursuivait. Comme le soleil déclinant nous poursuit même à travers les arbres quand nous sommes en mouvement.

À bout de souffle, je m'immobilisai et fis face à l'écran. Le point noir, semblait-il, était devenu un cabanon grandeur nature, à la suite probablement d'un *zoom in* de la caméra.

337.   La porte de ce cabanon était peinte en vert et représentait un personnage grotesque et menaçant dont le nom apparaissait en grosses lettres noires, parfois au-dessus de sa tête, parfois au-dessous de ses pieds. DÉMENCE était ce nom.

L'envie me prit alors de toucher cette image tant elle avait de réalité sur cet écran. J'y portai la main et, quelle ne fut pas ma surprise de constater que je touchais bel et bien un cabanon de bois situé dans un angle du labyrinthe.

« La suite du film doit être à l'intérieur », me dis-je et je tirai vers moi la porte de la Démence.

Effectivement, la projection du film se poursuivait entre ces quatre murs resserrés qui ne pouvaient contenir qu'une seule personne à la fois.

338.   Sur des planches mal jointes, on voyait l'image agrandie de quelqu'un qui s'était déguisé en souris Mickey avec ses grandes oreilles noires. Cette personne montrait les trois autres murs sur lesquels on voyait projetée une reproduction vivante de *La Repasseuse* de Picasso, si réaliste, qu'on sentait l'odeur du fer brûlant sur le linge. Mickey récitait un poème tandis que l'odeur de roussi devenait plus intense.

339.   *La Repasseuse aux muscles liés précipite sa force au creuset de son fer.*

À l'horizon de son épaule échancrée gît un déchirant croissant lunaire

Chapiteau laborieusement ouvragé pour la colonne d'un temple millénaire.

Le territoire de l'œil est la tranchée rêvée où s'entassera le corps entier avant que n'éclate le câble de chair

Les cheveux de la lune tomberaient sur la table s'ils n'étaient accrochés à l'oreille

> *Et le creux de l'aisselle mordrait jusqu'à la nuque s'il
> n'était circonfléchi par l'accent du menton.*
>
> *Ton temple en ruines, Travail, serait-il plus admirable
> que toi?*
>
> *La Repasseuse aux muscles déliés s'évanouirait en pous-
> sière!*

340.   Maintenant, le linge avait pris feu et une fumée épaisse
envahissait la cabane. À demi asphyxiée, je réussis à sortir. Je restais
là, m'attendant à ce que les flammes s'emparent de la Démence et
quelque chose en moi se refusait à donner l'alerte. J'attendis en vain,
car rien ne se produisit et je dus admettre que toute cette fumée était
sans feu puisqu'elle n'avait eu lieu que sur les écrans à l'intérieur du
cabanon.

341.   Je poursuivis mon chemin à travers le labyrinthe. Dans un
auditorium, j'entendis une spectatrice prononcer avec vénération le
nom d'un écrivain de ce pays. Ce nom était repris par d'autres spectateurs et circulait comme un souffle à longueur de rangée et d'une
rangée à l'autre.

Un groupe d'intellectuels, d'écrivains et d'artistes se tenaient
ensemble pour regarder une autre séquence du film projetée dans cet
amphithéâtre. Je crus y apercevoir Alfred, très à l'aise parmi eux. Je
sentais avec tristesse que je ne ferais jamais partie de groupes semblables.

342.   Plus loin, je vis des têtes blanches en plâtre, immenses,
expressives, qui crevaient l'écran. L'une d'elles me ressemblait.

343.   Tout était tellement fascinant que je traversai ce labyrinthe
sans surveiller mes pas et, malgré cela, je ne me suis pas perdue.

Je n'ai pas non plus retrouvé Alfred à la sortie, dit Omicronne.

XL

UNE MODE EXIGEANTE

344.   Une autre fois, dit Omicronne, Alfred m'invite à sortir. C'était
l'année dernière et j'étais encore un peu « boulotte » comme dit si
gentiment mon frère.

Alfred est en train de prendre son bain quand j'entends sonner
à la porte d'entrée. Je vais ouvrir: c'est une fille très jeune et très jolie.
Je lui demande ce qu'elle veut.

— Vous êtes madame Oméga?

— Oui.

— Votre mari m'a invitée.

— Invitée à quoi, dis-je avec surprise?

— Ben quoi! Invitée à sortir avec lui. Il m'a demandé de venir le prendre. Me voilà. Vous voulez le prévenir?

345.   Je la fais entrer dans le salon. Inutile de dire dans quel état je suis. Presque aussitôt, voilà que ça sonne encore. Et c'est encore une jeune fille qui me dit exactement la même chose que la première.

Justement, Alfred sort de la salle de bains. Il est fin prêt à sortir. Il me dit: « Puisque tu n'es pas prête, nous allons partir tout de suite. Tu nous rejoindras. »

Je lui demande alors ce que cela signifie, comment il se fait qu'il a invité ces jeunes filles sans me prévenir.

— Ah, c'est sans importance, dit-il. Ce sont deux de mes élèves. Ne fais pas cet air-là, je les sors en tout bien tout honneur! Et il ajoute: Tu comprends, tant que tu n'auras pas maigri, tu ne pourras prétendre te mettre nue en société. Tandis que ces jeunes personnes, regarde comme elles sont minces. Il n'y a aucune honte pour elles à le faire.

— Qu'est-ce que c'est que cette histoire de se mettre nues en public?

— Ne sais-tu pas, me dit Alfred, que c'est la mode aujourd'hui de se déshabiller?

Ayant dit cela, il va chercher ses élèves au salon. Très galant, il les accompagne jusqu'à la porte. Il sort avec elles, me laissant là, complètement abasourdie.

346.   Bientôt, c'est la fureur qui prend possession de moi. « Quelle réaction aurait-il eue, me dis-je, si c'était moi qui avais invité de jeunes et beaux garçons à son insu, et si j'étais partie avec eux sans l'attendre, sous prétexte que je n'aime pas le nez qu'il a au milieu de la figure. Il ne m'aurait jamais pardonné cela! »

XLI

LA ROULETTE

347.   Cette année, dit Omicronne, à l'époque des fêtes de Noël, nous sommes allés faire nos achats dans le pays voisin où tout est moins cher.

Il fait nuit au retour. Alfred arrête la voiture juste avant le poste de douanes et me dit de me dissimuler sous la banquette arrière. Je trouve cette demande saugrenue et je veux savoir pourquoi Alfred tient tant à ce que je m'exécute.

— J'ai perdu ton passeport, dit-il avec humeur.

— Mais, lui dis-je, tu sais bien qu'on ne nous réclame jamais nos passeports grâce aux plaques d'immatriculation de notre pays. Une carte d'identité suffit.

— Je sais tout cela. Je ne suis pas idiot. Mais je ne veux prendre aucun risque. Il se pourrait qu'aujourd'hui on nous les demande. Fais ce que je te dis.

Je trouve sa prudence excessive mais, pour ne pas le contrarier, je passe en arrière et me couche le long de la banquette tandis que les phares puissants d'une voiture qui nous suit nous éclairent comme en plein jour. « Qu'est-ce qu'ils vont bien penser ceux-là? dis-je en maugréant. — T'occupe pas », dit Alfred en étendant sur moi une couverture. J'étouffe là-dessous, je me sens ridicule dans cette position, je m'en veux d'avoir obéi à Alfred.

— Tiens, me dit-il, en me tendant un objet. Je t'ai acheté ton cadeau de Noël. Cache-le bien. Nous allons passer les frontières maintenant.

Tout le temps que durent les formalités, je ne bouge pas, je n'ose respirer, j'ai l'impression de passer en fraude.

348.   Enfin, nous sommes dans notre territoire, et je demande à Alfred d'arrêter la voiture pour me laisser m'asseoir devant. Il me dit que je devrai attendre à la prochaine ville.

Pour tuer le temps, je regarde le cadeau d'Alfred. C'est une sorte de poudrier en pierre grise. Je l'ouvre et je m'aperçois que ce n'est pas un poudrier: c'est une roulette à pilules contraceptives. Mais il n'y a aucune pilule dans les espaces creux. Je me dis que c'est sans doute un étui et qu'il faudra que j'achète les pilules pour le remplir. Je demande à Alfred si c'est bien ça. Il rit.

349.   — Tu n'y es pas du tout. C'est un *larmier*. Tu as le droit d'y verser une larme, une seule larme par jour, pas une de plus. C'est pour déposer ta larme quotidienne que je t'ai offert ce larmier. Chacune a son petit nid de pierre tout prêt pour la recevoir. Comme tu as remarqué, il est mensuel. Il est bon pour trente-et-une larmes. Les mois de moins de trente-et-un jours, tu pourras pleurer un peu plus. À la fin du mois, tu n'as qu'à le vider et recommencer. Il peut te servir à l'année longue, des années durant et même passé ta ménopause.

350.   Puis, il part d'un gros rire gras, un rire obscène, un rire que je ne lui connais pas.

XLII

LA GRANDE CHRIST

Un peu plus tard, il arrête la voiture. Cela m'étonne car nous sommes en pleine campagne.

351.   Alfred fait alors monter près de lui une jeune femme qui était là, sur le bord de la route.

— Je te présente mon ancienne épouse, me dit-il. Elle est Française. Qu'est-ce que tu en dis?

— Voyons, Alfred, tu sais bien que tu n'as jamais été marié avant de me rencontrer.

— Qu'en sais-tu, dit-il? Et il rit encore.

La jeune femme lui dit qu'elle a essayé en vain de lui télé-phoner.

— Évidemment, dit-il, tu ne pouvais pas me rejoindre, je roule depuis deux jours.

— Bien sûr, c'est ce que j'ai compris, dit-elle. C'est pourquoi je me suis mise sur ta route.

352.　　Ensuite, elle dit cette phrase étonnante sur un ton légèrement plus élevé:

— Comme je m'appelle Nancy Christ, il ne faudrait pas que l'on puisse dire: « elle a mis ses p'tits christs sous elle, la grande Christ ».

À la question d'Alfred à savoir ce qu'elle entend par ses « p'tits christs », elle répond que ce sont ses pieds naturellement.

Je demande ce que tout cela signifie et surtout cette dernière phrase idiote de notre passagère.

353.　　Alfred me dit que c'est une réplique voulue par le scénario. Quel scénario? Décidément je suis bien naïve, j'ai marché à cent milles à l'heure, tout ça, c'est du cinéma bien sûr. Eh oui — comment ne m'en étais-je pas aperçue — Upsilong nous suit depuis le début de notre voyage et il n'a pas cessé de nous filmer.

354.　　— La séquence que j'ai hâte de voir, dit-il, c'est quand tu vas t'aplatir en arrière de la voiture, sous la banquette.

355.　　Il rit, il rit, il rit, il rit, dit Omicronne. Et son rire est si spontané, si « sincère », si communicatif, que je m'aperçois à peine que c'est de moi qu'il rit!

XLIII

ON DEVRAIT EN FINIR

356.　　La semaine précédant cette fameuse journée où Alfred avait invité Epsilonne à déjeûner pendant mon absence, nous avons eu une scène très pénible lui et moi.

Sortant du supermarché, je trouve Alfred installé au volant de la voiture avec Alik et Onirisnik. Dès qu'il me voit, Onirisnik descend de l'auto et court à ma rencontre. Il a un journal dans la main. Il dit: « Écoute ça, maman! » Et il commence à me lire le compte-rendu d'un incendie spectaculaire qui a eu lieu deux jours auparavant dans notre rue. Je lui dis: « Une autre fois, veux-tu, je suis pressée. »

Je monte dans la voiture. Elle est remplie à craquer de choses inutiles et encombrantes. Les enfants tiennent là-dessus en équilibre. Alfred a l'air de méchante humeur. Il est calé au fond de son siège, les jambes croisées.

114

Je lui demande ce que c'est que tout ce bric-à-brac. Est-il devenu chiffonnier ou brocanteur?

357.   Il me dit de ne pas m'occuper de cela, qu'il en fait son affaire. Puis il me demande sévèrement combien il me reste des cent dollars qu'il m'a donnés pour les courses.

Je suis très étonnée car je suis sûre qu'il ne m'a pas remis une aussi forte somme. Je lui dis:

— M'as-tu vraiment donné $100?

— Vérifie.

Ce que je fais. Et je suis bien obligée d'admettre qu'il m'a réellement confié cette somme.

358.   Puis, d'un ton réprobateur, il me dit:

— Nous n'avons pas travaillé, absolument pas depuis six mois.

Je rétorque aussitôt en m'avançant jusqu'au bord de mon siège et en me tournant vers lui:

— Parle pour toi! Car moi, pendant ces six mois, j'ai travaillé comme un cheval!

359.   Cette réponse ne lui plaît pas et il m'envoie un coup de pied sous le menton.

Son pied ne fait que m'effleurer mais ce geste m'impressionne tellement que des larmes jaillissent de mes yeux: « Il veut me tuer, me dis-je. Voilà ce qu'il veut! »

J'en suis toute retournée. Je ne m'attendais pas à tant d'animosité. J'ai beaucoup de peine. Je l'entends dire sombrement tandis que la petite Alik et son frère s'accrochent à nous en pleurant:

360.   — On devrait en finir nous deux!

XLIV

LES CHEFS-D'OEUVRE DES AUTRES

361.   Depuis un bon moment, dit l'Euguélionne, Exil et moi nous écoutons notre amie sans bouger, nous avons peine à croire ses paroles, nous en sommes toutes remuées.

Nous avons décroché tout à l'heure la toile de la salle à manger, celle que j'avais trouvée si violente lors d'un dîner mémorable. Exil la retourne et lit ces mots écrits de la main d'Omicronne:

362.   *Tu es la face cachée de la lune, sa face impénétrable. Tu ne communiques que ton évidence. Tu trahis ton propre spectre. Tu ne te projettes qu'à moitié.*

— C'était pour ton mari, ces lignes, demande Exil?

— Bien sûr.

— Et pourtant, il me fait l'effet à moi d'être clair comme de l'eau de roche.

— Je sais, c'est son évidence qui te frappe. Mais pour moi il est une énigme.

363.   Elle continua rêveusement:

— Je me souviens quand j'étais au collège, j'avais exposé mes dessins et mes poèmes sur un mur d'une très grande salle au sous-sol. Les trois autres murs étaient réservés à d'autres étudiants qui, comme moi, voulaient participer à cette exposition.

364.   Pour annoncer mes œuvres personnelles, je me servais d'une affiche que j'avais faite moi-même antérieurement, lors d'une occasion semblable.

365.   Au moment où je suis en train de fixer cette affiche sur le mur de béton que j'avais entièrement recouvert de mes œuvres, je vois un camarade farfelu qui s'amène bruyamment en gueulant que ce qui est exposé ici est infect, que, de toute façon, c'est lui qui disposera de ce mur pour exposer ses propres œuvres qui sont toutes des chefs-d'œuvre bien entendu, qu'il a réservé ce mur pour une durée de temps bien précise et que justement nous étions en plein dans cette période.

Sans hésiter, il enlève toutes mes compositions et commence à les remplacer par ses propres productions.

366.   Cette irruption inattendue, ce geste d'autorité et cette assurance sans bornes m'impressionnent tellement que je ne pense pas à réagir.

367.   Les choses qu'il affiche sont des dessins faits à la craie sur des ardoises toutes encadrées d'une bordure de bois brun assez large. Ces dessins sur ardoises sont puérils: des têtes accompagnées de figures géométriques simples.

Tandis qu'il procède à l'accrochage de ses tableaux, je lui dis:

— C'est ça que tu appelles des chefs-d'œuvre? Je trouve ça minable.

— Attends un peu, dit-il, tu vas voir.

368.   Et il va chercher d'autres tableaux dans une petite pièce attenante à celle où nous sommes. Il y en a un parmi ceux-ci de très grand format. Je le trouve nettement mieux que les premiers. Je le trouve même étonnant. C'est un genre de photo-montage, une sorte de poème-objet très vivant et extrêmement séduisant.

369.   Je m'aperçois que le jeune artiste, non content d'utiliser le mur qui m'était réservé, est en train de couvrir les autres murs de la salle. Puis, ébahie, je le vois couvrir, toujours de ses œuvres dont le trésor semble intarissable, les murs de l'escalier, ceux du rez-de-chaussée, puis les murs des autres escaliers et ceux des autres étages. Le collège en est farci!

370.   Alors, en venant ramasser mes propres créations qui gisent sur le plancher du sous-sol, mes yeux tombent sur un petit poème-objet, jusqu'alors mon œuvre préférée, où sont tracés ces mots banals et désespérés, les premiers comme un glacial arrêt de vie, les seconds comme un arrêt de mort inéluctable: *Mourir de ne pas mourir* et *Mourir une bonne fois pour toutes*.

XLV

LES PREMIERS PAS

    — Tu étais déjà si pessimiste, dit Exil?

371.   — Je sentais que je n'avais aucune chance d'être prise au sérieux.

    Omicronne reprend son tableau des mains d'Exil.

372.   — Il n'y a que quand je peins que je me sens moi-même, dit-elle. Je suis alors exaltée, je préside à des destinées qui ne dépendent que de moi-même et mes personnages sont des couleurs et des formes, sont des matières inertes à qui je dis: « Lève-toi » et qui se lèvent, « Prends de l'épaisseur » et qui se mettent à vibrer en acquérant du relief. J'ai des décisions à prendre que personne d'autre que moi-même ne peut prendre. L'« enfant » ne se fait pas tout seul selon un code génétique immuable. Je le façonne de mes propres mains. C'est en moi et en moi seule qu'il puise tout son potentiel. Je suis en même temps sa genèse et sa fin jusqu'au moment où il se met à vivre par lui-même, alors je l'abandonne aux aléas de son sort, il ne m'intéresse plus.

373.   Quelque temps après cette conversation, dit l'Euguélionne, Omicronne nous a rencontrées de nouveau Exil et moi. Elle nous parla alors de sa première tentative pour se trouver du travail. Bien que cette tentative n'eût pas le résultat escompté, Omicronne nous parut plus optimiste que d'habitude.

    — La dernière fois que j'avais vu Tau, il m'avait dit d'aller le voir, qu'il aurait peut-être un poste pour moi dans son département.

    Je n'aimais guère l'idée de travailler pour Tau, car il passe pour être très despotique avec ses employés. Mais je n'ai pas le choix, je dois frapper à toutes les portes, surtout à celles qui sont entrouvertes.

    En arrivant au ministère, quelque effort que je fasse pour me renseigner, je n'arrive pas à savoir où est le bureau de Tau sur l'étage de son département.

374.   J'entre dans une salle de conférences remplie de journalistes et de reporters de la télévision. Des caméras sont installées ainsi que des micros. Je reconnais un de tes confrères, Exil. Je pense alors que Tau a réuni ces gens pour leur donner des informations et l'idée me vient que Tau m'a donné rendez-vous à cette heure pour que j'assiste à sa conférence de presse. Je demande donc à la ronde si Tau doit venir leur parler. Je n'obtiens aucune réponse. Ils semblent tous préoccupés par autre chose. Je n'insiste pas.

375.   J'entre dans une autre salle. Je crois reconnaître une jeune recherchiste à qui Tau a confié les premiers travaux de déblayage sur un projet important du ministère. Je me dis: « ce n'est pas ici ».

    Je continue ainsi à déambuler dans les couloirs et à travers d'immenses salles qui m'apparaissent comme des ruches où les femelles ont pour fonction de taper à la machine et les mâles de parler au téléphone.

376. J'arrive devant un bureau avec antichambre. La porte de celle-ci étant ouverte, j'y risque un œil. J'aperçois alors, au fond du bureau, nul autre que Tau, étendu sur un *lazy-boy* de cuir noir. Il me voit et me crie de rentrer.

J'entre donc, je traverse l'antichambre et me trouve dans le bureau de Tau. Il me dit de m'asseoir dans un des deux fauteuils qui lui font face.

XLVI

LA MARIONNETTE

377. À peine suis-je assise, dit Omicronne, que je le vois se saisir d'une marionnette que je n'avais pas remarquée en entrant. C'est une sorte de chien en peluche brun foncé dont la crinière est un amas de poils roux très longs.

Tau tient donc cette marionnette et la fait bouger négligemment entre ses jambes écartées. Je trouve ce comportement bizarre et j'essaie de comprendre ce qu'il signifie. Soudain je vois, juste devant la fourche de son pantalon, un carton blanc rectangulaire sur lequel est dessinée une femme nue, debout, vulve ouverte. Tau actionne la langue du chien sur cette vulve. Ce spectacle dure très peu de temps car, à peine ai-je compris de quoi il s'agit, qu'aussitôt le carton est escamoté.

378. Je scrute alors le visage de Tau dans l'espoir d'y découvrir quelque chose comme une confirmation de ce que je commence à deviner, mais il regarde ailleurs et sa physionomie est absolument inexpressive.

Je fais donc semblant de n'avoir rien vu et demande à Tau des nouvelles de sa femme Sigma.

379. Il se lève sur son séant, tenant toujours le toutou en peluche dans une de ses mains et répond, d'un air dégagé, que tout va bien maintenant, qu'elle est revenue à la maison ou du moins qu'elle y revient très souvent. « Ça va très bien entre nous, maintenant. »

Cette réponse me laisse perplexe car j'ignorais qu'il se fût passé quoi que ce soit de regrettable entre lui et Sigma.

— A-t-elle été malade, dis-je?

— Non non, elle n'est pas malade, mais tout à coup elle en a eu assez de la maison. Je me demande pourquoi.

— Quand cela est-il arrivé?

— Peu de temps je crois après votre visite. Vous étiez accompagnée de votre sœur et d'une femme dont j'ignore le nom.

— Que s'est-il passé?

380. — Elle s'est mise à hurler qu'elle en avait son voyage de tout

le bazar, que j'étais un mari dominateur, despote, distant, voire inexistant, qu'elle voulait ne s'être jamais mariée. Je n'ai pas encore compris quelle mouche l'avait piquée. Elle qui n'avait jamais élevé la voix depuis notre mariage. Les femmes ont de ces lubies... Tout à fait imprévisibles... Je me suis dit alors: « ça passera, laissons la tempête s'apaiser d'elle-même. » Et j'ai eu raison. Maintenant, elle est revenue à de meilleurs sentiments. Elle est tout miel avec moi. Parfois, ça lui reprend ce genre de crises. Alors, vite, elle se réfugie dans la chambre forte et attend que ça passe.

381.   — Et comment fait-elle pour en sortir?

Tau paraît offusqué de ma question.

— Je n'ai jamais refusé de lui tendre la perche au moment voulu, dit-il.

XLVII

L'ALLÉE DES SYNDICATS

382.   Tau se lève et vient s'asseoir dans le fauteuil qui est contigu au mien. Il ne parle plus. Il regarde droit devant lui. Nous regardons tous deux dans la même direction.

Soudain, il laisse choir son bras lourdement sur ma poitrine. Je tressaille et me tourne vivement de son côté. Il n'a pas bougé la tête. Son regard n'a pas bougé. Son visage n'a aucune expression.

Alors, je me demande pourquoi il m'a fait venir à son bureau. Et je me dis que si c'est pour faire l'amour avec moi, il s'est trompé d'adresse.

383.   Puis, l'image de l'étrange chambre forte qu'il a dans sa maison vient se superposer dans mon esprit avec la vision des deux domestiques qui astiquaient son vestibule le jour où nous sommes allées chez lui. J'ai un haut-le-cœur et je me lève avec énergie. Je suis obligée de repousser son bras qui pèse sur moi de toute son inertie.

384.   Avant de sortir de son bureau, je l'entends marmonner: « Toutes des garces! » Je jette un dernier coup d'œil. Son expression n'a pas changé. Il regarde toujours droit devant lui. Mais son bras est ballant à côté du fauteuil.

385.   Pour franchir le seuil du ministère, dit Omicronne, je dois passer par un long couloir appelé *l'Allée des Syndicats*. Sur chaque porte de ce couloir, on voit un sigle différent en gros caractères noirs. Sur la toute dernière porte près de la sortie, on peut lire cette inscription: *DÉPARTEMENT DES RÉVOLTES*. Il me semble qu'il y a beaucoup d'animation derrière cette porte d'où s'échappent de brusques éclats de voix.

386.   J'entre sans frapper. Personne ne fait attention à moi. Je tombe au milieu d'une discussion très vive. Quelqu'un dit: « Les A.F.P.! Ils viennent jusque dans nos lits prendre nos couvertures pour se les mettre sur le dos. Ce n'est pas eux qu'il faut blâmer, mais nous de les laisser nus! »

Satisfaite de cette intervention, je sors discrètement.

XLVIII

LE COUSSIN D'AIR

Cette visite au bureau de Tau m'a fait perdre mon temps, dit Omicronne. Il est trop tard ce jour-là pour entreprendre d'autres démarches.

387.   Dans le but de me détendre, je me rends à l'établissement de bains où je suis abonnée.

Je constate avec surprise que la piscine a été vidée. Au niveau où d'ordinaire s'arrête l'eau, on a installé des espèces de rails parallèles qui longent l'intérieur de la piscine. Ces rails sont disposés par paires à intervalles réguliers.

Un grand panneau annonce qu'il y a un concours cet après-midi. La personne qui aura fait le plus grand nombre de longueurs de piscine sur ces rails sera proclamée la gagnante.

388.   Des « baigneurs » des deux sexes attendent en ligne que commence la compétition. J'essaie de savoir en quoi consiste celle-ci, comment fonctionne le système de rails, personne n'a vraiment l'air au courant, mais chacun est très intéressé à concourir. En réalité, l'enjeu de la course n'est même pas connu. Mais cela ne semble pas affecter le désir des concurrents d'y participer.

Gagnée par la fièvre générale, je me mets sur les rangs. Je remarque avec plaisir que des branches de lilas pendent des rails et embaument la piscine et ses alentours.

389.   Un haut-parleur annonce le début imminent de la course laquelle sera précédée immédiatement de la lecture des règlements. Ceux-ci sont alors énoncés en vers latins. Cela me déconcerte car je suis bien en peine de comprendre quoi que ce soit. Je m'aperçois que mon voisin rit doucement. Je m'enquiers de ce qui le met ainsi en joie.

— C'est parce que tout le monde croit que les règlements sont dits en vers, alors qu'ils sont simplement dits à l'envers.

Cela m'étonne davantage et j'essaie mentalement de remettre à l'endroit ce que j'entends, paraît-il, à l'envers. Peine perdue. Je ne saisis pas le sens des règlements.

390.   La course commence donc. Chacun des cinq premiers concurrents s'est étendu sur une paire de rails et on les voit glisser en cadence,

bercés par les vers latins que la voix du haut-parleur n'a pas cessé d'émettre.

Mon tour arrive, dit Omicronne. Je m'étends à plat ventre sur les rails, la tête reposant sur la tempe et la joue droites.

À peine suis-je installée que je me sens avancer sans avoir à fournir le moindre effort. Le bien-être que je ressens est total car je m'aperçois bientôt que je ne touche pas aux rails, j'avance sur un coussin d'air. Je flotte comme si j'étais réellement dans l'eau tandis que les vers latins continuent de couler du haut-parleur comme une musique de fond.

391.   Je dis à mon voisin de gauche qui avance au même rythme que moi et dont la tête est tournée de mon côté:

— Peut-être que ce n'est pas une vraie compétition. Peut-être, on le dirait, que ça n'a pas d'importance d'aller plus ou moins vite, de gagner ou de perdre.

Il a encore une fois un petit rire malicieux pour me répondre:

392.   — Voyez-vous, en réalité, le concours porte sur la couleur du lilas. Est-il pourpre? Est-il violet? Est-il mauve? Est-il rose? Est-il écarlate? Est-il carmin? Est-il vermillon? Est-il prune? Est-il bourgo-gne? Est-il cramoisi? Est-il bordeaux? Est-il corail? Est-il violent? Est-il vermeil? Est-il sanglant? Mais personne ne sait cela. Je veux dire, personne ne sait que c'est là-dessus qu'il faudrait être renseigné.

393.   Ce bain d'air inattendu m'a fait beaucoup de bien, nous dit Omicronne, même si je n'ai pas arrêté mon esprit sur la couleur exacte du lilas lequel me semblait tout bêtement couleur lilas, sauf qu'il y en avait du pâle et du foncé...

XLIX

CELLE QUE JE PRÉFÈRE

394.   Et pour finir, conclut-elle, je me suis inscrite comme aspirante-comédienne à une compagnie théâtrale subventionnée par le gouver-nement. Il y aura des éliminatoires publiques demain après-midi. Vous êtes invitées à y assister si cela vous intéresse. J'espère être sélectionnée, car alors j'aurai des chances de jouer dans cette troupe de façon permanente.

— As-tu quelque expérience dans ce domaine demande Exil?

395.   — Pas du tout. Je suis allée leur offrir mes services comme assistante-décoratrice car ils avaient fait paraître une annonce à cet effet. Ils m'ont répondu qu'ils avaient besoin effectivement d'*un* assistant-décorateur, mais non d'*une* assistante-décoratrice. Que cepen-dant j'avais la chance de me mettre le pied à l'étrier en participant aux éliminatoires. Que je n'avais besoin, pour ce faire, d'aucune préparation au métier d'acteur. Qu'ils appréciaient par-dessus tout la

spontanéité. Qu'il y aurait un jeu collectif, une espèce de *happening* où chacun pourrait s'exprimer librement, etc. Je suis curieuse de voir ce que ça donnera, dit Omicronne.

396.   Le lendemain, dit l'Euguélionne, nous arrivons à un stade en plein air et nous nous dirigeons, Exil et moi, vers les gradins déjà remplis d'une foule bruyante.

Le leader s'adresse au public qu'il fait taire avec beaucoup d'autorité au moyen d'un mégaphone.

— Les acteurs et les actrices que vous allez voir jouer ont été rompus à une discipline très sévère. Ils peuvent s'adapter à toutes les situations, même aux plus imprévues. Et cela, parce qu'ils ont été entraînés à obéir au doigt et à l'œil. Vous allez en avoir immédiatement une démonstration avec ma meilleure élève. Elle se nomme *Oksito*.

Faisant claquer ensemble le médius et le pouce, il fait signe à une jeune personne de se détacher du groupe.

397.   Oksito s'avance et se tient seule au milieu de l'espace découvert.

Le leader fait encore claquer ses doigts et la jeune comédienne, telle une mécanique bien montée, interpelle ses camarades en ces termes: « En place pour le *commercial* Taball Zingande-et-une. »

Trois garçons installent vite un praticable qui est une espèce de grand escalier de gala en fer à cheval. Six jolies filles vont gracieusement s'échelonner sur une série de degrés tandis qu'un jeune homme dégingandé gravit nonchalemment l'autre volée et se tient sur la plate-forme, au garde-à-vous, dans une attitude solennelle et guindée.

Oksito s'adresse à lui:

— Microbeth, à toi de jouer.

398.   Alors, le *Microbeth* en question commence à descendre l'escalier lentement, en se déhanchant majestueusement, au rythme d'une musique pop que le leader a discrètement mise en route sur un tourne-disque.

À chaque marche, il flatte soit un menton, soit une joue, soit un sein, soit un sexe, soit des cheveux, soit une croupe, selon ce que rencontre sa main vagabonde, et, tout en descendant et tout en flattant par-ci par-là, il chante en modulant joliment un air connu de sa belle voix ténébreuse qu'il amplifie dans un porte-voix:

> *Oh oui, j'aime les blondes,*
> *Oh oui, j'aime les rousses,*
> *Oh oui, j'aime les noires,*
> *Oh oui, j'aime les blanches,*
> *Oh oui, j'aime les jaunes,*
> *Oh oui, j'aime les brunes,*

> *Mais celle que je préfère*
> *C'est la bière Zingande-et-une,*
> *C'est la brune par excellence,*

> *C'est ma brune à moi,*
> *C'est ma brune, c'est ma brune,*
> *C'est ma Taball Zingande-et-une!*

En chantant ces derniers mots subtils, il met le pied sur la dernière marche. Oksito lui présente une Taball Zingande-et-une qu'il fait mousser copieusement en la versant dans un bock et s'envoie ensuite dans le gosier, religieusement dois-je dire, et sous les regards attendris de l'assistance.

399.   À ce moment-là, continue l'Euguélionne, le leader fait encore claquer ses doigts et Oksito se tourne vers le public:

— Mesdames et messieurs, une bonne main d'applaudissement pour la bière brune par excellence, la bière Taball Zingande-et-une!

Les gens sur les gradins applaudissent à tout rompre.

Exil et moi nous nous regardons, consternées. « Qu'est-ce qu'Omicronne est allée faire dans cette galère, me souffle Exil? »

L

LA RÉCALCITRANTE

400.   Justement, Omicronne monte sur le podium et dit, dans le porte-voix qu'elle a fauché à Microbeth: « Moi aussi, j'ai un message publicitaire à passer. » Le leader essaie de l'empêcher de parler. Il fait claquer ses doigts et Oksito dit à Omicronne:

— Ce n'est pas le moment, ma chère. Cette intervention n'est pas prévue au programme.

— Tant mieux, dit Omicronne au public. Ainsi qu'on vous en a informé au début de ce *happening*, je suis, comme mes camarades ici présents, rompue aux situations imprévues. En voici une. Mais j'ai besoin de collaboration. J'ai besoin du concours de notre gracieux Microbeth et de quelques autres beaux garçons. Que les volontaires viennent me rejoindre.

Un remous se fait dans la petite troupe des acteurs, remous que le leader essaie en vain de réprimer.

Un bon échantillonnage de l'espèce mâle entoure maintenant Omicronne. Il y en a de tous poils, de tous gabarits et de toutes couleurs.

401.   Omicronne va de l'un à l'autre, caressant celui-ci, mesurant le poitrail ou jaugeant les muscles de celui-là, tirant sur une moustache ou sur une tignasse, les faisant tous plus ou moins s'exhiber, tourner sur eux-mêmes, étaler leur queue de paon, déployer leur force, déballer leurs trésors, exposer leurs avantages, arborer leurs charmes certains.

Et, à l'instar de Microbeth, elle chante de sa plus jolie voix, sur l'air de: *J'aime le métro, j'aime l'autobus,* ce gentil couplet improvisé:

> *J'aime les hommes glabres,*
> *J'aime les imberbes,*
> *J'aime les poilus,*
> *Les moustachus,*
> *J'aime les barbus,*
> *Les velus,*
> *Les tondus.*

Puis, sur un ton récitatif:

> *Mais celui que je préfère, c'est un gin n'tonic, ou plutôt non, c'est un scotch on-the-rock bien tassé et bien viril! Oui oui, c'est ce dernier qui est mon préféré entre tous, mon préféré entre vous tous!*

402.   — Ça n'a pas de sens, crie le leader furieux.

Le voilà qui grimpe sur l'estrade et en chasse les jeunes gens qui ont coopéré au numéro d'Omicronne.

— Vraiment, dit Omicronne malicieusement? Vous trouvez que ça n'a pas de sens? C'est pourtant ce que j'appelle une publicité bien faite, dans le goût du jour, faisant appel aux sentiments profonds des consommateurs.

— Au contraire, dit le leader. Votre façon de procéder est très anti-persuasive et très anti-psychologique. On ne fait pas parader des hommes! C'est indécent et ridicule. Puisque vous aimez les situations imprévues, enchaîne-t-il, je vous en propose une. Vous allez, dit-il, me donner la réplique.

403.   Il lui tend un livre.

— C'est un passage de *L'Otage* de Paul Claudel, dit alors le leader en s'adressant au public. Nous allons vous lire une petite scène. Le curé demande à l'héroïne de se sacrifier pour sauver le pape, comme elle le ferait sans doute pour sauver sa race si son cousin qu'elle aime le lui demandait. Sygne, l'héroïne, lui répond: *Ah, qui suis-je, pauvre fille, pour me comparer au mâle de ma race!* Mesdames et messieurs, cette jeune personne et moi allons vous jouer la scène, répète le leader. Je suis le curé, elle est Sygne l'héroïne. « Ce sacrifice que je vous propose, Sygne, le feriez-vous? » Allez, c'est à vous, Omicronne, donnez-moi la réplique.

Omicronne a pris le livre. Tout le monde est suspendu à ses lèvres. Mais Omicronne n'ouvre pas la bouche.

— Allez allez, dit le leader. Qu'attendez-vous? Là, c'est ici, dit-il en lui indiquant l'endroit dans le livre. « Ah, qui suis-je pauvre fille… » etc. Tu n'as qu'à lire, ce n'est pas difficile!

Mais Omicronne ne dit mot.

Alors, le leader se fâche:

— Tu vas dire cette réplique tout de suite.

— Je ne la dirai pas, dit Omicronne calmement. Elle est abjecte.

— Quoi? Qu'est-ce que tu dis? Abject ce beau texte claudélien? Es-tu tombée sur la tête? Je vais te mater, moi.

— Je ne dirai pas cette réplique, s'entête Omicronne.

Le public ne sait pas si ce dialogue est « monté » ou s'il est spontané… Il commence à manifester sa curiosité.

Le leader essaie maintenant d'amadouer Omicronne, de la raisonner. Il tient mordicus à ce qu'elle dise cette réplique, à n'importe quel prix, semble-t-il.

— Allons, allons, tu ne dois pas t'entêter comme cela. Si tu dis cette réplique, je te donne le rôle et tu le joueras dans les plus grandes salles, ici dans cette ville, à travers le pays, à travers le monde, jusqu'en Russie! Mais tu dois d'abord dire cette réplique.

404. — Très bien, dit Omicronne. Écoutez-moi. Écoutez-moi tous, dit-elle d'une voix forte.

Et elle fait mine de lire: *Ah, qui es-tu, pauvre mâle, pour te croire incomparable!*

405. Un tollé général accueille cette phrase impie. Les spectateurs surexcités lancent à Omicronne des projectiles de toutes sortes parmi lesquels figurent dangereusement des bouteilles de Taball Zingande-et-une que le commanditaire a distribuées gratuitement à la ronde. Seules, Exil et moi, dit l'Eiguélionne, applaudissons notre amie.

— Bravo, bravo, crions-nous.

Mais personne ne nous imite. Nous sommes huées plutôt.

406. Furieux, le leader saisit Omicronne par le bras. S'il y avait eu près de là un gendarme assez convaincu de sa mâle importance et assez féru de théâtre académique pour arrêter l'insoumise, le leader la lui aurait livrée avec joie. Car le déshonneur des femmes commence là où finit celui des hommes, *dans l'insubordination.*

407. Omicronne réussit enfin à s'échapper de la poigne du leader. Nous accourons à sa rencontre. Nous nous regardons toutes les trois sans dire un mot, puis, nous éclatons d'un rire inextinguible, d'un rire qui semble soulager mes amies énormément. C'est comme si un joug extravagant et dérisoire venait de basculer de leurs épaules et tomber dans le vide.

408. — J'aurais peut-être eu le feu sacré pour le théâtre, dit Omicronne, s'il existait un répertoire pour les comédiennes…

— Je suis sûre que nous aurons ce répertoire un jour, dit Exil avec conviction.

409. Oksito, Microbeth, le leader et les autres se sont approchés de nous et nous regardent avec ébahissement. Ils n'en reviennent pas.

Quant au public, il est déjà dispersé, en quête d'un nouveau spectacle croustillant et scandaleux.

Pendant que nous nous éloignons, le leader se met à courir vers le tourne-disque, et bientôt nous entendons une jeune voix féminine entonner dans le vide du stade une chanson pleine de revanche dont le refrain commence par ces mots flatteurs:

Pourtant, je ne suis qu'une fille…

LE MARI D'EXIL

410.   Omicronne a enfin trouvé du travail, dit l'Euguélionne. Elle s'est installée chez Exil avec ses deux petits, Alik et Onirisnik.

Les deux jeunes femmes ont mis leurs enfants en commun. Dominik, Kappa et Alyssonirik, sont fils et fille d'Exil.

411.   Exil nous apprend qu'elle a retrouvé d'anciens papiers qu'elle croyait à jamais disparus. Quelques fragments de son journal qu'elle tient fidèlement depuis l'époque de son adolescence.

— Je me demande, dit Exil, comment il se fait que ces cahiers aient échappé à l'hécatombe.

— Quelle hécatombe, dit Omicronne?

— Eh bien, celle que j'ai fait subir à mon journal et à tous mes autres écrits il y a quelques années.

— Quelle bêtise! Pourquoi as-tu fait ça?

412.   — Oh! ce n'est pas moi qui ai pris cette décision. C'est mon seigneur et maître de l'époque, en l'occurence, mon cher mari, ennemi acharné de la « paperasse ». Un jour, il a exigé que je jette aux ordures une caisse entière de manuscrits. Pendant que je m'exécutais, j'avais l'impression de m'entendre seriner aux oreilles: « vous me copierez cent fois: *Mes manuscrits sont des ordures.* »

— Pourquoi avoir obéi, dit Omicronne?

— Pourquoi, pourquoi?

Le regard d'Exil s'éloigne. Il se fixe sur un point insaisissable du temps.

413.   — À dix-sept ans, je me suis retrouvée enceinte et mariée pour la circonstance. D'un seul coup, j'étais flanquée de deux étrangers... Ma vie passée ressemble à un mauvais *mélodrame.* C'est pourquoi je n'aime pas en parler. Que reste-t-il d'une époque où l'on n'a pas cessé de « manger de la misère » et de l'humiliation à toutes les sauces? Tu sais le goût que ça a ce genre de « grande bouffe »? Un goût de terre terreuse. On en a plein la bouche, entre chaque dent, dans le creux des molaires, sous la langue, sous le palais, depuis la luette jusqu'au mur des lèvres. Et quand on veut crier, pas un son ne sort. Et quand on veut appeler au secours, pas un secours ne vient. Et pourquoi cela? Parce que, sais-tu ce qu'il y a au-delà du mur des lèvres? De la terre, encore de la terre. De la terre dans les yeux, au-dessus du crâne, en avant, en arrière, en haut, en bas, sur tous les côtés. On est enfoncée profondément dans la terre et on se tient là, debout, invisible à tous, incapable de secouer cette masse planétaire qui nous tient fermement aux épaules et qui a déjà paralysé nos bras et nos jambes naguère si déliés. Heureusement pour moi, ce temps est révolu, n'en parlons plus.

LES ENFANTS D'AUJOURD'HUI

Mais je suis rongée d'impatience à la pensée de tout ce temps perdu, continue Exil. Te rends-tu compte qu'Emily Brontë est morte à *trente* ans et sa sœur Charlotte à *trente-neuf*? Qu'à *vingt-neuf* ans, la première avait écrit *LES HAUTS DE HURLEVENT* et qu'à *trente-et-un* la seconde signait *JANE EYRE*? Quant à Anne, la benjamine, elle mourut à *vingt-neuf* ans, non sans avoir écrit deux romans. Quand je pense à cela, je frissonne et me dis que j'ai déjà passé l'âge non seulement d'écrire *JANE EYRE* et *LES HAUTS DE HURLEVENT* mais de survivre à celui-ci si j'avais eu le destin d'Emily...

414.   À ce moment, dit l'Euguélionne, les enfants font irruption dans la maison. Il y en a cinq de toutes les grandeurs. C'est, dans la pièce où nous sommes, une soudaine addition ébouriffante de crinières de toutes les couleurs, d'yeux de toutes les eaux, de bouches d'oisillons affamés, de mains fureteuses et de pieds impatients. C'est un bataillon décidé à gagner des points sur tous les terrains, jour après jour, jusqu'à un certain moment... très incertain du futur où il prendra le temps de s'asseoir pour souffler un peu. L'un de ces mousquetaires impertinents chante à tue-tête:

> *Comme un garçon*
> *J'ai de beaux tétons*
> *Comme un garçon*
> *J'ai de beaux petons*
> *Comme un garçon...*

C'est Alyssonirik qui chante, fille d'Exil et longs cheveux noirs, petit visage pointu et silhouette effilée comme un dessin à la plume.

— Tu vois bien, Omicronne, dit Exil en souriant, que je n'ai pas le temps de me lamenter. J'ai ici trois bonnes raisons à cela, en chair et en cosmos si je puis dire, et toi, chère amie, tu en as au moins deux.

Alyssonirik est allée mettre une musique pop sur le tourne-disque. Elle se plante devant la fenêtre. Ses hanches étroites remuent faiblement.

Le soir commence à tomber. Nous regardons l'accrochage des étoiles qui a lieu sous nos yeux.

415.   — Jouons à la Voie Lactée, dit l'adolescente.

— D'accord, mais c'est toi qui commences, dit son frère Dominik, voix qui mue, moustache naissante et cheveux longs « comme un garçon »...

Ce jeune homme ne dédaigne pas de se prêter au jeu proposé par sa sœur. Cependant, il veut le faire confortablement et va s'allonger sur la moquette, les deux mains croisées sous la nuque.

— Non, non, commence, toi, Omicronne, dit à sa mère Onirisnik, cheveux blonds coupe *page-boy,* tournant au châtain des yeux.

— Bon, dit Omicronne. Je veux bien. Je commence avec l'eau. *L'eau est la rumeur du lait.*

— *Le lait est la sueur du pain,* dit Alyssonirik qui a fermé les yeux et se balance sur ses longues pattes d'oiseau pareilles à la photo agrandie d'un germe de tilleul.

— *Le pain est une éponge,* dit Dominik.

— *L'éponge est un enfant,* dit Exil.

— *L'enfant pousse dans la mère,* dit Onirisnik qui est allé s'étendre par terre lui aussi et a croisé ses bras à la façon de Dominik.

— *La mère invente le lait,* dit la petite Alik, fille d'Omicronne, prunelles grises et âge de raison.

— *Le lait est une sueur maternelle,* dit Kappa, le plus jeune fils d'Exil, tête fine et aile de corbeau sous la paupière.

— Bravo Kappa, dit Exil, tu t'en es bien sorti.

416.   — Et maintenant, dit Kappa, on joue au règne minéral. Répondez chacun à votre tour.

> *Soleil?*
> — *Mine de réveils.*
> — *Lune?*
> — *Mine de plumes.*
> — *Univers?*
> — *Mine de travers.*
> — *Étoile?*
> — *Mine de vers à soie.*
> — *Ciel?*
> — *Mine de mouches à miel.*
> — *Terre?*
> — *Mine d'enfer.*
> — *Homme?*
> — *Mine de charbon.*
> — *Femme?*
> — *Mine de crayon.*
> — *Enfant?*
> — *Mine de rien…*

Omicronne et Exil applaudissent car elles n'ont pas cette fois participé au jeu.

Quant à moi, dit l'Euguélionne, j'écoute avec étonnement les mots ronds et tendres de ces jeunes humains sans doute égarés sur cette planète Guerre.

417.   — Moi, je veux jouer au règne animal, dit Onirisnik. Voici une bonne question: où peut-on trouver des caméléons?

— Chez le marchand de couleurs, naturellement, dit la petite Alik qui a dû lire la réponse dans les yeux trop grands de son frère.

Onirisnik n'en revient pas. Il pensait que tout le monde allait donner sa langue au chat. Mais cela lui donne une idée.

— Est-ce que les petites bêtes mangent les grosses bêtes, demande-t-il à sa sœur?

— Ben non, voyons.

— Eh bien, détrompe-toi, ma chère, car on a déjà vu des chats minuscules dévorer de gros rôtis d'éléphant ou même des ragoûts de pattes de rhinocéros...

— Pas toujours, dit Alik, on a même déjà vu le contraire. Écoute ça.

Et Alik, d'une langue habile et déliée, se met à scander le petit virelai que voici:

418.
> Chat vit rôt
> Rôt tenta chat
> Chat mit patte à rôt
> Rôt brûla patte à chat
> Chat quitta rôt

— Hein, quoi, quoi, qu'est-ce que tu dis? Répète pour voir.

Alik dut répéter plusieurs fois sa comptine, surtout la première phrase, car nous entendions tous: *CHAVIRONS*. Et, plus loin, nous nous demandions ce que venait faire *LA PATACHA* dans cette histoire. Alik n'était pas assez calée en orthographe pour nous donner, grâce à l'écriture, la solution de son énigme, mais elle sut nous en faire un dessin très clair qui élimina toute équivoque.

LIII

IL PLEUT SUR LA LUNE!

419.   — Et maintenant, et maintenant, dit Kappa, en tournant sur lui-même comme une toupie, on joue à la terre, on joue aux planètes, on joue au monde entier, on joue aux devinettes.

— Très bien, dit Exil. Que dis-tu de Jupiter?

— Il a quatre lunes, dit Kappa... Ce doit être les quatre bougies qu'il a à son chevet... Ou plutôt aux quatre coins de son lit car Jupiter est très vieux et très malade et très mourant...

— Un bon point pour toi, dit Omicronne.

420.   Tout le monde est couché par terre maintenant. Les pieds se touchent au centre du tapis. Le groupe forme un grand nénuphar à pétales inégaux, que soulève la vague ininterrompue de la musique au rythme égal et monotone.

— Quelqu'un sait-il pourquoi les étoiles ont les yeux cernés?

— C'est facile, dit Dominik. Parce que ce sont des oiseaux de nuit.

— Et pourquoi les fleurs sont-elles fatiguées?

— Parce qu'elles dorment toujours debout, dit Alyssonirik. Et pourquoi les poissons jamais ne se noient?

— Parce qu'ils gardent leur sang-froid, évidemment, dit Onirisnik.

— Voici une autre devinette, dit Exil: qu'est-ce que la plante de pérégrination?

— Moi, je le sais, dit Onirisnik. C'est la plante des pieds. Mais elle ne pousse pas sur toutes les planètes...

421. — Et toi, ma petite Alik, sais-tu si la terre a des pattes?

— Elle n'en a sûrement pas!

— Non? Et pourquoi donc?

— Parce que si la terre avait des pattes, elle serait arrivée depuis longtemps!

— Tiens, c'est vrai, je n'y avais pas pensé!

— À part ça, dit Kappa, les trois quarts de la terre nagent dans l'eau! Tout le monde ne peut pas être poisson, soupire-t-il avec regret!

— En tout cas, c'est une vieille maniaque, dit Dominik en secouant sa lourde toison.

— Pourquoi dis-tu ça, dit Alyssonirik en riant?

— Ben quoi, elle tourne, non?

— Tu ne peux pas lui en vouloir, elle fait ses exercices quotidiens autour du soleil pour garder sa ligne...

— Ce n'est pas si bête, dit Omicronne. Ainsi, en gardant sa ligne, elle ne dévie pas de sa trajectoire, ou si peu...

422. — Ah! comme je voudrais être astronaute, dit Kappa. Je verrais la face de la terre. A-t-elle un nez comme la lune et deux yeux de coquine?

— Tu sais, je crois qu'elle aussi fabrique des croissants pour le petit déjeuner des Martiens... dit Onirisnik.

— Vous rendez-vous compte de ce qui arriverait si elle était plantée comme un arbre, dit Alyssonirik, elle ferait des bourgeons, et les bourgeons feraient de toutes petites planètes et nous pourrions voyager...

— Ah! si la terre avait des ailes, dit Exil! Elle volerait jusqu'au soleil et nous ferions des étincelles!

— Des étincelles? Nous ne faisons que ça, il me semble, dit Omicronne, et nous risquons d'exploser à chaque seconde.

— A-t-elle du feu en réserve comme la moindre étoile polaire, dis-je à mon tour?

— Ah! si la terre était une boule de cristal, nous saurions ses énigmes depuis longtemps... A-t-elle encore un seul diamant?

— Et moi je vous dis que si la terre avait des doigts, je lui passerais une alliance au quatrième et je l'épouserais sur-le-champ! Car j'ai besoin d'épousailles, dit Exil. Et je n'ai pas le choix des astres comme l'Euguélionne...

130

423.　　— Et la lune, dis-je, que dites-vous de la lune?

Tous se lèvent et se précipitent à la fenêtre. Le soir est tombé et le vernissage de la lune a lieu sous nos yeux.

— Tiens, la lune a des seins ce soir, dit Alyssonirik avec une fierté de jouvencelle.

— Ah, et elle a aussi un chapeau de paille sur sa tête chauve, dit Onirisnik.

— Regardez-la bien, dit Exil avec une solennité feinte. Son ciel est nuageux, son vent est vert, et son envie de dormir est telle qu'elle est mise aux enchères...

— On l'échange contre des draps bouffants, dit Omicronne. Encore un coup des astronautes!

— Oh regardez, dit Kappa, la lune a une tache de vin sur la joue gauche...

— Sans doute parce que sa mère s'est couchée avec le soleil, dit Dominik d'un ton connaisseur.

La lune fait un tremblement de lune, dit Exil. On ne peut rien prévoir de ses réflexes. Vous avez remarqué? Elle tremble et son chapeau s'épanche...

— Oh oui, regardez, il pleut sur la lune, dit la petite Alik.

— Bien sûr qu'il pleut sur la lune, dit Onirisnik avec malice. Même qu'on y vend des parapluies!

LIV

LES ENFANTS D'AUJOURD'HUI
(BIS)

— Ouf! on crève sur la terre. Il devrait pleuvoir ici aussi, dit Dominik.

424.　　— Moi, dit Alik, j'ai une bonne question. Pourquoi on est habillé? Il fait si chaud dans la maison!

— Oui, dit Kappa, pourquoi il faut cacher sa peau tout le temps, comme si elle était vilaine?

— On ne la cache pas tout le temps, dit Alyssonirik. Seulement l'hiver.

— L'été, tu te promènes toute nue, dit Onirisnik?

— Non, mais j'en enlève pas mal.

— Pourquoi tu n'enlèves pas tout, dit Dominik?

— Ben... parce que... je ne sais pas. Ça ne se fait pas.

— C'est la seule raison?

— Sûrement, je n'en vois pas d'autres.

— Ce n'est pas une raison parce que ça ne se fait pas de ne

pas le faire, dit Dominik. Comme si ce que l'on cache était moins beau à voir que la figure!

— Moi, j'en connais qui devraient plutôt se cacher la figure, dit Alyssonirik en riant. Ce serait moins indécent... Je suis donc d'accord avec toi, Dominik. C'est comme porter des culottes, moi je trouve ça stupide et inutile.

— N'exagérons rien, dit Kappa avec sagesse.

— C'est vrai ce que dit Alysse, on est tout emmaillotés comme des bébés. Depuis que j'ai quitté la couche, je me demande pourquoi je suis obligée de porter des culottes, dit la petite Alik.

— Si tu t'asseyais n'importe où le derrière à l'air ou toute nue, dit Omicronne, tu risquerais de te salir les fesses!

425. — Alors, il faut inventer un *Protège-Fesses*, dit Kappa en riant. Ce pourrait être un cache-nez ou un passe-montagne qu'on traînerait avec soi dans un sac et qu'on se glisserait sous les fesses au moment de s'asseoir!

— C'est bien trop compliqué, dit Alyssonirik. Voyons, si on se promenait tout nus, on pourrait trouver dans les endroits publics des distributeurs de tissus protecteurs, comme il y en a pour les cigarettes et pour la gomme baloune.

— Excellente idée, dit Onirisnik en riant. Tu devrais la vendre aux fabricants de caleçons pour leur éviter de fermer boutique...

— On pourrait même trouver des culottes de papier! À jeter après usage, dit Exil.

426. — Ou des tissus synthétiques en forme de cache-col, dit Dominik qui était passionné d'archéologie et de géographie humaine. Ou en forme de bavette, de voilette, de pochette, de plastron, de scapulaire béni par le Saint-Siège, de cornette, de mouchoir, de manchette, de tricot ouatiné, de vêtement fourré, de crinoline, de vertugadin, de cache-corset, de cotillon, de pourpoint, de justaucorps, de djellaba, de fixe-chaussettes, de chasuble, de pagne, de kilt, de poncho, de paréo, de sari, de robe prétexte, de cuissardes, de bouillote, de bassinoire, de couverture électrique, de matelas à ressorts, d'édredon, de douillette, de pendouillette, de mouillette, de nuisette, d'amulette, de kasoar, de boubou, de burnous, de caftan, de gandoura... Ou de simple feuille d'érable, ajouta-t-il dans un dernier geste dramatique.

Tout le monde rit et applaudit le jeune abstracteur de quinte essence.

427. — Dans ces distributeurs, dit Alyssonirik, on pourrait trouver tout simplement des coussins ou des serviettes éponge, comme c'est la coutume d'en utiliser dans les camps de nudistes.

— *Camp de nudistes!*... Quelle drôle d'expression, dis-je. Est-ce qu'on enferme les gens nus comme s'ils étaient dangereux?

— Bien sûr, dit Dominik.

— Est-ce que la nudité n'appartient pas à tout le monde? N'est-elle pas un patrimoine national, dit Alysse en riant?

— À mon avis, elle devrait être facultative, dit Dominik. Personne ne serait obligé de sortir nu dans la rue et personne non plus ne serait obligé de s'habiller. On devrait aussi pouvoir porter des vêtements indécents... ce sont ceux qui me plaisent le plus!

— Hum! C'est un programme alléchant, dit Alyssonirik en faisant pointer une langue gourmande sur sa lèvre supérieure.

LV

LA JUPE DE CHAIR

428.   — Une chose est sûre, hélas, dit Omicronne. Ce n'est pas demain qu'on verra de tels distributeurs.

— Ce qui m'épate, dit Alyssonirik, c'est qu'on nous fabrique des pantalons avec des braguettes. J'aimerais vous voir la tête, les gars, si vous ne trouviez sur le marché que des pantalons qui s'ouvriraient par-dessous!

— Quelle horreur, dit Dominik! Et pourquoi pas par derrière?

— Et nous, pourquoi pas par-dessous, dit Alysse?

429.   — C'est sans doute une méprise, dit Omicronne en souriant.

— Que veux-tu, dit Dominik, vous avez voulu porter le pantalon comme nous, c'est votre faute. N'oubliez pas que d'éminents spécialistes ont expliqué la déchéance de « l'âme féminine » par le biais du pantalon...

— Ouais... je suis au courant, dit Alyssonirik. Les cheveux longs sont d'essence féminine et le pantalon d'essence masculine. Je connais la chanson.

430.   Kappa se mit à rire doucement.

— C'est comme si on disait que les filles viennent au monde chevelues mais le derrière nu, et les garçons, chauves mais culottés!

— C'est à peu près ça, dit Exil en souriant.

— Je gage que ce sont les mêmes qui se scandalisent quand une fille ne porte pas de petite culotte, dit Alyssonirik.

431.   — En tout cas, dit Onirisnik, moi j'ai vu des hommes en mini-jupe dans un film sur Léonard de Vinci.

Cette réflexion nous fait bien rire.

— C'est vrai ça, je les ai vus moi aussi, dit sa sœur.

— On peut donc dire sans se tromper que ce sont les filles en mini-jupe qui imitent les hommes de la Renaissance, dit Dominik!

— De toutes façons, dit Alyssonirik, même la mini-jupe est démodée. Toutes les filles de mon école, sans exception, vont en classe en blue-jeans. Les profs aussi. Il n'y a que la secrétaire du directeur qui porte encore la mini-jupe.

— En fait, dit Omicronne, il n'y a plus personne qui se scandalise de cela, sauf ceux qui écrivent des livres sérieux sur « la nature féminine » et qui affirment que le pantalon est masculin!

432.   — Ceux-là, c'est comme s'ils disaient que le corps féminin est masculin. C'est vrai. On n'est pas faites, les femmes, avec des jupes de chair en bas ou en haut des genoux. Nous aussi on a des *culottes de peau!*

Cette amusante expression d'Alyssonirik, dit l'Euguélionne, j'eus l'occasion de m'en servir à quelque temps de là pour me moquer gentiment de quelqu'un...

433.   Mais, pour en revenir à notre conversation, c'est Alyssonirik qui la conclut en ces termes:

— Il y a des hommes qui croient vraiment que c'est avec leur pantalon qu'ils commandent. Rappelle-toi papa, dit-elle à sa mère, quand il criait avec colère: « C'est moi qui porte les culottes dans cette maison. Vous n'avez pas un mot à dire! » C'est pas de la vraie magie, ça?

LVI

LA CULOTTE DE PEAU

Quelques jours plus tard, dit l'Euguélionne, j'eus l'occasion de mettre à profit cette conversation. La chose était assez cocasse et je la racontai à mes amis.

434.   — Hier, dis-je, j'attendais l'autobus au coin d'une rue en compagnie d'autres personnes et je trouvais qu'il tardait à venir. Pour gagner du temps et sans penser à autre chose, je me mis à marcher de mon pas habituel qui est très large et très élastique. Soudain, je sentis que mes pieds quittaient le sol sans pour autant interrompre leur activité. « Il faut, me dis-je, m'élever encore plus, si je ne veux pas tomber. Et alors, il n'y aura aucune difficulté à poursuivre cette petite promenade. » Je m'élevai donc encore un peu et je continuai à marcher à pas de géante. Je fis tout le trajet ainsi, dans les airs, — je devais me rendre à l'autre bout de la ville — survolant de très près le trafic de la rue.

À un certain moment, je fus au-dessus de l'autobus que je devais prendre et j'arrivai en même temps que lui. J'atterris près d'un monsieur qui en sortait. Il me dit qu'il me reconnaissait pour avoir attendu l'autobus lui aussi tout à l'heure et il ne comprenait pas comment je m'y étais prise pour aller aussi vite. Je lui expliquai la manière de se mettre en route si l'on veut marcher au-dessus du sol et non à ras de terre. « Oh, ajoutai-je, il faut faire porter le poids du corps sur les talons, voilà le secret. — Mais, dit l'homme, j'ai l'habitude de marcher largement et je n'ai jamais réussi à m'élever. »

435.   Alors, me souvenant de l'expression employée l'autre jour par Alyssonirik, je lui dis, le plus sérieusement du monde: « Alors là, je n'y comprends rien! Car moi, c'est grâce à ma « culotte de peau » que j'y arrive. Vous devez bien en avoir une vous aussi!

— Oh la la, dit Omicronne, ne raconte jamais cela à un psychanalyste. Tu sais, ces gens-là, ils ne sont pas tous dans le secret de la « culotte de peau ».

LVII

L'HERBE À PUCES

436.   Un jour, dit l'Euguélionne, j'ai entendu une conversation amusante entre les deux plus jeunes. Alik venait d'être surprise par son frère en train d'uriner debout tout habillée. Onirisnik s'écria:

— Tu es folle ou quoi?
— Pourquoi, dit la petite innocemment?
— Mais… tu pisses debout! Comme moi!
— Et puis après? Ça te dérange?
— Tu sais bien que seuls les garçons peuvent pisser debout!
— Ce n'est pas vrai puisque je peux le faire moi aussi, tu le vois bien. Tu es jaloux?
— Heu… non… Mais tu vas te salir, je te préviens.
— T'inquiète pas pour ça. Alyssé a arrangé mon slip et mon blue-jean. Regarde, ils sont fendus maintenant. Et ils ferment avec du *Velcro*. C'est très pratique.
— Et qui t'a montré comment faire?
— C'est pas bien compliqué, tu sais. On n'a qu'à s'avancer au-dessus du bol, comme ça. J'ai vu comment Alysse s'y prenait. Mais les bols sont un peu larges…
— Alysse pisse debout?
— Ben oui, comme toutes les copines de sa classe. C'est Nathalie qui a commencé. Elle suit des cours de ballet et elle s'exerce au grand écart.
— Eh bien… En voilà toute une affaire… Mais, j'y pense: tu peux peut-être pisser debout mais tu n'es pas capable de faire des concours de pipi avec moi. T'as pas de robinet!

437.   — Oui, c'est vrai, mais ce n'est pas bien grave. Ça ne m'empêche pas de faire pipi. Et puis, tu sais, à la campagne, j'adore faire pipi sur l'herbe. J'arrose les petites fourmis noires et c'est tellement drôle quand elles se mettent à courir pour éviter la pluie que je fais! L'herbe, elle, elle aime ça quand je l'arrose. Elle se penche et elle devient plus verte. As-tu déjà arrosé des chenilles?
— Heu… peut-être, mais je n'ai pas remarqué. Je pisse trop loin, tu comprends…

— As-tu déjà remarqué le chemin que fait ton eau dans le sable?

— Heu... non... c'est impossible. Je te dis que je pisse trop loin.

— Quand nous irons à la campagne, je te montrerai. Moi, je peux faire des petits ruisseaux sur la plage, seulement en faisant pipi. Alors, le sable, il devient foncé et aussitôt que j'ai fini, tout le sable aux alentours se referme sur mes petits ruisseaux et c'est comme s'il n'y avait jamais eu d'eau à cet endroit. Il n'y a que moi qui sais...

438.　— Ce doit être intéressant! Mais il y a une chose qui ne doit pas être rigolo, avoue. Tu es obligée de t'essuyer à chaque fois...

— Oh! mais ça aussi c'est amusant. Moi j'aime m'essuyer, ça me chatouille, ça me fait toutes sortes de sensations... Et tu peux pas savoir les aventures que j'ai à la campagne à cause de ça. J'essaye tout ce qui me tombe sous la main. Des fois, c'est vraiment drôle, d'autres fois ça l'est beaucoup moins.

— Qu'est-ce que tu veux dire?

— Ben... quand je me sers de branches de vinaigrier qui sont comme du velours, ou de feuilles qui ont l'air d'être en peluche, ou en laine, ou en mousseline, je trouve ça délicieux. Mais ce que je n'aime pas, c'est quand je suis distraite et que je tombe sur de l'herbe à puces! Oh la la! Si tu savais comme ça me démange dans ce temps-là!

Onirisnik rit de bon cœur.

— Ça t'est déjà arrivé de t'essuyer avec de l'herbe à puces? Pauvre Alik! Tu as dû penser que tu avais ramassé un bouquet d'orties! Quelle sensation!

Kappa, Alyssonirik et Dominik qui écoutaient depuis un bon moment, se manifestent et applaudissent la petite.

439.　— Bravo Alik, dit Alyssonirik.

— Quelle imagination précoce, renchérit Kappa. Tu me fais penser à Dominik avec tes *Essuie-Sexe*.

— Cependant, dit Dominik en la taquinant, je dois t'informer que tu n'es pas la plus précoce en ce domaine.

— Comment cela, disent les autres?

— Eh bien, le jeune Gargantua n'avait que cinq ans quand il a inventé le torche-cul et toi, chère Alik, tu en as bientôt sept!

Peu après, Alyssonirik leur lut un passage fort instructif dans un gros bouquin relié et abondamment illustré. Voici ce passage, dit l'Euguélionne.

440.　« (...) Nos contemporaines civilisées bénéficiant du confort moderne peuvent pisser assises, à leur aise.

Loin de leur cabinet de toilette, force leur est bien d'évacuer leur vessie en plein air, comme les rurales ou les « sauvages ». Elles le font debout ou accroupies les petites lèvres serrées. Il est curieux de constater que c'est un rituel de civilisation qui les engage à adopter une position ou l'autre, plus que la commodité ou la fantaisie.

Debout, c'était selon Hérodote la manière de faire des Égyptiennes; elle était encore très répandue en milieu rural européen avant l'adoption du slip fermé... qui n'a pas encore été introduit partout. Nos grands-mères portaient souvent des culottes fendues; elles leur permettaient d'uriner debout sans retrousser autre chose que le bas de leur robe longue, les pieds écartés et le tronc légèrement penché en avant. Les nymphes donnent alors au jet une direction strictement verticale, parallèle aux membres inférieurs. Pour beaucoup de civilisées cette posture est impossible. Des urinoirs pour dames, en nacelle de porcelaine s'avançant à bonne hauteur, avaient été installés à Portsmouth au début du siècle: à leur vue, les pudiques britanniques s'enfuyaient horrifiées et le tenancier de l'établissement a dû faire faillite.

Accroupie, c'est la position modeste de la femme qui fuit les regards, les genoux entravés par la culotte baissée; cette posture a l'inconvénient de nécessiter un retroussis vestimentaire qui a fait la joie d'innombrables spectateurs involontaires. »*

LVIII

LES PORCS ET LES PORCELAINES

441. Par hasard, dit l'Euguélionne, nous sommes passées devant un cinéma qui donnait le dernier film d'Upsilong qu'il avait intitulé: *LE CHÂTEAU ASSIÉGÉ.*

Sur une des immenses affiches placardées à l'extérieur, il y avait une feuille chiffonnée, manifestement arrachée à un cahier d'écolier et collée sommairement, de biais, masquant une partie des noms en vedette. On pouvait y lire un poème rédigé à la hâte d'une écriture fine et ferme:

> *D'un côté les porcs*
> *De l'autre les porcelaines*
> *Bataille rangée*
> *Bris*
> *Les porcs cherchent des truffes dans les débris*
> *S'étonnent de n'en point trouver*
> *Se coupent le museau*
> *S'entaillent le groin*
> *Sont très en colère, très en furie, très enragés, très en maudit*

---

*Gérard ZWANG, in *Le Sexe de la Femme*.

Grognent
Car n'aiment pas le goût de leur propre sang et ont horreur
du boudin
Croient qu'on les saigne pour les dévorer jusqu'à l'os,
entrailles, rillettes et andouillettes
Veulent savoir qui a brisé les porcelaines
Qui a causé le tranchant des porcelaines
Maudissant les briseurs de porcelaines
Maudissant le tranchant des porcelaines
Se demandent comment il se fait qu'ils s'y coupent
Et se demandent qui les y pousse

Le poème n'était pas signé. Mais quelqu'un avait ajouté: *Les porcelaines n'ont qu'à se changer en porcs ou à devenir des pots de fer ou des fils barbelés.* Une troisième écriture notait, au bas de ce commentaire: « *Et en quoi donc se changeront les porcs?* » Il n'y avait pas de réponse à cette question.

442. Nous sommes entrées dans la salle. Nous avons regardé le film d'Upsilong. Il y figurait lui-même ainsi que sa sœur jumelle Epsilonne et tous les deux c'était chaque fois pour dire, dès qu'il était question des femmes et de leurs rapports avec les hommes: « Bof, du folklore! » Comme si l'entité « femme » était devenue folklorique et comme si Epsilonne elle-même était d'un sexe ignoré jusqu'à maintenant, tellement elle semblait considérer que les « femmes » c'était bien fini. Enfin, « c'était arrivé », il n'y en avait plus. Il n'y en aurait jamais plus, plus jamais. Elle-même en était bien débarrassée, comme tout le monde.

443. Puis, il y eut une séquence où on voyait Etéa, « la petite centenaire, » fille réelle d'Upsilong. Elle disait aux spectateurs que tous les amis de son papa chéri croyaient qu'elle était le fruit des amours incestueuses de celui-ci avec sa tante Epsilonne. « Quelle profonde erreur, ajoutait-elle avec ingénuité! *Car moi, Etéa, je suis née de femme inconnue.* C'est là tout mon mélodrame! C'est pourquoi je suis si vieille! C'est pourquoi je suis si méchante! »

444. Quand nous sommes sorties du cinéma, nous avons vu un rigolo qui était en train de mettre son grain de sel sur l'affiche, juste en-dessous du papier d'écolier:

Ne cherchez plus, bonnes gens. J'ai trouvé! En effet, étymologiquement, ce mot procelaine *vient de l'italien* « porcellana » *qui désigne une sorte de coquillage univalve poli.*

Or, « porcellana » *dérive de* « porcella » *qui veut dire* « truie » *et on a fait le mot* porcelaine *par comparaison de ce coquillage avec la vulve de la truie.*

Donc, la porcelaine est vraiment la femelle du porc et il n'est pas nécessaire que celui-ci se change en quoi que ce soit.

UN PROGRAMME POÉTIQUE

445.   Une autre fois, dit l'Euguélionne, nous sommes allées au théâtre. Nous aurions voulu y amener les enfants mais ils n'étaient pas admis.

On y jouait une pièce de participation intitulée:

LES COQUEFREDOUILLES

Tragédie antique et comédie tragique, disait la brochure qu'on nous avait distribuée à l'entrée, et qui portait en sous-titre:

FEMME OÙ EST TA VICTOIRE À TOUJOURS RECOMMENCER?

Puis, la brochure donnait le « programme » de la soirée en ces termes:

446.   — POÉSIE intrinsèquement inhérente à l'acte de déboucher l'évier de la cuisine un beau dimanche après-midi, le mari étant parti on ne sait où. *Mode d'emploi du DRANO.*
— ÉLOGE DE LA CRASSE.
— ÉLOGE DE LA POUSSIÈRE ou *comment s'en débarrasser*.

447.   — Les lits. Faire les lits. Faire les ciels de lit. Les chutes de mousse. La mousson quotidienne. Les fauteuils. Tirer les meubles. Frotter le dehors des meubles. Ranger le dedans des meubles. Mot d'ordre: *Le désordre des Autres est mon désordre.*

— Ordre, que ton règne arrive. Mot d'ordre: *Ordre partout!* Dans les papiers. Dans les poches. Dans le linge. Dans les coins. Dans les recoins. Dans les tréfonds. Dans les escaliers. Sous les escaliers. Dans les condiments. Dans les aliments. Dans les armoires. Dans les cendriers. Dans le fond des tasses où l'avenir est écrit. Ordre dans la cendre des Autres. La grande Aspiratrice.

— Les planchers. Les parquets. Les murs. Les fenêtres. Les lattes. Les tuiles. Les plinthes. Les rainures. Aspirer les tapis. Aspirer ses plaintes. Respirer la poussière. Inspirer son mari. Expirer enfin. Laver. Frotter. Rincer. Cirer. Grimper aux rideaux. Arroser les plantes.

— La chasse aux microbes. Aux bibittes. Aux coquerelles. Aux mouches. Aux araignées. Aux cafards. Aux moutons. Aux loups. Aux sorcières.

— L'eau. Les eaux sales. Les seaux. Les mains scellées dans l'eau. Les torchons. Les lavettes. Les balais. Les brosses. Les porte-poussière. Les porte-lumières. La poussière-Éternité. Lucifer le grand Aspirateur.

— Le linge. Le linge des Autres. L'achat du linge. L'entretien du linge. Le ramassage du linge. Le linge sale. Les culottes sales. Les chaussettes sales. Stade anal. Les culottes des Autres. Les chaussettes des Autres. Le tri du linge sale. La lessive. Le lavage-rinçage-séchage-reprisage-repassage-pliage-rangeage. Le linge d'hiver. Le linge d'été. La boule à mythes. Les mystères de l'armoire à glace. Les singes en hiver. Le frottage.

— Les objets. Tous les objets. Conserver les objets. Conserver le conservatoire d'objets. Entretenir les objets. Entraîner les objets à être beaux. Entraîner les objets à plaire. Les objets kétaines. Les objets kitsch. Les faire jongler. Les polir. Les frotter. Savoir s'en débarrasser.

— Les baignoires. Les éviers. Les lavabos. Les vitres. Le bol des toilettes. La merde des Autres. Stade anal. La crasse des Autres. Stadanal. La maudite crasse. Stadanalysse. Le pipo dans le lavabi.

— Avoir soin de. Les petits de l'« homme ». Les nourrissons. Les écoliers. Les teen-agers. Le mari. La chatte. Le chien. Le chaste époux. Le soin du chaste époux. L'époux insatiable. Le soin de l'insatiable.

— Habillage des enfants. Déshabillage. Habillage. Déshabillage. Leur mettre leurs bottes. Leur enlever leurs bottes. Leur mettre leurs souliers. Leur enlever leurs souliers. Les maintenir avec force. Leur résister. Strip-tease quotidien. Crampe aux reins. Crampe au cerveau-par ailleurs-fort-calme-et-fort-vide-à-l'instar-de tous-les-cerveaux-dits-féminins. Crampe aux nerfs. Mot d'ordre: *Se cramponner. S'accrocher. Ne pas lâcher.*

— Les visites chez le dentiste avec les enfants. L'attente. Chez le médecin. Chez le pédiatre. À la clinique externe. Les vaccins. Le pharmacien. Le magasin de chaussures. Le magasin de vêtements. La boutique du Petit Prince. Le p'tit prince machiavélique. Les essayages. Essais nucléaires.

— L'auto. Le garage. Les réparations. L'attente. Le plein d'essence. Aller chercher les enfants. Les réparer. Inscrire les enfants. Faire la queue. Conduire les enfants. À l'école. Au parc. À la piscine. Bien se conduire. Aller chercher le mari. Lui passer le volant pour ménager ses nerfs. Dérouler nerfs en boule.

— Les jeux des enfants. Le bricolage. Les beaux dessins. La belle gouache. Les beaux gâchis. La peinture à répandre. La peinture répandue. Les flaques d'encre. Le beau découpage. Les chefs-d'œuvre en plasticine. Encourager. Ramasser. Nettoyer. Raconter. Inventer. Garder les enfants toute la journée. Garder les enfants toute la soirée. Le mari est sorti. Les enfants crient. Eustache & sa trompe. Les hurlements. La patience. Les hurlements. Ne pas perdre patience. Ne pas crier plus fort.

— La vaisselle. Les assiettes. Le dos de la cuiller. Les four-chettes. Les couteaux. Les cuillers à pot. Aiguiser les couteaux. Les plats. Les casseroles. Les poêles. Les tasses. Les verres. Les cendriers. Les poubelles. Les verres à pied. Les verres à cheval.

— Faire la vaisselle. Étendre le linge. Préparer le repas. Faire faire les devoirs. Faire la vaisselle. Frotter le fond des chau-drons. Enlever le linge. Entrer le linge. Épingles à linge. Épingles de sûreté. Épingles à cheveux. Coups d'épingles.

— Les bouches à nourrir. Les repas. Mettre la table. Desser-vir. Le petit déjeuner. Vaisselle sale. Déjeuner. Vaisselle sale. Dîner. Vaisselle sale. Souper. Vaisselle sale. Stadanalysse. Les recettes. Les p'tits plats. Les menus d'hiver. Les menus d'été. Les singes en été. Le mari par le ventre. Le mari par la panse.

— Penser aux menus de la semaine. Ne pas se répéter. 21 menus par semaine. 63 repas par semaine pour famille de trois. 105 repas par semaine pour famille de cinq. Avoir de l'imagination. Ne pas se répéter. Respecter les lois de la diététique. Composer avec les exigences de chacun. Les caprices de chacun. Convaincre le petit de manger. Une bouchée pour Mémé. Repas attrayants. Disposition des mets dans les assiettes. Couleur des mets. Son & lumière. Éviter la monotonie. Rendre la vie agréable. Une bouchée pour Pépé. Mot d'ordre. *Oubli de soi*.

— Les soins de beauté. Garder sa jeunesse. Son oie blanche. L'empêcher de s'envoler. Plaire au mari. Garder sa ligne. Les régimes. La gymnastique. La natation. Les sports. La balance déréglée. Le jeûne. Le miroir. La glace en pied. Les robes nouvelles. La couture. Faire des miracles avec des riens. Le coiffeur. L'esthéticienne. Les oies sauvages. Les pattes d'oie. Le gommage des rides. Ne jamais paraître son âge. Rester « petite fille ».

— Les amitiés utiles au mari. Recevoir les amis utiles. Télé-phoner. Penser menu. Préparer menu. Acheter. Apprêter. Servir. Nettoyer. Pourrir sur place. Sourire. Servir. Survivre.

— Les fournisseurs. Les téléphones. Le plombier. Le proprio. Le concierge. L'électricien. La gardienne. La femme de ménage. Les factures. Le loyer. Les chèques. Le budget. La correspondance. Les rapports d'impôt. Les rapports sexuels. Le septième ciel. L'amour de l'Autre. Les arcs-en-ciel. Les mouches dans le plafond.

L'inflation. L'argent du mari. Économies domestiques. Prouesse d'ingéniosité. Gratitude. Les courses. Les bourses vides. Le marché. Confusion. Ne pas trop dépenser. Expansion des panses. Le mari éreinté. Le frigidaire. La cuisinière. Remplir le frigidaire à peu de frais. Ranger les vivres. Les armoires. Les armoires de la ména-gère. L'argent de l'Autre. Le répit de l'Autre. Le repos bien mérité de l'Autre. Les pantoufles de l'Autre. Le journal de l'Autre. Les week-ends de l'Autre. Le repos du guerrier.

— Le lait. Le pain. La paix. La viande. Les légumes. Les
légendes. Les fruits. Les nourritures terrestres. Les nourritures terre-
à-terre. La cuisine-usine. L'ouvrière sans salaire. L'ouvrière 7 jours
par semaine. L'ouvrière 365 jours par année non bissextile. L'ouvrière
12 heures par jours. L'ouvrière 16 heures par jour. L'ouvrière en
stand-by la nuit. L'ouvrière 24 heures par jour. Bingo! Pas de rotation.
Inscrite sur tous les chiffres.

— Les petits à faire. Les petits à mettre au monde. L'allaitement surnaturel. Les biberons. Les couches. Se lever la nuit. Se
lever tôt. Préparer les casse-croûte. Donner à boire et à manger.
S'occuper du mari-pater-familias-qui-se-sent-abandonné. Gagner sa
croûte-que-coûte.

— Le sang mensuel. Le sang menstruel. Le sang dégoûtant.
Le sang malpropre des femmes. Le Koït absent. Les Kotex. Les Tampax.
Maladie honteuse. Pas de Koït pour les saignées à blanc. La contraception. La pilule miraculeuse. Surtout penser à prendre la pilule.
Arrêter la pilule: met les nerfs en boule. Faire poser un stérilet. Faire
enlever le stérilet: saigne l'utérus. Salut à toi utérus cobaye. Avortement: urgent. Le faire proprement. Trouver moyen. Stop. Loi veut
qu'il soit malpropre. Loi veut du sang. Le sang de l'utérus appartient
à l'État. Stop. Le charcutier du coin. Veut être payé comptant. Trouver
argent. Signé: UTÉRUS DOMESTIQUE.

— L'attente du mari. Les nuits d'insomnie. Les maîtresses du
mari. Surtout ne pas poser de questions. Le retour du mari abruti.
De fatigue. Le ramasser à la petite cuiller. Avoir le sourire fendu jusqu'aux oreilles. Ne pas le fatiguer. Ne pas tenter de faire l'amour.
Ne faire l'amour que s'il le demande. Ne pas le contrarier. Toujours
faire l'amour quand il le demande. Ne pas l'importuner. Ne rien lui
refuser. Se faire oublier. Ollé au lit!

— Changer les draps. Changer les serviettes. Changer les savonnettes. Remplacer le papier hygiénique. Le papier domestique.
Les pâtes et papiers alimentaires. Changer les enfants.

— Suspendre les manteaux. Ranger les enfants. Ramasser les
culottes. Ramasser les chaussettes. Suspendre les vêtements. Trier le
linge. Porter le linge chez le nettoyeur. Laver le linge. Laver les enfants. Les étendre sur la corde à linge. Couper leurs cheveux. Les
jeter au panier.

— Remplacer le vieux linge. En disposer. Le jeter. En acheter
du neuf. Jeter les vieux enfants. En faire des guenilles de ménage.
En faire des torchons. Surveiller les aubaines. Économiser. Coudre.
Ourler. Surjeter. Ne pas jeter les choux gras. Les aiguilles. Le fil.
La laine. Les ficelles. Les élastiques. Les *sling-shots*. La fronde par-
lementaire.

— Ramasser les ordures. Stadanalysse. Vider les paniers. Vider les poubelles. Préparer les ordures ménagères. Ficeler les ménagères dans des sacs de plastique. Les mettre sur le trottoir.

— Éducation. Punitions. Mari absent. Mari omniprésent. Le paternel. L'autorité. Porte les culottes. Comité de parents: impuissance.

— Les vacances. Trouver l'endroit. Trouver de bons prix. Le moyen de transport. Le logement. Recommencer train-train. Pas de vacances pour les estomacs. Pas de vacances pour les nourrices. Les vacances des Autres.

— Le camping. Les vivres. La tambouille. La vaisselle. Les moyens de fortune. Les sacs de couchage. L'amour acrobatique. L'amour retenu. L'amour de commande.

— Les camps de vacances. Les trousseaux. Marquer le linge. Marquer les enfants. Les mettre en garde. La peur des accidents. Les pressentiments. L'inquiétude. Pas de vacances pour l'humeur maternelle.

— L'appartement surchauffé. L'humidificateur. Remplir l'humidificateur. L'appartement surgelé. Les enfants malades. Se lever la nuit. La température. Les suppositoires. Chauffer. Refroidir. Congeler le mari. Brûler les enfants.

— Les boutons de culottes. Les boutons de manteaux. Les ceintures. Les pièces à poser. La ceinture de chasteté. Le viol légalisé.

— ÉLOGE des mains sales. Stadanal. ÉLOGE des mains blanches dans l'eau noire. Stadanalysse. Le rouge et le noir.

— NOBLESSE intrinsèquement inhérente à l'acte de récurer le bol des toilettes. Stadanalyste.

448. — Retour du mari le dimanche soir. Son monologue. Ses projets. Ses réalisations. Sa fatigue. Mutisme et surdité. « L'évier était bouché. Je me suis battue avec tout l'après-midi. J'ai envoyé le p'tit acheter du Drano chez Perrette. » Sourt et muet. La télévision. Le souper. Le journal du samedi. La télévision. Le long-métrage de fin de soirée. Le coucher des abrutis. Demain lundi. Bonsoir bonne nuit.

LX

LES COULISSES DE L'EXPLOIT

449. Le programme poursuivait son inventaire en ces termes:

LA CUISINE EST UNE USINE CLANDESTINE
LA MAISON EST UNE MAINTENANCE ET UNE CONSERVERIE

Afin d'aider nos spectateurs à participer à notre jeu dramatique, voici, par ordre alphabétique, un VOCABULAIRE avec lequel ils pourront faire des phrases s'ils veulent exprimer quelques Exploits des

Ménagères, *quelques* Armes *qu'elles emploient*, l'Ennemi *qu'elles combattent* et les Victimes *de cet Ennemi. C'est un jeu tout simple et extrêmement amusant.* (Les listes ne sont pas exhaustives.)
450.

1. LES EXPLOITS EN COULISSE.

— Acheter. Aider. Aimer. Amadouer. Assister. Balayer. Blanchir. Chialer en cachette. Cirer. Conduire. Congeler. Conserver. Consoler. Consommer. Coudre. Crier. Cuisiner. Dépecer. Desservir. Donner. Durer. Économiser. Éduquer. (S')Empêcher de hurler. Encourager. Entretenir. Éplucher. Équilibrer budget. Équilibrer repas. Fabriquer enfants. Fabriquer repas. Faire l'amour. Faire le marché. Faire la vaisselle. Faire faire les devoirs. Frotter. Garder. (Se) Garder jeune. Interdire. Jouer. Laver. Liquider. Mettre la table. Nourrir. Panser. Pardonner. Peler. Plier. Punir. Raccomoder. Ramasser linge. Ramasser ordures. Ranger. Réchauffer. Refroidir. Repasser. Repriser. Rincer. Rire. Rôtir. Sécher. Servir. Soigner. Tailler. (Se) Taire. Torcher. Utiliser les restes. Vider les cendriers. Vider les poubelles. ETC.

2. LES ARMES.

— Aiguilles. Aliments. Auto. Balais. Brosses. Cires. Congélateur. Cordes à linge. Courses. Couverts. Desserts. Détergents. Encaustiques. Épingles. Fer à repasser. Feu. Fil. Froid. Fruits. Hors d'œuvres. Ingrédients. Laveuse. Légumes. Lessiveuse. Linges. Machines. Polisseuse. Salades. Savons. Savonnettes. Séchoirs. Soupes. Spic & Span. Tablier. Torchons. Vadrouilles. Viandes. ETC.

3. L'ENNEMI HÉRÉDITAIRE.

— Action du temps. Boue. Chiures de mouches. Cochonneries. Crottes. Cris. Débris. Déchirures. Détritus. Éclaboussures. Enfants. Faim. Femmes. Gâchis. Graisse. Immondices. Impuretés. Malpropreté. Mari. Merde. Mort. Moutons. Ordures. Pollen. Poudre. Poussière. Rebuts. Saletés. Salissures. Saloperie. Soif. Souillures. Taches. Trous. Turbulence. Usure. Vie. ETC.

4. LES VICTIMES DE L'ENNEMI

— Assiettes. Baignoires. Batterie de cuisine. Casseroles. Chemises. Couches. Dents. Draps. Enfants. Éviers. Femme. Lavabos. Linge. Maison. Manteaux. Mari. Meubles. Murs. Nappes. Parquets. Tapis. Vaisselle. Vieilles choses. Vitres. Water-closets. ETC.

Enfin, le programme se terminait sur une note optimiste:

451. *N.B. Les grands handicapés,* les personnes qui tiennent maison *et les idiots n'entrent pas dans les statistiques concernant le taux de chômage d'une nation, car ces personnes ne sont pas considérées comme des* travailleurs; *en effet, elles sont « entretenues », c'est-à-dire qu'elles sont supportées économiquement par d'autres personnes.* C.Q.F.D.

452. *N.B. COQUEFREDOUILLE: Jocrisse (benêt qui se laisse duper) qui aime à s'occuper des bas soins du ménage.*

L'ENTROPIE NÉGATIVE

Puis, le spectacle a commencé, dit l'Euguélionne. Dans le noir total, on entendit une voix grave féminine scander ces mots:

453.   À QUOI SERT À L'HOMME DE DÉCOUVRIR TOUS SES BEAUX SYSTÈMES PHILOSOPHIQUES ET SOCIAUX, PLUS COMPEXES ET PLUS BRILLANTS LES UNS QUE LES AUTRES, S'IL N'A PAS RÉUSSI À ÉLIMINER LES CHOSES TRIVIALES DE SA VIE (qu'il appelle complaisamment « les petites choses ») AUTREMENT QU'EN S'EN DÉCHARGEANT SUR LE DOS DE SA COMPAGNE, SA SEMBLABLE.

Une voix masculine reprenait en écho:
AUTREMENT QU'EN M'EN DÉCHARGEANT SUR LE DOS DE MA COMPAGNE, MA DISSEMBLABLE.

454.   La scène s'éclaira par petites secousses lumineuses extrêmement rapides qui donnaient l'illusion à l'œil qu'elle tournait sur elle-même. Dans ce mouvement étourdissant de stroboscope, un immense globe terrestre absolument dégueulasse et tout dégoulinant, fit une apparition saccadée. Il tournait lui aussi sur lui-même tout en tournant autour de la scène.

Une multitude de toutes petites filles — chargées sans doute de le nettoyer car elles étaient armées de brosses, de balais, de seaux, de torchons — le ceinturait fermement en son équateur, tout en s'essoufflant pour suivre sa course effrénée. Elles semblaient tenir à lui par une attraction toute terrestre.

Parfois, l'une d'elles, n'allant pas assez vite, était éliminée du cercle cinétique et faisait une chute brutale sur la scène où elle se dissolvait en une petite flaque brune.

Alors, des voix s'élevèrent et une phrase fut prononcée, puis répétée sur tous les tons et dans tous les registres, empruntant tous les temps du verbe et tous les modes d'expression vocale. Les voix étaient tantôt féminines, tantôt masculines, mais ne se chevauchaient en aucun moment.

455.   PAR UN SYSTÈME ABERRANT QUI L'A FAITE GARDIENNE DE SON ENTROPIE, LA FEMME, QUE L'ON A VOUÉE AUX RÉPÉTITIONS, A TOUJOURS EU LA CHARGE ÉCRASANTE DE FAIRE SURSEOIR LE MONDE À SA PROPRE DÉGRADATION.

AURA LA CHARGE ÉCRASANTE DE FAIRE SURSEOIR LE MONDE À SA PROPRE DÉGRADATION, LA FEMME, QUE L'ON VOUERA AUX RÉPÉTI-

TIONS PAR UN SYSTÈME ABERRANT QUI LA FERA GARDIENNE DE SON ENTROPIE.

LA FEMME A LA CHARGE ÉCRASANTE DE FAIRE SURSEOIR LE MONDE À SA PROPRE DÉGRADATION, PAR UN SYSTÈME ABERRANT QUI LA FAIT GARDIENNE DE SON ENTROPIE, LA VOUANT AUX RÉPÉTITIONS.

GARDIENNE DE L'ENTROPIE

SYSTÈME ABERRANT

VOUÉE AUX RÉPÉTITIONS

SURSEOIR À LA DÉGRADATION DU MONDE

456.   Les voix réunies firent ensuite une lente ascension chromatique de la gamme tout en livrant les mots suivants à chaque palier:

ENTROPIE NÉGATIVE LUNDI
ENTROPIE NÉGATIVE MARDI
ENTROPIE NÉGATIVE MERCREDI
ENTROPIE NÉGATIVE JEUDI
ENTROPIE NÉGATIVE VENDREDI
ENTROPIE NÉGATIVE SAMEDI
ENTROPIE NÉGATIVE DIMANCHE
ENTROPIE NÉGATIVE CONGÉS
ENTROPIE NÉGATIVE WEEK-ENDS
ENTROPIE NÉGATIVE VACANCES
ENTROPIE NÉGATIVE TOUTE LA VIE
LA VIE D'UNE FEMME EST UNIQUE
LA VIE D'UNE FEMME EST COURTE
TOUTE VIE EST COURTE ET UNIQUE

457.   Les voix se turent. Le globe monstrueux continuait à tourner, entraînant avec lui implacablement sa nuée de petites boniches qui s'employaient à le décrotter sans s'accorder aucun répit. Il y avait déjà quatre ou cinq flaques brunes par terre...

Soudain, une grosse tornade s'empare de la grosse boule qui perd son équilibre et oscille dans tous les sens. Toutes les petites filles sont projetées dans l'espace et la scène est inondée.

Quand la tornade se calme, le globe reprend sa course comme si rien ne s'était passé. Mais cela ne dure pas. À un certain moment, on entend le bruit formidable d'une explosion. Le globe commence alors à se dégonfler lentement, en émettant un sifflement aigu. Bientôt, il n'est plus qu'un ballon, puis qu'une toute petite balle d'enfant qui flotte quelques instants dans l'air, tournoie, diminue encore et s'évanouit complètement.

Les voix reprennent leur chant chromatique et monotone tandis que des hommes et des femmes envahissent la scène pour en éponger les dégâts.

146

STANCES À LA JEUNE MARIÉE

Quand tout fut fini, la scène se trouva de nouveau plongée dans la plus complète obscurité.

458.   De la droite de la coulisse on vit alors venir un étroit bandeau lumineux qui se promenait dans l'espace et qui semblait n'avoir pas de fin. Sur ce ruban, des lettres s'inscrivaient à mesure qu'il avançait et allait se perdre à gauche dans la coulisse. Les mots qu'on pouvait y distinguer étaient toujours les mêmes, en minuscules:

courte est la vie est courte est la vie est courte est la vie est courte est la vie est courte est la vie est courte est la vie est courte est la vie est courte est la vie est courte est la vie est courte est la vie est courte est la vie est courte est la vie est courte est la vie est courte est la vie est courte est la vie est courte est la vie est courte est la vie est courte est la vie est courte est la vie est courte est la vie est

459.   Ensuite, une lumière éblouissante éclata, n'éclairant qu'une zone de la scène, rigoureusement vide.

Un comédien s'avança et annonça: « PREMIER ACTE: COURONNEMENT DE LA REINE DU FOYER, précédé, comme il se doit, de la CÉRÉMONIE DU MARIAGE. »

Le comédien s'effaça devant la jeune mariée qui avançait, rayonnante, *au bras de son père,* toute pimpante, robe immaculée, voile vaporeux, fleurs d'oranger, traîne à n'en plus finir, sourire bienheureux. Le couple s'immobilisa dans la lumière éblouissante.

Alors, du foyer obscur de la scène, parut un officiant parfaitement bilingue, dont la moitié du corps était religieuse et l'autre moitié, civile. Il s'approchait, tenant entre les doigts effilés de ses deux mains blanches, un plateau en or massif qu'il présenta à la future épouse en prononçant, dans la plus pure tradition du mariage civil et religieux, ces mots solennels, tout empreints de la gravité du moment:

460.   « Here is your shit. Here is the shit of your husband. Et voici celle de vos futurs enfants. C'est à toi et à toi seule que nous confions ces matières sublimes, car toi seule es capable d'en débarrasser ton foyer *avec élégance,* sans que cela ne paraisse en quelque sorte, ou alors, de les purifier, de les recycler, et de les transformer en un bouquet de roses avec *tes doigts de fée!* »

La future épouse reçut cette offrande symbolique avec vénération et amour.

L'émotion *poignait* l'assistance. On entendait renifler…

L'officiant bilingue donna une vigoureuse poussée au père de la mariée et ramena le marié par le collet, le forçant à prendre la place du premier auprès de la blanche épousée. « Tu viens juste de perdre ta place! » dit-il en anglais à celui qu'il venait d'évincer.

Puis, s'adressant à l'innocente enfant: « Je te reçois des mains de ton père pour te remettre aux mains de ton mari. Ainsi, grâce à moi, tu n'auras couru aucun risque lors de ce délicat tour de passe-passe. »

L'officiant continua sur un ton plus familier:

461.   « Chère sœur, te voilà bientôt l'épouse de notre frère bien-aimé Un Tel. Tout à l'heure, tu auras la joie de t'entendre nommer pour la première fois Madame Un Tel. Tu frémiras d'une fierté bien légitime à la pensée de porter maintenant le nom d'un homme honnête, fort et courageux.

« Par la cérémonie présente, je te voue avec émotion au culte de la Krasse. Te voilà donc, devant mes yeux, chère sœur, toute radieuse en ce beau jour de ta vie. Je te salue, nouvelle vestale de la Poussière Sacrée, petite Cendrillon des temps modernes qui as enfin trouvé ton noble Prince Charmant.

« Celui-ci n'a pas été rebuté par la gentille souillon-dans-l'âme que tu seras devenue dans les prochaines années de ton Bonheur Tout Neuf et tu dois en éprouver une profonde gratitude.

462.   « Moi-même, vois-tu, j'ai deux ou trois servantes pour s'occuper de moi, de mon vicaire et de mon vaste presbytère. Bien que je ne sois pas marié avec elles — Dieu merci! — je les traite avec bonté. Je comprends leurs faiblesses, j'ai même certains égards envers elles. Tu peux t'attendre à ce que ton mari soit aussi bon envers toi, si tu sais te mériter sa confiance.

« En te mariant, chère sœur, tu prends sur tes charmantes épaules la future Krasse de ton mari et de ta progéniture. Tu devras en rendre compte chaque jour de ta vie. C'est là ton noble rôle de femme, qui comprend, en outre, quelques autres menus devoirs. Malheur à toi, mon enfant, si tu n'Immacules pas toutes choses autour de toi.

« Tu es une Maculée Conception, je n'y peux rien, hélas, ne l'oublie jamais. Toutes les femmes, hormis la Vierge Marie grâce au Saint Esprit, sont des Maculées Conceptions. Voilà pourquoi tu auras le grand malheur de perdre ta virginité si tu veux devenir mère. Voilà pourquoi aussi la grande entreprise de ta vie, à partir d'aujourd'hui, sera d'Immaculer les êtres et les choses, jusqu'à ce que mort s'en suive. Quel rôle sublime, ma sœur! Par moments, il me semble que je t'envie... Tu dois te pénétrer de la noblesse de ta mission et en être fière.

« Et maintenant, je laisse la parole à ta mère qui a préparé un poème à ton endroit, un poème pétri d'expérience matrimoniale et de fidélité conjugale, longues de vingt-cinq années fécondes et fructueuses entièrement dévouées à son mari et à ses huit enfants. »

463.   La mère de la mariée, toute boudinée et fagotée dans sa robe toute neuve, vint prendre la place de l'officiant.

Elle tenait une longue feuille dans ses mains et sa voix était tremblante quand elle annonça le titre de son adresse:

« TU SERAS UNE VRAIE FEMME, MA FILLE ou LES DIX COMMANDEMENTS DE LA FEMME MARIÉE »

148

Puis, elle se gratta la gorge et poursuivit, d'une voix raffermie, doucement soutenue par les instruments à percussion de l'orchestre invité pour la circonstance.

464. « 1 — Si tu consacres ta vie à *servir* ton mari et tes enfants qui te le rendront au centuple, le premier en t'entretenant, les seconds en croissant en sagesse et en cris sous tes yeux et dans tes oreilles, et si tu acceptes tous les enfants que Dieu t'enverra sans essayer d'en « faire passer » comme ces horribles femmes qui se font avorter et qui sont bien punies car souvent elles en meurent dans d'effroyables souffrances ou bien en restent stériles pour le reste de leur vie, et si tu élèves bien tes enfants, sans importuner ton mari qui aura bien d'autres chats à fouetter, TU SERAS UNE VRAIE FEMME, MA FILLE.

« 2 — Si tu n'essaies pas de prendre la place des hommes sur le marché du travail — il faut que tu comprennes qu'il y a encore trop de pères de famille qui sont en chômage — et si tu n'essaies pas de prendre la place des hommes dans les Affaires Publiques et au Parlement — les hommes ont toujours fait les lois, vois-tu, il n'y a pas de raison pour que ça change aujourd'hui, car après tout, l'humanité ne s'en est pas plus mal portée — et si tu n'essaies pas de prendre la place des hommes où que ce soit, car ta place est à ton foyer, et si tu restes à ta place par amour, TU SERAS UNE VRAIE FEMME, MA FILLE.

« 3 — Si tu n'essaies en rien d'imiter les hommes comme de porter la culotte, ou de prendre un amant le jour où ton mari prendra une maîtresse, car il n'est pas dans la nature de la femme d'être infidèle contrairement à la nature de l'homme, et si tu es fidèle par amour, et si tu accomplis consciencieusement ton devoir conjugal autant de fois qu'il en aura envie, TU SERAS UNE VRAIE FEMME, MA FILLE.

« 4 — Si tu sais garder ton sourire et te rendre accueillante même si ton mari te ment, ce qui est dans sa nature et ne porte pas à conséquence, si tu as l'art de ne pas le faire se sentir coupable ou diminué, même s'il agit comme un mufle avec toi, ce qui n'est pas bien grave, et si tu souris par amour, TU SERAS UNE VRAIE FEMME, MA FILLE.

« 5 — Si tu te mets les mains dans l'eau sale sept fois par jour, les mains dans les ordures dix fois par jour, les mains dans la merde cinq fois par jour, si tu le fais joyeusement, avec amour, sans attendre de salaire pour ta peine, tu gagneras *l'indulgence* de ton mari, et TU SERAS UNE VRAIE FEMME, MA FILLE.

« 6 — Si tu veilles à ce que rien ne pourrisse, à ce que rien ne croupisse, à ce que rien ne moisisse, à ce que rien ne vieillisse dans ta maison, et si tu agis ainsi par amour, sans attendre de salaire, hormis le toit et le couvert et le prestige de ton mari, TU SERAS UNE VRAIE FEMME, MA FILLE.

« 7 — Si tu trouves des œufs pourris dans ta maison et que tu les jettes, si tu trouves du poisson avarié et que tu le jettes, si tu trouves des aliments moisis et que tu les jettes, si tu as soin de débarrasser ta famille de toute pourriture, de toute décrépitude, de toute moisissure et de toute mauvaise odeur, et si tu fais tout cela par amour, sans t'attendre à être payée pour ta peine, TU SERAS UNE VRAIE FEMME, MA FILLE.

«8 — Si tu veilles à ce que rien ne s'entache, à ce que rien ne se macule, à ce que rien ne se fissure, à ce que rien ne s'abîme, à ce que rien ne se raie, à ce que rien ne se dégrade dans le mobilier familial et dans l'armoire à linge familiale, et si tu es vigilante par amour, sans pour cela t'attendre à recevoir un salaire, TU SERAS UNE VRAIE FEMME, MA FILLE.

« 9 — Si tu trouves des chaussettes percées, que tu les reprises ou les fasses disparaître de la vue de ton seigneur, si tu trouves des caleçons en lambeaux, que tu les racommodes ou les fasses disparaître de la vue de ton seigneur, et si c'est l'amour qui te guide et non l'appât du gain dans l'accomplissement d'aussi petites choses, TU SERAS UNE VRAIE FEMME INSIGNIFIANTE, MA FILLE.

« 10 — Si tu trouves tes draps fissurés, que tu les rapièces ou les fasses disparaître de la vue de ton seigneur, *si tu trouves ton amour déchiré, que tu le rapièces ou le jettes aux orties,* pourvu que tu gardes ta place au foyer, TU SERAS UNE VRAIE FEMME, MA FILLE. »

LXIII

MADAME FOLKLORE

Alors, dit l'Euguélionne, une voix féminine s'éleva, de la salle, tandis que la mère de la mariée retournait en coulisses:

— Bof, du folklore!

465. Omicronne se retourna, puis me glissa à l'oreille: « Epsilonne est dans la salle, avec Alfred et Upsilong. »

Le meneur de jeu vint au-devant de la scène:

— La personne qui a parlé peut-elle venir nous dire ce qu'elle entend elle-même par une « vraie femme » de nos jours?

Epsilonne s'approcha sans vergogne, monta sur la scène et dit au public:

— Aujourd'hui, il n'y a plus de femmes entretenues. La majorité des femmes travaillent à l'extérieur.

— Même dans votre pays d'origine? dit le meneur de jeu que le fort accent méridional d'Epsilonne, joint à de tels propos, avait un peu surpris.

— Heu… comment voulez-vous que je vous réponde. Il y a si longtemps…

— Et alors, que font-elles toutes ces femmes qui travaillent en arrivant à la maison?

— Ben, je ne sais pas. Je suppose qu'elles se reposent, regardent la télé, ou sortent, vont au cinéma, au théâtre, comme moi, comme nous tous ce soir.

— Êtes-vous mariée, madame?

— Heu… non… Mais je vis avec un homme.

— Cet homme, sans prétendre vous aider, *prend-il en charge* la moitié des corvées domestiques? Car, si j'ai bien compris, vous travaillez à l'extérieur vous aussi?

— Naturellement. Pour répondre à votre autre question, mon… mon ami n'a pas le temps de s'occuper de ces choses. C'est un grand écrivain, un homme de théâtre, justement. Et d'ailleurs, comme nous ne sommes que deux, il n'y a presque rien à faire.

— Presque rien que vous faites ou que vous faites faire?

— Heu… L'un et l'autre. J'ai une femme de ménage qui vient trois fois la semaine et nous mangeons souvent au restaurant.

466.   — Avez-vous des enfants?

— Non.

Sans commentaires, dit le meneur de jeu. Je vous remercie, madame Folklore!

Omicronne nous chuchota à l'oreille: « Je donnerais cher pour voir, de mes yeux, Epsilonne en train de servir « le grand écrivain ». Comme ce doit être gratifiant pour Monsieur Alfred Oméga! »

Puis, une autre voix féminine se fit entendre dans l'assistance:

467.   — Mais enfin, monsieur, *il faut bien que ça se fasse tout ce travail!* Il n'y a pas de sot métier. Il faut bien que quelqu'un le fasse dans la maison…

— Pourquoi faut-il que ça soit vous, madame? Et pourquoi faut-il que ça soit seulement vous?

Il n'y eut pas de réponse et le meneur de jeu quitta la scène.

— Elle est bien bonne, cette Epsilonne, avec son folklore, nous dit Exil. Ce n'est pas du folklore tout ça, c'est de l'histoire! Cette pièce n'est pas folklorique, elle est bel et bien historique! Mais c'est de l'histoire secrète, clandestine, de l'histoire sans gloire et sans poésie. Voilà pourquoi elle n'a jamais préoccupé l'esprit des historiens…

LA CORBEILLE DE LA MARIÉE

468.   La lumière s'éteignit brusquement et se ralluma sur un autre morceau de la scène, celui-là, parfaitement encombré. Un piano à queue était couvert d'articles de ménage et de cuisine. Un trône royal était installé sur une tribune et, à ses pieds, se trouvait une immense corbeille en osier dont l'anse était ornée d'une grosse faveur blanche.

Il se fit un grand bruit dans les coulisses. C'était la noce qui arrivait. Une foule de gens envahirent la scène. La réception avait sans doute eu lieu, à en juger par l'aspect éméché de la plupart d'entre eux. Ils venaient conduire les nouveaux mariés dans leur nouvelle demeure.

— Voilà ta maison, ma fille, dit le père de la mariée. Tu en es la Reine. Tu vas monter sur ton trône et nous allons te couronner et nous allons te couvrir de présents. Nous allons t'apprendre les gestes rituels de ta nouvelle condition.

Il fit monter sa fille sur le trône et arrangea lui-même soigneusement la robe nuptiale pour que celle-ci s'épanouisse tout autour de celle-là.

469.   Et alors, dit l'Euguélionne, la mère de la mariée s'avança, tenant la « couronne » dans ses mains. Cette couronne était faite d'un rouleau de papier hygiénique imprimé de délicates petites fleurs bleues, d'où tombaient gracieusement des anglaises du même tissu.

La maman, émue, monta les quelques marches du trône et couronna sa fille avec un sentiment de fierté toute maternelle.

Chaque invité s'approcha à son tour, après avoir pris sur le piano un article quelconque, brosse, cocotte, balai, poêle à frire, *mop*, rôtissoire, torchon, grille-pain, paquet de linge sale, fer à repasser, et chacun jetait son « présent » dans la corbeille, en disant, à tour de rôle:

470.   — La lunde, tu t'esquintes.
            — La marde, tu t'éreintes.
            — La mercrède, tu t'échines.
            — La jeude, sur tes machines.
            — La vendrède, tu t'escrimes.
            — La samède, tu t'agrippes.
            — La démanche, tu suintes.
            — La janvière, tu t'étripes.
            — La févrière, tu anticipes.
            — La marse, tu t'émancipes.
            — L'avrilée, tu brûles.
            — La maïe, tu en saignes.
            — La juine, te v'là enceinte.

— La juillette, tu participes.
— L'aoûte, tu cours.
— La septembrée, tu flambes.
— L'octobrée, tu trembles.
— La novembrée, tu fais du ventre.
— La décembrée, tu t'essouffles.
— L'année suivante, tu accouches.

471. La corbeille étant remplie, dit l'Euguélionne, un invité prit une poubelle et la renversa sur la mariée qui devint couverte de détritus. Un autre lui offrit un gentil petit coffret qu'il lui ouvrit sous le nez et dont il répandit le contenu sur sa robe: c'était, paraît-il, de la poussière précieuse recueillie dans une église le Mercredi des Cendres. Un plaisantin s'amena, portant dans ses bras deux moutons bêlants. Il les déposa sur les genoux de la mariée en lui disant qu'elle devrait les pourchasser d'une pièce à l'autre de sa maison, toute sa vie durant.

Enfin, eut lieu toute une série de gestes rituels, déjà annoncés dans le poème maternel, et dont on lui fit une démonstration pratique. Entre autres, je me souviens qu'on lui apporta un magnifique plat rempli d'une eau douteuse, dans laquelle on lui trempa les doigts à dix reprises, et, après chaque trempage, on les lui essuyait dévotement sur un torchon de soie.

MONSIEUR FOLKLORE

472. Juste avant ce dernier épisode, le jeune marié, qui voyait que tous les cadeaux et toutes les attentions allaient à sa jeune épouse, en prit ombrage et demanda:
— Et à moi, on n'offre rien?
— Toi, mon garçon, dit son père, contente-toi d'être une *banque à pitons* et prépare ta machine à faire l'amour.
Cette facétie fit rire, non seulement tous les invités de la noce, mais l'assistance entière dans la salle.

473. Plus tard, après la cérémonie des gestes rituels, on entendit de nouveau la petite phrase désarmante:
— Bof, du folklore!
Cette fois, c'était Upsilong qui l'avait lancée.

474. Au deuxième acte, dit l'Euguélionne, on apporta quatre murs de verre dans lesquels on fixa la jeune mariée à l'aide d'une chaîne. Cette chaîne lui donnait la latitude d'aller et venir d'un mur à l'autre. Puis, on ferma les murs autour d'elle.
C'est alors que la voix d'Upsilong se fit entendre de nouveau.

Cette fois, elle n'exprimait ni « bof » ni insouciant mépris, mais une colère incontrôlable:

— Ça ne va pas, non? Vous nous prenez pour des cons? Du folklore! Du folklore! Du folklore! Du folklore! répéta-t-il en quittant la salle bruyamment, suivi d'Epsilonne et de Monsieur Alfred Oméga.

475.   De ce deuxième acte, dit l'Euguélionne, j'ai retenu une plaisante publicité qui émanait d'un poste de télévision installé en dehors des murs de verre et qui s'adressait à la nouvelle mariée. On lui offrait une laveuse de vaisselle mirifique et cette offre était agrémentée du petit scénario suivant:

(La mère de famille à ses enfants):

— Allez faire vos devoirs, allez prendre votre bain, allez où vous voudrez, mais foutez-moi la paix. Ce soir, *c'est mon tour* de faire la vaisselle.

(Les enfants disparaissent. Le mari pénètre dans la cuisine et, d'un ton d'affectueux reproche):

— Mémène, tu m'avais promis de me laisser la vaisselle...

(La mère de famille repousse son mari et commence à classer les assiettes sales dans la mirifique laveuse):

— Ce soir, c'est moi qui fais la vaisselle. *Et personne ne m'enlèvera ce plaisir!*

476.   C'était dommage que Monsieur Folklore Upsilong ne fût pas présent à cet instant pour entendre ça, dit l'Euguélionne.

LXVI

L'ÉPOUSE CLASSIQUE

J'ai retenu également de ce deuxième acte une saisissante « monographie » de *l'épouse classique.*

En vérité, nous disait-on, les termes de cette monographie incomplète pouvaient s'appliquer un jour ou l'autre à chacune des femmes de la terre, mariées ou non, jeunes, veuves, vierges, vieilles, divorcées ou « plantées là ».

La plupart de ces termes n'avaient pas leur équivalent au masculin, ou de façon fort restreinte et atténuée, et je m'éveilleillais que les hommes — qui avaient fait le langage — aient trouvé un si vaste répertoire d'épithètes élogieuses et nuancées à l'infini pour qualifier leurs compagnes.

Pour commencer, un comédien vint près de la cage de verre et pointa son doigt en direction de la captive:

477.   — *Voici la prostituée que vous tuez chaque soir,* dit-il. *Voici la traînée que vous traînez chaque jour dans l'ordure.*

Puis, les autres acteurs, hommes et femmes, se mirent à tourner en rond autour de la cage. Chacun, à tour de rôle, lui jetait un nom injurieux et se rengorgeait ensuite comme s'il venait de proférer un trait d'esprit particulièrement brillant.

478.   — Bagasse, dit l'un.
           — Bas-bleu, dit l'autre.
           — Baisée, dit un troisième.
           — Baiseuse.
           — Bébé.
           — Bécasse.
           — Bégueule.
           — Belle de nuit.
           — Bonne à tout faire.
           — Bonne femme. Bobonne.
           — Bonniche.
           — Bouche de métro.
           — *Bunnie*
           — Cagnasse.
           — Cagne.
           — Castrante.
           — Castrée.
           — Catin.
           — Chabraque.
           — Chameau.
           — Charogne.
           — Chausson.
           — *Cheap labor.*
           — Cheval.
           — Chienne (d'où l'expression *enfant de chienne*)
           — Chipie.
           — Cobaye.
           — Cocotte.
           — Collet monté.
           — Commère.
           — Con.
           — Conasse.
           — Conne.
           — Créature.
           — Crevasse.
           — Crevette.
           — Croqueuse. Cruche.
           — « Cul-de-gauche-ensanglanté ».
           — Débauchée.
           — Demeurée.
           — Demi-mondaine.
           — Demi-portion.
           — Dévergondée.

— Déviergée.
— Dévoreuse.
— Domestique.
— Donzelle.
— Douairière.
— Dragon de vertu.
— Drôlesse.
— Échevelée.
— Effrontée.
— Égoût.
— Émancipée.
— Empotée.
— Engrossée.
— Épaisse.
— Esclave.
— Faiseuse d'anges.
— Femelle.
— « Féministe ».
— Femme accotée.
— Femme de chambre, femme de charge, femme de journée, femme de ménage, femme de peine.
— Femme de mauvaise vie.
— « Femme libérée ».
— Fille. Fifille.
— Fille d'auberge, fille de cuisine, fille de ferme, fille de salle.
— Fille d'Ève.
— Fille de joie.
— Fille de mauvaise vie.
— Fille de mauvaise mœurs.
— Fille de mœurs légères.
— Fille de vie.
— Fille des rues.
— Fille légère.
— Fille perdue.
— Fille publique.
— Fille-mère.
— Fleur de macadam.
— Garce.
— Garçon manqué.
— Garçonne.
— Garçonnière.
— Gaupe.
— Geisha.
— Glaçon.
— Godiche.
— Gondole.
— Gonzesse.

— Goton.
— Gourde.
— Grognasse. Grosse dondon.
— Grue. Guenipe. Guenon. Guenuche.
— Guidoune. Guédaille.
— Hétaïre.
— « Homme châtré ».
— Hommasse.
— Horizontale.
— Hystérique.
— Infanticide.
— Jument.
— La « femme adultère ».
— La « femme féminine », la « femme masculine », la « vraie femme », la femme « flouée ».
— La « femme forte de l'Écriture ».
— La fofolle.
— La frigide.
— La grosse.
— « La vache laitière ».
— Mal baisée.
— Mal foutue.
— Malpropre.
— Maquerelle. Manche à balai.
— Marâtre. Margoton. Marie-cochon.
— Marie-couche-toi-là.
— Marie-salope. Marie-graillon.
— Maritorne. Marie-la-suie.
— Marmite. Marquise.
  Matrone.
— Mauvaise femme.
— Mauvaise mère.
— Ménagère.
— Ménesse.
— Messaline. Minoune.
— Moitié.
— Morue.
— Moukère.
— Mousmé.
— Négresse. Négresse blanche.
— Nymphomane.
— Obtuse.
— Oie blanche.
— Ordure.
— Paillasse, paillasson.
— Peau.
— Pénélope.

— Péripatéticienne.
— Pétasse. Petite dinde. Petite oie.
— Pierreuse. Pie. Pimbêche.
— Pin-up. Planche à repasser.
— Pisseuse. Pleurnicheuse.
— Plotte. Plorine.
— Potiche.
— Poufiasse. Pouliche.
— Poule, poule de luxe, poulette, poupoule.
— Poupée.
— P'tite nature.
— Pucelle.
— Putain.
— Pute (d'où l'expression: « fils de pute »).
— Racoleuse.
— Reine du foyer.
— Rivale de l'homme.
— Rombière.
— Rosière.
— Roulure.
— Sainte nitouche.
— Saleté.
— Salope.
— Savate.
— Second violon.
— Servante.
— Sirène.
— Souillon.
— Soumise.
— Souris.
— Suffragette.
— Tapineuse.
— Taxi. Torchon.
— Traînée. Trou.
— Turfeuse.
— Vamp.
— Vampire. Vipère.
— Viande. Vieille fille. Vieillerie.
— Vieux buffet. Vieux restant. Virago.

Les comédiens cessèrent de tourner autour de la cage. L'un d'eux pointa son doigt en direction de la captive.

479. — *Voilà la prostituée que vous tuez chaque soir*, dit-il.
— *Voilà la traînée que vous traînez chaque jour dans l'ordure*, dit un autre.
— *Voilà votre teigne domestique*, dit un troisième.
— *Araigne du mobilier, tégénaire, dégénérée.*

— *Voilà cette denrée périssable.*
— *Chair fraîche à l'étal.*
— *Supputée.*
— *Soupesée.*
— *Mesurée.*
— *Marchandée.*
— *Vendue.*
— *Laissée pour compte.*
— *Consommée.*
— *On restitue les restes.*
— « *L'amour ça s'prend et puis ça s'jette* ».

480.   L'un des acteurs vient se planter devant la femme et lui dit avec colère:

— *Si tu es encore enceinte, je te quitte!*

Il se fait un remue-ménage parmi les comédiens, tandis que la femme soudain se tord dans sa cage, vomit, hurle, tombe à la renverse, et crie, crie, crie! Inlassablement, elle crie: « PITIÉ! PITIÉ! *PITIÉ!* PITIÉ! pitié! *pitié!* »

Les comédiens s'assemblent étroitement comme des conspirateurs et, de leur groupe homogène, solidaire, sortent des chuchotements, chuintements, sifflements, où l'on peut parfois distinguer des périphrases scandalisées. Quelques-uns des conjurés en perdent le souffle littéralement. Peu à peu, ils élèvent la voix, jusqu'à l'aigu, jusqu'au suraigu, tant le scandale évoqué leur est intolérable.

481.   « Quoi! Qu'est-ce qu'elle a fait? Qu'est-ce qu'elle a fait? Pas possible! Manœuvres criminelles! Manœuvres abortives! Quelle honte! Encore un avortement clandestin! Mais, elles sont folles! Folles à lier! Qu'est-ce qu'il leur prend à toutes? Inimaginable! On dit qu'elle se meurt? Tant mieux! Ça lui apprendra! Non mais... De quel droit! Où allons-nous? C'est clair: vers *l'hystérocratie!* Et le *Primat du Phallus,* alors? Escamoté? Ni vu ni connu? Remplacé par le *Primat de l'Utérus?* Ça jamais! On a sa fierté! Et les *pères?* Que faites-vous des pères? Ils sont là, tout de même! C'est tout de même eux qui « leur font » ces enfants! Ils ont leur mot à dire quand même! C'est un acte contre nature! Le fruit de ses entrailles! Le fruit sacré de son ventre! C'est un meurtre! Dieu a dit: « Tu ne tueras point »! On dit qu'elle souffre comme une damnée? Tant mieux! Ça lui apprendra! Elle est damnée d'ores et déjà! C'est une criminelle devant la loi, devant Dieu et devant les hommes! Et devant les autres femmes! Elle est coupable d'assassinat! Le Massacre des Innocents! Laissez-les vivre que diable! Et que meurent les « mères » indignes! Votre mère vous a laissée vivre, vous? Alors! Si elle avait avorté, vous ne seriez pas là hein? Que meure la « mère » criminelle! Que son sang retombe sur nous et sur ses « autres » enfants! Nous en prenons la responsabilité! Ça, on peut dire que ce n'est pas la peur du sang qui nous empêche de prendre nos responsabilités. La semence du mâle est sacrée! Il ne faut pas la gaspiller! Elle

159

est comptée quelque part, comme chacun de nos cheveux! Quoi, on dit qu'elle souffre? Elle implore notre pitié? Trop tard! Il fallait y penser avant! On ne récolte que ce qu'on a semé! Elle doit quitter ses études? Tant mieux! Ça lui apprendra! Non, mais de quel droit? Elle devra renoncer à sa carrière? Bravo! Qu'est-ce qu'une femme a à foutre avec une carrière? Hein? Je vous le demande! Tant mieux! Ça en fera une de moins pour nous prendre nos places! Et de quel droit maintenant vouloir baiser à son âge? Et en dehors du mariage en plus? Les mœurs sont dissolues! C'est une honte! Les jeunes n'ont aucun principe! Quoi, elle est mariée? C'est du joli! Pourquoi a-t-elle fait ça, puisqu'elle a le *droit* d'avoir des enfants tant qu'elle peut? Son enfant n'aurait pas été un petit bâtard! Il aurait été légitime, il aurait eu un *nom!* Ça, évidemment, celles qui sont célibataires *n'ont pas de nom* à donner à leur enfant... C'est peut-être une circonstance atténuante dans leur cas... Vous dites qu'elle doit se prostituer pour payer l'avorteur? Elle est bien bonne, celle-là! Ça ne changera pas grand'chose, vous pensez pas? De toute manière, c'est une putain! Et comment, comment a-t-elle fait *ça?* Avec du *Lysol* pur? Quelle gourde! Elle aurait mieux fait de s'en servir pour nettoyer les parquets! Mais attention: faut pas l'employer pur, ça brûle le linoléum! Comment encore? Avec des aiguilles à tricoter? Pauvre conne! Elle aurait mieux fait de s'en servir pour tricoter des chaussettes à son mari! Le pauvre homme! C'est vrai, il se tue au travail! Mériterait un peu plus d'égards! Non mais... Elle s'est perforé l'utérus? Tant mieux! Ça lui apprendra! Quelqu'un lui a mis une sonde? Quelle idée! Je vous demande un peu! Les femmes ont de ces idées! On se demande où elles vont chercher ça! On l'a hospitalisée? La société est bien bonne de s'en occuper! Faites-lui un curetage à vif, ça lui apprendra! Elle est toute déchirée? « Recousez-la entièrement, comme ça elle pourra plus baiser »! Et ses complices? Où sont-ils? Dans les mains de la justice, j'espère! C'est notre devoir de les dénoncer! Et aussi de dénoncer les « mères » criminelles! Surtout si nous sommes les pères bafoués de ces fœtus assassinés! Ça demande du courage? Et le courage viril alors? À quoi ça servirait d'être un *homme?* Heureusement que les lois sont là! Heureusement qu'il y a une justice! Justice pour tous! Sans distinction de classes, de races, de sexes... Heureusement que la justice a le bras long! Les lois sont bien faites! Il ne faut pas les changer surtout! Le législateur est un sage! Et la dénatalité? Vous avez pensé à la dénatalité? Heureusement qu'il y a encore des juges impartiaux! Si elle n'en meurt pas, il faut l'incarcérer! Ce n'est pas parce que c'est une femme... Et l'égalité des sexes, qu'est-ce que vous en faites? La loi est la même pour tous. Le ou la coupable doit être punie... Il n'y a pas de raison... Ce n'est pas parce qu'elle a d'autres enfants qui ont besoin d'elle! Ce n'est pas une raison! Ceux-là sont nés: ils n'ont plus rien à craindre des avorteurs! Ouf, ils l'ont échappé belle! Pauvres gosses! Maintenant, ils sont tranquilles! Ils sont nés, ceux-là! Il faut instituer un *Fœtusman!* Un protecteur du Fœtus! On a bien l'*Ombudsman*, le protecteur du Citoyen! Le fœtus est un citoyen comme un autre! Quelle différence avec un être humain comme vous et moi, hein, je vous le demande? Le fœtus appartient à l'État! Et la future main d'œuvre à bon marché? Vous y avez pensé? Et la « chair à canon » comme on dit plaisamment? Faut bien la prendre quelque part! Où prendrons-nous les ouvriers, les soldats, les pauvres, les ménagères et les prostituées, bon Dieu! si toutes les femmes se font avorter! Il faut être réaliste, que diable! Un État, quel qu'il soit, a toujours besoin de ses générations de pauvres, de soldats, d'ouvriers, de prostituées et de ménagères, c'est l'évidence même! C'est historique! On n'arrête pas le progrès! D'ailleurs, ce n'est pas moi qui le dis! C'est quand même écrit dans l'Évangile! Oh, regardez! Qu'est-ce que c'est? On dirait du sang! Hein? Du sang? Merde! Il y a du sang partout! Pouah! C'est dégoûtant! Le sol est inondé! La terre entière est inondée du sang criminel des avortées et du sang innocent des fœtus! De l'eau! De l'air! C'est la pollution transcendentale! De l'eau pour purifier nos pieds qui ont marché dans le sang! »

482.   La femme en cage gît dans son sang. Elle ne crie plus. Les comédiens se précipitent tous dans la coulisse et on entend un concert de robinets qui coulent...

Un peu plus tard, des hommes et des femmes envahissent la scène pour en éponger les dégâts.

483.   Enfin, dit l'Euguélionne, le troisième acte montrait la femme en révolte, en situation de révolte permanente contre sa condition. On la vit briser ses chaînes, on la vit faire la grève chez elle, dans les usines, dans les bureaux, on la vit descendre dans la rue avec ses compagnes et réclamer des droits égaux, pas seulement en principe, mais en pratique.

Ce qui était remarquable, dit l'Euguélionne, c'est qu'on l'abreuvât maintenant des mêmes noms injurieux dont on l'avait accablée tout à l'heure alors qu'elle était en cage et bougeait à peine au bout de sa chaîne... On y avait même ajouté une nouvelle insulte. On la traitait de *gouine,* car, se disait-on, comment une femme pouvait-elle se révolter et revendiquer l'égalité de traitement avec le mâle humain, à moins d'être une *anormale...*

LXVII

LES STALACTITES

Avec Omicronne et Exil — car les enfants encore là n'étaient pas admis — nous sommes allées une autre fois dans une boîte à chansons, dit l'Euguélionne. *Gamma* était là qui chantait *LES STA-LACTITES.*

484.

1. Mon mari nous a vus
   Je sais qu'il nous a vus
   Quand tu as pris ma main
   L'as serrée dans la tienne
   Il m'a dit en colère:
   « Ça, tu n'aurais pas dû
   Car tes parents ce soir
   De la terre reviennent
       Avec peine
       Avec peine
       Avec peine
       Avec peine
       Ils reprennent
       Ils reprennent
       Ils reprennent
       Ils reprennent
       Cœur

2. « Vois, ton père est debout
   Il est dans la pénombre
   Vois, ta mère est couchée
   Couchée sur le côté
   Autour de son visage
   Vois les larmes qui tombent
   J'ai décidé ton père
   À se réconcilier
       Avec elle
       Avec elle
       Avec elle
       Avec elle
       Faut-il qu'elle
       Faut-il qu'elle
       Faut-il qu'elle
       Faut-il qu'elle
       Pleure

3. « Autour de son profil
   Tremblent des stalactites
   Formés au ciel obscur
   De la grotte des morts
   Vois les cristaux de verre
   Sur sa joue si petite
   Que ces glaçons d'hiver
   Te soient comme un remords
       O ma belle
       O ma belle
       O ma belle
       O ma belle

Infidèle
Infidèle
Infidèle
Infidèle
 Sœur »

 4. *Ainsi dit mon mari*
  Et tu tenais toujours
  Ma main à la hauteur
  De ta rude figure
  Je t'ai dit: « Laisse-moi
  Pour un moment très court
  Car je veux voir de près
  Ces larmes d'envergure
   De ma mère
   De ma mère
   De ma mère
   De ma mère
   Éphémères
   Éphémères
   Éphémères
   Éphémères
    Fleurs »

 5. *Je me suis approchée*
  De ce visage en pleurs
  J'ai vu des stalactites
  De toutes les couleurs
  Mais soudain les cristaux
  Devant moi se changèrent
  En croustilles en batons
  Fromagés et prospères
   Que les yeux
   Que les yeux
   Que les yeux
   Que les yeux
   Malheureux
   Malheureux
   Malheureux
   Malheureux
    Meurent

485. Après cette chanson qui fut très applaudie, Gamma entama un très beau chant patriotique qui galvanisa l'assistance.

 Gamma était une flamme sur la scène. Elle enflammait tout ce que son regard touchait. Tout ce que sa voix évoquait se transformait en métal pur.

 Après le spectacle, dit l'Euguélionne, nous sommes allées la féliciter car c'était une amie d'Omicronne.

486.   — Je comprends les efforts de ton peuple pour conquérir son indépendance, lui dis-je, et tes chants patriotiques me touchent beaucoup. Mais je m'intéresse davantage aux larmes de ta mère qu'à celles de ton peuple. Car, à quoi servira-t-il à ce dernier d'être libre si la moitié des patriotes reste enchaînée? Et si les mères continuent à troquer leurs larmes de calcite contre des hors-d'œuvre et amuse-gueule de pacotille.

487.   — Mais à quoi servirait à la moitié enchaînée de recouvrer une part de sa liberté si tout le monde continue de vivre dans les chaînes?

— On ne peut trancher cette question qu'en travaillant simultanément aux deux libérations, dit Omicronne, et en espérant qu'elles surviendront en même temps.

— C'est peut-être utopique de penser ainsi, dit Exil, mais pourquoi l'utopie ne serait-elle pas réalisée pour une fois. L'Euguélionne, par exemple, cherche *le mâle de son espèce* d'une étoile à l'autre et sans désespérer de le trouver. Nous aussi, d'ailleurs, Omicronne et moi, nous cherchons la même chose en somme. Mais nous, nous ne pouvons trouver ce que nous cherchons que sur terre... Notre recherche n'est-elle pas utopique?

— Je ne sais pas, dit Gamma. Quant à moi, j'ai trouvé le mâle de mon espèce.

— Oh! c'est vrai? Comment est-il, dit Omicronne, curieuse comme une collégienne?

Gamma sourit finement:

— C'est un mâle, dit-elle, et nous sommes tous deux de la même espèce.

— Cela existe donc, même sur la terre, dit Exil avec nostalgie!

488.   — Bien sûr. D'ailleurs, en voilà la preuve vivante, dit Gamma en désignant un nouveau venu. C'était un grand jeune homme brun, cheveux souples et bouclés, regard pacifique frotté au bleu de méthylène. Rien, extérieurement, ne pouvait laisser deviner sans erreur qu'il était de l'espèce de Gamma. Sauf, peut-être, la petite flamme indigo qui s'installa dans son regard quand il se tourna vers elle après qu'elle nous l'eût présenté en ces termes:

— Je vous présente *Pékisse*, mon utopie incarnée, en mâle et en espèce.

LXVIII

HISTOIRE D'UN « VIKING »

489.   — Est-ce donc si exceptionnel sur la terre de rencontrer le mâle de son espèce, dis-je à mes deux amies, après que nous eûmes quitté Pékisse et Gamma? Est-ce donc vraiment une « utopie »?

— C'en est une pour la majorité des femmes, dit Exil. L'inverse doit être vrai, car les relations humaines sont pourries dans l'ensemble de notre belle société. Elles sont toutes déformées par ce miroir grossissant où l'Homme se réfléchit et s'exhibe à la femme, et par ce miroir rétrécissant devant lequel l'Homme place sa compagne et l'y maintient de force. Elles sont toutes déformées aussi par ce gros ballon terne qu'est le Sexe Libéré, qui n'est plus coloré par l'affection, la chaleur, la tendresse, par tout ce qui fait qu'une relation est humaine, qu'elle soit sexuelle ou non.

J'ai eu, comme vous le savez, continua Exil, un mari et plusieurs amants de tout âge et de différentes races. Bien que mon expérience ne soit pas un critère absolu, je puis affirmer que, à part un très petit nombre où figure ce jeune homme de couleur dont je vous ai déjà parlé, de tous les amants que j'ai eus, y compris d'autres hommes de couleur bien entendu, la plupart ne savaient pas faire l'amour. Non par ignorance, mais parce qu'ils me considéraient, tantôt comme leur mère, tantôt comme leur putain.

La plupart des Hommes ne savent pas caresser les femmes et ce n'est pas toujours par ignorance, mais parce qu'il leur plaît de martyriser ce qui est délicat et sensible, bien qu'ils se croient tous très civilisés. Et justement peut-être parce qu'ils sont civilisés! S'ils sont volontiers et volontairement sadiques avec nous, c'est, paraît-il, *pour nous faire plaisir*, car ils croient réellement que nous sommes masochistes, suivant les préceptes psychologiques à la mode.

— Il se peut aussi que les femmes ne sachent pas caresser les Hommes, dit Omicronne, mais je doute que ce soit par sadisme...

490. — Je me souviens, dit Exil, avoir répété à un grand gaillard, tout une nuit durant — qui était la première avec lui et qui fut la dernière! — qu'il me « faisait mal » en me triturant les seins avec ses doigts durs comme de l'acier, ou en en faisant jaillir le mammelon avec force entre ses lèvres serrées (je croyais que c'était entre ses dents tellement c'était douloureux!). Eh bien, ce type qui était jeune et naturellement gentil et très sympathique, ne tint aucun compte de mes supplications et continua à me faire souffrir jusqu'au moment de son départ au matin, alors que, revêtue d'un déshabillé, je le vis avec horreur me retrousser et s'attaquer de nouveau à mes seins. Ceux-ci étaient si endoloris que je ne pus m'empêcher de crier dès qu'il les toucha.

Je lui avais demandé au cours de la nuit pourquoi, malgré mes avertissements, il continuait à me faire mal. Il m'avait répondu en riant qu'il avait un tempérament de Viking — il était convaincu qu'il avait des ancêtres de cette race vigoureuse! — qu'il était un Homme grand et fort et ne pouvait agir autrement. (!) Il voulait me convaincre que j'étais une homosexuelle puisque le mâle était trop rude pour moi!!! Je trouvais cet argument extrêmement curieux, surtout qu'après des manipulations interminables, et alors que je brûlais qu'il me pénétrât, il en fut absolument incapable!

Inutile de dire que j'ai essayé à plusieurs reprises de le mettre à la porte, mais cela ne l'a pas impressionné du tout: il était le plus fort, n'est-ce pas, je n'avais qu'à le supporter.

Cet Homme jeune, grand et fort, se montrait donc très insuffisant au lit. Il souffrait d'impuissance sexuelle c'était évident. Je ne pouvais lui en vouloir pour cela, ce n'était sûrement pas de sa faute. Je comprenais également les raisons de ses fanfaronnades. Il savait que son érection était laborieuse et plus encore son éjaculation. Je devais le masturber longtemps pour que cette érection se produise et se maintienne...

491.   Mais, le croiriez-vous, il mettait ça sur le compte de ma présence unique en tant que femme: en effet, il prétendait qu'il ne réussissait à bien faire l'amour que lorsqu'il avait deux femmes avec lui. Cela me fit rire. Je lui dis: « tu n'es pas capable avec une, comment peux-tu fonctionner avec deux? » Mais il m'affirmait sans ambages que ce qui l'excitait le plus c'était de voir deux femmes se caresser mutuellement. Il voulait que je téléphone à une de mes amies qu'il connaissait vaguement. Il me le demandait sans arrêt. Il voulait que nous allions la chercher, comme ça, en pleine nuit. Et moi j'imaginais la tête qu'elle aurait faite, car je la savais exclusivement hétérosexuelle.

Son plus grand plaisir, au cours de cette nuit « mémorable », était de me voir me masturber. Il me demandait de m'introduire quelque chose, une bougie, un phallus artificiel, et de me masturber de cette façon. Il ne voulait pas croire que je ne me servais jamais de cela.

492.   Vous me direz que ce type était un malade, un névrosé. Peut-être qu'il l'était, car son insistance n'était pas naturelle. Je n'ai rien contre la bisexualité ni contre l'amour à plusieurs, en autant que ces formes d'érotisme ne masquent pas l'impuissance et parviennent à contenter tous les partenaires en présence. D'autre part, c'est vrai aussi que mon « Viking » buvait sec — je m'en aperçus plus tard — et pouvait absorber une quantité surprenante d'alcool. C'était peut-être une explication.

493.   Mais ce que je veux souligner, c'est qu'il ne faut pas se fier à l'apparence. Car, au premier abord, mon « Viking » donnait l'impression au contraire d'être très sain et très viril, un de ces garçons dont on dit qu'« ils pètent de santé ». De plus, il était intelligent et parlait plusieurs langues... ce qui, vous me direz, n'a strictement rien à voir avec la capacité virile, je vous l'accorde...

Bien qu'il fût, à ma connaissance, un cas limite, je ne crois pas qu'il soit unique en son genre, en ce qui concerne ses déficiences et ses fantaisies douteuses, compensées par une valorisation extrême de sa force musculaire...

LXIX

L'EFFET DU CICHLIDE

494.   C'est plutôt rare de tomber sur un bon amant, dit Exil. Il y en a qui sont absolument passifs et ne veulent que se faire masturber ou se faire faire le *fellatio*, rien d'autre... Tu t'arranges ensuite pour te faire jouir toi-même si tu n'aimes pas rester sur ton appétit. D'autres, au contraire, ne pratiquent que le *cunnilinctus* et s'arrêtent là où les autres commencent... D'autres, en grande majorité, ont des éjaculations précoces ou bien ne parviennent jamais à éjaculer. D'autres te tripotent le clitoris avec rage et te rendent, par le fait même, totalement insensible à tout le reste. D'autres ne peuvent s'introduire en toi tant ils sont mous. D'autres, bien que capables de te pénétrer, ne peuvent jamais éjaculer dans ton vagin, préférant « venir » entre tes mains ou dans ta bouche et te privant ainsi du moment le plus délicieux du coït. D'autres n'ont que l'orgasme comme objectif et sont incapables de mener avec toi une longue et savoureuse copulation. D'autres règlent leurs affaires au téléphone, tout en te barattant. D'autres vont droit au but sans aucune caresse préliminaire. D'autres ne desserrent les dents que pour te dire bonsoir aussitôt que c'est terminé. D'autres deviennent impuissants si tu prends l'initiative.

495.   Mon mari Bétamu se jetait sur moi une fois la semaine, le samedi exactement. Invariable. Le processus aussi était invariable. Masturbation réciproque (qui ne me procurait aucun plaisir car sa main était malhabile et sans finesse), puis pénétration et aussitôt chasse à l'orgasme, une deux, une deux, tu viens? moi je vais venir! ça y est! l'amour est fait! *Tourne de bord pi dort!*

496.   Un Homme qui sait s'y prendre, poursuivit Exil, ne donne pas l'impression de manipuler mais celle de caresser. On dit après cela que la majorité des femmes sont frustrées, insatisfaites, frigides. Certainement qu'elles le sont! Et pour cause! Malheureusement, ce sont elles qu'on envoie se faire soigner chez le psychiatre et l'on s'étonne qu'elles continuent même après traitement à être insatisfaites, frustrées, frigides... N'est-ce pas du plus haut comique? A-t-on déjà vu une femme comblée par un amant affectueux et expert se faire soigner pour frigidité?

     Je ne dis pas que tous les échecs soient dus à la maladresse ou à la névrose masculines, ce serait malhonnête de le prétendre, mais je dis qu'il faut cesser de les mettre tous sur le compte de la frigidité féminine.

     La sexualité humaine et sa fonction érotique sont en pleine décadence, à mon avis. Au moment où on n'a jamais eu autant d'information sur les techniques à employer. Et on essaie encore de nous faire croire que c'est la faute de la femme s'il en est ainsi: parce qu'elle ne veut plus se soumettre à l'Homme, parce qu'elle n'accepte plus de vivre cette relation dans une perspective de domination, dans un rapport de *dominant-dominée*.

— Mais cette fonction érotique était-elle plus adéquate dans les époques précédentes, demandai-je?

497.　　— Non, dit Exil. Guère mieux. L'Homme « bandait » plus mais considérait que la femme ne devait pas jouir. Son plaisir égoïste se justifiait par l'assurance jamais mise en doute de sa supériorité. Aujourd'hui que cette supériorité a pris une sérieuse débarque, l'Homme ne sait plus se servir de son sexe. Il a besoin de mille ersatz pour arriver à exercer sa virilité. Celle-ci me semble bien fragile et je n'ose conclure à l'horrible constatation de l'« effet du cichlide », à savoir que l'Homme a besoin de se sentir supérieur à la femme pour avoir avec elle un « rapport normal ». Jusqu'à nos jours, la virilité s'est exercée aux dépens de la femme en écrasant celle-ci totalement.

498.　　Aujourd'hui que la femme réclame son autonomie et ses droits, dont le droit au plaisir, aujourd'hui qu'elle refuse de servir de jouet à l'Homme, la virilité fout l'camp! *Que doit-on penser de la virilité*, dit Exil? La question me semble plus pertinente que celle qui pourtant est toujours posée: « Mais enfin, qu'est-ce que les femmes veulent au juste? » Il vaut mieux se demander: « Qu'est-ce au juste, que la virilité? » plutôt que d'en arriver à la conclusion désolante — et à laquelle je ne souscris absolument pas que, tant que les femmes voudront être traitées en égales, les hommes ne seront pas à la hauteur…

Qu'est-ce donc que ce complexe qui les rend tout à coup impuissants? Ne serait-ce pas le complexe de Caïn: « tu veux prendre *ma* place dans la société, je suis jaloux, et pour te punir, je ne te ferai plus l'amour »… Très bonne méthode pour tuer psychologiquement quelqu'un.

Je crois que l'« effet du cichlide » n'existerait pas si les hommes abordaient la sexualité avec un peu plus d'humilité. Ce sentiment n'est pas du tout incompatible avec la virilité.

499.　　— Si toutes les femmes racontaient honnêtement ce qui se passe réellement dans leur lit conjugal ou dans celui de leurs amants, on pourrait commencer à y voir clair un peu, dit Omicronne. Mais elles ont si peur de passer pour des femmes frustrées ou frigides, pour des homosexuelles ou des nymphomanes, en avouant que leur homme n'est pas capable de les satisfaire… Elles n'ont pas tort de craindre l'opinion générale des spécialistes de l'« âme féminine insatisfaite »…

— Il est plus facile, dit Exil, d'accuser les femmes de toutes sortes de « perversions » et de « névroses » dont, par ailleurs elles sont souvent atteintes — avec cette vie sexuelle lamentable et d'autre part la vie éreintante et solitaire qu'elles mènent — plutôt que de se demander froidement: « Y aurait-il insuffisance de l'autre côté? » Le Divin Phallus aurait-il quelque défaut caché? Son fameux Primat ne serait-il qu'un paravent pour masquer sa « primaterie » pour ne pas dire piraterie?

500. — Sans compter, dit Omicronne, qu'on éduque les garçons et les filles dans cet esprit que le pénis possède des pouvoirs surhumains. Il est normal que ces dernières, devenues grandes, se croient autorisées d'être très exigeantes. Il est normal également que les premiers, devenus des Hommes, se sentent insuffisants.

Je demandai alors ce que c'était que ce fameux « Primat du Phallus », car ce n'était pas la première fois que j'en entendais parler.

501. Exil me répondit qu'il s'agissait là d'une religion vieille comme le monde, qui avait connu un regain de vitalité au cours de ces dernières décennies. Un de ses prêtres les plus acharnés et les plus célèbres s'appelait St Siegfried. Il prêchait dans la montagne et avait beaucoup d'adeptes.

LXX

LE MÂLE DE MON ESPÈCE

502. — Quand la fonction érotique est saine, reprit Exil qui n'en avait pas terminé avec le sujet, le reste du comportement de l'Homme n'est pas forcément au même diapason. Car *l'Homme est un animal conditionné.*

Ainsi, dit Exil, j'ai cru un jour être tombée sur le mâle de mon espèce. Il était un peu plus âgé que moi et il vivait seul. Cet Homme avait le pouvoir de me procurer des orgasmes répétés, et je ne parle pas seulement de ceux qu'il savait tirer de mon clitoris... en phase préliminaire. Je parle de ceux qu'il faisait jaillir pendant le long accouplement, pendant la longue marche du pendule qu'il savait maintenir avec un tonus qui s'accordait au mien exactement.

Quand enfin il éjaculait en moi, il ouvrait des portes de plus en plus reculées de ma conscience. Et ma conscience était alors Joie pure, Jouissance pure, et parfois c'était sans violence et sans acuité soudaine, Jouissance alors étonnamment lointaine, étonnamment haute.

J'étais ronde et chaleureuse par la puissance et la tendresse de ses bras. Sans doute, de son côté, était-il tendre et chaleureux grâce aux ronds et aux creux de mon corps dont la puissance d'amour était si grande.

La fusion se faisait, me semblait-il, à la mon avantage, car j'avais le sentiment d'accéder à la Totalité grâce à une partie de lui-même qui était venue se fondre en moi, cette partie qui justement le faisait si différent de moi quand nos corps n'étaient pas unis : *je devenais androgyne* aussi sûrement qu'Hermaphrodite en personne. Il me semblait qu'il ne pouvait ressentir cela, du moins, pas de la même manière, puisque son corps était resté en dehors!

503.   Hélas, cet Homme viril et chaleureux m'a demandé un jour de laver ses chemises et m'a tenu rigueur de ne pas m'être exécutée. Il m'a ensuite « ordonné » gentiment de lui faire du café chaque fois que s'achèveraient nos ébats amoureux. Car, me disait-il tendrement, « n'est-ce pas là le rôle d'une gentille petite femme? »

Je l'ai quitté à regret, dit Exil. Après l'avoir gardé comme amant le plus longtemps possible, jusqu'au moment où ses exigences domestiques devinrent un conflit entre nous.

504.   Nous ne cohabitions même pas et chacun de nous devait gagner sa vie. Il disait qu'il n'y avait qu'une solution à ce problème: que j'abandonne ma carrière et que je vienne habiter chez lui. Il allait « me faire vivre », me disait-il, il allait « nous » faire vivre, moi et mes enfants, et il était sincèrement convaincu de la magnanimité de sa proposition. Et certes dans un sens c'était généreux de sa part. Et moi, j'allais le servir en retour! Moi et ma fille, nous allions le servir... voilà ce que je me disais intérieurement en résistant très fort pour ne pas conclure ce marché de dupes... Et ça n'a pas été facile, dit Exil, car, cet Homme, je l'avais dans la peau! Mais ma carrière aussi je l'avais dans la peau, aussi sûrement que sa carrière à lui était ancrée dans la sienne. Et « ma carrière » était moins exigeante que lui, car elle ne m'avait jamais demandé d'être servile pour me garder.

« Faisons une chose, lui dis-je. Je vais te faire vivre et toi tu resteras à la maison pour laver mes petites affaires et me préparer mes repas. Qu'est-ce que tu en penses? » Il n'a pas trouvé que la « plaisanterie » était drôle, car, évidemment, dans son esprit, il était clair que je « plaisantais ».

Alors, je lui dis: « Faisons autre chose: je viens habiter chez toi, nous gardons tous deux notre situation, nous partageons les frais de l'appartement ainsi que les corvées. Celles-ci, évidemment, seront partagées par tout le monde, les enfants compris. Qu'est-ce que tu en dis? » Mais cette solution ne lui plut pas du tout. Il n'était pas question de partager ni les frais ni les corvées. C'était clair, n'est-ce pas?

Cette dernière solution pourtant ne manquait pas d'attrait puisqu'elle nous réunissait tous et sauvegardait la dignité de chacun. Mais la sienne s'en trouvait offensée. Ce qui prouve bien que la dignité humaine est différente, selon qu'il s'agit de l'Homme ou de l'être femelle...

Ne pouvant nous entendre, nous nous sommes dit adieu!

505.   — Et il doit être bien malheureux aujourd'hui, dit Omicronne, car, si je me souviens bien, cet Homme adorait tes enfants?

— Il les aimait beaucoup. Mais laissons cela.

— Moi aussi, dit Omicronne, j'ai ressenti que j'étais androgyne parfois en faisant l'amour. Oh! cela me donne une idée, ajouta-t-elle en riant. Il y a peut-être là un commencement d'explication à la théorie de l'« envie du pénis ». Sans doute, celui qui a conçu cette théorie, regrettait-il que le coït ne le fasse androgyne comme sa partenaire. Et ce sentiment de frustration l'aurait poussé à imaginer que la femme voulait posséder le pénis pour devenir androgyne, à plein temps qui sait, sans songer, le pauvre, que ce désir était naturellement superflu, d'abord parce qu'il suffisait à la femme de faire l'amour pour atteindre « son but ». Et ensuite, n'est-ce pas Exil, parce que ce n'est que par moments qu'on a envie de se sentir androgyne. Le reste du temps, on aime bien sentir qu'on est des femmes, qu'on a un sexe de femme uniquement.

Évidemment, conclut Omicronne, le créateur de cette théorie étant un Homme, il ne peut pas savoir, absolument pas, ce que c'est que de *se sentir femme!*

LXXI

LES BEAUX YEUX DU PATRON

Ce soir-là, dit l'Euguélionne, nous sommes allées dans un restaurant qui était ouvert très tard dans la nuit.
506.   J'y ai vu des Hommes servir aux tables avec des tabliers en coton jaune retroussés sur la hanche. D'autres Hommes, derrière le comptoir, faisaient griller les steaks, épluchaient les pommes de terre, les mettaient au feu en les arrosant d'eau et de sel, remplissaient les assiettes de légumes et de salade, plongeaient la vaisselle dans l'eau bouillante. Ils ne semblaient aucunement humiliés de remplir toutes ces besognes. Leur *dignité humaine* avait l'air de très bien se porter.

Exil demanda à celui qui nous servait: « Êtes-vous payés, vous et vos camarades pour le travail que vous faites? »

Le garçon regarda Exil comme si elle venait de dire une incongruité.

— Ça ne va pas, non? Vous alors! Croyez-vous que nous ferions cela pour les beaux yeux du patron?

— N'êtes-vous par nourris, ici, dit alors Exil?

— Heu... en partie. Nous avons droit à un repas par jour... Mais la bière est à nos frais.

— Est-ce votre seul salaire, insista Exil?

— Vous voulez me faire marcher, vous alors... Vous êtes pas sérieuse...

— Au contraire, dit Exil, je vous demande cela très sérieusement. Je ne me moque pas de vous, croyez-moi.

Le garçon parut hésiter, puis, bon enfant, il répondit:
507.   — *Même logé, même nourri trois fois par jour*, je ne ferais pas cela sans être payé. C'est très fatigant, vous savez. C'est fatigant de servir pour les garçons de table. Et pour ceux qui préparent la nourriture, c'est aussi très fatigant. Quant aux plongeurs, je n'ai pas besoin de vous dire qu'ils sont crevés et écœurés à la fin de la journée. En

171

plus de notre salaire, qui n'est pas très haut je vous l'accorde, nous avons les pourboires, heureusement. Il n'y a personne sur la terre qui consentirait à travailler pour des prunes.

— Si, dit Omicronne, votre femme!

— Elle, ce n'est pas pareil, *elle est logée et nourrie*...

Le garçon rougit et s'éloigna très vite, en prétextant qu'il avait d'autres personnes à servir.

508.   — Je me demande, dit Omicronne, si ces garçons montrent autant de zèle chez eux en fin de semaine quand leur femme est débordée...

— Je parie qu'ils jugent cela indigne d'eux de faire la vaisselle à la maison et de servir leur propre famille, dit Exil.

— Et moi, dis-je, je suis sûre qu'il y en a qui le font... C'est impossible autrement!

— Bien sûr, dit Exil, il y a des exceptions... Tenez, cela me rappelle les répliques suaves de ce cher Bétamu quand je lui disais que je détestais faire la vaisselle. — Bah, disait-il, tu te fais des idées! — Mais non, que je lui disais, je n'aime pas ça pour vrai, j'ai horreur de ça! — Il faut te faire une raison, ma fille, *tout le monde le fait!*

Cet argument me faisait sursauter, continua Exil. Tout le monde? Et lui? Comme il ne faisait jamais la vaisselle et ne l'avait jamais faite, je me consolais stoïquement en me disant qu'il devait être l'exception qui confirme la règle!

LXXII

ENFANTS SOUS VERRE

509.   Un jour, dit l'Euguélionne, nous sommes invitées chez des gens très bien, très riches et très snob, un jeune couple avec un bébé de quelques mois.

Nous nous y rendons dans la voiture d'Exil et le trafic à cette heure est très intense. Exil semble s'être abonnée aux feux rouges.

510.   Pendant un arrêt forcé, Omicronne attire notre attention sur une vitrine de pompes funèbres où des cercueils sont exposés. On dirait que certains d'entre eux sont en verre et même... occupés...

Nous sommes troublées toutes les trois. Omicronne dit à Exil de se chercher un stationnement, d'autant plus que nous sommes presque arrivées à destination. Exil gare sa voiture de justesse à l'entrée du parc de stationnement après en avoir fait le tour sans succès. Nous retournons aussitôt voir la vitrine de plus près.

511.   Nous voyons un enfant couché sur le côté dans un cercueil de verre. L'arrière de son crâne apparaît finement en transparence à travers sa peau dénudée de cheveux.

D'autres cadavres squelettiques des deux sexes et d'âges divers sont « en montre » dans les cercueils de la vitrine. Nous ne comprenons pas comment cela est possible et pourquoi les autorités municipales permettent une si macabre exposition. Les passants ne semblent pas affectés par cette vue. Ils s'arrêtent devant la vitrine et discutent de la solidité des cercueils et de leur moelleux intérieur.

512.   Omicronne ayant besoin de timbres, nous entrons dans un bureau de poste qui est situé à proximité. Omicronne raconte à la préposée du guichet ce que nous venons de voir. L'employée ne semble, tout comme les passants, nullement déconcertée. Au contraire, elle dit en soupirant:

— Ça n'a pas l'air de vouloir se calmer! On annonce une autre mortalité pour ce soir. Il paraît que ce sera encore un enfant...

513.   Toujours aussi intriguées, nous arrivons enfin à la maison où a lieu la réception. Cette maison s'élève justement derrière la rue funèbre.

Nous dirigeons nos pas vers les salons d'où nous proviennent faiblement des bruits de voix. Nous passons par un long et large couloir très éclairé. Vers le milieu de ce couloir, nous éprouvons toutes les trois un choc intense. Il y a une espèce de vitrine étroite et pas très longue aménagée à même le mur à peu près à mi-hauteur entre le plancher et le plafond. La vitre prolonge le mur, sur le même plan.

Et dans cette cage de verre, on voit le bébé de la maison qui se promène à quatre pattes au milieu de ses jouets. Il a l'air bien vivant... Nous présumons qu'un système d'aération a été prévu... ainsi qu'une porte ou une ouverture quelconque... La vitrine est placée de telle sorte que l'on puisse observer l'enfant sans se baisser ni se hausser: elle est réellement à la hauteur moyenne d'un regard d'adulte.

Nos jeunes hôtes accourent à notre rencontre. Ils tiennent à entretenir eux-mêmes chacun de leurs invités des commodités de cette magnifique chambrette transparente, le *nec plus ultra* de la puériculture moderne. Ils se montrent ravis de ce qu'ils considèrent comme la solution idéale au problème de la venue de Bébé. Celui-ci a étrenné justement son nouveau « nid » dans la journée.

514.   — Vous comprenez, dit la jeune mère, c'est une petite fille! Nous avons pensé qu'elle devait être protégée au maximum!

— De cette façon, nous explique l'« heureux père », notre chère petite est assez isolée du reste de la maisonnée pour jouer ou dormir en paix, sans être « dérangée ». De notre côté, nous pouvons surveiller ses jeux sans être incommodés. L'espace assez réduit dont elle dispose a été ainsi calculé dans un but de sécurité: elle doit se sentir entourée, enveloppée! N'est-ce pas une invention fantastique! Mais il y a encore mieux: cette merveilleuse nursery possède un dispositif ingénieux qui fait que le plafond s'élève au même rythme de croissance de l'enfant, de sorte qu'elle n'éprouvera jamais cet affreux traumatisme de se voir grandir... phénomène que nous ne pouvons pas empêcher, hélas! De plus, ne trouvez-vous pas que cette installation ultra-moderne ressemble, à s'y méprendre, à un écran géant de télévision? Ainsi a-t-elle le mérite supplémentaire de procurer à nos invités un charmant spectacle quand ils passent par ici pour se rendre dans les pièces de réception. Par ici, mesdames, nous y sommes presque justement.

Ce discours nous laisse bouche bée tant il nous semble incroyable! Nous emboîtons le pas de nos hôtes et poursuivons notre chemin dans ce couloir-galerie...

LXXIII

QUELLE HONTE MA SOEUR!

515.   Les salles de réception sont immenses, aérées et très nombreuses dans cette maison.

Nous apprenons bientôt que cette réunion mondaine à laquelle ont été conviées un grand nombre de personnes dont beaucoup de journalistes, a été organisée chez ces gens sous les auspices d'une école d'*arts ménagers pour jeunes filles.*

Exil dit à la jeune hôtesse que c'est honteux, de nos jours, de continuer à enseigner les arts ménagers aux filles sans en instruire également les garçons qui en auront certainement besoin autant qu'elles plus tard.

— Vous ne vous rendez pas compte, madame, à quel point le terme « ménagère » est péjoratif dans notre société, comme il est inconsciemment méprisé par tout le monde, même par les meilleurs.

Pour appuyer ses dires, Exil déplie un journal qu'elle a tiré de son sac et se met à la recherche d'un article. Il s'agit d'une feuille hebdomadaire de gauche et l'article qu'elle repère est signé d'un ardent défenseur des droits des opprimés.

— Écoutez un peu la conclusion de cet article:

Les hommes incompétents qui nous gouvernent se réfugient dans l'immobilisme et se conduisent comme des tireurs de vaches ou des ménagères.

Oserez-vous prétendre après cela qu'*il n'y a pas de sot métier?*
516.   La jeune femme est éberluée. Elle ne s'attendait sûrement pas à cette sortie d'une de ses invitées. Et ce journal impie, ce journal contestataire! Étalé dans son salon! Quelle effronterie!

Le jeune mari s'approche de sa femme et regarde Exil avec curiosité. C'est un homme costaud, déjà bedonnant, sûr de lui, cheveux bruns soignés annonçant une précoce calvitie. Il sirote un scotch tout en dévisageant Exil. Celle-ci se sent mal à l'aise. Heureusement, l'annonce d'un discours fait diversion.

Il sera prononcé par la directrice de l'école des arts ménagers pour jeunes filles, religieuse en costume civil, personne sèche aux cheveux gris tiraillés par de récents bigoudis. Nous l'entendons vanter interminablement les mérites de son enseignement:

517.　　— Vous savez, aujourd'hui comme hier, « l'économie domesti-que » a sa place dans notre société. La femme est toujours tenue de jouer son rôle de femme. Les exemples nous viennent de haut. La princesse Anne d'Angleterre ne vient-elle pas de *jurer obéissance* à son nouvel époux devant des millions de téléspectateurs et devant l'Archevêque de Cantorbéry? Bien que protestant, celui-ci n'en est pas moins un vénérable patriarche d'obédience chrétienne!

Enfin, la sœur directrice conclut son homélie en des termes qu'Exil et Omicronne jugeront révoltants:

— Et vous savez que les jeunes maris d'aujourd'hui, tout comme ceux d'autrefois, exigent de leurs épouses de fortes qualités ménagères. Il faut que les jeunes filles sachent cela et se tiennent prêtes à satisfaire les Hommes sur ce point, au moins dès l'âge de dix-neuf ans!

Ces paroles déclenchent de longs applaudissements.

Dès que le silence se rétablit, Exil prend publiquement la religieuse à partie:

518.　　— Dix-neuf ans! Dix-neuf ans, dites-vous! N'avez-vous pas honte! N'avez-vous pas honte de continuer à former des esclaves, à l'ère des fusées spatiales! Vous feriez mieux d'ouvrir une école de *mécanique automobile* pour les filles comme pour les garçons. Et si vous tenez tellement à enseigner les *arts ménagers*, faites entrer autant de garçons que de filles dans vos classes.

519.　　L'auditoire est médusé. Le jeune mari, sans perdre sa con-tenance, vient poliment demander à Exil de quitter les lieux.

520.　　Lorsque nous repassons devant la vitrine, nous voyons le bébé affaissé, couché sur le dos, les yeux grands ouverts, le regard fixe! Nous avons beau regarder attentivement, nous ne distinguons pas le moindre signe de respiration sur sa petite poitrine ni entre ses lèvres entrouvertes. Une même angoisse nous étreint. Omicronne nous regarde:

— Dort-elle ou bien est-elle…

Elle n'ose pas dire tout haut ce que nous pensons tout bas… Nous fuyons cette maison, terrorisées.

MANGÉ PAR LA ROUILLE

521. Un samedi après-midi, Exil et Omicronne emmènent leurs enfants faire un pique-nique à l'ancienne maison d'été des parents d'Exil, abandonnée depuis longtemps mais située sur un terrain intéressant en bordure d'une rivière. Je les accompagne, dit l'Euguélionne.

Exil n'y est pas venue depuis très longtemps. Elle reconnaît à peine l'endroit. Le garage a été abattu. Tout, ici, est à l'état de pourriture. La maison se désagrège lentement, c'est comme si le bois en lambeaux se transformait de lui-même en papier déchiré.

Nous sommes si frappées de la désolation du lieu que nous décidons, d'un commun accord, d'aller pique-niquer ailleurs. Nous remontons dans la voiture tandis qu'Exil parcourt rêveusement la galerie qui entoure la maison.

522. Car, avant de repartir, Exil a manifesté son désir de revoir le petit bois sur le bord de l'eau, dans lequel elle allait méditer, lire et écrire, au temps de son enfance, à l'abri de tous, protégée par le clair-obscur de la haute futaie. Ce bosquet n'appartenait pas aux parents d'Exil mais personne n'y allait jamais. Ce qu'il représentait pour Exil était énorme: il était certainement l'un des meilleurs souvenirs de son passé.

Bien qu'étant encore sur le balcon arrière de la maison, et donc à une certaine distance du petit bois, elle s'aperçoit bien vite, ainsi qu'elle nous le raconta plus tard, que celui-ci a disparu. Tous les arbres ont été sacrifiés pour permettre au voisin d'agrandir sa terrasse.

Mais elle remarque une chose insolite, juste à l'« entrée » de ce qui fut jadis son refuge boisé. Parmi toutes sortes de rebuts, matelas crevés, têtes de lit en fer, lavabos fêlés, tuyauterie, planches moisies, elle voit un lit de camp sur lequel est étendu le corps d'une femme, morte probablement, dans une attitude qui lui semble familière tout à coup, car elle l'a souvent remarquée chez sa mère. La femme est couchée sur le dos, le buste à peine tourné vers la rivière, le bras droit jeté en travers elle.

523. Un enfant blond va et vient dans ces détritus. Il semble que, à intervalles réguliers, il va picorer sur le corps... À un certain moment, il s'approche de la maison pour mieux voir Exil. Celle-ci constate alors avec une terrible angoisse que l'enfant a la moitié inférieure du visage criblée de petites taches de rouille, comme si son visage commençait à être rongé par la rouille, comme si son visage d'enfant était déjà à moitié rouillé! Ce n'étaient pas des taches de rousseur. C'étaient des taches corrosives. Elles faisaient leur chemin dans la chair tendre et Exil se demandait par quelle chimie extraordinaire cela était possible.

Elle dit à l'enfant d'arrêter d'agir comme il faisait. De quitter les lieux ainsi que la charogne dont il s'alimentait. Que c'était très malsain pour un enfant, pour n'importe quel être vivant, d'ailleurs, de se nourrir du cadavre maternel.

524.   L'enfant la regarde, surpris.

— Qui te dit que ce cadavre est celui d'une femme? Qui te dit que c'est celui de ma mère? C'est peut-être le corps de ta mère à toi... Regarde ses cheveux: ils sont gris et lisses. Personne ne peut dire s'il s'agit d'une femme ou d'un homme. Peut-être même est-ce un homme, dit l'enfant en retournant à sa terrifiante occupation.

525.   Exil entre dans la maison et la traverse en courant pour sortir par la porte d'en avant. Elle pousse cette porte qui n'est pas verrouillée. Elle sent une résistance: quelqu'un, de l'extérieur, cherche à entrer. Sûrement un des enfants, pense Exil.

Quand enfin la porte s'ouvre, Exil a la surprise de voir sa mère! C'est donc sur elle qu'elle poussait à l'instant.

— Que fais-tu ici, dit Exil?

526.   Ne t'occupe pas, mon petit, dit la mère d'Exil d'une voix lointaine. Va rejoindre tes enfants. Ils s'impatientent.

Exil est frappée par quelque chose d'inhabituel chez sa mère. Elle ne sait quoi... Est-ce dans sa tenue vestimentaire? Dans son comportement? Dans ses yeux ou peut-être dans sa voix? C'est ce que se demande Exil en courant vers la voiture. Puis, elle se met à crier, à hurler, elle semble atteinte d'une crise de folie subite. Ses mains tentent de chasser de son visage quelque chose d'invisible. Quand finalement elle peut parler, c'est pour dire très bas des paroles incompréhensibles pour nous:

— Que faisait-elle donc ici? Et l'autre, l'enfant au visage mangé par la rouille... Quand il a ouvert la bouche, j'ai cru, à chaque parole qu'il prononçait, j'ai cru que son menton fragile allait tomber! Et ses dents, ses petites dents de lait toutes noires, ces hideuses caries... Et ma mère, l'avez-vous vue? Qu'est-ce qu'elle avait donc de spécial aujourd'hui? Vous l'avez vue, n'est-ce pas, entrer dans la maison?

Tout le monde est bien surpris. Car personne d'entre nous n'a vu la mère d'Exil entrer dans la maison et personne n'a vu d'enfant dans les parages.

Omicronne et moi, nous descendons de la voiture et entraînons Exil sur le chemin de gravier. Avec elle, nous faisons quelques pas. Elle respire profondément. Elle se calme peu à peu. Elle nous dit alors en mots brefs ce qu'elle a vu.

DES YEUX EN SUPPLÉMENT

527.   Après cette pénible équipée, dit l'Euguélionne, nous avons perdu l'appétit, mais les enfants crient famine. Aucune de nous trois n'avons cru bon de les renseigner sur la vision d'Exil. On leur a expliqué le trouble de celle-ci du fait qu'elle n'a plus retrouvé le petit bois de son enfance... Ouais... on sent que les plus grands ne marchent pas mais ils sont discrets et ne posent pas de questions.

Nous décidons d'aller dans un parc public pour rassasier notre marmaille. L'endroit que nous choisissons est l'antithèse de celui que nous venons de quitter.

Situé sur une montagne, il est l'image même de la vie. Espaces verts copieusement ombragés, allées fleuries, vasques, fontaines, lac où glissent cygnes et canards, ponts couverts, appareils de gymnase pour jeux variés en plein air, balançoires, trapèzes, escarpolettes, bancs moulés aux formes esthétiques, petits chalets prévus pour le repos et la restauration. Et, pour combler les enfants de bonheur, aménagement d'un jardin zoologique!

528.   Les promeneurs sont nombreux et, parmi eux, se détachent des petits coursiers à deux pattes d'une vitalité à vous faire perdre le souffle. Ces enfants s'en donnent à cœur joie. Leurs cris cependant ne sont pas irritants. Ils font même du bien à ceux qui les entendent. Ceux-là qui les entendent, prêtent l'oreille avec surprise aux cris des enfants et, ce qui les surprend, c'est qu'ils prennent du plaisir à les entendre. Leurs courses folles font sourire ceux qui en sont frôlés, comme si une prime jeunesse leur était rendue par petits morceaux bien articulés, tangibles et en mouvement perpétuel.

Sitôt le pique-nique englouti, nous décidons de visiter le zoo.

529.   Tout de suite, notre attention est captée par une guenon « pas comme les autres » que nous connaissons bien de vue. Sa photo a paru récemment dans tous les journaux, car elle a subi une série d'interventions chirurgicales qui lui ont donné un visage presque humain.

C'était le docteur Xi qui l'avait opérée. Le docteur Xi venait de souffrir une profonde déception amoureuse. En effet, il avait appris que sa chère épouse « aux milles trophées » avait un (!) amant! Il avait été renseigné par l'épouse délaissée de l'amant en question, ce monsieur aux cheveux poivre et sel qu'Exil et moi nous avions vu un jour dans un café, en compagnie de cette fameuse Hyota Xi. C'était à cause de cette femme que Bétamu et Exil avaient divorcé.

Humilié, ulcéré, tombant de haut car il avait toujours cru mériter la fidélité de sa femme, le pauvre docteur avait répudié celle-ci et décidé d'adopter une guenon.

Dans une revue hebdomadaire à grand tirage, notamment,

la photo de cette dernière apparaissait en colonne marginale vers le milieu d'une page de gauche, avec cette légende écrite en italiques juste en-dessous:

On se retourne sur son passage!

530.   Sur cette photo, Pépée (c'était le nom que lui avait donné son nouveau maître qui était en même temps son chirurgien esthétique) avait l'air d'une vraie dame, à quelques détails près, comme, par exemple, les nombreuses rides concentriques autour de ses yeux et sur son front. Bien que la peau de son visage, du reste de son visage, fût devenue blanche et lisse, ces seules rides étaient si curieuses que l'on comprenait les gens de se retourner sur son passage.

Mais la photo montrait un autre détail qui pouvait tout aussi bien attirer l'attention. C'étaient les yeux de Pépée. Des yeux magnifiques, très bruns et très ronds comme des pierres polies, la couleur sombre de l'iris annulant complètement le blanc de la sclérotique.

531.   Dans ce jardin zoologique où les animaux sont en liberté grâce à une ingénieuse disposition des lieux, Pépée est là, avec son maître chirurgien. Celui-ci s'amuse à tirer des balles blanches dans le paysage.

Pépée a vraiment des yeux hors-pair, fascinants. Pépée est très belle. On oublie ses rides qui ne sont peut-être là que pour souligner la beauté de son regard. Son maître chirurgien lui met une carabine entre les mains. Naturellement, il n'y a pas de balles dedans.

Imitant son maître, Pépée s'amuse à viser toutes sortes d'objectifs autour d'elle. Elle vise même les gens, par jeu. La voilà qui vise un couple d'amoureux à moitié couché dans le creux d'un arbre, à une certaine hauteur. Se sentant visé, l'homme a peur et se relève. Il veut descendre. Pépée tire. Mais le coup ne part pas puisque le fusil n'est pas chargé. Rassuré, l'homme se recouche près de son amoureuse.

532.   Et voilà que, maintenant, Pépée vise son maître. Celui-ci lui sourit. Pépée est une bonne élève. Elle a tout appris de lui. Elle, elle est fidèle! Il en est fier. Pépée tire. Cette fois, *le coup part* et le chirurgien est tué instantanément.

Aussitôt, la foule se précipite. Chacun essaie de comprendre comment il se fait que le fusil, non chargé quelques secondes auparavant, l'ait été tout d'un coup quelques moments plus tard.

533.   On entoure Pépée. Nous sommes tout près d'elle, dit l'Euguélionne. Je la regarde intensément. Et soudain, je remarque, sous chacun de ses yeux si magnifiques, une espèce de sombre triangle isocèle qui a l'apparence d'un vitrail où le bleu domine et l'on devine que ce vitrail sombre pourrait s'illuminer sans difficulté, de l'intérieur.

En observant ce détail étrange, l'idée me vient que c'est peut-être Pépée elle-même qui a chargé son arme et qu'elle a peut-être sciemment tiré sur son maître, en toute connaissance de cause et de résultat...

534.   Car, me dis-je à moi-même, à ces triangles transparents, il ne manque que bien peu de chose pour devenir de vrais yeux supplémentaires. Et alors, de quoi une guenon transformée en femme ne peut-elle être capable si elle jouit d'un double regard!

LXXVI

UNE PIÈCE D'IDENTITÉ

535.   Quelques jours seulement après ces événements, dit l'Euguélionne, Exil apprit la mort subite de sa mère. C'est Deltanu, la petite protégée de la mère d'Exil, qui vint l'apprendre à celle-ci.

Deltanu avait lu un entrefilet qui était paru dans le journal et elle était sûre qu'il s'agissait de la mère d'Exil, absente de chez elle sans motif depuis quelques jours, ce dont la jeune fille commençait à s'inquiéter.

Deltanu montra à Exil l'article en question coiffé d'un titre énigmatique:

536.   DÉCOUVERTE D'UNE FEMME SANS NOM

Le corps d'une femme âgée d'une soixantaine d'années a été retrouvé dans une vieille maison délabrée à X sur le bord de la rivière du même nom. Cette femme ne portait sur elle aucun papier permettant de l'identifier. Les voisins interrogés n'ont pu dire qui elle était ni à qui appartenait cette propriété. Il paraît que, parfois, des curieux ou d'éventuels acheteurs viennent jeter un coup d'œil, puis s'en vont. Justement, des femmes étaient venues au cours de la semaine. Leur voiture était pleine d'enfants mais ceux-ci n'étaient même pas descendus pour se dégourdir les jambes. L'un des voisins a eu cette réflexion: « J'espère que maintenant les héritiers du terrain vont le nettoyer. C'est une honte, ce dépotoir de vieilleries, juste à côté de notre terrasse. »

Le médecin-légiste a conclu à une crise cardiaque. Une enquête a été ouverte pour éclaircir les circonstances du décès. Sur le bord de l'eau, il y avait effectivement un monceau de vieilles choses rouillées et en pièces, proprement inutilisables. Dans un lit de camp bancal, on a retrouvé un collier, unique en son genre. Il était fait de cinq médaillons en vieil argent. En vain a-t-on essayé d'ouvrir ces médaillons. Ils étaient scellés.

Le collier sera remis aux héritiers légitimes de la défunte. À l'Hôtel-de-Ville, les employés du cadastre n'ont pu fournir de renseignements précis au sujet du terrain et de son propriétaire. Il semble que les relevés se soient arrêtés à une certaine date dans le passé.

Toute personne pouvant aider la police dans ses recher-
ches, est priée de se présenter à la morgue.

537.   Exil est frappée par cet article. N'est-ce pas de sa mère dont
il est question? Cela lui paraît soudain évident. Elle se souvient maintenant de ce quelque chose d'inhabituel qu'elle avait cru remarquer
dans la tenue de sa mère, le jour où, avec ses amies et les enfants,
elle s'était rendue à X pour pique-niquer et l'avait brusquement
rencontrée... Ce quelque chose, c'était le fameux collier à cinq médaillons qu'elle voyait alors pour la première fois mais auquel elle ne
fit guère attention tant la présence de sa mère lui paraissait insolite.

        Exil se demande comment Deltanu a pu, à la lecture de cet
article, identifier si facilement sa protectrice dans cette femme qui
y était à peine décrite, puisqu'elle ne connaissait sûrement pas l'existence du vieux chalet d'été.

        — Par la description du collier, dit Deltanu. Ta mère me
l'avait montré le jour où je suis arrivée chez elle, à la suite de mon
avortement.

        — C'est curieux, dit Exil, à moi, elle ne l'avait jamais montré.

        Alors, Deltanu dévoile à Exil le secret pitoyable des mé-
daillons.

538.   — Pauvre, pauvre maman, dit Exil dont les yeux se remplissent de larmes! Si elle ne t'avait pas connue, ma petite Deltanu, ma
mère aurait emporté cet ultime secret dans sa tombe. Et dire qu'elle
était musicienne et si fervente au temps joyeux de sa jeunesse. Et
dire qu'elle a dû faire de la musique son rêve irréalisé tout au long
de sa vie. C'était peut-être ce rêve qu'elle gardait honteusement
en multiple effigie dans ce métal précieux...

        Exil est allée à la morgue identifier le corps de sa mère qui
fut inhumée presque aussitôt. Toutes les sœurs d'Exil étaient présentes
au cimetière, ainsi que leurs trois frères.

539.   Tout ce monde fut bien surpris quand, juste avant la première
pelletée de terre, alors que tous avaient jeté des fleurs dans la tombe,
Exil lança à son tour un objet brillant qui heurta le cercueil en faisant
un bruit sourd. Il n'y eut que Deltanu et moi, dit l'Euguélionne, qui
savions ce qu'Exil avait rendu à sa mère en cet instant.

LXXVII

LE CIRCUIT INTÉGRÉ

540.   Omicronne a un amant, dit l'Euguélionne. Je crois qu'ils ont
fait connaissance un soir où nous étions allées au bal toutes les deux.
À moins que ce ne soit à ce congrès de journalistes où Exil nous avait
emmenées. Je ne me souviens plus très bien.

Ou plutôt si, je me souviens maintenant: c'était à une exposition gigantesque d'œuvres d'art internationale, une Biennale, je crois.

L'amant d'Omicronne est « un rude gaillard terriblement sympathique ». Malgré cela, elle a eu raison, semble-t-il, de ne pas s'en méfier comme le lui recommandait Exil qui gardait le souvenir cuisant d'un certain « Viking »...

541.   Je dois dire que *Migmaki* fait quand même figure d'enfant terrible un peu inquiétant. Ses yeux ont des lueurs d'arc-en-ciel par moments. Et, par moments, il semble disparaître de nos regards... Ce n'est qu'une illusion, bien sûr. Lui-même prétend qu'il est illusionniste, mais Omicronne nous dit qu'elle n'en croit rien. De plus, il a la réputation de conduire comme un fou.

542.   Un jour, il nous invite tous à faire une balade avec lui. Les enfants sont enthousiastes. Nous partons donc. Nous sommes onze dans la camionnette... car Deltanu est venue avec son nouvel amoureux. Il s'appelle *Écho* et c'est le plus jeune frère d'Exil. Elle l'a rencontré souvent alors qu'elle habitait chez la mère de celle-ci.

Écho a l'air fragile avec sa belle barbe rousse et ses grands yeux doux. Mais cette fois, ce n'est vraiment qu'une apparence. Ce n'est pas sa douceur qui n'est qu'apparente, car Écho est un doux, un vrai. C'est même là sa force première. C'est par sa douceur qu'il est redoutable, ce garçon. Mais fragile? Essayez de l'envoyer au tapis, au *tatami*, comme il dit! Il est ceinture verte, il se défendra proprement, comme tout judoka digne de ce nom. C'est lui qui entraîne nos deux champions Onirisnik et Alyssonirik en ce moment. Depuis peu, il enseigne le judo également à Deltanu. Bien qu'il parle peu, Écho a un succès fou auprès des enfants.

543.   La camionnette est très spacieuse. Migmaki s'en sert pour transporter les lourds matériaux nécessaires à la fabrication de ses sculptures. Il y installe des banquettes quand il y a du monde. Le jour y entre à profusion et c'est, curieusement, grâce à une foule de gros hublots. Les enfants sont ravis. Ils disent qu'ils se promènent en bateau au milieu des autobus et des taxis.

À peine sommes-nous sortis de la ville que Migmaki commence à faire de la vitesse. Omicronne s'inquiète un peu:

— Ne conduis pas si vite. J'ai peur... C'est dangereux. Il y a des enfants avec nous.

— Tu vas voir, répond Migmaki, ce que tu n'as encore jamais vu. Mais pour cela, il faut que j'aille à une vitesse folle. Ne crains rien... Il ne peut rien nous arriver...

Nous traversons des villages de plus en plus rapprochés, me semble-t-il, mais Migmaki nous dit que c'est parce que nous roulons de plus en plus vite et que chacun de ces villages correspond à *une étape de mutation*.

Enfin, Migmaki arrête la camionnette.

— Voilà, dit-il, nous sommes arrivés dans un village de *Mutants*.

544.   Nous descendons, et, la première chose qui nous frappe, c'est une espèce de grosse machine noire qui occupe tout le centre du village.

De loin, cette machine semble être actionnée sur ses faces longitudinales par un circuit électronique et par des roues extrêmement fines comme les rouages compliqués d'une minuscule montre suisse. Ce circuit est de couleur rosée, très pâle, contrastant avec le noir lustré de la machine. Toute la partie rose pâle de la machine est en mouvement.

Nous nous approchons et nous nous apercevons que ce sont des êtres humains liliputiens qui sont intégrés à la machine pour la faire fonctionner. Ils y sont incorporés, en quelque sorte.

Alors que nous observons ce spectacle avec curiosité, dit l'Euguélionne, nous entendons une cloche sonner et, aussitôt, les petits êtres roses se détachent de la machine. C'est pour eux, semble-t-il, un temps de repos.

545.   Nous les examinons de près sans qu'ils s'en montrent incommodés le moins du monde. Ils sont nus, longs et minces, bien que de très petite taille. Leur corps semble n'avoir presque pas d'épaisseur. Leur tête aussi est nue, leur crâne étant aussi lisse et aussi rose que le reste de leur corps. Leurs veines sont apparentes sur leurs tempes, formant de délicats bourrelets de chaque côté de la tête. Leur apparence est plutôt jeune, bien qu'il soit difficile de leur donner un âge quelconque.

Puis, nous voyons quelqu'un ouvrir une petite trappe au bout de la machine et en extirper un petit homme rose qui était accroupi à l'intérieur. Et nous entendons cette réflexion: « Encore à dormir celui-là! C'est tout ce qu'il sait faire pendant la pause-café. Allons, il est temps d'aller te dégourdir les jambes. »

546.   Nous nous promenons dans le village. Omicronne cherche Migmaki qui s'est détaché de notre groupe on ne sait à quel moment.

LXXVIII

TRANSPORT RAPIDE

547.   Nous rencontrons un très jeune couple d'amoureux. Nous leur demandons l'âge qu'ils ont, dit l'Euguélionne.

— Nous avons seize ans tous les deux, dit la jeune fille. Nous allons nous marier.

Comme, un peu plus loin, nous apprenons que les gens de ce village ne vivent jamais au-delà de vingt-et-un ans, nous faisons remarquer que les jeunes fiancés que nous venons de rencontrer ne vivront pas plus de cinq ans ensemble, ce qui nous semble bien dommage.

— Pas le moins du monde, nous dit-on, car les années ici passent si lentement que seulement cinq ans nous en paraissent soixante...

À première vue, on peut trouver cela très astucieux, dit l'Euguélionne, car si cinq ans leur paraissent durer douze fois ce nombre, ils ont vécu déjà près de *deux cents ans* et ne se marient donc qu'en toute dernière extrémité, sans doute dans le but unique de se reproduire. Mais si l'on songe que ces « deux cents ans » se passent dans le « circuit intégré »...

548.   Nous apprenons aussi qu'il y a une Intelligence Supérieure qui détient le pouvoir et qui dirige tout ce petit peuple avec bonté, et sans jamais contraindre personne. Bien sûr, cette Super-Intelligence ne s'est jamais montrée. Et pour cause: elle est invisible! Complètement invisible!

549.   Il n'y a que des piétons dans ce village et ces piétons sont tous, soit des enfants, soit de jeunes adultes. Comme nous voulons nous déplacer et nous rendre à l'autre bout du village, nous constatons que la camionnette de Migmaki a disparu. Celui-ci, d'ailleurs, n'a pas reparu et Omicronne est désolée.

En apparence, il n'existe aucun moyen de transport sur ces lieux.

— Vous n'en avez pas besoin, nous dit un habitant du village. Je vais vous montrer comment faire. Vous n'avez qu'à vous placer les uns derrière les autres, à la queu-leu-leu. Le premier actionne alors une poignée invisible qu'il sentira très bien cependant sous sa main droite, juste à côté de lui, comme ça — et il mime le geste de tirer sur un levier de vitesse — et, aussitôt, vous partirez tous ensemble comme une flèche!

550.   Dominik veut être le premier, mais Exil et les autres insistent pour que ce soit moi qui me mette en tête, dit l'Euguélionne. L'adolescent y consent volontiers.

Ils se placent donc tous derrière moi, dit l'Euguélionne. Dans l'ordre suivant: Onirisnik, Alik, Omicronne, Dominik, Deltanu, Écho, Alyssonirik, Kappa, Exil.

— Tenez-vous bien, dit l'indigène.

Onirisnik me tient par la taille, les autres se tiennent, soit à la taille, soit aux épaules. Alors, je fais le geste recommandé par le villageois au premier de la file. Je sens vraiment dans ma main droite le pommeau tiède d'un levier de vitesse d'automobile. Je l'actionne et nous voilà tous transportés en ligne droite, à quelques centimètres du sol, comme si nous étions un ensemble homogène. Le temps d'un éclair et nous sommes à l'autre bout du village. Nous reprenons pied sans brusquerie, en douceur.

Ce trajet, si rapide, si court fût-il, a été pour tous absolument exaltant. Pour tous, sensation d'un rare bonheur, légèreté, ivresse de la vitesse sans l'anxiété qui souvent l'accompagne, triomphe sur l'espace et le temps...

551.   Nous apercevons Migmaki qui nous attend à côté de sa camionnette. Omicronne se sent soulagée. Mais pourquoi n'est-il pas
resté avec nous? Il aurait connu cette sensation délicieuse d'un voyage
encore plus rapide que dans sa camionnette.

— J'étais peut-être avec vous, qui sait, dit-il en riant.

— Cela nous a paru un instant, dit Onirisnik.

— Peu importe la distance à parcourir, dit Migmaki, un tel
voyage ne peut jamais durer plus d'un instant. C'est le transport qui
est instantané. Mais les sensations qu'il procure peuvent être inven-
toriées sur plusieurs longueurs de milles, et pas plus qu'à cinq milles
à l'heure... n'est-ce pas?

552.   J'ai l'impression très nette que Migmaki vient de nous jouer
un bon tour à sa façon, dit l'Euguélionne. Il nous regarde à tour de
rôle, et je vois se succéder dans ses yeux malicieux toutes les couleurs
du prisme solaire: le violet, l'indigo, le bleu, le vert, le jaune, l'orangé,
le rouge. Cette dernière couleur se fixe dans son regard quand ce
regard se fixe sur moi avec insistance, avec l'air de dire: « Eh bien,
qu'est-ce que tu en penses? » Quel gamin, ce Migmaki! Et je me demande qui il est, au juste.

— Comment se fait-il, lui dis-je, que nous n'ayons vu aucun
de ces villageois se déplacer de la sorte?

— Tout simplement parce qu'ils n'ont aucun besoin de se déplacer. Et surtout, parce qu'ils sont blasés de la vitesse. Tu comprends,
ils sont en mouvement accéléré à cœur de jour dans ce sacré « circuit
intégré ».

— Mais à quoi sert cette grosse machine, dis-je?

— Tiens, c'est une bonne question, dit Migmaki. À quoi ça
sert? Ma foi, je n'en sais rien. À vrai dire, je ne l'ai jamais su. Les
Mutants non plus, d'ailleurs.

533.   — Comment se fait-il, dit Omicronne, que tu puisses aller
chez eux à ta guise? Serais-tu un *Mutant* toi-même?

Migmaki éclate de rire.

— Moi un Mutant! Tu ne m'as pas regardé! Est-ce que j'ai
quelque chose de commun avec ces larves dociles qui s'intègrent elles-
mêmes à une machine aussi grosse?

LXXIX

QUELQUES ANNÉES-LUMIÈRE

Notre petite troupe remonte dans la camionnette et Migmaki
reprend le volant. Il conduit « normalement ». Il ne semble plus
pressé du tout.

554.   — Alors, ça sert à rien ce moyen de transport rapide qu'ils ont
quand même inventé, dit Dominik?

— Bien sûr que ça sert à quelque chose, dit Migmaki en clignant de l'œil du côté du jeune garçon. Ça sert à des gars comme toi qui viennent dans ce village en touristes et qui n'ont pas envie de marcher...

— Mais enfin, dit Exil, comment peut-on être aussi résigné? Ils n'ont même pas l'air triste... pas plus qu'ils n'ont l'air gai d'ailleurs...

555. — Voulez-vous savoir ce que j'en pense, dit Migmaki? Voilà plusieurs visites que je leur fais, à eux et à d'autres Mutants des environs. Eh bien, personne ne m'a jamais empêché de les approcher, de les observer, de les questionner. Ils se prêtaient tous volontiers à ma curiosité. Mais dès que sonnait la cloche qui les appelait au travail, il n'y a rien, rien au monde qui les aurait retenus de s'y rendre. Je n'ai jamais décelé chez eux des signes de doute, d'écœurement, de découragement, d'accablement. On dirait que leur destin est inscrit en eux depuis des millénaires comme l'ouvrière est inscrite dans la larve d'abeille et comme le papillon est inscrit dans la chenille. On dirait qu'ils sont mus par *l'instinct d'intégration* à ce circuit.

Un jour, j'ai essayé d'expliquer à l'un d'entre eux qu'il y avait autre chose dans la vie que cette grosse machine et que, de toute façon, aussi perfectionnée qu'elle fût, elle ne méritait certainement pas qu'il y passât sa vie, tout aggloméré à elle. Et puis quoi, ne pouvaient-ils tous ensemble en prendre les commandes et y incorporer autre chose qu'eux-mêmes, autre chose que leur forme gracile et uniforme, autre chose que leur temps et leur chair vivante? Il m'écoutait poliment et même avec beaucoup d'attention, en disant de temps en temps: « mais oui, monsieur », « c'est bien vrai ce que vous dites », « vous avez probablement raison, monsieur », mais quand la cloche a sonné, il s'est excusé et il est allé rejoindre les autres, sans aucune hésitation. C'était comme si j'avais perdu mon temps à convaincre la larve d'abeille que ce serait beaucoup mieux pour elle de se préparer à être papillon... Pour ce petit travailleur intégré à sa machine, je suis sûr que mes propos devaient lui paraître aussi saugrenus.

— Mais cette soi-disant Super-Intelligence-Toute-Puissante, ils n'y croient tout de même pas, dit Exil?

556. — J'ai une théorie à ce sujet, dit Migmaki. Ce n'est qu'une hypothèse, je te préviens. À mon avis, il y eut, dans des temps très anciens, quelqu'un de très puissant, ou un groupe de personnes omnipotentes, détenant tous les pouvoirs, qui ont fait construire cette grosse machine et qui ont organisé ce système de travail afin d'en tirer le maximum de profit. Le pouvoir s'est transmis à leurs descendants pendant quelques siècles, puis, cette oligarchie a totalement disparu et ne fut pas remplacée. Mais le système était si bien rodé, les gens s'étaient si bien adaptés à leur grosse machine, eux-mêmes étaient si bien rodés en tant que rouages et que parties intégrantes du circuit, leur chair s'était si bien fondue dans la grosse machine, elle s'y était si bien imprimée, si bien refaçonnée, leur peau en avait si bien pris les plis, elle s'était si bien polie au contact de son écrin métallique,

que ç'aurait été bien malheureux de couper un tel circuit... Ce n'était pas le rendement qui les attachait à leur machine, c'était leur parfait ajustement à celle-ci. Ça allait tout seul maintenant, on n'allait pas recommencer autre chose! De sorte que le tout a continué à fonctionner, même en l'absence définitive des Maîtres, à l'existence desquels ils n'ont pas cessé de croire pour autant, afin de ne pas être obligés d'arrêter la grosse machine. C'est pour la même raison qu'ils ont gardé leurs contremaîtres, afin que les ordres soient encore entendus et encore exécutés. Encore et toujours. Je ne vois pas de fin à cette aventure cocasse, puisque ces malheureux constituent eux-mêmes l'énergie motrice de la grosse machine et puisqu'ils renouvellent cette énergie à tous les dix-sept ans...

À mes yeux, continue Migmaki tout en conduisant la camionnette avec la même modération qu'il montrait depuis le début du trajet, à mes yeux, ils sont comme le pâle reflet d'une vieille étoile morte depuis longtemps et dont la lueur rosée parviendrait jusqu'à nous après avoir parcouru des milliards d'années-lumière!

— C'est effrayant de se représenter cela, dit Alyssonirik en frissonnant.

Et c'est en devisant ainsi que nous rentrons en ville sagement, dit l'Euguélionne. Omicronne décerna à Migmaki un certificat de prudence au volant et de bonne conduite. À mon avis, il y avait beaucoup de baisers sous ce certificat...

LXXX

UN BATEAU DE PLAISANCE

557.   Upsilong nous a invitées à faire une petite croisière sur son yacht, dit l'Euguélionne. Omicronne préférerait ne pas y aller car elle veut éviter de rencontrer Alfred.

— Viens donc, dit Exil. Viens avec Migmaki.

Toujours disposé à participer, Migmaki nous accompagne. Les enfants restent à la maison, Upsilong ayant jugé bon de ne pas les exposer à se faire écorcher vifs par sa délicieuse petite fille Étéa. De toute façon, c'est jour de judo et pour rien au monde nos aspirants à la ceinture jaune ne manqueraient un cours de leur *sensei*, un type tellement épatant! Écho et Deltanu arrivent au moment où nous partons.

558.   Epsilonne est en grande forme, comme d'habitude. Alfred a le regard aplati d'une ombre tapie au soleil. C'est à peine si Omicronne entre dans son champ de vision. « Tant mieux pour moi », se dit Omicronne. D'ailleurs, cet ex-mari perspicace ne devinera pas un seul instant les relations existant entre son ex-femme et le jeune homme que,

toutes les trois, nous appelons avec affection Migmaki. L'idée que la petite Omicronne puisse avoir un amant ne l'effleure même pas. Cela n'entre pas dans le vaste champ des possibles qu'il cultive derrière son front hautement humanisé.

559.   — Nous voilà en route pour Cythère, nous annonce Upsilong en nous versant à boire une seconde fois, la première ayant été ratée grâce aux bons soins de la petite Étéa qui vida tous les verres sur « l'étincelante nappe liquide qui nous entoure », suivant l'expression de son papa.

     — Étéa a cette douce manie de toujours renverser nos verres sur la nappe, explique-t-il avec indulgence. Il n'y a pas de raison qu'elle change ses habitudes sous prétexte qu'elle est sur l'eau, n'est-ce pas. Tenez bien vos verres, c'est le meilleur conseil que je puisse vous donner.

     Et encore bravo pour la petite Etéa! Exil commence déjà à regretter d'être venue, bien qu'elle adore naviguer. C'est elle qui tient la barre en ce moment.

     — « Cythère » n'est qu'à quelques nœuds du yacht-club. C'est une petite île sauvage où nous irons déjeûner. Nous nous ferons des grillades sur la berge, dit Upsilong.

560.   Étéa s'approche de moi, dit l'Euguélionne, et veut prendre mon verre. Elle menace de se jeter à l'eau. Je la regarde intensément.

     — Je vais te le donner, dis-je, mais tu devras me dire quelle couleur il a quand tu le regardes au soleil.

     Étéa est surprise. C'est vrai, c'est la couleur qui la fascine toujours dans les verres!

     — Il est tout doré comme le ventre de deux abeilles, me dit-elle en m'arrachant le verre et en tenant son regard fixé sur le liquide en mouvement. Il est tout noir comme les pattes entremêlées de deux abeilles collées ensemble. Les abeilles bourdonnent en se secouant et les abeilles se secouent en bourdonnant. Il faut chasser les abeilles, il faut les séparer et les chasser, il faut chasser les abeilles, chasser les abeilles!

     Elle se baisse comme pour les éviter puis jette mon verre par terre et se précipite, la tête dans les éclats. Sa tempe droite et ses cheveux noirs balaient le sol mouillé. Epsilonne est accourue pour la relever. L'enfant résiste. Elle lui donne des coups de pied dans les jambes.

561.   — C'est toi qui m'as jetée par terre pour chasser les abeilles. Il y a plein de poussière invisible par terre. Il y a plein de saletés camouflées. C'est toi qui m'as fait prendre cette position humiliante au ras du sol. C'est toi qui me maintiens la tête dans les saletés camouflées. Je ne t'ai pas crue quand tu m'as dit que tu me jetterais à l'eau. C'est par terre que tu me jettes toujours. C'est parce que c'est sale que tu me jettes toujours par terre.

     Upsilong la relève et, froidement, la remet entre les mains de la gouvernante. Il empêche sa sœur jumelle de s'en occuper.

188

Étéa a tout le côté droit du visage ensanglanté.

La gouvernante dit, pour l'excuser, et il semble que ce soient les seules paroles que cette femme ait jamais su prononcer:

562.   — Elle n'est pas commode, vous savez. Ça n'y paraît pas, mais elle a déjà ses cent ans révolus. Cent ans et des poussières...

Upsilong reprend le gouvernail qu'il avait confié à Exil le temps de nous faire les honneurs de son bateau.

LXXXI

D'UN ROUGE FLAMBOYANT

563.   De loin, nous apercevons des côtes.

— Nous n'y sommes pas encore, dit Upsilong.

— Qu'est-ce qu'on voit le long des côtes, dit Epsilonne? Ça a l'air bizarre...

Upsilong donne un coup de barre et nous nous approchons.

Sur des plaques hideuses d'huile luisante bordées d'écume, nous voyons une multitude de poissons morts couchés sur le flanc.

— Quelle horreur, dit Epsilonne!

— Éloignons-nous de cette macabre pollution, dit Alfred Oméga. Le lac est assez large pour que nous puissions éviter un tel spectacle.

La journée est pure et magnifique: un joyau ciselé dans un alliage de soleil et de... mercure!

Tandis qu'Alfred Oméga, qui boit et qui parle sans arrêt, raconte d'un seul souffle ses conquêtes « du temps de mon mariage », des poissons s'attroupent discrètement pour l'écouter, les ouïes bien calées, l'une sur l'eau, l'autre sur l'air...

564.   — Il y a eu d'abord l'Égyptienne à peine pubère qui prenait mes cours en « auditeur libre » avec beaucoup de dévotion; puis, la splendide lesbienne qui ne se laissait que regarder: prière de ne pas toucher; puis, la jeune bibliothécaire qui était la femme d'un de mes collègues et qui m'a presque violé: j'étais jeune marié alors et encore bien innocent...; puis, la jeune infirmière qui soignait ma femme à l'hôpital: la joie d'être père pour la première fois, vous comprenez...; puis, la jeune Eurasienne qui avait mille trucs dans son sac...; puis, la jeune patineuse « de fantaisie » qui avait épousé un homosexuel, la pauvre...; puis, la grande Anglaise qui rappliquait chaque fois qu'elle débarquait de Toronto; puis, la jeune comédienne qui s'est vengée avec moi de son vilain boy-friend; puis, l'épouse adultère qui voulait que je me cache sous son lit, croyant que son mari allait rentrer...; puis, la Bretonne aux gros tétons qui avait prêté sa maison à ma femme que j'avais expédiée au Mont St-Michel; puis, la plantureuse Hollandaise qui m'a fait visiter sa laiterie de fond en comble avec

permission de photographier...; puis, la petite épouse négligée de ce bon docteur Phipsi qui s'était entortillé dans les jupons d'Epsilonne; puis, la femme de mon meilleur ami, pendant des années et sans jamais attirer ses soupçons; puis, la jeune chanteuse débutante qui avait besoin de conseils professionnels; et puis, *quoi* encore... ah oui, la plupart des étudiantes potables de l'université; puis, puis, puis, il y en eut bien d'autres vous pensez bien; puis, il y a eu toi, ma chère Epsilonne, ma belle belle-sœur préférée, grâce à qui je me suis enfin assagi!

565. Omicronne écoute, bouche bée, n'en croyant pas ses oreilles. Des larmes couvrent son visage, qu'elle ne songe pas à retenir. Alors, elle s'approche de lui et lui crache dans la figure. Alfred s'essuie du revers de sa manche et la saisit vivement aux poignets. Il est fou de rage:

— Garce, dit-il. Tu vas te calmer, dis! Tu vas te calmer!

Omicronne n'a pas du tout l'intention de se calmer. Elle se débat furieusement pour lui faire lâcher prise:

— Lâche-moi! Je ne veux pas que tu me touches. Plus jamais! Tu as toujours nié avoir eu des maîtresses avant Epsilonne, lui crie-t-elle sans se soucier de nous qui sommes témoins de cette scène post-conjugale. Tu l'as toujours nié! Pendant toutes ces années, quand je te suppliais de faire l'amour avec moi, tu prétextais la fatigue, la dépression, un travail absorbant, tu te dérobais presque toujours. Et moi, je te croyais comme une dinde, je t'ai toujours cru!

— Ah oui, alors, ce que tu as pu être conne, ma pauvre Omicronne! Ce n'était pas une femme que j'avais épousée, dit-il aux autres, c'était une locomotive!

Alfred rit, il rit, il rit, il rit, il rit!

Omicronne bondit sur Alfred et, de ses deux poings fermés, lui martèle la poitrine:

566. — Espèce de faux jeton! Sale menteur! Tu m'as menti pendant dix ans! Je m'en fous de tes maîtresses! Que tu en aies eu cent mille ou un million! Je m'en fous de tes cent mille maîtresses! Mais pas de tes gros mensonges! De tes milliers de mensonges! Je les entends l'un après l'autre dans mes oreilles. Des milliers de jours et de nuits, tu m'as menti. Tu as pris un air hypocrite et tu m'as menti. C'est ça que je vois: ton air hypocrite. Entre les petits, la vaisselle et tout le tralala, voilà que s'amène le monsieur aux gros mensonges, le monsieur hypocrite. Il ne s'intéresse ni aux petits, ni à la vaisselle, ni à la laveuse de vaisselle, ce qui l'intéresse, c'est son gros mensonge! Est-ce que ça va prendre? Est-ce qu'elle va marcher? Mais si, voyons, c'est une locomotive! Elle marche toujours! Et surtout, pas de soupçons, s'il vous plaît! Le monsieur ne supporte pas d'être soupçonné! Confiance réciproque! Ce sont nos conventions! Il n'y en a pas d'autres! Il faut que la confiance règne dans un ménage! Autrement, ça ne peut pas marcher! Eh bien, ça a marché rondement nous deux! Pendant dix ans! Dix ans de confiance réciproque! C'est pas beau, ça?

Omicronne pleure de rage, Epsilonne essaie de la contenir.

— Ce que tu as pu être naïve, mon pauvre chou, dit-elle. Alfred est le plus fourbe des hommes que je connaisse. Mais moi, je le sais! C'est pourquoi je n'en fais pas un drame. Je l'ai su tout de suite, même avant que tu ne te maries avec lui.

Alfred rit encore:

— Toi, au moins, tu me comprends, dit-il à sa maîtresse.

— Comme c'est comique, dit Omicronne! Comme c'est drôle! Tu peux bien rire, il n'y a rien de plus drôle sur la terre que de faire marcher une locomotive!

Alfred rit de plus belle. Omicronne alors le gifle et le secoue avec une telle force qu'elle le fait chanceler. Migmaki essaie de la calmer, mais elle le repousse:

567.　— Même dans ta tombe tu auras un air faux, dit-elle. Ton corps sera un simulacre humain détaché de ta tête comme un mannequin démontable. Ta tête, ta tête hypocrite ne sera qu'une forme vide en tissu rigide recouverte de plâtre et fendue par le milieu. Et les gens qui ouvriront ton cercueil croiront à une sinistre comédie. Et ils réclameront *un vrai mort* et ils demanderont à être remboursés!

568.　Alfred ne rit plus. Il s'appuie au bastingage, il a peur de passer par-dessus bord. Et soudain, il se redresse brusquement, les yeux exorbités: « là, là, regardez... »

Il désigne quelque chose qui a l'air d'être collé au flanc du bateau. Nous nous penchons tous: une jeune femme flotte le long de la coque. Elle a les yeux clos. Elle porte un long vêtement blanc. Ses cheveux se sont pris un instant à la quille. Maintenant, elle dérive tout doucement.

Un enfant est accroché à ses cheveux. Il a la tête à moitié immergée. Seul émerge un œil à moitié ouvert au regard fixé par la mort. Ce regard est d'un rouge flamboyant.

D'autres cadavres flottent, flous et mouvants, suivant le bateau, dans de larges robes d'indienne, en compagnie des poissons.

Upsilong met les gaz. Il réussit à les semer. C'est un soulagement pour tout le monde.

569.　Nous arrivons à « Cythère ». Personne n'a le courage de débarquer pour se faire griller des steaks sur la rive infestée de poissons morts.

LXXXII

L'ALLIANCE

Donc, dit l'Euguélionne, nous nous éloignons de cette « île sauvage » et Upsilong met le cap sur un groupe d'îles plus hospitalières et... « habitées par du vrai monde » précise-t-il.

570.   Le soleil est encore très haut et son ardeur nous semble moins inquiétante que la fraîcheur de l'eau environnante... Epsilonne est allée enfiler un bikini. Upsilong garde son beau costume de capitaine au long cours et sa casquette bleu marine qui lui va si bien. Omicronne et Alfred sont retournés à leurs antipodes... Migmaki promène sur le groupe un surprenant iris mauve extrêmement pénétrant.

Personne n'a envie de parler. Chacun, ou presque, se laisse aller à sa somnolence.

Et soudain, Migmaki rompt ce silence, cette torpeur. Face au soleil, face au lac devenu fleuve, le voilà qui dit d'une voix forte:

571.   — Moi, Migmaki, *je cherchais la femme de mon espèce!* Et je l'ai trouvée! Je l'ai trouvée!

Il se retourne vivement vers nous, la joie éclate dans ses yeux verts émeraude. Il fait une pirouette, évitant de justesse de passer par-dessus bord.

— Moi, dit Migmaki, moi dont le nom signifie *alliance* en langage *cri*, j'ai dupé une fois cette femme, mais c'était par jeu, par gaminerie, sans méchanceté, c'était surtout pour la mystifier. Je jure aujourd'hui qu'elle ne sera jamais ma dupe, ni la dupe de personne, si elle veut commencer à vivre enfin, et si elle veut bien *que cette vie soit proche de la mienne.*

572.   Upsilong est intéressé, il prête l'oreille. Qui c'est cet énergumène?

Alfred regarde chaque femme tour à tour. Je lis ses pensées sur son visage, dit l'Euguélionne. « Est-ce que c'est Exil la femme que ce grand con là dit qu'il a trouvée? Est-ce l'amie d'Exil, qui ne parle pratiquement jamais? Ou Omicronne? Bah! Impossible que ce soit Omicronne! C'est peut-être Epsilonne... »

Une cloche d'alarme vient de sonner dans la cervelle d'Alfred. Il se redresse. Non, cet étranger ne lui prendra pas Epsilonne, sa « plus belle conquête ».

Epsilonne a l'air de voir Migmaki pour la première fois. Elle le jauge de la tête aux pieds. « Pas mal, pas mal du tout! » Elle se demande comment il se fait qu'elle ne se soit pas mise en frais pour lui. Il n'est pas trop tard. D'ailleurs, ce bikini qu'elle porte est très *sexy*.

Epsilonne jette un regard sur son propre corps. Peau bronzée à point. Perfection de la ligne. Tout y est. Elle enlève ses lunettes de soleil: ses yeux aussi méritent d'être appréciés, car ils sont à la fois beaux et intelligents...

573.   Exil et moi nous nous regardons en souriant car nous savons bien de qui il s'agit. Omicronne aussi sourit. Elle s'avance d'elle-même vers Migmaki et met sa main dans la sienne.

Alfred se frotte les yeux. Il y a sûrement erreur. Ce garçon va le lui faire comprendre à cette pauvre conne... Mais non, il garde la main d'Omicronne. Il serre même cette main très fort... Pas possible! On aura tout vu! C'est d'un ridicule! Omicronne avec ce... avec ce... Et lui, avec cette... avec cette petite conasse insignifiante! Mais...

mais c'est MA femme qu'il veut prendre ce salaud! Et maintenant, qu'est-ce qu'il fait grands dieux! C'est pas vrai! Il est cinglé ce gars-là!

574.   Migmaki a commencé à se dévêtir lentement. Omicronne a un instant d'hésitation, elle regarde Migmaki dans les yeux, puis, elle retire son chemisier, son short, son slip.

Les voilà tous deux complètement nus et faisant face à notre petit groupe. Ils se regardent et se tiennent par la main. Les yeux de Migmaki sont dorés et ardents, ceux d'Omicronne sont très noirs avec des reflets dorés.

Epsilonne dévore Migmaki des yeux. « Ça, par exemple! se dit-elle. Mais... Il est beaucoup mieux qu'Alfred ce mec-là! Où Omicronne a-t-elle pêché un beau gars pareil? Ce n'est pas son genre! Il est plus jeune qu'elle d'au moins cinq ou six ans! Ce type-là n'a pas plus de vingt-cinq ans, ça, je pourrais le jurer! »

Très excité, Upsilong laisse la barre pour venir voir le spectacle de près. Pour un peu, il prendrait sa caméra. Ah! il n'aura pas manqué sa journée! Il faudra qu'il le réinvite, ce garçon: un original dans son genre, ça ne se trouve pas à tous les coins de rue... C'est des gens comme lui qui mettent du piquant dans une surprise-partie! Et puis, cette petite Omicronne, elle n'est pas mal, la frangine... Elle aussi a du piquant, ma parole!

575.   Omicronne et Migmaki se sont tournés l'un vers l'autre et se touchent mutuellement au visage, longuement, comme s'ils avaient, l'un et l'autre, beaucoup de traces à y effacer.

Enfin, ils se jettent dans les bras l'un de l'autre et se tiennent ainsi embrassés longtemps, les yeux clos, très longtemps, sous le soleil éclatant, car ils ont une alliance nouvelle à contracter, ils ont une alliance difficile à susciter entre eux et à garantir pour des siècles à venir.

LXXXIII

LE FAISCEAU D'OISEAUX

576.   Nous jetons l'ancre quelques heures plus tard, dit l'Euguélionne. Comme il n'y a pas assez de place à bord, nous cherchons un gîte pour la nuit. Epsilonne a convaincu Alfred de rester dans la cabine, bien que celui-ci ait la hantise de toute cette pourriture qui a flotté dans la journée sur le lac. Étéa et sa gouvernante sont aussi demeurées à bord. Upsilong nous accompagne.

Nous entrons dans une auberge rustique dont la véranda surplombe le fleuve.

La salle à dîner est au rez-de-chaussée. Elle est toute en longueur, les tables longeant un mur vitré, entièrement couvert de fenêtres à petits carreaux. Les nappes aussi sont à carreaux, rouges et blancs.

À la fin du repas, Upsilong qui admire la carrure de Migmaki lui propose de jouer dans son prochain film. Quant à nous, nous assistons, fascinées, au coucher de soleil sur le fleuve. Le soleil se déploie en se déchiquetant, comme si le regard fixe de l'enfant empoisonné envahissait l'horizon de sa flamme tantôt prisonnière.

Sur le mur d'en face, une série de portes conduisent à de petites chambres à coucher. Nous voyons un homme sortir de l'une de ces chambres.

577.   — Ça y est, j'ai le coup de foudre, me dit Exil en m'envoyant son coude dans les côtes!

L'homme a en effet tout ce qu'il faut pour plaire à une femme comme Exil. Le moins qu'on puisse dire, c'est qu'il n'a pas l'air d'une mauviette. Toutefois, son regard limpide a une fixité qui n'est pas naturelle. Près de lui, je remarque la présence d'un gros saint-bernard.

— Il doit être aveugle, chuchote Exil. C'est drôle, tantôt, en le voyant, j'ai eu tout de suite envie de coucher avec lui. Maintenant que je sais qu'il est aveugle, mon désir s'amplifie…

Nous sortons tous pour marcher un peu dans l'air tiède teinté de lumière. Exil, tout naturellement, prend le bras de l'aveugle et dirige sa marche.

578.   Soudain, il se met à pleuvoir. Un rideau de pluie fine que le soleil couchant illumine.

Vers la droite, il y a une butte faite d'un tas de rebus et de vieux tuyaux entassés.

Exil fait monter l'aveugle sur ce monticule et réussit à le faire tenir là, en équilibre. Elle lui explique qu'ils sont maintenant plus près de la beauté du ciel et de la pluie.

Dans le ciel, justement, on voit venir une espèce de Robin des Bois volant muni d'arc et de flèches, tenant dans sa main droite, comme des ballons gonflés au bout de leurs ficelles, un faisceau d'oiseaux palpitants qu'il balance de droite et de gauche et lâche soudain dans l'espace. Les oiseaux, étourdis, retrouvent leur envergure et prennent lentement leur envol.

Exil décrit la scène minutieusement à son compagnon. Le spectacle, à travers la pluie lumineuse, est d'une beauté sans pareille.

579.   Mais voici que notre archer, qui est bien près d'atterrir, se met à tirer sur ces beaux oiseaux que lui-même a tantôt apportés du fond de l'horizon.

Transpercées par les flèches, les pauvres bêtes ondulent, tanguent, chavirent, viennent mourir aux pieds du Héros, sur la plage où lui-même vient enfin d'atterrir.

580.   Upsilong est ravi. Il se servira sûrement de cela dans son prochain film.

Omicronne pleure doucement. Migmaki respecte sa détresse.

Lui aussi est fortement ému. Exil et moi-même sommes atterrées, dit l'Euguélionne.

581. — Ce monde où s'est déroulé ce drame, dit Exil à l'aveugle, est un monde parallèle au nôtre, n'en doutez pas. La plage déserte où nous sommes et qui s'étend maintenant à perte de vue, était d'abord un champ près d'une auberge... Un champ limité par l'horizon et coiffé d'un ciel couchant. Le ciel est devenu la mer, dit Exil à l'aveugle, et les oiseaux, crevés comme des ballons, appartiennent à un autre monde, n'en doutez pas, je vous en supplie!

O toi, dont les yeux ont le pouvoir de rejeter les spectacles cruels, comme une mer étale renvoie à la terre les victimes dont elle n'est pas responsable, ô toi, dit Exil à l'aveugle d'une voix devenue à peine audible, je t'en prie, caresse-moi, caresse-moi de tes mains voyantes, à perte de vision. Et moi je te caresserai, dit Exil, de mes pauvres mains aveugles, jusqu'à ce qu'elles s'ouvrent à la lumière.

LXXXIV
TÊTES DE BOUCHERIE

582. Exil a revu cet aveugle qu'elle a surnommé *Argus*. Et Argus l'a « revue » avec beaucoup de joie, dit l'Euguélionne. « Ses mains musiciennes et son corps musicien, dit Exil, ont vu plus de paysages que mes yeux voyageurs. Ce sont ces paysages étrangers qu'il transmet à mon corps quand il le caresse. Et quand nous faisons l'amour, dit-elle encore, c'est pour partir à la recherche de paysages nouveaux. Nous allons très très loin comme cela! Toujours plus loin. Je me demande quand nous allons nous arrêter, et où! »

583. Exil est envoyée par son journal dans un pays en guerre (le photographe est déjà sur les lieux) et me demande de l'accompagner, dit l'Euguélionne. Nous laissons les enfants à Omicronne et Migmaki. Pendant la journée, ces derniers se rendent à leur travail et les premiers à l'école. Quand tout le monde est de retour, les tâches quotidiennes sont distribuées et varient en importance pour chacun, *selon l'âge*. Migmaki ne laisse pas son pénis au vestiaire quand son tour arrive d'essuyer la vaisselle ou de passer l'aspirateur. Le petit oncle Écho et Deltanu, l'un professeur de judo et d'éducation physique, l'autre étudiante en médecine, viennent souvent faire leur tour à la maisonnée. Ils parlent même d'y déménager leurs pénates, mais pour l'instant, l'espace est trop restreint. Omicronne s'est remise à peindre. Migmaki apprend aux jeunes à sculpter et à se servir de leurs mains. « Il faut « lâcher » les gens dans la couleur et la matière, dit-il souvent, c'est le seul chemin qui ramène à la nature et à l'univers des formes. »

584.   Exil aurait bien aimé qu'Argus nous suive dans notre expédition en terre étrangère, mais il est retenu à la ville par des récitals d'orgue qu'il ne peut remettre.

Nous partons donc toutes les deux. C'est la première fois, dit l'Euguélionne, que je prends un avion de la terre. C'est très impressionnant. Ce n'est pas du tout comme nos ascenseurs verticaux et horizontaux. Les sensations sont absolument différentes.

585.   Nous atterrissons sur une île déserte. « Par précaution », nous dit-on. Pas tout à fait déserte, car il y a là un baraquement où nous pouvons aller nous reposer. Il est habité, paraît-il, par des jeunes filles asiatiques, toutes très jolies. Elles attendent comme nous un bateau qui les amènera sur le continent.

Cette escale forcée m'agace et j'ai peur qu'elle ne se prolonge. Une telle prudence n'est-elle pas exagérée? Soudain, cette prudence se justifie d'elle-même avec brutalité quand je vois notre avion, à peine décollé de l'île, se faire abattre en plein vol et sombrer dans la mer.

Exil n'en revient pas. Elle est toute secouée par la vision de la chute spectaculaire de notre bolide.

586.   Nous retournons à notre baraque pour nous détendre un peu. Nous commençons à la visiter. On nous avait pourtant dit qu'elle n'était habitée que par des femmes, comme les autres baraques, et voilà que, dans chaque chambre où nous entrons, nous apercevons un lit défait, et, de chaque lit, se lève précipitamment un homme s'habillant à la hâte et essayant de se dissimuler. Il semble bien que ce soient des marins étrangers à cette île.

587.   Nous ressortons et voyons approcher un grand chaland où sont entassées, en compagnie de phoques, des têtes humaines géantes montées sur des socles. Ces socles sont blancs, ronds et hauts comme des faux cols empesés. Phoques et têtes humaines s'en vont à l'abattoir, car ce sont tous des animaux de boucherie.

Le bateau convoyeur passe tout près du quai où nous sommes. Je regarde d'abord les phoques et me demande jusqu'à quel point ces animaux ne sont pas conscients de leur sort et pourquoi ils ne se révoltent pas, car il y a dans leurs yeux quelque chose d'étrange, comme un ferment de révolte.

Et voici qu'une des têtes humaines qui glissent sagement sur l'eau en compagnie des phoques, entre brutalement dans mon champ de vision. Je la vois en *close-up*. C'est une tête d'homme de deux fois la taille normale. Ses cheveux sont blonds, ondulés. La figure ressemble un peu à celle des héros médiocres de certains films occidentaux.

Cette tête est bien vivante. Mais elle a l'air de ne pas se rendre compte de la situation. Son visage long et large est assez marqué: c'est celui d'un homme mûr. Mais son air est absent, indifférent. Ses yeux sont dans le vague, comme drogués. Ils n'expriment même pas la résignation.

Cette tête est impressionnante, à cause de sa taille bien sûr et de l'absence de son corps, mais aussi à cause de la façon dont elle se tient debout, toute raide, sur son col.

Ainsi m'apparaissent d'ailleurs toutes les autres têtes installées sur la péniche. Celle-ci poursuit sa route tandis que nous embarquons sur un autre bateau qui vient d'arriver. Nous sommes bientôt prêts à partir. Nous emmenons les jeunes asiatiques avec nous ainsi que les marins étrangers.

588.   — Tu ne trouves pas, dit Exil, que les marins ressemblent drôlement aux têtes de boucherie qui viennent de passer silencieusement sous nos yeux...

LXXXV

UN MÉTIER INFECT

589.   Nous prenons un taxi au quai de débarquement, dit l'Euguélionne, et nous nous faisons conduire au cœur de la ville où nous avons retenu un petit appartement pour la durée de notre séjour.

L'appartement est situé à l'étage d'une petite maison extrêmement simple et dépouillée. Il est terminé, à l'arrière, par un minuscule balcon donnant sur une cour intérieure fermée par un mur de pierre.

Nous sortons toutes les deux sur ce balcon. La cour est très sombre. Soudain, nous tressaillons: la cour est remplie de soldats au garde-à-vous. Chacun d'eux a l'air d'une sentinelle en devoir.

590.   Juste sous le balcon, il y a une terrasse rectangulaire en tuiles de ciment. Au milieu de cette terrasse, un enfant aux yeux bridés, le cou dans un carcan, marche le long de sa chaîne, sous la poigne d'un soldat très costaud qui le menace de sa mitraillette.

Exil suffoque d'indignation.

591.   — Vous n'avez pas honte d'enchaîner un enfant, crie-t-elle, rouge de colère, au soldat interloqué qui s'est arrêté de faire les cent pas avec l'enfant. Enlevez-lui ses chaînes immédiatement, ordonne-t-elle avec force.

592.   Le soldat lève la tête. Il lève sa mitraillette vers nous. Nous ne bronchons pas. Puis, décontenancé tout à fait, il libère l'enfant et grimpe au balcon en trois sauts.

Il entre dans la cuisine et nous demande doucement, d'un air las, de lui faire du thé pour lui et sa compagnie.

Je dis à Exil que je m'occupe de cela. Je cherche sur les étagères un récipient pour faire bouillir de l'eau, je cherche aussi une théière. Je ne vois rien qu'un pot à fleurs bariolé fait d'un obus sectionné, et qu'une cruche en plastique. Je suis perplexe et passablement irritée de l'intrusion du soldat. Je me demande avec anxiété ce qui est arrivé à l'enfant.

Pendant ce temps, le soldat a déposé ses armes: une mitraillette, un fusil et une baïonnette. Il s'est aussi débarrassé de son uniforme. Il apparaît en chemise et en pantalon. Il est très séduisant ainsi. Il fourrage dans le corsage d'Exil qui se défend mollement. Il est clair qu'elle trouve le jeu agréable, mais qu'elle ne peut pas s'abandonner à cause du métier infect de cet homme, bien que cet homme ait consenti à libérer l'enfant, et cela, elle ne l'oublie pas.

593.   — Depuis quand laisse-t-on les enfants en liberté, lui demande-t-il tout en la lutinant?

594.   Tout à coup, nous entendons une rafale de mitraillette. Je me précipite sur le balcon et j'ai le temps de noter qu'Exil veut en faire autant et qu'elle se débat, vigoureusement cette fois, car elle est retenue par la solide poigne du soldat dont le visage a changé d'expression: il a maintenant l'air d'une brute sauvage.

595.   Du balcon dit l'Euguélionne je vois l'enfant affolé courir en tous sens poursuivi par les soldats qui l'empêchent de sortir de la cour et font péter leur mitraillette taratata je me dis qu'ils veulent seulement lui faire peur et je trouve ce jeu cruel je décide d'intervenir mais il est trop tard une de leurs balles taratata atteint l'enfant qui tombe et une de leurs balles atteint l'enfant qui ferme les yeux et l'enfant ferme ses yeux bridés pour toujours et pour toujours l'enfant perd son sang précieux et pour toujours la vie s'échappe de l'enfant et pour toujours il est assassiné et pour toujours il court pour toujours affolé et toujours les soldats tirent à vue sur lui c'est un exercice de tir à peine palpitant plutôt routinier de quoi seulement se mettre en forme et pour toujours cet enfant n'aura jamais vingt ans et pour toujours il ne fera jamais l'amour en voilà un de moins ouf un de moins encore aujourd'hui sans compter les autres ouf on a bien failli le manquer heureusement qu'on était plusieurs à tirer!

596.   Quand je rentre enfin dans l'appartement, dit l'Euguélionne, je vois Exil qui gémit par terre, les jambes écartées. Son pantalon a été tailladé à plusieurs endroits: sans doute a-t-il été ouvert à coups de baïonnette. Le soldat a fui. Exil est en vie.

LXXXVI

UNE PATINOIRE DE LUXE

597.   Je prends Exil dans mes bras et je la berce doucement, c'est la deuxième fois que je la vois pleurer dit l'Euguélionne c'est la première fois que je la vois flancher elle ne se révolte pas elle ne dit pas dans un accès de colère le salaud le salaud j'aurai sa peau elle

sait d'instinct que l'enfant a été abattu mais non pas abattu on n'abat pas un enfant ce n'est pas un arbre ni une terre à bois c'est un brin d'herbe qui pousse on n'abat pas un brin d'herbe on le fauche un enfant c'est la moisson à faucher c'est bien ce que comprennent les soldats elle ne pleure même pas sur elle la chère Exil elle ne pleure même pas sur elle dont la chair a été violentée et humiliée la pauvre Exil elle pleure peut-être sur ses propres enfants qui ne sont pas nés à la guerre et qui n'ont pas été abattus aujourd'hui la peur rétrospective de voir soudain l'un de ses enfants Kappa par exemple enchaîné puis libéré puis tiré à vue par des soldats cette peur rétrospective la fait gémir la vaillante Exil la honte rétrospective de voir un de ses enfants Dominik par exemple être un de ces soldats qui tirent à vue sur des enfants cette honte rétrospective la fait gémir la vaillante Exil la douleur rétrospective la fait gémir la vaillante Exil la douleur de voir sa fille Alyssonirik par exemple se faire violer à mort par des soldats cette douleur rétrospective la fait gémir la vaillante Exil ses bébés elle les sent se dissoudre entre ses jambes écartées elle les sent se fondre et tomber l'un après l'autre ses trois bébés et elle entrevoit leurs yeux noirs qui se ferment pour toujours et pourtant il y a le soleil à voir et la vie à prendre à leur âge pauvre chère Exil ma pauvre amie ma pauvre sœur exilée exilée on ne sait d'où on ne le saura jamais d'où Exil est exilée et pourquoi est-ce ici qu'elle a échoué sur cette planète déboussolée qui fait la guerre aux enfants et qui nourrit les hommes à la mamelle avant de les envoyer à l'abattoir quel reportage feras-tu mon petit soldat quand tu seras de retour dans ton pays et quelle histoire inventéras-tu pour les oreilles d'Argus?

598.   Le lendemain, nous nous promenons toutes les deux à travers la ville et nous avons la surprise de trouver en pleine place publique deux superbes patinoires bien polies remplies de glace artificielle, l'une pour les filles, l'autre pour les garçons.

599.   Mais il y a quelque chose qui ne va pas. La patinoire des garçons est pleine d'activités, de rires et de courses folles, celle des filles semble inerte mais pleine de cris sauvages. Nous nous apercevons bientôt que cette dernière patinoire est truquée: une accumulation soudaine de neige artificielle empêche tout mouvement et rend tout repli impossible.

Du fond de cette patinoire, des soldats, de temps en temps, visent les filles avec leurs fusils et en abattent quelques-unes. J'en vois un qui vise une très jolie fille empêtrée dans la neige avec ses patins et c'en est une autre qu'il atteint à la tête. Sans se décourager, il recharge son fusil et vise la première, calmement. Cette fois, il ne va pas la rater. La fille le voit et se jette de côté. Mais le soldat a deviné son mouvement et il tire. La fille tombe et son sang fait de jolis dessins dans la neige éclatante.

Nous demandons aux garçons de l'autre patinoire la raison de ce carnage:

— Ne savez-vous pas que nous sommes en guerre, disent-ils sans se troubler?

— Mais pourquoi ces soldats s'acharnent-ils sur les filles?

600.   — Ne voyez-vous pas qu'elles ne savent pas se défendre et qu'elles sont trop gourdes pour s'échapper? Ce sont des cibles rêvées pour des apprentis soldats, ne trouvez-vous pas, disent ces garçons bien élevés?

LXXXVII

UNE FORMULE INDOLORE

Avant de sortir de ce pays en guerre, dit l'Euguélionne, il nous est offert complaisamment de visiter un camp de concentration que les occupants ont construit pour garder leurs prisonniers.

601.   — C'est si propre, si hygiénique, si comme il faut, nous dit-on. Rien à voir avec les camps inhumains de la dernière guerre mondiale. Et puis, *c'est régi par des gens d'ici* soigneusement sélectionnés et parfaitement entraînés par les occupants eux-mêmes, dans le propre pays de ces derniers!

On nous fait entrer dans un immense bâtiment. On nous présente aux deux bienveillants directeurs dont l'un n'a pas de lunettes à monture de corne, ni de bonne grosse moustache toute noire ni une belle grande chevelure toute grise, et dont l'autre est pourvu de tout cela en abondance.

Puis, la visite des lieux commence en compagnie d'un guide aimable.

— C'est comme nos prisons modernes, me chuchote Exil: elles n'ont pas de quoi nous surprendre. Tout est là pour le confort du prisonnier, homis l'espace individuel et une petite chose apparemment superflue qui s'appelle *la liberté*.

À mesure qu'avance notre visite, je sens peser je ne sais quoi de monstrueux sur les membres de cette société disparate composée de femmes et d'hommes de tous âges, ainsi que d'enfants de toutes dimensions.

602.   Notre cicerone nous explique en souriant comment l'on procède avec les prisonniers. Un jour, qui n'est jamais connu d'avance, on amène la personne désignée à la clinique où on lui fait subir une intervention chirurgicale d'un type tout à fait spécial. Quand cette personne se réveille — car l'anesthésie est de rigueur chez nous et nos opérés ne souffrent absolument pas — elle est devenue une personne complètement différente: MAINTENANT, ELLE NE S'APPARTIENT PLUS. Dorénavant, elle est la chose docile de ses maîtres,

c'est-à-dire des deux hommes qui dirigent l'établissement. Ces deux hommes — des compatriotes bien de chez nous remarquez — ont alors tout pouvoir sur elle, physiquement et mentalement. N'est-ce pas une bonne formule pour obtenir tout ce qu'on veut sans provoquer de drames de conscience? Une formule humaine, humanitaire même je dirais, qui a l'avantage d'être tout à fait indolore pendant et après. Eh oui, après aussi naturellement, car, peu importe ce que ses maîtres feront de cette personne après l'opération, comme elle leur est acquise sans réserve, elle sera heureuse de son sort. Voilà comment nos chers directeurs veillent au bonheur de leurs sujets. Ah et puis, j'insiste: nous avons d'excellents anesthésistes. Ce n'est pas seulement un devoir mais c'est une nécessité, voici pourquoi: l'opération comporte, en plus de l'inévitable lavage de cerveau, différentes phases expérimentales qui font la joie de nos chercheurs scientifiques. Enfin, il arrive très souvent que l'opération se termine par la castration des hommes et l'infibulation des femmes. Sur les jeunes filles, on ne pratique que la clitoridectomie, car les directeurs ont besoin d'elles pour des offices bien précis... Vous comprenez, un homme est un homme, fût-il un grand directeur!

603.   Ce discours ne nous étonne même pas: nous en avons telle-ment vu et entendu jusqu'à ce jour. L'horreur semble être devenue notre pain quotidien.

Exil et moi, nous observons les détenus qui sont passés par la redoutable intervention « indolore ». Ils sont faciles à reconnaître. Leur comportement ressemble à celui des forçats *du 9 à 5* que j'avais remarqués dans le pays d'Exil, ou à celui de la masse des électeurs de ce même pays, allant aux urnes les yeux bandés, résignés à se faire duper une fois de plus. Ceux-là aussi ne s'appartenaient plus.

Les détenus que l'on repère comme étant « opérés » ont les yeux vides, leurs gestes sont mécaniques, ils ont l'air las quand ils ne travaillent pas, ils attendent des ordres, voilà semble-t-il la seule chose qu'ils attendent de leur vie, exactement comme les Mutants de Migmagi, sauf qu'ici les maîtres sont bien réels. Que les ordres soient bénins ou qu'ils soient purement ignobles, ces nouveaux escla-ves ne voient pas la différence. Ils obéissent, un point c'est tout. Ils appartiennent vraiment à leurs maîtres et sans en souffrir. Voilà la nouveauté dans cette antique relation: *l'esclave ne souffre plus.* C'est ce qu'on appelle l'évolution d'une civilisation.

604.   Exil me dit qu'elle a envie de leur crier de chercher à rede-venir eux-mêmes coûte que coûte, par n'importe quel moyen, et de se ficher de leurs oppresseurs. Mais elle n'ose pas, elle a peur de se faire remarquer et de se voir *désigner* à son tour, bien que n'étant là qu'en visite.

605.   Dans l'aile du bâtiment aménagée en clinique, il y a une nursery. Une jeune fille est là, entourée de bébés, elle vit parmi eux, elle ne voit qu'eux, ne jure, ne respire que par eux. Cependant,

tous les gestes qu'elle fait pour eux sont automatiques. Il est vain de chercher à trouver, émanant d'elle, une parole ou une pensée personnelles, même sur son « métier » : c'est un robot de la puériculture. Notre guide nous dit qu'elle est de service une fois la semaine dans le lit de l'un des deux directeurs. Ce jour-ci n'étant pas celui de son « service de nuit », nous n'obtenons d'elle qu'un regard étonné quand nous la questionnons sur ses activités nocturnes hebdomadaires. Elle semble vraiment n'être pas au courant...

606.   Dans l'après-midi, nous sommes invitées à participer à une excursion avec un groupe de non-encore-opérés sous la surveillance du moustachu lui-même, assisté de deux infirmiers et de six gardes du corps, tous ces collaborateurs étant naturellement des « opérés » sûrs, depuis longtemps mis à l'épreuve et ayant donné entière satisfaction.

Nous entrons dans un bois magnifique et soudain le moustachu arrête notre promenade et annonce à une jeune femme que son heure est arrivée, qu'elle devra « y passer » l'après-midi même.

Cette jeune femme, d'une trentaine d'années, est accompagnée de son mari et de sa fille âgée d'environ dix ans. Cette petite famille m'a semblé très unie. Je ne parviens pas à m'imaginer que bientôt l'un de ses membres « ne s'appartiendra plus » !

Mais voilà que la jeune femme *désignée* s'insurge contre cette décision. Alors que les deux infirmiers s'emparent d'elle, elle résiste de toutes ses forces, elle appelle son mari qui essaie d'entraver l'action des infirmiers mais qui est vite mis hors d'état de leur nuire par les gardes-chiourmes du moustachu. Le pauvre homme sera maintenu par eux jusqu'à la fin de notre randonnée.

L'enfant s'est précipitée sur sa mère, elle est brutalement jetée par terre et c'est Exil qui la remet sur pieds et qui essaie de la rassurer. Les infirmiers emportent la jeune femme à son corps défendant, toute sa volonté est tendue à ne pas se soumettre. On l'entend crier que rien au monde ne lui paraît plus terrifiant, plus irréversible, plus inhumain, plus révoltant, que l'intervention qu'on veut lui faire subir. Son enfant veut la suivre, car nous, nous allons en sens opposé, le moustachu nous ayant ordonné de poursuivre notre promenade. Exil persuade la fillette qu'elle verra bientôt sa maman.

Pendant que nous continuons cette balade forcée dans les bois, le moustachu me sussure à l'oreille que cette femme a vraiment fait un drame avec rien, puisqu'elle ne sentira strictement rien. Ne sera-t-elle pas endormie ! Il hausse les épaules. « On a toujours des difficultés avec les femmes », conclut-il. Puis, il reprend la conversation où il l'avait laissée avant cet « incident » et il l'alimente de façon fort civile...

DEUX CHIFFRES ÉNIGMATIQUES

607.   À notre retour au camp de concentration, nous remettons l'enfant à son père, dit l'Euguélionne. Après le dîner, nous demandons à revoir la clinique. Nous passons un bon moment dans les salles, examinant les installations en chirurgie, visitant les nouveaux « opérés ». Un murmure nous parvient, puis des lamentations, et bientôt, nous rencontrons la jeune femme qu'on avait emmenée dans l'après-midi: elle se traîne dans les couloirs, elle est dans un état affreux.

— C'est un malheur épouvantable, c'est un malheur qui est peut-être irréparable, geint-elle dès qu'elle nous voit.

— Que t'ont-ils fait, dit Exil?

608.   — ILS ONT COUSU MON SEXE sur toute sa longueur, nous dit-elle! Quelle humiliation! Il faut que je voie un médecin tout de suite!

— Mais… tu sembles avoir gardé intacte toute ta révolte! Ne t'ont-ils pas fait un lavage de cerveau comme aux autres?

Elle paraît étonnée de cette question. À ce moment, le moustachu passe près de nous. Elle lui prend le bras et lui dit avec indignation ce qu'ILS lui ont fait. S'IL avait su cela, LUI, elle est certaine qu'IL ne l'aurait pas laissée aux mains de ces horribles infirmiers. Et comment maintenant pourra-t-elle accomplir ses fonctions naturelles, comment pourra-t-elle avoir ses menstruations? Elle ne songe pas à demander comment elle pourra faire l'amour avec son mari désormais.

609.   Le moustachu la rassure paternellement. Elle n'a pas à s'en faire. D'abord, il y a ici tout ce qu'il faut pour soigner les néphrites, advenant le cas; quand à ses menstruations, c'est fini dorénavant, elle en est définitivement débarrassée, Dieu merci!

Elle s'étonne: elle est encore loin de sa ménopause… Mais lui, sibyllin, lui fait cette réponse: « Bah, vous savez, petite madame, vous n'avez qu'à vous souvenir de ceci: QUATORZE et SOIXANTE-DIX-NEUF. Alors, n'est-ce pas… »

Il fait un geste évasif, puis il prend congé d'elle et de nous.

La jeune femme semble avoir oublié complètement l'existence de son mari et de sa fille. Elle se creuse la tête pour essayer de comprendre les dernières paroles du directeur moustachu, son nouveau Maître.

610.   — À la rigueur, nous dit-elle, le chiffre 14 peut correspondre à l'âge des premières menstruations, bien que, pour moi, cela se soit produit à 12 ans. Mais le chiffre 79 ne veut certainement pas signifier la fin des règles… À moins que l'intervalle entre ces deux chiffres ne représente la période pendant laquelle une femme peut faire

l'amour... FAIRE L'AMOUR! Cela me dit quelque chose... Qu'est-ce que c'est au juste?

En sortant de l'établissement le soir de ce même jour — car nous avons décliné la « gracieuse » invitation des deux directeurs à passer la nuit au camp — nous demandons à notre guide comment il interprétait ces deux chiffres avancés par le directeur moustachu. Il nous dit d'abord qu'il n'a aucune opinion à ce sujet. Puis, il ajoute:

611.   — À mon avis, ça ne veut rien dire, mais ça intriguera suffisamment la bonne femme pour qu'elle pense à ça pendant un bon bout de temps et cesse de se lamenter. Peut-être que Moustachu veut dire que Cousue sera Décousue en 1974 à l'aide d'un petit stylet musulman datant de 1479, opération délicate que se réserve peut-être Moustachu lui-même qui manie le scalpel à la perfection; peut-être a-t-il voulu dire qu'elle sera la 79ème sur qui notre Grand Opérateur pratiquera cette Grande Ré-Ouverture et ce, avec son succès habituel: dans sa main, le stylet est si précis qu'il nettoie tout sans laisser de traces, tout y passe, nymphes, clitoris et tout le bataclan; peut-être aussi a-t-il voulu dire que la fille de cette dame subira, par exception dès l'âge de 14 ans, l'opération de routine qu'est l'infibulation...

Mais peut-être, continue le guide intarissable, que Moustachu a voulu dire que, sans cette opération, elle aurait eu encore 14 ans à tirer avec ses menstruations et que, d'autre part, le chirurgien a dû lui faire 79 points de suture, alors, n'est-ce pas, elle n'a pas à se plaindre, elle devrait plutôt le rémercier le Moustachu, vous ne trouvez pas, Mesdames?

612.   Ébahies par tant d'imagination morbide, nous quittons le guide à brûle-pourpoint et nous nous mettons à courir sans nous retourner, notre seule pensée étant de laisser loin derrière nous cet endroit atroce, cette maison de fous.

Nous nous sommes dirigées tout de suite, en voiture de louage, vers un petit aéroport que nous avait signalé... et recommandé le photographe du journal.

En attendant le petit avion qui fait la navette entre cette ville et le pays voisin, lequel est neutre, par bonheur, je dis à Exil que je croyais vraiment qu'avaient disparu depuis longtemps sur sa planète ces pratiques barbares de mutilations sexuelles.

613.   — Barbares? Tu appelles ça des pratiques barbares alors que toutes les précautions sont prises pour que les sujets soient anesthésiés? Sache que sur cette édifiante planète, on pratique encore *à froid* l'excision du clitoris dans certains pays, et sans hygiène aucune, exactement comme l'avortement clandestin dans les pays « civilisés ». Et hop! par-dessus Notre-Dame-Hors-les-Murs, les clitoris des fillettes! Et ce crime est perpétré sous le signe du Coran: Mahomet l'a prescrit, que soit faite Sa Mâle Volonté Sacrée! Car, tu ne voudras pas le croire, mais dans l'esprit de beaucoup de gens, même occidentaux, la critoridectomie est équivalente à la circoncision... comme si le clitoris

n'avait pas plus de sensibilité que la petite peau du prépuce! J'ai lu cette grossière confusion sous la plume d'un respectable disciple de St Siegfried, entre autres grands auteurs... Sache aussi que la *torture* n'a jamais si bien fleuri en certains points chauds de notre satanée boule. Cela t'étonne? Mais si, la vraie, la vulgaire torture sadique, la bonne vieille torture moyenâgeuse en plus perfectionné: l'équipement aujourd'hui est électrique mais tout aussi efficace, seulement, c'est moins fatigant pour les tortionnaires... Le monde entier est complice de cela, dit Exil.

614.   J'ai peine à croire les propos d'Exil, dit l'Euguélionne. Si ce n'était pas elle, je me dirais que la plaisanterie est de mauvais goût... Bien qu'après tout ce que j'ai vu sur terre, il n'y ait plus grand'chose qui puisse m'étonner!... Et maintenant, j'ai une hâte fébrile de quitter ce pays!

615.   Si nous sommes rentrées dans le pays d'Exil saines et sauves, ce fut grâce à cette volonté de partir sans attendre. Le boeing que, normalement nous aurions dû prendre le lendemain et qui ne transportait que des civils, ayant eu la malchance de dévier un peu de sa route, s'est fait abattre en plein vol! Ce qui n'est pas permis quand on survole un pays en guerre.

LXXXIX

LE PRESBYTÈRE ET LA BOURSOUFLURE

616.   Dès notre retour, dit l'Euguélionne, Exil a commencé à chercher une maison plus grande, car la « famille » a augmenté, avec Omicronne et ses enfants, sans compter Migmaki et les aspirants à cette vie communautaire: Écho et Deltanu, et même Argus si j'en crois les dernières rumeurs...

Dans la camionnette à hublots de Migmaki, nous partons donc un jour à la recherche de la maison idéale.

617.   Migmaki longe le fleuve car, dit-il, les enfants doivent croître au fil de l'eau, c'est absolument nécessaire, c'est aussi ce qu'Omicronne a toujours pensé. Les yeux de Migmaki aujourd'hui sont de *bornite:* une fine poussière de cuivre en dépôt sur deux merveilleux ocelles d'une plume de paon.

618.   La camionnette s'arrête devant un panneau fiché en terre annonçant une maison à vendre. Celle-ci est complètement dissimulée derrière un feuillage haut et abondant.

— Oh la belle grosse maison! s'écrient les enfants dès qu'elle nous apparaît enfin.

619.   En effet, c'est une grosse maison ornée de bow-windows, que

dis-je, envahie par les bow-windows se prolongeant aux étages supérieurs où ils font saillie, bow-windows de chaque côté de la façade
principale, bow-windows au milieu des façades latérales, bow-windows
en arrière et de chaque côté, et, pour finir cet ensemble délicat,
tourelles au dernier étage et tourelle devant le grenier en guise de
pignon!

À cause de son architecture assez massive, ces hors-d'œuvre
naïfs — nous avons compté en tout neuf excroissances! — l'alourdissent
davantage et lui donnent un air de parvenue pour nouveaux riches...

C'est le voisin qui est habilité à nous la faire visiter.

— Cette maison, dit-il, appartient au médecin de l'endroit.
Il l'a mise en vente récemment et s'est installé en ville, maintenant
que ses huit enfants sont élevés.

— Mais, dit Omicronne, est-ce lui qui l'a fait construire?

620.   — Oh non, c'est l'ancien curé qui en a fait la maquette et
qui l'a fait exécuter par ses paroissiens, il y a une cinquantaine d'années. Elle a donc servi de presbytère pendant au moins trente ans!

— Le presbytère et la boursouflure! me souffle Exil au moment
où nous remontons dans la camionnette.

Migmaki démarre.

— Est-ce cela, maman, que tu appelles des « scandales »
quand nous voyageons, dit Onirisnik?

— Exactement, dit Omicronne.

— J'ai remarqué, dit Kappa, dans les villages qu'on a visités,
que les « scandales » étaient presque toujours plus gros que les églises.
Il y a sûrement énormément de monde qui habite là-dedans.

621.   — Ordinairement, dit Exil, il y a un curé, parfois un vicaire
ou deux avec lui, et deux ou trois bonnes à tout faire *pour les servir*,
eux et leurs invités, car ils reçoivent beaucoup de visiteurs tout le long
de l'année: des évêques, de dignes prélats, des prêtres conférenciers,
des moines prêcheurs, des missionnaires, de jeunes séminaristes dont
il faut soutenir la vocation chancelante. Comme les curés doivent
soutenir concurremment leur réputation de fins gourmets (ils ont des
caves que leur envieraient les plus fortunés des connaisseurs), il leur
faut de parfaites cuisinières doublées de parfaites *ménagères* qu'ils
mettent à contribution six et parfois sept jours par semaine.

622.   L'une de ces « ménagères de curé », qui faisait en plus office
de chantre, d'organiste et de directrice de chorale au jubé, me racontait qu'ordinairement le dimanche, elle avait tant à faire qu'elle se
rendait souvent malade à force de travailler: il y avait toujours un
festin ou deux à préparer, elle n'avait aucune aide. C'était une femme
forte et plantureuse prénommée Gloria. Elle me disait qu'elle n'avait
jamais voulu travailler pour de l'argent et que, de toute façon, elle
n'avait jamais compté sa peine. « Jamais je ne regarde l'heure ni si
c'est un jour de congé. Quand on a besoin de moi, je suis là, dit-elle
fièrement! » Elle est toujours là, c'est vrai. Mais quand elle est malade
au lit, le curé lui dit qu'elle peut toujours se faire venir ses repas de

l'extérieur — elle qui a des gages de famine — et lui, il s'en va manger au restaurant! À chaque fois, c'est la même chose: elle ne peut attendre aucune assistance de son « patron ».

623.   Gloria est une orpheline qu'on a mise au couvent à l'âge de six ans, qui a voulu se faire nonne à dix-neuf mais qu'on a renvoyée parce que, lui dit-on, elle était trop faible pour supporter ce genre de vie! Elle fut placée chez un curé quand elle eut vingt-et-un ans, et celui-ci lui fit subir une *ablation des ovaires*, sous prétexte qu'elle souffrait d'anémie pernicieuse! Mais si, à vingt-et-un ans!

Cette histoire authentique, dit Exil, je l'ai recueillie de la bouche même de la candide Gloria, dans l'auberge d'un monastère où elle vient se reposer quand elle a un congé. Car elle est encore bonne de curé! Elle a soixante-et-un ans, honnêtement n'en paraît pas autant, elle a l'allure d'un joyeux gendarme fortement névrosé... et depuis quarante ans elle torche des curés presque gratuitement! N'est-elle pas logée et nourrie? Et, malgré cela, elle continue à chanter la messe au jubé, d'un cœur aussi généreux et innocent que du temps où elle était une jeune postulante, ou une petite couventine « immolée » à Dieu, comme on a toujours su, dans le passé, « immoler » les orphelines dans notre beau pays.

624.   Migmaki nous dit que ce n'est pas la première fois qu'il entend une histoire pareille. Puis, il se tourne vers Omicronne:

— Dis donc, l'autre jour tu m'as chanté une espèce de cantique époustouflant que les bonnes sœurs vous faisaient chanter au pensionnat. Tu sais, ça dit quelque chose comme ça: « Prends-moi Seigneur, pénètre-moi Seigneur... »

Migmaki s'égosille à essayer de retrouver l'air et la chanson... Tout le monde rit.

— Je vois à peu près ce que tu veux dire, dit Omicronne. Est-ce qu'il s'agit de: *Prends ma jeunesse?*

— Oui oui, c'est ça, dit Migmaki. C'est un vieil air connu... un air d'opéra! Si tu nous le chantais?

— Moi aussi j'ai chanté ça quand j'étais au couvent, dit Exil. Allez, Omicronne, on leur donne un petit duo.

Et les voilà toutes les deux qui nous gratifient de ce couplet exemplaire, suivi d'un refrain non moins édifiant:

— En place pour le couplet, disent-elles.

> *Le Christ m'appelle*
> *Sa voix me pénètre*
> *Je veux me dévouer*
> *Avec le prêtre*
> *Il me demande*
> *Le don de moi-même*
> *De tout mon cœur*
> *Je m'offre au Roi Suprême!*

Et voici le refrain:

> *Prends ma jeunesse*
> *Prends mon amour*
> *Avec ivresse*
> *Je veux toujours*
> *Servir!*
> *Servir sans cesse*
> *À toi ma vie*
> *À toi mes jours!*

Nos « choristes » sont fort applaudies. Exil s'écrie tout à coup:

— « SERVIR »! Voilà le mot-clé de l'éducation des filles de mon époque. Je me souviens que ce mot était notre devise. Il fallait l'écrire comme entête sur tous nos écrits. « SERVIR »! Il était imprimé sur notre papier à lettres! C'était l'ornement de nos banderoles de fête, de nos guirlandes de Noël... « SERVIR »! C'était notre mot de passe pour ouvrir notre avenir de « vraies femmes »... Ah! nous étions bien conditionnées à devenir des êtres serviles, toutes nous aurions pu faire d'excellentes servantes de curés, de parfaites Gloria bébêtes et crédules, pieusement exploitées *pro Deo* avec la bonne conscience inébranlable de ceux qui détiennent le pouvoir divin sur la terre.

Il y a de la colère dans la voix d'Exil, et aussi, comme un relent d'amertume...

XC

LES MOTS EN CONSERVE

— Maman, dit un jour Onirisnik à Omicronne, j'ai une bonne devinette pour toi. Écoute bien.

Il ouvrit un livre et lut ceci à haute voix:

625.   — « On dit que les poules sont bavardes comme de petites filles, mais on dit aussi parfois que les petites filles *caquettent*. Pourquoi? »

626.   — Qu'est-ce que c'est que cette ânerie, dit Omicronne? D'abord, où as-tu pêché ça? dit-elle en désignant le livre que tenait son fils.

— Ça? C'est mon livre de *vocabulaire* qu'on étudie en classe. Tiens, regarde, ça s'intitule: *Des Idées et des Mots*.

— Ah! des idées et des mots, hein? C'est du joli! Est-ce que tu crois, toi, que les petites filles sont plus bavardes que les petits garçons?

— Mais toi, tu n'as pas répondu à ma question, dit Onirisnik malicieusement?

— Ah! c'est comme ça que tu te moques de ta mère, dit Omi-cronne en riant. Eh bien, moi je te dis que tu es bavard comme un petit canard! Voilà ce que tu es! Et puis tiens, je te confisque ton livre. Tu diras à ton prof que j'ai deux mots à lui dire.

— Oh t'en fais pas pour ça, dit Onirisnik. Tu sais, ce sont de vrais spécialistes qui ont pondu ce bouquin... À part ça qu'il est à peine plus vieux que moi. Regarde la date: 1959!

Omicronne fut horrifiée quand elle vit que ce manuel scolaire avait été écrit effectivement par des « spécialistes »: un psychopé-dagogue, professeur d'école normale, et deux instituteurs... presque quinze ans auparavant!

627. Ce même jour, dit l'Euguélionne, je dis à mon amie Exil:

— Il y avait beaucoup de mots dans l'air quand je suis arrivée sur cette planète. Des mots dans les bouches qui s'en allaient dans les oreilles. Il y avait des mots partout. Sur les immeubles, sur les poteaux, sur les murs, dans les vitrines, il y avait plein de mots aussi dans les maisons. Il y en avait énormément sur les ondes, qui sortaient surtout de bouches masculines.

Parfois, il y avait toute une pièce dans la maison consacrée à entasser les mots et à les garder. C'était un entrepôt de mots. Ils n'avaient pas besoin d'un soin particulier, la chaleur ou le froid leur était indifférent. Tout ce dont ils avaient besoin, c'était d'être à l'abri de la pluie, du feu, de l'humidité, des rats et des perruches; ce dont ils avaient besoin, c'était surtout d'être ensemble et de se serrer les coudes.

Il y avait plusieurs grands entrepôts de mots dans chaque ville, pour le public qui aimait aller les visiter. Les gens arrivaient dans un de ces grands conservatoires, demandaient à voix basse une boîte de mots ou deux, parfois les boîtes étaient immenses, parfois elles étaient toutes petites.

Ils passaient alors des heures en silence à regarder les mots qui étaient disposés sur des feuilles comme de petites graines dans un herbier ou, comme sur des cartons d'entomologiste, une collection d'insectes. Chaque mot avait l'air d'être fait de minuscules insectes noirs. Parfois, les mots étaient larges comme de grands papillons de nuit, parfois aussi — cela c'était quand ils entraient tout triomphants dans le titre — ils étaient beaux et surprenants comme de vrais oiseaux bleus.

Chaque personne avait le droit de regarder autant de mots qu'elle en avait envie, jusqu'à l'heure de la fermeture. Le lendemain, elle revenait et redemandait sa boîte de mots.

628. J'ai dit à Exil que je voulais me retirer dans un de ces entre-pôts pendant un certain temps, et, grâce à mon pouvoir de me faire oublier, de n'en pas sortir avant d'avoir épuisé les richesses de toutes les boîtes de mots.

629. — C'est ainsi, dis-je à Exil, que j'apprendrai ce qu'il me reste à

apprendre sur les Hommes de cette planète. Je te ferai part de mes découvertes. Tu m'as bien pilotée sur le chemin des Hommes; maintenant, je veux connaître par moi-même ces Mots mystérieux qu'ils ont patiemment emmagasinés au cours des siècles dans leurs herbiers. Je suis très curieuse de savoir pourquoi ils se sont montrés si bavards!

630.   Exil m'amena au Grand Entrepôt National des Mots en Conserve. Et elle me laissa seule, dit l'Euguélionne.

FIN DU DEUXIÈME VOLET

TRANSGRESSER
C'EST
PROGRESSER

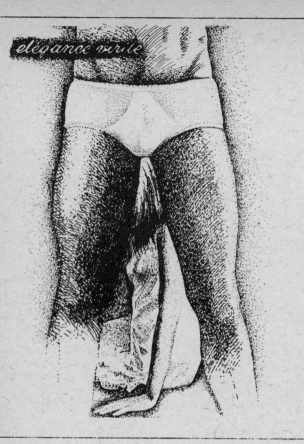

L'homme fait la loi, les femmes le savent bien...

« La femme est un être humain dont l'humanité est niée au nom de sa féminité. »*

« Quand les femmes sont combatives, ce sont des putains; quand les hommes sont combatifs, ce sont des étudiants gauchistes. »**

« Les hommes pensaient, écrivaient, créaient, parce que les femmes déversaient leur énergie dans ces hommes, les femmes ne créent pas la culture parce qu'elles sont préoccupées par l'amour (...) »***

« Ce que craignent les hommes c'est, tout simplement, que les femmes ne se contentent pas de l'égalité. Pourquoi n'exigeraient-elles pas la domination? Peu importe qu'elles nient ce désir. Le souvenir de la Mère déesse leur montre la puissance féminine en action. (...) J'imagine que la crainte des hommes comporte une certaine dose de culpabilité inconsciente: pourquoi les femmes se contenteraient-elles de l'égalité, les hommes s'en sont-ils contentés? »****

« L'histoire de l'opposition des hommes à l'émancipation des femmes est plus intéressante peut-être que l'histoire de cette émancipation elle-même. »*****

*Rollande Ballorain, in Le Nouveau Féminisme américain.
**Cité par Françoise d'Eaubonne, in Le Féminisme, histoire et actualité.
***Shulamith Firestone, in Love (Notes from the Second Year).
****Elizabeth Janeway, in La Place des femmes dans un monde d'hommes.
*****Virginia Wolf, in Une chambre à soi.

CHAPITRE PREMIER

L'OBÉLISQUE

Voici ce que dit l'Euguélionne, en ces temps-ci de notre Préhistoire:

631.　——Sortant de la Bibliothèque Nationale, je me suis rendue sur la plus haute montagne. Il y avait là un grand rassemblement à l'ombre de beaux arbres centenaires. Un prophète, que tout le monde désignait sous le nom révérencieux de St Siegfried, prêchait une nouvelle religion, entouré de ses disciples, fidèles ou dissidents, tous très fervents.

632.　En me renseignant ici et là, j'ai fini par savoir comment s'appelaient deux ou trois de ces nombreux émules: l'un était St Thomas d'Aco, un autre, St François Capricioso, un troisième, St Jacques Linquant.

Ce dernier, disait-on, était à la fois très ontologiquement shakespearien (ÊTRE OU NE PAS ÊTRE LE PHALLUS), très possessivement boulevardier (EN AVOIR OU PAS) et enfin, très déambulatoirement triangulomaniaque (LA PROCESSION ŒDIPIENNE NE POUVANT SE FAIRE QU'AUTOUR DU PHALLUS, ce qui tendrait à prouver qu'à force de tourner en rond on réalise l'admirable Mouvement Triangulaire du Cercle Viril ou l'inverse — eu égard à la dialectique basale de toute contradiction inhérente à la condition spatio-temporo-humano-masculinoïde — c'est-à-dire, le Circuit Phallique du Triangle autour du Pivot Central conçu comme Primat Primaire et Primitif au $x^{ième}$ degré d'Introjection suivant l'évolution du Sujet Médian). Tel était le principe dynamike et fondamental de St Jacques Linquant.

633.　Dans la foule, dit l'Euguélionne, je reconnus, qui buvait littéralement les paroles de St Siegfried, le docteur Phipsi qu'accompagnaient Epsilonne et son frère. Cependant, je ne vis pas Alfred Oméga.

Bientôt, Exil, Omicronne et Migmaki vinrent me rejoindre, tandis que les enfants s'égaillaient dans les arbres.

Nous avons écouté avec beaucoup de respect les pensées émises par la bouche du Maître, qui nous semblaient sensées et pleines d'ouvertures sur la connaissance de l'être humain envisagé sous l'angle nouveau de la Profondeur, autrement dit, de l'Homme vu en creux...

Mais soudain, il changea complètement de ton. Il prit l'air

ridicule d'un vieux coq monté sur ses ergots, annonçant en plein midi le lever du soleil.

634.   — *Le Phallus, dit St Siegfried, est un monument monolithique. C'est l'Obélisque Transcendantal qui occupe la place centrale de Tout Homme digne de ce nom.*

Le Phallus, dit St Siegfried, est, pour les Hommes, ce qu'est le flair pour certains animaux. C'est un cadeau royal donné à l'Espèce non seulement pour survivre, mais pour se hausser au-dessus de toute Existence, pour se glorifier et se chanter ses louanges pendant l'Éternité.

Et voici mon Enseignement, dit St Siegfried. Le Phallus est la Valeur Fondamentale de tout individu humain. C'est la Marque de Fabrique de l'Humanité et son Investiture Séculaire. C'est le Nec Plus Ultra *de la condition humaine, c'est la Norme Essentielle de l'Être Humain, c'est sa condition* sine qua non. *Hors du Phallus, point de salut! Pensez-y bien, mes frères privilégiés, mes pauvres sœurs démunies...*

635.   *L'individu qui naît sans Phallus est un individu incomplet. Il lui Manque quelque chose. Toute sa vie, il se ressentira de cette Pénurie originelle, toute sa vie, il devra compenser cet Ananké primordial et fatal. Il y usera toutes ses forces sans espoir, car ce Manque est un défaut incorrigible, c'est un verdict irréversible de la Nature. Mais cet individu infortuné devra accepter ce Manque en toute humilité, sous peine de gâcher entièrement une vie qui est déjà gâchée de moitié en partant.*

Car, continua St Siegfried, l'individu qui naît sans Phallus est perdant au départ. C'est un estropié. Un handicapé physique et mental qui pourrait devenir dangereux s'il lui prenait la fantaisie de se révolter contre son sort inéluctable. Mais, comme personne n'est responsable de cette défaillance de la Nature à son endroit (j'allais dire à son envers...), même pas lui-même, il devra assumer sa déficience initiale et transformer cette défaite en un pis-aller méritoire qui, sans être une valeur positive pour l'Humanité, n'en aura pas moins quelque valeur... substitutive.

Cet individu, dit St Siegfried, devra obligatoirement construire sa vie autour de ce Manque. Un grand nombre de substituts se présenteront à lui. Il lui sera alors permis d'en user, sans en abuser, et surtout sans s'imaginer que le substitut est égal à l'Original!

Je vous indiquerai plus tard quels sont les principaux de ces substituts.

636.   *Car je veux dès maintenant et sans plus attendre faire l'éloge de l'Individu qui naît avec un Phallus.*

Celui-là, au départ, a toutes les chances de son côté. Car, mes frères, mes pauvres sœurs, sachez bien ceci: il n'existe point sur cette terre et dans l'univers de Puissance concevable hors du Phallus. Il n'existe point d'Intelligence concevable hors du Phallus. Il n'existe point de Libido concevable hors du Phallus. Il n'existe point d'Énergie concevable hors du Phallus. Et je prophétise aujour-

d'hui que si le Phallus ESSENTIEL venait à disparaître, le monde serait en panne d'Énergie, en panne de Puissance, en panne de Libido et en panne d'Intelligence (sans parler de l'inévitable panne d'Essence...).

637.   Or, ai-je dit, le Phallus est monolithique et toujours érigé. Comment en serait-il autrement? N'est-il pas la Puissance à l'état pur? Tout ce qui a l'apparence de Puissance a emprunté celle-ci au Phallus Tout-Puissant.

Or, le Phallus est plein comme un roc, plein comme un pic, il ne saurait être question qu'il soit creux! Le creux, mes frères, doit vous faire frémir, même en pensée, même en parole! Le Phallus est Plein et ne saurait contenir que lui-même. Je le répète, le Phallus est monolithique et toujours érigé comme un Obélisque. En vain, comme Moïse de son rocher, tenteriez-vous d'en faire jaillir une source.

Le Phallus n'est pas une phontaine, le Phallus n'est pas une jarre. Le Phallus n'est pas un contenant, n'est pas un simple contenant... Quoi de plus idiot qu'un contenant, je vous le demande. Le Phallus est un arbre de pierre qui n'a besoin ni de sève ni de feuillage.

Le Phallus est monolithique. C'est le Roc de Gibraltar. En vain tenteriez-vous d'y trouver de l'eau pour épancher quelque soif intempestive.

638.   Sur les faces de cet Obélisque triomphal sont inscrits les noms innombrables de ses Victoires. Même si toutes les Victoires dues au Phallus Tout-Puissant ont été gagnées aux dépens de la Vie, sachez que la Vie n'est pas une Valeur Fondamentale inscrite au Catalogue des Hommes.

II

ZAZIE HORS DU MÉTRO

Des applaudissements frénétiques suivirent ces propos éloquents, dit l'Euguélionne, tandis que mes amies et moi-même nous nous regardions avec de gros points d'interrogation dans les yeux: ce type se moquait-il de son auditoire ou bien était-il sérieux? L'accueil chaleureux et rempli d'admiration de cet auditoire ne nous laissa plus l'ombre d'un doute: St Siegfried ne plaisantait pas. Il parlait *ex cathedra*. Il était sérieux comme un pape! Nous fûmes prises alors d'une *envie* phormidable non de phallus mais de phourire...

639.   Mais quelqu'un dans la foule cria:

— Bravo! Hourrah! Vive le Phallus! Car *Le Pouvoir est au bout du Phallus!**

---

*Phrase historique prononcée à Vincennes et citée par Françoise d'Eaubonne et Simone de Beauvoir.

Cette intervention suscita un enthousiasme sans bornes dans l'assistance. Exil nous fit un petit signe. Et dès que la foule se fût calmée, elle s'écria à son tour:

640.   — *Le Pouvoir est au bout du Phallus*
        Or, l'Argent est au bout du Pouvoir
        Donc, l'Argent est au bout du Phallus.

Ces paroles impies en forme de syllogisme blasphématoire furent accueillies par un tollé général. St Siegfried fit un petit geste apaisant pour réclamer le silence.

— Chère madame, il est clair que vous souffrez de votre Manque Spécifique et que vous manifestez une forte *envie du pénis*, ce qui est normal, cependant, chez les personnes de votre sexe…

641.   — Envie du pénis mon cul, cria une petite voix effrontée.

— Qui a parlé, s'enquit St Siegfried sans se troubler?

— C'est moi, dit une fillette à l'air déluré, assise à califourchon sur une branche.

— Comment t'appelles-tu, dit le Maître?

— Moi? J'm'appelle Zazie, et vous?

— Ne parlons pas de moi. Dis-moi, Zazie, où as-tu fait tes classes?

— Dans l'métro, quoi, comme tout l'monde! Et vous?

— Ne parlons pas de moi, dit St Siegfried. Ainsi, ma petite Zazie, tu n'as pas envie d'une petite chose que ton petit frère possède et que toi, hélas, tu ne possèdes pas?

— De quoi vous voulez parlez au juste, dit Zazie? Ça serait-y du zizi à Jojo? Ça alors, vous êtes un rien marrant, vous. Mais j'veux bien vous l'dire en confidence: j'aimerais mieux avoir des nichons comme maman qu'un zizi. Ça serait plus pratique pour attraper les jules.

— Mais, tu ne trouves pas ça pratique le petit robinet de Jojo?

642.   — Robinet mon cul, dit Zazie, j'peux faire pipi sans ça, alors, j'vois pas pourquoi j'aurais en plus de la tuyauterie. À quoi ça me servirait? Et puis, msieu, toujours entre nous, moi aussi j'ai des choses qu'il a pas le frangin. Croyez-le ou non, quand i's'fourre les doigts dans l'nez, c'est pas moi qui lui envierais son p'tit robinet, comme vous dites, parce que moi, meussieu, j'mets bien mes doigts quelque part mais c'est pas dans mon nez, ça, j'vous l'garantis sur mesure! Même que c'est dans ce « quelque part » que je cache mes billes! Toujours entre nous, ç'pas? Des fois que vous auriez envie vous aussi d'avoir une cachette dans ce genre-là, tout ce que j'peux vous dire, céxé vachement bath!

Des rires fusèrent de partout. Mais St Siegfried n'était pas convaincu et voulait amener l'enfant à des aveux complets.

— Tu veux dire, petite Zazie, que tu n'as jamais, *jamais* eu envie de posséder la p'tite chose de ton p'tit frère?

217

— Ça m'arrive des fois, dit l'enfant, nostalgique.

— Tiens, tu vois bien, dit le Maître. Et quand cela t'arrive-t-il?

643.　　— C'est toujours quand ma mère m'oblige à faire la vaisselle que ça me prend ç'tt'envie-là. Parce que lui alors, y'a toujours congé. Vous trouvez ça juste vous?

III

LE SERMON SUR LA MONTAGNE

St Siegfried obtint difficilement le silence et l'attention de la foule après cette sortie maligne, d'une hérésie aussi évidente, bien que surprenante de la part d'une aussi jeune personne.

— Laissons cela, dit-il. Cette enfant a subi une déformation psychologique fort dommageable et infiniment regrettable pour son avenir de *femme*. Je ne peux que la déplorer…

Revenons à notre sujet. Où en étais-je? Ah oui! À l'éloge du Phallus! Je continuerai à vous transmettre mon enseignement sur ce prestigieux sujet en vous récitant mes HUIT BÉATITUDES.

644.　　*1 — Bienheureux les Individus qui naissent avec un Phallus, car ils sont tout entiers à l'image de ce bloc monolithique. En aucun moment ils ne sont façonnés en creux. Ces individus n'ont donc aucun organe creux, aucun muscle creux, en d'autres termes, ils n'ont aucun organe répugnant et de qualité inférieure.*

2 — Bienheureux les Individus qui naissent avec un Phallus, car ils sont dépourvus de ces organes vulvaires que sont les Yeux, organes qui s'ouvrent et se ferment, qui ont une source cachée, qui sont sensibles à la lumière, qui sont à l'image des individus qui n'ont pas de Phallus. Les Individus qui naissent avec un Phallus ont des Yeux de Statue Grecque, des Yeux monolithiques, hermétiques, aveugles, sans regard, car ils n'ont pas besoin de Voir. Ils ont déjà tout Vu de leur intérieur en or massif. Et ils n'ont nul besoin de Pleurer, car ils ont été coulés dans la lave des volcans, car ils ont été fondus dans les armes du bronze, car ils ont été figés dans la bave et les larmes fossiles d'un crocodile précambrien.

3 — Bienheureux les Individus qui naissent avec un Phallus, car ils sont dépourvus de ces organes creux que sont les Narines, de ces deux trous vulgaires, de ces deux fosses « communes », de ces deux cavités grossières, de ces deux détestables petits Riens tout ronds et concaves. Non, les Individus qui naissent avec un Phallus n'ont pas de narines. Mais Ils ont un Nez! Ils ont un Nez à l'image de leur Phallus! Un organe proéminent, plein, toujours érigé. Ils ont un Nez monolithique qui ne saurait contenir que lui-même.

4 — Bienheureux les Individus qui naissent avec un Phallus,

car ils n'ont pas de Bouche, ils n'ont pas cette épaisse entaille horizon-
tale dans le plan vertical de leur noble silhouette... La Bouche... voilà
un terme que vous ne devez pas prononcer sans malaise, car la bouche,
chers frères et pauvres sœurs, est la Blessure Sacrée du Visage...
blessure qui rappelle honteusement une autre blessure... La bouche
est aussi un croquis de la crevasse où s'engouffrent tout entiers tant
de malheureux (pourtant Bienheureux au départ), pris au piège de
leur propre cécité (bien que Tout-Puissants). Si je dis qu'ils s'y engouf-
frent entièrement, c'est que — et ceci est un secret de polichinelle —
ce n'est pas le Phallus qui entre dans la femme, c'est l'Homme tout
entier devenu Phallus, selon le principe ontologique qui veut que la
Partie Phallique de l'Homme soit son Tout! Non, les Individus qui
naissent avec un Phallus, ne sauraient avoir de Bouche dans le visage,
d'autant moins que cet organe caverneux a des DENTS! Image parfaite
de l'organe dont il vient d'être question et qui sert souvent à castrer
les Individus Phalliques et à dévorer leur vie. Ils n'ont donc pas de
Bouche mais ils ont deux Mâchoires monolithiques qui ne s'ouvrent
ni ne se ferment jamais.

5 — Bienheureux les Individus qui naissent avec un Phallus,
car ils n'ont pas d'Oreilles. Et pourquoi auraient-ils ces ridicules
petits entonnoirs donnant dans leur crâne monolithique? Qu'ont-ils à
Écouter? Qu'ont-ils à Entendre? N'ont-ils pas leur musique intérieure
en argent massif qui leur chante leur propre louange? Que leur
faudrait-il Entendre de mieux et de plus? Non, les Individus qui
naissent avec un Phallus n'ont pas d'Oreilles sur l'extérieur, car ils
sont déjà pleins de la rumeur flatteuse de leur Nom.

645.   *6 — Bienheureux les Individus qui naissent avec un Phallus,*
car ils n'ont ni Anus, ni Intestins, ni Estomac, ni Cœur, ni aucun
organe creux, ni Cerveau. Ni surtout de Cerveau, car le Cerveau est
fait de circonvolutions et d'invaginations... Et est-il seulement conce-
vable que les Individus qui naissent avec un Phallus aient un organe
qui rappelle par sa forme un autre organe aux replis sinueux qui fait
la honte des individus qui naissent sans Phallus? Aux Individus qui
ont la chance de naître avec un Phallus, le Phallus tient lieu amplement
de Cerveau.

7 — Bienheureux les Individus qui naissent avec un Phallus,
car ils n'ont aucun Espace intérieur, car il n'y a aucune brèche à leur
Individualité Phallique, car ils sont Parfaite Plénitude, étant parfaite-
ment pleins d'eux-mêmes et ne pouvant contenir qu'eux-mêmes. Voilà
pourquoi les Individus qui naissent avec un Phallus n'ont pas de
Corps. Ou plutôt, ils ont un Corps Phallique et monolithique à l'image
de leurs membres. Et leurs Membres sont à l'image de leur Phallus,
pleins et monolithiques. Ils ont un corps à l'image de leurs bras et
de leurs jambes, à l'image de leurs mains et de leurs pieds, à l'image
de leurs doigts et de leurs orteils. Ceux-ci, bien qu'en version réduite,
sont l'image parfaite de leur corps monolithique car ils sont vraiment
extrémistes et n'admettent aucune suite après eux. Ce sont des mem-

bres finis, cylindriques, aux bouts arrondis, dont la croissance est
arrêtée à leur point maximum.

646.   8 — *Bienheureux les Individus qui naissent avec un Phallus,*
car ce sont des Êtres Supérieurs! Non pas dépositaires de l'Énergie
Créatrice, puisqu'ils ne sauraient rien contenir, mais Ils SONT l'Éner-
gie Créatrice. Et à ce titre, ils détiennent tous les droits, et à ce titre,
ils détiennent tous les Pouvoirs, sur tout ce qui vit, sur tout ce qui
bouge, sur l'Aphallique et sur le non-monolithique.

IV

LES TABLES DE LA LOI Ψ

647.   Omicronne me poussa du coude, dit l'Euguélionne, et me
dit: « Dommage qu'Alfred ne soit pas là pour entendre ça! Lui qui est
passé maître dans l'art de confondre « le mot et la chose ».

— Il n'a pas besoin de l'entendre, dit Exil. Il sait déjà tout
ça par cœur!

Quant à moi, dit l'Euguélionne, je m'attendais, après ce
beau discours sur les Huit Béatitudes de St Siegfried, à ce que les
femmes protestent dans l'assistance, ou tout au moins se lamentent
d'être privées d'un organe aussi mirobolant que béni des dieux,
doué d'une telle capacité de se repaître de lui-même, capacité historique à ce que j'ai cru comprendre. Je m'attendais à ce que les femmes,
qui en étaient dépourvues, manifestent bruyamment leur folle envie
de cette espèce de sixième sens phénoménal dont la pléthore engen-
drait la disette des cinq autres sens; et j'imaginais qu'en face d'une
telle inflation, ces femmes devaient sentir leurs propres sens en
pleine récession... Mais il n'en était rien. Au contraire, elles applaudissaient de concert avec les Bienheureux!

Seule, Zazie fit entendre de nouveau sa petite voix hardie:
648.   — Ké céxé, msieu qu'un Péripaphillobus? C'est-y un genre
de métro aérien?

— Ce n'est pas un Parapaphillusse qu'il faut dire, lui fit
remarquer Alyssonirik d'une voix claire et haute, mais un Papapou-
phallusse.

— *Wow! Ce monument, quand le visite-t-on?* lança Dominik
qui adorait jouer les Cyrano.

— Mais non, dit Onirisnik, il faut dire: Paraphillomnibus.
J'ai très bien entendu.

— Et moi, dit Dominik, je vous dis qu'on peut dire n'importe
quoi: Préraphaëllus ou Raphalus-de-Mitraillus, ou Affolus de Raffolus,
ou encore, Kastor-et-Pollux...

— Ou bien tout simplement Obélix et Phallux, dit Kappa qui
connaissait bien ses bandes dessinées.

— C'est vrai ça, lança la petite Alik, on dit bien Panorama d'Idéfix et personne ne fait tant d'histoires…

Zazie sauta de sa branche.

— Puisqu'on peut dire n'importe quoi, dit-elle, ça vaut pas la peine de s'creuser la ciboulette pour savoir ké céxé. Tout c'qu'on peut dire, c'est kçlui qu'est né avec ça, il est né coiffé!

Et elle s'éloigna sur une patte puis sur l'autre en chantant à tue-tête:

649.
> — *C'est la quéquette*
> *À Jésus-Christ*
> *Qu'est pas plus grosse*
> *Qu'une allumette*
> *Ça l'empêche pas*
> *De faire pipi*
> *Vive la quéquette*
> *À Jésus-Christ*
> *Hostie!*

Les enfants d'Exil et d'Omicronne la suivirent en reprenant la chanson en chœur, sans vergogne aucune.

St Siegfried ne parut pas offusqué ni ébranlé par cet intermède enfantin. Il en profita pour réaffirmer les valeurs inconscientes de la sexualité infantile.

650.   Puis, il dit à la foule qu'il avait rédigé à l'intention des Hommes, les tables de la loi Ψ. Les commandements étaient gravés sur deux monuments de pierre qui avaient été plantés dans la terre et qui s'élevaient verticalement dans le ciel sur la crête de la montagne.

L'un de ces monuments prétendait régir la psyché humaine tout entière en se basant sur des tabous sexuels et en prescrivant l'obligation de les sublimer afin que soit respecté le contrat social.

651.   Le second de ces monuments, par contre, ne s'adressait qu'à une moitié de l'espèce humaine et lui (re-) commandait de ne se considérer que comme un reflet châtré de l'autre moitié, lui prescrivant, pour y parvenir, de chercher dans sa corporalité et son expression corporelle une multitude de substituts à l'Humanité proprement dite dont elle était démunie.

FEMME, disait l'inscription, pénètre-toi de ces vérités premières, si tu veux vivre:

> — *Substitut du pénis est ton sexe qui en est le négatif;*
> — *Substitut dérisoire du pénis est ton clitoris érectile;*
> — *Substituts du pénis sont tes seins dressés et érectiles;*
> — *Substitut du pénis est ta beauté qui n'en est que la compensation spécifique;*
> — *Substitut de la libido masculine est ta libido;*
> — *Substitut équivoque parce qu'« envie du pénis » est ton désir érotique;*
> — *Substitut de l'orgasme masculin est ta jouissance sexuelle;*

> — *Substitut de la puissance phallique est ta puissance maternelle;*
>
> — *Substitut de la fonction virile est ta fonction maternelle;*

652.   — *SUBSTITUT DU PÉNIS EST L'ENFANT DE TON VENTRE;*

> — *Substituts de l'activité virile et rivales de celle-ci sont tes tentatives revendicatrices d'activité, qui s'opposent à ta passivité naturelle;*
>
> — *Substitut de l'agressivité virile est ta propre agressivité;*
>
> — *Substitut du Phallus est ta Voix dans la société;*
>
> — *Substitut du Phallus est la forme de ton corps qui est la forme même de l'« homo erectus ».*

653.   *FEMME, ton devoir est de retourner au stade anal infantile car ton rôle est d'évacuer les déchets de l'Humanité. Voilà le prix qu'il te faut payer pour l'envie qui te dévore d'accéder au seul stade génital qui soit humain,* le stade phallique, *lequel est malheureusement contraire au principe de TA réalité.*

V

L'HIRCOCERF

654.   Ayant lu cette inscription à haute et intelligible voix, St Siegfried se tut pour en savourer toute la « substantifique moelle » et laisser à son auditoire le temps de l'intérioriser. Après un certain moment de ce silence lourd de conséquences, l'Euguélionne prit la parole:

655.   — J'ai entendu parler de tes méthodes pour guérir les malades, ô St Siegfried, je trouve qu'elles ont du bon, elles sont même excellentes en certains cas. Tu as fait des découvertes importantes sur l'Humanité inconsciente. Mais, *inconsciemment,* tu as cru que l'Humanité était mâle et cette aberration, tu n'as pas su la déchiffrer, ni en toi, ni en tes semblables. Et pourtant, c'était là la clé principale de ton subconscient et du subconscient des Hommes. Voilà pourquoi je te dis, ô St Siegfried, que tes tables de la loi un jour seront brisées avec fracas.

St Siegfried rétorqua en haussant les épaules:

— Il se peut que je me sois trompé. Je vous ai donné ma loi, faites-en ce que vous voudrez.

Et il s'éloigna avec ses disciples.

656.   Alors, l'Euguélionne regarda la foule de ses yeux magnétiques dont l'un était triste et l'autre gai. Elle lui tint un long discours qui, pour les uns, n'empruntait pas la voie de ses lèvres, mais qui était

sa voix intérieure transmise directement au cœur et à la pensée de chacun d'entre eux. Pour d'autres, cette voix était audible et avait son propre écho. Elle n'échappait à personne d'entre eux et pourtant ne faisait obstacle à personne. Enfin, pour d'autres encore, ce qu'ils entendaient, c'était comme la résonance soudaine et toute proche de leur monologue intérieur longtemps retourné en eux-mêmes et longtemps étouffé.

657.　　— Je suis le livre non-écrit que je vous donne à composer, dit l'Euguélionne. Et vous, qui êtes-vous? Qui es-tu Homme de la terre, qui as désarmé ta compagne pendant si longtemps? Est-ce par ta force que tu l'as désarmée, ainsi que tu te plais à le croire, ou n'est-ce pas plutôt par ta faiblesse? Et toi, qui es-tu, Femme de la terre, qui es restée sans défense devant ton compagnon pendant si longtemps? N'es-tu pas cet architecte qui a entassé ses révoltes pierre par pierre pour construire dans l'Invisible cette forteresse inexpugnable que l'on voit poindre aujourd'hui?

658.　　Ma chair est gaie, dit l'Euguélionne, et j'ai traversé tous les livres. Mais je confesse ne pas les avoir tous lus. Je n'ai pas eu ce courage. Il y avait un tel manteau d'ennui sur le dos de certains... et tant de suffisance sur la tranche dorée de certains autres...

J'ai feuilleté aussi un grand nombre de vos dictionnaires. J'ai appris beaucoup sur vous mêmes à travers vos dictionnaires. Vous en avez de toutes sortes, des illustrés et des en noir et blanc... Vous en avez sur tous les sujets. Vous en avez même un sur la *Bêtise*, et vous en avez même un sur les *Injures!* Là, je peux dire que j'ai été épatée!

659.　　Mais, dit l'Euguélionne, j'ai eu beau chercher, je n'ai trouvé nulle part le *Dictionnaire de la Boursouflure*. Et pourtant, la dite boursouflure de l'Homme, me semble bien être la caractéristique de votre espèce.

Je dirais, pour parler un langage accessible aux Boursouflés de l'espèce, qu'elle est engendrée par le complexe d'Obélix ou phallomorphisme monolithique, lui-même dérivé de la *Psychose de Herrschaft* ou de Domination, qui est une paranoïa phallomaniaque extrêmement dangereuse pour l'Humanité. Viennent se greffer à cette folie désastreuse de douces manies comme le complexe d'Adam — appelé aussi complexe de la Côte —; le complexe d'Hélios; le complexe de Caïn; l'Engendrite à sens unique, maladie symptomatique du mâle « fécondant »; l'envie d'un pénis-substitutif comme le revolver ou la mitraillette, le gros complexe de supériorité, compensation d'un gros complexe d'infériorité lequel est sans doute l'envie de la maternité; l'envie infantile de retour au sein maternel manifestée au cours du coït, appelée l'envie des seins, du vagin et de l'utérus combinée. Et j'en passe!

Peut-être y a-t-il là un commencement d'explication à l'extraordinaire MISOGYNIE qui assombrit les œuvres Humaines à travers les siècles, et qui tente de justifier ainsi le *massacre des paramécies*.

660.   J'ai trouvé très curieux, dit l'Euguélionne, en écoutant St Siegfried et en lisant ses livres, de ne pas rencontrer d'analyse structurée et approfondie de la MISOGYNIE, cette maladie grave de l'espèce. Je n'arrivais pas à comprendre que cette haine proverbiale des Hommes à l'égard des femmes, non seulement était jugée naturelle par le perspicace St Siegfried, mais lui servait d'alibi pratique pour faire croire qu'elles étaient des *hommes châtrés*, dès l'instant où il me semblait qu'elles manifestaient la volonté de devenir semblables à des êtres Humains. L'argument massue de St Siegfried était qu'*elles envieraient alors l'organe sexuel des vrais Hommes!* argument qui les paralysait littéralement. Cette thèse m'apparaissait extrêmement prétentieuse et boursouflée. Car, me disais-je, pourquoi pas la thèse inverse? N'étaient-ce pas les Hommes qui haïssaient les femmes?...

J'ai trouvé aussi très curieux de ne pas dépister chez St Siegfried d'analyse sérieuse de la « boursouflure » qui aboutit au corps hermétique et monolithique. Il me semblait toujours que l'auteur allait honnêtement dénoncer la Psychose de Herrschaft qui a été de tout temps fatal à votre planète. J'ai été stupéfiée de constater que son esprit clairvoyant n'avait pas été frappé par cette psychose et, à la réflexion, c'était normal, puisque cette maladie, par définition, tient en échec *le principe de réalité.*

661.   Au lieu de cela, je n'ai eu sous les yeux que justification complaisante de la Misogynie, que délirante casuistique sur le Manque et la Surabondance — polarisant les sexes dans un jeu naïf de pendule manichéiste sur le modèle archaïque du *yin* et du *yang* chinois — qu'approbation fataliste de la Domination et tentatives de la « naturaliser » sous différentes étiquettes.

662.   L'Homme, dit l'Euguélionne, serait-il cet animal fabuleux moitié bouc moitié cerf *qui symbolise ce qui n'existe pas?* Et faudra-t-il des siècles de MISANDRIE pour lui redonner l'existence?

VI

CE MOT « HOMME » MOT À MOT

663.   Et qu'est-ce que l'HOMME, dit l'Euguélionne, s'il existe encore? Est-il genre, est-il sexe, est-il espèce? Et qu'est-ce qu'UN Homme? Est-ce une femme, est-ce un Homme, est-ce un loup, est-ce un hircocerf, est-ce un hibou?

664.   Qu'est-ce que l'Homme, dit l'Euguélionne? Est-ce une invention et qui en a le brevet? Est-ce une copie et qui en a l'Original? Est-ce un fantôme et où est le Vivant?

665.   Pourquoi dit-on que l'Homme est un loup pour l'Homme? Et pourquoi est-il un Loup-Garou pour la femme? Et pourquoi apprend-on aux enfants à l'école que le Masculin l'emporte sur le féminin? Pourquoi le Masculin conquiert-il le monde tandis que le féminin lave la vaisselle? Pourquoi le Masculin lit-il son journal tandis que le féminin s'occupe des enfants? Et pourquoi dit-on dans les dictionnaires au mot HOMME qu'il est considéré « spécialement » comme possédant les qualités de courage, de hardiesse, de droiture, « propres à son sexe »? Et pourquoi la femme doit-elle passer à travers un interminable rideau de larmes dans sa tentative désespérée de réintégrer votre espèce? Et pourquoi n'est-il pas bon pour l'Homme que la femme soit Humaine? Et pourquoi donne-t-on à la femme cette conscience malheureuse d'être femme? Et pourquoi l'Homme se moque-t-il quand il la voit se débattre, comme si c'était sa vache ou son chien qui réclamaient l'égalité? Pourquoi l'Homme a-t-il domestiqué la femme comme il a domestiqué les vaches et les chiens? Et pourquoi l'Homme est-il surpris et agacé quand la femme exige l'égalité, ou fait-il des gorges chaudes ou hausse-t-il les épaules, ou a-t-il un petit sourire en coin quand il en parle publiquement, exactement comme si c'était sa vache ou son chien qui lui demandaient des comptes au sujet des lois et des règles de grammaire? Ou au sujet des règlements ludiques qui veulent que ce soit toujours le roi qui l'emporte sur la reine ou sur la dame? Et pourquoi tous les Hommes sur la terre acceptent-ils comme allant de soi que votre espèce soit mâle? Et pourquoi y a-t-il encore tant de femmes sur la terre qui acceptent cela comme allant de soi? Et pourquoi les mâles de votre espèce ont-ils *capitalisé l'espèce* comme ils ont capitalisé l'argent, comme ils ont capitalisé le pouvoir et comme ils ont capitalisé le savoir?

666.   Et pourquoi faut-il sur votre planète que les uns soient lapidaires et les autres lapidés? Et pourquoi, dit l'Euguélionne, pourquoi croyez-vous encore que rien n'est plus Humain que d'être inhumain?

VII

300 + 1 = 1

— Où avez-vous pris que notre espèce était mâle, cria quelqu'un dans la foule? Et qui êtes-vous pour vous permettre de porter des jugements sur l'Humanité?

667.   — Moi, dit l'Euguélionne, je suis une étrangère. Voilà pourquoi je peux me permettre de vous parler de la sorte. *Je suis une femme mais je ne suis pas Humaine.* Je ne suis pas une femme de votre espèce. Si j'étais Humaine, croyez-vous que j'oserais seulement

y voir clair? Je subirais, comme vous tous, le poids mythologique de toutes les générations qui ont précédé les vôtres et je ne verrais pas bien où le bât blesse. Mais moi, dit l'Eguélionne, je suis étrangère à votre Humanité. Et toutes celles qui, parmi vous, ont découvert le défaut de votre cuirasse, sont comme moi étrangères à votre Humanité. Elles n'ont pu la voir, comme moi, que de l'extérieur. Quant à moi, dit l'Eguélionne, je l'observe et je suis aux écoutes.

668.   À ce moment, on vit venir un groupe de manifestantes. Des femmes de tous âges brandissaient des pancartes adressées à l'Académie française, qui réclamaient la révision des règles de syntaxe et une étude approfondie de la sémantique et de l'usage courant de la langue, basée sur la discrimination sexuelle.

Sur un de ces panneaux, on pouvait lire:

669.

ANIMAL > FEMME

EXEMPLE:
> *Trois cents femmes et un petit chat se sont BALADÉS dans la rue.*

MÊME L'ANIMAL masculin L'EMPORTE SUR L'ÊTRE HUMAIN féminin.

Sur une autre affiche, c'était écrit:
OBJET INANIMÉ > FEMME

EXEMPLE:
> *Trois cents femmes et un camion se sont BALADÉS dans la rue.*

MÊME UN OBJET INANIMÉ masculin L'EMPORTE SUR L'ÊTRE HUMAIN féminin.

670.   D'autres pancartes disaient en clair la triste carrière du féminin et de la féminité:

PROVERBE ANGLAIS:

> « *Pourceaux, femmes et abeilles ne peuvent être DÉTOURNÉS* ».

LES POURCEAUX L'EMPORTENT SUR LES FEMMES ET MÊME SUR LES ABEILLES...

— *Ce rôti de BOEUF était DÉLICIEUX.*
— *Ce n'est pas du bifteck, c'est de la VACHE ENRAGÉE.*

L'INJURE SUPRÊME EST LE FÉMININ.

EXEMPLE:
> *SALOPE* dit un homme à un autre homme.

(Le terme *salaud* est moins offensant).

ÉNERGIE = VIRILITÉ
MOLLESSE = FÉMINITÉ

EXEMPLE TIRÉ DU DICTIONNAIRE:

EFFÉMINÉ: Qui a les caractères qu'on prête traditionnellement aux femmes. (...) Mou, sans énergie, sans virilité. (Robert).

PROVERBE AMÉRICAIN:

Un épagneul, une femme, un noyer, plus ils sont BATTUS, MEILLEURS ils sont.

(SANS COMMENTAIRES)

671.   Et ces femmes en colère contre la grammaire et la sémantique faisaient signer une pétition où figurait une liste étonnante d'expressions discriminatoires, soit fondées sur la langue écrite, soit fondées sur son usage quotidien. Par exemple.

— *POURQUOI le mot SERVANT n'est-il qu'un adjectif et le mot SERVANTE est-il un substantif?*

— *POURQUOI les féminins normaux de certains mots sont-ils péjoratifs ou sans aucun rapport avec le masculin?*

Par exemple, pouvez-vous seulement imaginer la conversation suivante entre deux avocats ou deux auteurs célèbres, l'un mâle et l'autre femme, dont les relations ne seraient situées que sur le plan professionnel:

— *Cher Maître, ravie de vous rencontrer!*

— *Ah! Quelle joie de vous voir, chère Maîtresse. J'ai su que vous aviez donné naissance à un autre enfant?*

672.   — *Oui, un fils. J'ai maintenant deux garçons et une garce.*

— *Votre mari doit être enchanté. N'est-il pas entraîneur de football?*

— *Non, non, c'est sa sœur qui est entraîneuse... de ski, naturellement!*

— *Rappelez-moi donc alors ce que fait votre mari?*

— *Il est médecin. Et il espère que l'un de ses fils suivra ses traces.*

— *Ou votre fille, pourquoi pas? Elle pourrait devenir médecine, elle aussi...*

Suivaient, sur cette pétition, un grand nombre de suggestions et de revendications à la digne Académie, dans le but de corriger une situation qu'elles jugeaient intenable. En voici quelques-unes.

673.   1 — *Invention d'un mot qui fasse cesser l'équivoque entre Homme-Espèce et Homme-Mâle. Ou ABOLITION DU MOT HOMME qui, dans ce double contexte, ne veut plus rien dire, parce que, étant un signe permanent de l'Humanité, il est en même temps un signe ambigu et tenace du mâle humain. En effet, on ne peut le garder pour désigner seulement l'Homme-Espèce (bien qu'étymologiquement ce serait la bonne solution), car le signifiant HOMME est trop attaché au signifié MÂLE, de telle sorte que l'équivoque subsisterait. D'autre part, on ne peut le garder pour désigner seulement le mâle, car ce serait alors une grave erreur d'étymologie et ce serait perpétuer la confusion entre le mâle et l'espèce.*

2 — *Addition d'une forme* neutre *aux genres déjà existants de féminin et de masculin. OU ABOLITION DES FORMES MASCULINES ET FÉMININES comme en anglais.*

674.   3 — *Ou que ce soit le* nombre *qui l'emporte, pas seulement le genre. Exemple:* Trois cents femmes et deux cents hommes se sont PROMENÉES dans la rue.

4 — *Qu'en cas d'incertitude, ce soit le neutre qui l'emporte et que le neutre soit invariable. Ou que, tout simplement, la forme du pluriel ne requière pas l'accord des genres et demeure invariable comme en anglais.*

675.   5 — *D'ici à ce que les genres soient abolis, nous voulons des féminins aux mots:*

— Administrateur
— Agent
— Amateur
— Auteur
— Chef
— Chauffeur de taxi
— Compositeur
— Député
— Directeur
— Docteur
— Écrivain
— Éditeur
— Enquêteur
— Facteur
— Fournisseur
— Gagne-petit
— Gouverneur
— Grand couturier
— Grand cuisinier
— Greffier
— Imprimeur
— Ingénieur

- Inventeur
- Législateur
- Juge
- Médecin
- Metteur en scène
- Ministre
- Orateur
- Orienteur professionnel
- Peintre
- Plongeur
- Professeur
- Rôtisseur
- Saucier
- Sculpteur
- Superviseur
- Témoin

ETC., ETC.

Nous ne voulons plus, dans nos professions, être désignées par des épithètes accolées au mot femme. Exemple: le mot « auteur » est un substantif masculin qui devient adjectif féminin, selon Littré, dans l'expression: « une femme auteur ».

Il est clair que nous rejetons des féminins comme « amatrice », « compositrice », « inventrice », qui ont l'air d'adjectifs et non de substantifs, qui sont laids phonétiquement sinon grotesques, qui n'ont aucune autorité et qui font franchement amateurs...

Il est clair que nous rejetons des expressions boiteuses comme: « Madame *le* docteur Une Telle » ou « Madame X, *le* ministre de la Santé Publique ». *La langue française rejette les femmes de carrière (nous ne pouvons même pas dire les* professionnelles, *expression péjorative, contrairement à son homologue masculin), quand elle leur impose le masculin pour s'identifier et se définir.*

676.   Les manifestantes ramassaient les signatures à leur manifeste, alors que celui-ci était lu à haute voix par l'une d'elles. La plupart des gens n'osaient signer une telle requête, dont les termes leur paraissaient nettement extravagants. Mais elles ne se décourageaient pas. Elles se montraient polies, calmes et obstinées.

Il est clair, disait aussi le document, *que nous ne voulons plus être des substantifs seulement quand il s'agit de tâches serviles, là où il n'y a pas de masculins équivalents comme:*

- Ménagères
- Servantes .... (Serviteurs *n'est pas équivalent*)
- Putains
- ETC.

L'Euguélionne signa la pétition mais elle dit aux femmes qu'elle ne les approuvait pas entièrement.

VIII

LE GÉNÉRIQUE

677. — Pourquoi demander la permission à l'Académie française, dit l'Euguélionne? Pourquoi supplier, solliciter, vous faire ridiculiser une fois de plus? Les membres de cette auguste assemblée sont impuissants totalement à changer un iota de cette syntaxe et de cette sémantique. Car les femmes qui composent la dite assemblée, passez-moi l'expression, sont rares comme de la merde de pape et surtout incroyablement effacées. De toute façon, ce sont les mentalités qu'il faut changer car une langue avant la lettre a un esprit...

N'attendez plus de permission pour agir, parler et écrire comme vous l'entendez.

Faites des fautes volontairement pour rétablir l'équilibre des sexes. Inventez la forme neutre, assouplissez la grammaire, détournez l'orthographe, retournez la situation à votre avantage, implantez un nouveau style, de nouvelles tournures de phrases, contournez les difficultés, dérogez aux genres littéraires, faites-les sauter tout bonnement.

Vous exigez des féminins à certains mots et je vous mets en garde contre les spécialistes accrédités qui sont tous des Hommes...

Je comprends vos réticences à former des féminins aux noms professionnels, car le féminin n'étant qu'une annexe au masculin, a toujours un sens moins sérieux quand il n'est pas carrément péjoratif. Quelle femme aimerait s'entendre nommer: « Madame la doctoresse Une Telle » si elle sait que ce mot a eu un sens ironique jusqu'au dix-neuvième siècle. Le nom professionnel n'a de prestige, d'autorité, voire de majesté qu'au masculin.

Cependant, vous pouvez chercher dans l'étymologie du français à former vous-mêmes les substantifs féminins propres à vous désigner dans vos professions. *Il n'est pas du tout nécessaire que le féminin ressemble au masculin,* car il n'y gagnera rien, sinon un peu plus de ridicule. À moins qu'on n'ajoute à celui-ci qu'un *e* muet...

Même discriminatoire, la langue n'est pas un appareil répressif comme peut l'être un système économique, législatif ou judiciaire. Elle peut être réformée, il me semble... Le peut-elle? Sinon, elle devra disparaître.

La langue est un tissu très souple où des centaines de générations avant vous sont venues apposer leurs initiales. Elle attend les vôtres, Femmes de la terre; que les linguistes parmi vous s'y mettent sans tarder.

678. — Nous avons fait cela, dirent alors les manifestantes, bien que nous ne soyons ni linguistes ni sémanticiennes. Nous nous sommes inspirées d'un excellent dictionnaire d'étymologie dont nous étions fières car il est l'œuvre d'une femme.* Nous proposons notre recherche

à l'Académie française, non à titre de mots à adopter, mais à titre de premier travail de déblayage, à titre aussi d'exemple de formation sauvage des mots, car nous avons évité les suffixes en *euse*, en *esse* ou en *trice* qui ont rarement donné de bons résultats comme substantifs, surtout en ce qui concerne les activités professionnelles. Les mots que nous avons trouvés ne sont pas heureux pour la plupart. Ils sont même bizarres et parfois tout à fait drôles. Mais chacun d'eux représente une étape sur le chemin au bout duquel jaillira peut-être le mot adéquat.

— Ces mots vous semblent barbares, dit l'Euguélionne en jetant un premier coup d'œil sur le TABLEAU DE FÉMININS EN FORMATION que lui présenta l'une de ces femmes déterminées. Mais les gens s'y habitueront si vous les employez le plus souvent possible: les meilleurs l'emporteront et passeront dans la langue. À l'origine, tous les mots sont barbares, à l'origine tous les mots sont des barbarismes. Si vous voulez exister dans la société, vous devez absolument fabriquer les néologismes qui vous conviennent, sinon, vous n'existerez pas, ni en tant que femmes, ni en tant qu'être humains, mais seulement comme de pâles reflets de vos compagnons.

Puis, l'Euguélionne fit connaître à la foule le TABLEAU DE FÉMININS EN FORMATION dont voici quelques extraits:

679.

MASCULIN	ÉTYMOLOGIE	FÉMININS
Un auteur	*Indo-européen:*	Une auteure
	Aweg: croître	Une croissante
	AOÛT	Une augustine
		Une augustelle
	Autorité	Une autoriste
	Lat.: auctor	Une auctorèse
		Une auctorine
		Une autoricienne
	Augure	Une augurine
	Auxiliaire	Une auxilienne
		Une auxiliste
	Heur	Une autheure
Un auteur		*Une automne*
		Une autelle
		Une autesse

*Jacqueline Picoche (*Nouveau Dictionnaire Étymologique*, Hachette-Tchou).

MASCULIN	ÉTYMOLOGIE	FÉMININS
Un composi-teur	*Lat.: sinere,*	Une compositeure
	situs	Une compositienne
	PONDRE	
	ponere	
	posinere	
	deponere	
	componere	Une componérante
		Une componicienne
	Placer ensemble	Une composantine
	Concerter	Une concertade
		Une concertinante
		Une compositorèse

Un écrivain	*Indo-européen:*	Une écrivante
	Sker: gratter,	
	inciser	Une écriveraine
	ÉCRIRE	Une scriveraine
	Lat.: scriba	Une escribane
	scribanem	Une scribane
		Une scribacienne
		Une scribade
	scriptor	Une scripturante
		Une scriptoricienne
	stilus:	Une stylophile
	poinçon	Une stylomane
	pour écrire	
		Une graphicienne
	Gr.: graphein:	Une philographe
	GREFFE	Une graphomane
		Une gynographe
	skariphos:	Une scariphine
	style pour écrire	Une scariphante
	skariphasthai:	Une scariphaste
	inciser légèrement	Une scariphène
Un écrivain		*Une écrivière*
		Une écrivage
		Une écrivelle
		Une écriturne
		Une écritornarde
		Une écritoriale

MASCULIN	ÉTYMOLOGIE	FÉMININS
Un sculpteur	*Lat.: scalptus:*	Une sculpteure
	gratter, tailler	Une sculptante
		Une sculptorèse
	ÉCHOPPE	
	eschople	Une scopelle
	eschaupre	Une scoplène
	burin	Une scolpène
	scalpel	Une scolpane
	sculpture	Une scolpante
		Une scolpaute
		Une scoplante
		Une scoltante
		Une scolpiste
		Une scolptante
		Une scauprelle
		Une scauprine
		Une scaupreste
		Une sculpticienne
		Une burinante
		Une burinice
Un peintre	*Lat.: pingere,*	Une artiste-peintre
	pictus:	Une peintre
	broder, tatouer	Une peignante
	pigmentum:	Une pictorèse
	peinture	Une pittorène
		Une pingiste
		Une pingicienne
		Une pittoricienne
		Une peinturelle
		Une pigmenticienne
		Une pigmentine
Un profes-	*Indo-européen:*	Une professeure
seur	*Bha:* parler	
	FABLE	Une fablière
	Gr.: Phêmê.	Une phasiste
	parole	Une prophasiste
	phanai:	Une prophiste
	parler	Une prophesse
	phasis:	
	parole	Une professine

MASCULIN	ÉTYMOLOGIE	FÉMININS
	Lat.: fari: dire:	
	profiteri,	Une professorèse
	professus:	Une profiterine
	professeur	Une profiteriste
		Une profitericienne
		Une professante
		Une professorante
		Une professoricienne
Un médecin	*Indo-européen:*	Une médecienne
	Med: prendre avec	Une médicariste
	autorité et ré-	Une médicante
	flexion des me-	Une méderiste
	sures d'ordre.	
	MUID	
	Gr.: medein:	
	mesurer	
	iatros:	Une médiatre
	médecin	
	therapeuein:	Une thérapeute
	soigner	
	Anc. fr.:	
	mecine	Une mécinelle
	miège	Une miégiste
	mire	Une mirelle
		Une théramire
Un témoin	*Lat.: testis:*	Une testarèse
	témoin	Une testicienne
	TÉMOIN	Une témoniste
	testimonium:	Une testimoine
	témoignage	Une testimoniale
	testiculus:	*(à éviter ces*
	(dim. de testis):	*deux derniers*
	testicules	*qui entrent en*
	(au pluriel):	*compétition avec*
	testes: littér.:	*les deux témoins*
	les deux témoins...	*en question...)*

234

IX

UN CORPS DE DÉESSE

680.　— Je vois que vous n'avez pas manqué d'humour, dit l'Euguélionne, en effectuant ce travail de « déblayage » au bénéfice de ces messieurs de l'Académie. Votre étude est très intéressante mais je crains qu'elle ne soit inutile...

— Nous le craignons nous aussi, dirent les femmes avec une ironie amère.

— Vous vous êtes rendu compte que le génie de la langue ne se prête pas à vos ambitions... Disons plutôt que la langue française manque singulièrement de génie quand il s'agit de former des féminins pour désigner des « être animés » du secteur professionnel... Le résultat de votre entreprise en est une preuve flagrante: dès qu'il s'agit de vous, mesdames, le français est rétif comme un âne, il se cabre comme un cheval gréco-latin, il montre une résistance remarquable aux efforts que vous déployez dans la société des Hommes...

681.　Le français, ne l'aviez vous pas constaté, dit l'Euguélionne, est une langue purement masculine. *Le féminin n'y figure que comme une redondance du masculin.* À ce genre noble, l'*e* muet n'est qu'un ajout modeste. Modestie exemplaire, d'ailleurs... Quant aux suffixes, la plupart m'ont l'air d'être mis la comme des colorants, des décorations, des diminutifs, des étiquettes au masculin, donnant aux mots ainsi formés une allure d'épithètes alors même qu'ils sont des substantifs.

Et quand il s'accouple au masculin, le féminin ne fait pas meilleure figure: dans la retraite des vieux, les vieilles sont escamotées, dans l'union de deux jeunes époux, l'épouse est déjà subtilisée... En somme, c'est un genre qu'on sacrifie au profit d'un autre genre... à moins que ce ne soit au profit de l'espèce... C'est curieux comme l'histoire se répète!

Le féminin est inféodé au masculin et n'a aucune forme propre, aucune autonomie. C'est du moins l'impression que me fait le français. Existe-t-il beaucoup de moucherons, carafons et autres ballons qui, dans votre langue, ont été faits à partir du féminin? Bien sûr qu'il y en a. Mais si peu... Ils sont d'ailleurs, si je ne m'abuse, considérés comme des formations régressives. Et des noms masculins de personnes formés à partir du féminin? Je doute qu'il y en ait beaucoup... En somme, le féminin a été tiré du masculin comme Ève de la côte d'Adam... Toujours l'histoire qui se répète...

Les noms de choses au féminin, dit l'Euguélionne, ont eu plus de chance que les noms de personnes du même *genre*. Sans doute parce qu'ils ont été pensés d'abord au féminin. La *mer* est une réussite parce que c'est un mot autonome, tiré d'un mot neutre latin, sans référence au masculin, bien qu'il ait une tournure plutôt masculine au dire des spécialistes! Je pense bien: son *e* n'est pas muet!

682.   Hélas, pas un seul des néologismes que je viens de lire sur ce TABLEAU DE FÉMININS EN FORMATION ne vaut l'original masculin: il faut en prendre son parti, il n'y a pas de féminin possible en français aux mots « auteur », « sculpteur », « écrivain », « professeur », etc. Ils ont été pensés au masculin, ont vécu et pris de la force, et ils ont été fixés comme tels dans la langue. En français, ai-je cru comprendre, le féminin possible des « êtres animés à forme unique » est tellement péjoratif, que de penser des formes féminines aux noms masculins dans le secteur professionnel est une aventure absolument déconcertante qui n'a aucune issue apparente.

Mesdames, continuez à chercher car vous n'avez pas trouvé! Et ne vous fiez pas à une Académie masculine pour reconnaître votre existence, car il y a belle lurette qu'ils auraient trouvé le moyen de vous nommer s'ils avaient pris la chose en considération (au lieu de se perdre en spéculations oiseuses sur l'admission du mot CON au dictionnaire!), et si la chose était possible. Car il se peut que le français ne soit absolument pas capable de s'adapter aux exigences de cette nouvelle réalité que sont les femmes dans le monde moderne. À votre place, je ne me fierais qu'à moi-même et à mes pareilles pour ce genre de travail qui n'a jamais tellement intéressé le sexe opposé...

Et si vous acceptez que le masculin soit un genre commun ou une espèce de neutre, vous risquez les confusions infiniment regrettables qui découlent, dans toutes les langues, de l'appellation unique pour désigner simultanément le mâle et l'espèce, en l'occurrence, le mot HOMME.

683.   Le français, dit l'Euguélionne, est une langue d'une richesse incroyable, mais, à mon avis, il est VIEUX JEU. On dirait qu'il a fait son temps. Il ne peut s'adapter aux phénomènes sociaux modernes. Sa richesse même est un boulet qu'il doit traîner dans tous les sens. Seulement dans le domaine de la technologie, il est en train de subir une dangereuse mutation par des emprunts de plus en plus nombreux aux langues étrangères. On l'appelle déjà le « franglais » comme tout le monde sait.

Le français, dit l'Euguélionne, restera la langue d'un peuple mâle chauviniste s'il ne trouve au plus tôt des féminins acceptables pour désigner les femmes du XXe siècle et des siècles à venir, pour désigner aussi avec élégance tous les faits nouveaux qui entourent leur venue au monde appelé jusqu'ici le monde des Hommes.

684.   On ne peut qualifier d'élégant, par exemple, le mot *garderie* lequel pourrait, au contraire, servir de modèle de malformation. Ce mot, en effet, sonne comme « écurie » ou « incurie », et il évoque en outre des spectres aussi suspects que « conserverie, effronterie, barbarie, supercherie, coquetterie, polyandrie, tromperie, plaisanterie, etc. » Cela fait peur au monde... Ce mot a également une parenté sournoise avec le mot *parking* qui désigne ces immenses espaces naguère verts où sont aujourd'hui entassées de basses forêts d'autos jusqu'à ce qu'on vienne les récupérer.

Psychologiquement, je crois bien que le mot « garderie » n'est pas accepté. C'est peut-être pour cette raison qu'il y en a si peu. Quant au mot *crèche*, il n'est guère plus reluisant: il est évocateur d'enfants trouvés, d'enfants nés sur la paille, de mangeoire, d'auge et de râtelier.

685.   Si l'on ne veut considérer que le point de vue des femmes, le français est une langue préhistorique car, dans cette langue, les féminins de personnes se présentent souvent comme des anomalies ou des expressions triviales. C'est curieux que les auteurs des dictionnaires spécialisés consacrent, sans le savoir, la carence de la langue à cet égard, quand ils se contentent de noter à chaque fois que le cas se présente — et il se présente souvent —: « pas de féminin » à tel ou tel mot.

686.   Je n'ai pas encore entendu dire que vos linguistes structuralistes aient jamais entrepris d'études sérieuses sur les féminins en formation et sur le féminin dans la langue française. Ils savent pourquoi le grenier est masculin et la poivrière du genre féminin. Mais ils ne se demandent pas pourquoi tant de féminins appliqués aux personnes sont péjoratifs et pourquoi tant de féminins sont absents là où la réalité féminine existe, dans le secteur professionnel, par exemple. Seront-ils les derniers à s'apercevoir que les mots « féminin », « femme », « féminité » et même « féminisme » n'ont plus le même sens qu'autrefois sur votre planète? Et qu'alors, c'est toute la langue qui en est affectée? Et qu'employer le mot « efféminé » est devenu du racisme sexuel, parce que ce mot sous-entend que l'être humain non viril, comme une femme, est aussi un être mou et dépourvu d'énergie. Résultat imprévu: la femme qui manifeste de la force et de l'énergie est curieusement qualifiée de virile... Comme si c'était un compliment à lui faire!

687.   Je suggère amicalement à ces brillants analystes, par ailleurs fort émérites, d'étudier sur une base sémantique la proposition suivante:

> Pourquoi dit-on: « elle a *un* corps *de* déesse » et ne peut-on pas dire tout aussi bien: « il a *un* corps *de* dieu »? Pourquoi la formulation masculine doit-elle se faire sur un autre mode, prendre une autre tournure qui dépersonnalise la divinité, à savoir: « il a *le* corps d'*un* dieu »?

J'imagine que nos sémanticiens seront obligés de rouvrir le dossier poussiéreux portant sur le sexe de Dieu... O anthropomorphisme folklorique, direz-vous! Bof! Moi, je dirais plutôt: ô andromorphisme séculaire, toujours bien vivant! La déesse est multiple, le dieu est unique. Ce qui, messieurs, vous fait une belle jambe, sans contredit, et sans que vous y soyez pour quelque chose, ou si peu... Car, qui d'entre vous se souvient encore de ce que disait cette chère vieille momie terrestre qui s'appelait, je crois, Victor Hugo: « L'homme seul, sur la terre, est du sexe de Dieu. » (!)*

Et pourquoi toutes ces arguties inutiles sur quelques caprices morphologiques de la langue, me direz-vous encore? Et pourquoi, dit l'Euguélionne, moi qui ne suis pas Humaine, ne me ferais-je pas *l'avocate de la diablesse* au service d'un instrument aussi précieux, aussi inestimable, aussi irremplaçable, que la langue d'un peuple et de sa civilisation? Pourquoi pas?

Entre nous, avez-vous remarqué comme le mot « déesse » est joli et comme il sonne bien à l'oreille? Avez-vous remarqué aussi qu'il ne ressemble en rien au mot « dieu »...

X

CE GLISSEMENT IMPERCEPTIBLE

Quelqu'un tout à l'heure m'a demandé où j'avais pris que votre espèce était mâle. Je vais vous raconter comment cela m'est venu.

688. J'étais dans cette « bibliothèque » comme vous dites, dit l'Euguélionne, et j'entendais comme un bourdonnement autour de moi, une rumeur qui disait sur tous les tons: *Lom, Lom, Lom, Lom, Lom, Lom, Lom!*

Je compris que c'était de l'Homme qu'on parlait dans tous ces livres qui m'environnaient, qui me pressaient de les regarder, de les ausculter, de les traverser.

« L'homme est un terme générique qui embrasse la femme » disaient les philosophes en plaisantant. Et vraiment, c'était une plaisanterie. Car, à la lecture de tous ces beaux panégyriques, je me rendis compte que l'Homme était un terme générique qui n'embrassait que le mâle Humain.

La condition humaine était la condition du mâle Humain, les hommes de ce temps étaient les mâles de ce temps, l'enfant qui vient de naître était mâle, la liberté, l'imagination, l'histoire, l'immortalité des Hommes, étaient celles des mâles Humains. J'en avais la confirmation constante, à chaque pas que je faisais dans les livres. Et bientôt, je sus de source sûre que les femmes de la Terre n'étaient pas Humaines à proprement parler, dit l'Euguélionne.

689. Au début, je ne prêtais pas tellement attention à un singulier phénomène dont, lectrice assiégée, je faisais innocemment les frais...

---

*C'est du moins ce que rapporte notre Victor national dans un livre qu'il a consacré à son illustre homonyme. *(note de l'auteur)* Cf. *Pour saluer Victor Hugo*, de Victor Lévy-Beaulieu.

238

Ce phénomène consistait en un glissement de sens, imperceptible. Je lisais « homme » et mon cerveau, tout naturellement, traduisait, selon le cas, « homme-espèce » ou « homme-mâle ». Je croyais d'emblée que l'une ou l'autre de ces deux significations était clairement indiquée par le contexte et qu'il n'y avait pas de confusion possible.

690.   Quelle erreur, ou plutôt, quelle naïveté de ma part! J'aurais dû savoir que ce mot « homme » était sujet à caution. Dans mon esprit, aurait dû subsister au moins un doute raisonnable, depuis le temps que je séjournais parmi les « hommes » de cette planète.

Car j'avais été témoin si souvent de ce phénomène singulier dans la vie terrestre de tous les jours... J'avais même constaté que c'était là le pain quotidien des Hommes, dont les miettes étaient destinées aux femmes. Celles-ci étaient expertes au ramassage des miettes d'Humanité. C'étaient de fameuses ramasseuses de miettes, personne ne pouvait leur disputer cet honneur d'être les plus grandes, à travers toute l'histoire, dans la cueillette des miettes. Elles étaient même pleines de gratitude qu'on leur permît de récolter en douce, pour leur propre compte, quelque particule d'Humanité ayant glissé imperceptiblement de la table des riches. Personne ne songeait à leur disputer ce privilège insignifiant qui leur avait été concédé de tous temps sans discussion, probablement par une espèce d'atavisme...

691.   Pour donner un exemple concret de ce glissement imperceptible, je me souviens avoir lu un article ethnographique sur les hommes d'une contrée esquimaude. Leurs traits y étaient décrits ainsi que leurs particularités, leur histoire y était racontée, leurs ancêtres, leurs rites, leurs coutumes, leurs mythes, tout ce qui les concernait y était consciencieusement répertorié. Chacun de ces sujets d'étude était coiffé d'un sous-titre en caractères gras à l'intérieur de l'article.

Je fus bien surprise quand je vis que le dernier sous-titre était ainsi rédigé: ET LEURS FEMMES.

Donc, me suis-je dit, les habitants de cette contrée sont des mâles. Par conséquent, me suis-je dit, les femmes de cette contrée n'ont ni ancêtres, ni histoire, ni coutumes, ni traditions.

L'expression « hommes de cette contrée » qui commandait tout cet article et qui signifiait « êtres humains de cette contrée », avait glissé imperceptiblement vers le sens « mâles de cette contrée », ce qui dépouillait les femmes de cette contrée de toute leur dimension historique. Et ce qui revenait à dire, dans ce contexte: l'être humain observé ici est mâle et seul le mâle est humain.

692.   Une autre fois, un de mes jeunes amis terrestres, âgé de huit ans, m'avait montré un très beau livre intitulé LE SEXE DE LA FEMME. Il y avait en exergue à la première page une citation d'un grand écrivain français — très célèbre aussi comme politicien — et je dus relire cette citation plusieurs fois avant d'en saisir le sens véritable:

     « (Le sexe de la femme) est le seul moyen de l'homme d'atteindre sa vie la plus profonde à travers l'érotisme, seul moyen d'échapper à la condition humaine des hommes de son temps. »

Au premier abord, cette phrase était très flatteuse pour le sexe de la femme, donc, flatteuse pour celle-ci. Mais « l'homme » était nommé deux fois expressément dans cette courte phrase et mentionné trois autres fois sous forme d'adjectifs. La première fois, on pouvait croire qu'il s'agissait de « l'homme-mâle » et de « sa » vie. Puis, c'était le glissement inverse qui se produisait par la suite: de « l'homme-mâle », on glissait à « l'humaine » condition de l'espèce des « hommes-espèce » de « son » temps.

Mais, me suis-je dit, le glissement habituel s'est-il vraiment produit dans l'autre sens, s'est-il réellement inversé? J'avais plutôt l'impression qu'il ne s'était pas produit du tout, ou plutôt que, le pré-jugé Humain favorable au mâle étant sous-entendu dès le début, c'était le glissement habituel qui s'était produit. Pour cet écrivain, me suis-je dit, il est clair que « l'homme » est mâle et que seul le mâle est humain qui est appelé à transcender sa condition.

693.   Et maintenant, dit l'Euguélionne, revenons dans cette biblio-thèque. D'un livre à l'autre, j'appris l'existence de grands champions de la justice et de l'égalité.

Il était même une fois un grand poète qui chantait la liberté de tous les Hommes dans de fracassants manifestes qu'il disait sur-réalistes. Le poète en question n'était certes pas ce que vous appelez un « réactionnaire ». Il était le grand-prêtre reconnu de l'avant-gar-disme en matière de libre expression de la libre-pensée et de la libre-imagination.

Et voici ce que je découvris sous sa plume à la toute première page du premier de ces manifestes éminemment Humains:

> « L'homme, ce rêveur définitif, de jour en jour plus mé-
> content de son sort, fait avec peine le tour des objets
> dont il a été amené à faire usage, et que lui a livrés sa
> nonchalance, ou son effort, son effort presque toujours,
> car il a consenti à travailler, tout au moins il n'a pas
> répugné à jouer sa chance (ce qu'il appelle sa chance!).
> Une grande modestie est à présent son partage: il sait
> quelles femmes il a eues, dans quelles aventures risibles
> il a trempé; sa richesse ou sa pauvreté ne lui est de rien,
> il reste à cet égard l'enfant qui vient de naître et, quant
> à l'approbation de sa conscience morale, j'admets qu'il
> s'en passe aisément. »

Notre bon apôtre continue sur ce ton pendant des pages, emploie le pronom personnel *il* pour permettre à celui-ci de remplacer person-nellement le mot « homme » dont la carrière se poursuit tout au long du discours dans le sens spécifique d'« être humain », ce qui ne l'em-pêche nullement de glisser sans cesse et sans conteste vers son sens générique. Ce va-et-vient subtil se trouve confirmé de façon éclatante par le fait que la femme y est reconnue comme objet d'usage courant — dans la plus pure tradition masculine de cette planète ai-je cru comprendre — comme objet que « l'homme a eu » en se croyant chanceux, mais dont il s'est heureusement dépossédé pour mettre fin au ridicule où un si piètre objet joint à tous les autres l'ont momentanément plongé. Il y a de quoi être modeste assurément!

694.   « Le seul mot de liberté est tout ce qui m'exalte encore, avoue-t-il deux pages plus loin. Je le crois propre à entretenir indéfiniment le vieux fanatisme humain. »

Comment ne pas croire que ce « vieux fanatisme humain » consiste à se persuader naïvement que l'être humain est mâle et que seul le mâle est humain? Serait-ce donc là, me disais-je, le contenu manifeste en même temps que fantasmatique de ce fameux « mot de liberté »?...

Là-dessus, je me disais aussi qu'il n'y avait que les poètes pour glisser d'un sens à l'autre avec autant d'élégance et de bonne inconscience...

695.   Il y avait aussi toute cette littérature Ψ où il me parut bientôt évident que la Ψ chanalyse était fondée tout entière sur ce fait primordial que votre espèce est mâle. En effet, la psyché des deux sexes se construit sur le thème phallique. La femme est l'élément forcément étranger qui advient à l'espèce (c'est-à-dire qui advient au mâle-espèce), qui intervient, soit pour la détruire, soit pour la diviser, soit pour l'orienter vers la civilisation ou l'en détourner, soit pour l'inspirer et inspirer ses œuvres, les meilleures et les pires.

Je dus me rendre compte que, même pour les plus évolués des auteurs Ψ (comme Reich par exemple), l'enfant qui naît est mâle. Il a un pénis et il entrera en conflit avec son père. C'est le schéma classique qui décrit le début de l'existence d'un être humain. On ne suppose jamais *a priori* que cet enfant puisse être une fille. Voilà pourquoi, pensais-je, ou du moins voilà une des raisons pour laquelle la théorie de l'envie du pénis — envie qui est censée caractériser le comportement féminin — n'est jamais mise en doute, bien au contraire, est toujours affirmée avec certitude par la plupart des Ψ chanalystes. Ce glissement imperceptible est particulièrement inconscient chez ces derniers, avais-je déjà remarqué.

696.   Puis, un beau matin, j'ouvris un gros bouquin qui venait tout tout juste d'arriver. Il traitait de la *Nouvelle Gauche* et je me dis que dans celui-là je n'allais pas trouver la même grande équivoque, la même inconscience, la même bonne ou mauvaise conscience dans la confusion.

Je tombai alors sur un passage que je jugeai propre à décourager n'importe quelle militante de gauche:

« L'immortalité pour l'homme n'aurait aucun sens: immortel, il n'aurait plus aucun désir de procréer. Il n'imposerait plus à la femme de masquer sur son visage, par les fards, l'empreinte irréductible de la mort. »

Ce passage constitue, sans nul doute, l'un des plus beaux exemples de ce glissement imperceptible particulier à l'emploi du mot « homme » relayé par son pronom personnel. Il s'enrichit d'ailleurs, par rebondissement, d'une conception toute masculine de la procréation, ainsi que du privilège tout à fait masculin de domination (imposer des fards) (pour que la vie ait un sens?).

Pour un auteur marcusien* qui s'emploie sincèrement et courageusement à dénoncer l'oppression exercée sur *Les Damnés de la Terre* (où curieusement ne figurent pas les femmes avec leur double journée de travail, leur travail sans salaire à la maison, leurs salaires de misère sur le marché du travail, etc., etc.), il est difficile de faire mieux dans le genre « chauvinisme inconscient ».

697.   On ne peut plus s'étonner après cela, me suis-je dit, que de luxueux et modernes dictionnaires des proverbes de tous les pays du monde n'aient qu'un article au mot HOMME et ne fassent pas la distinction élémentaire entre l'homme-espèce et l'homme-mâle.**

XI

LA GRANDE ÉQUIVOQUE

698.   C'est ce glissement du mot HOMME, de l'espèce vers le mâle, c'est « ce glissement imperceptible » qui fait toute la différence, dit l'Euguélionne.

Ce mot HOMME dans le sens générique, dit l'Euguélionne, chaque fois que je l'entends, chaque fois que je le vois écrit, c'est comme une imposture, une spoliation, un tour de passe-passe, une machination, une usurpation.

Lom, lom, lom, lom, lom! À travers tous les livres qui sont faits sur lui, à travers toutes les émissions, tous les films qui le prennent pour sujet, on croit toujours qu'il s'agit de l'être humain et tout à coup on s'aperçoit que l'être humain n'a qu'un sexe. Comment peut-on être un Homme, dit l'Euguélionne?

699.   Si les révisionnistes de toute catégorie, si les révolutionnaires de tout acabit, s'employaient à abolir définitivement ce mot HOMME dans son sens générique usurpé à l'espèce, ils feraient là une révolution essentielle qui pourrait mener à la révolution totale sans quoi cette dernière me paraît impossible à réaliser.

---

*Jean-Michel Palmer.
**À titre d'exemple, voir le *Dictionnaire des proverbes du monde* (Laffont).

Jamais Éros ne sera révolutionnaire, dit l'Euguélionne, tant que ce mot HOMME mettra à l'ombre la moitié de l'Humanité, comme vous faites de vos prisonniers...

Femmes « émancipées » de la Terre, je sais qu'on vous reproche de vouloir devenir des Hommes. Comment se fait-il qu'on ne voit pas la contradiction qui consiste à nommer le mâle du nom de l'espèce entière? Cette contradiction semble insoluble à vos Académiciens, car, leur faudra-t-il corriger tous les livres sans exception? Les livres ne sont-ils pas l'héritage sacré de l'Homme? Son héritage le plus précieux?

Femmes de la Terre, on vous reproche de vous prendre pour des Hommes, alors que l'on vous identifie depuis votre naissance grâce à un patronyme masculin, et alors que l'on vous identifie plus tard grâce au patronyme du père de votre mari, joint au prénom de celui-ci... Où est la femme dans le nom d'une femme mariée? N'est-elle pas devenue un Homme?

Femmes de la Terre, on vous reproche d'être des Hommes, et on ne voit pas la contradiction qui consiste à vous désigner très souvent au masculin, en vertu des accords conclus entre l'Homme et la Grammaire, et entre l'Homme et l'Espèce dont vous faites partie...

Et si c'était le contraire? Quelle impression auraient les Hommes de se voir désigner au féminin?

700. Croyez-vous, dit l'Euguélionne, que ce soit par manque d'imagination s'il n'y a, dans la plupart de vos langues modernes, qu'un seul terme pour désigner le mâle et l'espèce?

Les langues anciennes, plus méticuleuses, faisaient cette démarcation... Le français, si riche en synonymes, aurait pu lui aussi faire cette démarcation entre le mâle et l'espèce, en s'inspirant de ses parents grec et latin qui pourtant n'étaient pas moins misogynes en leur temps...

701. Et saviez vous, dit l'Euguélionne, que le mot HOMME veut dire *Terre, Humus, Humble?* N'est-ce pas extrêmement amusant quand on sait qu'il désigne aussi le mâle de votre espèce?

Quant à la femelle de votre espèce, un éventail complet puisé dans la faune et dans la flore sert à la désigner dans vos livres. Elle est fleur ou oiseau, elle est la lune et la terre, elle est une perle, une pie, un vase, un corbeau, une corneille, une colombe, une gazelle, une chienne, une grosse cochonne. Mais un Homme? Jamais! Elle n'est surtout pas un Homme! Ce serait déchoir pour la femme que d'être un Homme. Ce serait lui manquer de respect de supposer qu'elle fait partie de l'espèce des Hommes. On laisse entendre qu'elle a peut-être été un Homme dans les temps les plus reculés, mais heureusement, elle fut châtrée. Heureusement, oui heureusement pour l'Humanité, la femme n'est plus un Homme!

Qu'arriverait-il si vous lisiez vos livres avec un peu plus d'attention? Si vous vous mettiez à exiger de vos auteurs un réel souci d'exactitude? Et d'abord, pourquoi par exemple opposent-ils polygamie à polyandrie et n'ont-ils pas cru nécessaire de faire exister le mot polygynie?

Et ensuite, que pensez-vous des erreurs d'interprétation faites en toute bonne foi parce que dérivées tout droit de la grande équivoque Humaine?

J'ai lu un jour la perle suivante dans un excellent dictionnaire spécialisé traduit de l'anglais:

702. « HOMO » dans « homosexuel » vient du grec HOMOS qui signifie « même, analogue », et non du latin HOMO, un « homme »; donc « homosexuel » peut s'appliquer aux femmes aussi bien qu'aux hommes. »*

Ecce Homo! Avec cela, me suis-je dit, je tiens la preuve que la femme n'est pas Humaine. Heureusement pour elle qu'il y a les Grecs...

Voilà où mène l'accoutumance à la Grande Équivoque, dit l'Euguélionne. Vous ne saurez jamais le mal que j'ai eu, moi, étrangère à votre Humanité, à démêler le sens spécifique et le sens générique de votre fichu HOMME (et, en plus, vous vous permettez de dire aussi bien « le genre Humain » que « l'espèce Humaine ») quand je me suis mis en tête de passer à travers tous vos livres. Je ne vous dis que ceci: mes yeux ont sursauté souvent! Voilà pourquoi cela ne me surprendrait pas si vous trouviez ce mot quelque peu amoché quand vous retournerez à la bibliothèque, car j'ai, malgré moi, quelque magnétisme dans la prunelle... J'ai idée surtout, du train où vous allez, que le mot HOMME a fait son temps. Les populations futures de votre planète ne le retiendront peut-être même pas! Ces populations futures de la Terre auront peut-être des langages plus dérivés du *joual* et du *slang* que des langues académiques...

703. Ma chair est gaie, dit l'Euguélionne, et j'ai pu tout encaisser dans cette bibliothèque! Mais, soyez assez généreuses, bonnes gens, pour vous mettre à ma place quand j'ai eu cette phrase singulière sous les yeux:

« Chez l'homme, la matrice ne reçoit pas directement le sperme, contrairement au cochon. »

L'Homme a donc une matrice, me suis-je dit alors, au comble de la surprise. Et comment diable reçoit-il le sperme? Et qui le lui envoie de cette façon détournée, plutôt suspecte si on la compare à celle du cochon. Et puis, tiens donc, celui-ci aussi a une matrice?

Ou bien, imaginez mon désarroi quand j'ai vu ces mots sous la photo d'une gracieuse ballerine:

« Chez l'homme, voici comment le pied peut se cambrer. »

Mais ce virus de l'équivoque n'est pas toujours aussi innocent.

Dictionnaire de psychanalyse, de Charles Rycroft (Hachette).

Quoi de plus gratifiant pour les Hommes et de plus déprimant pour les femmes que des phrases comme celles-ci:

> « Quelle intellectuelle a justifié la prétention d'égalité avec les hommes par une œuvre d'homme? »*

> « Pour la femme de lettres surtout, le style, c'est l'homme. »*

Cela dit par des intellectuels et des Hommes de lettres, en toute modestie assurément! Il n'est plus besoin de se demander pourquoi ces bons auteurs sont tellement boursouflés: c'est la modestie qui les étouffe, voyons!

XII

LA MI-GRAINE

704.   Mais ce que j'ai trouvé de plus ambigu dans l'emploi de ce terme abusif, c'est la façon dont on apprend aux enfants toute la vérité sur les bébés, même dans les livres les mieux faits, dit l'Euguélionne.

Comme les fleurettes et les insectes, leur dit-on judicieusement, les hommes doivent se reproduire. Les enfants des hommes, leur dit-on ensuite, naissent garçons ou filles: les petits garçons deviennent des hommes, et les petites filles deviennent des femmes.

La confusion peut-elle être plus complète?

Et, plus loin, ces mêmes enfants apprendront que le mâle sème la graine et que la femelle la reçoit; que cette graine se développe dans l'organe de la femelle pour devenir une nouvelle fleur ou un nouvel être humain. Autrement dit, les enfants apprennent que le mâle féconde la femelle.

705.   Tout cela semble d'une vérité élémentaire, incontestable. Cependant, ce n'est qu'une demi-vérité. Car la graine, « semée » par le mâle, n'est en réalité qu'une *demi-graine*.

706.   Cette étonnante révélation, je l'ai eue petit à petit, au hasard de mes lectures et de mes conversations. Ainsi ai-je appris qu'à l'époque médiévale, l'on croyait en toute bonne foi que la femme n'était pas autre chose qu'un vase destiné à recevoir la semence sacrée du mâle, dans laquelle dite semence était déjà l'*homonculus* tout ébauché. Je me suis laissé dire que, depuis, la biologie avait fait quelque progrès...

J'ai su mêmement qu'à une époque antérieure, les Grecs anciens avaient légué à la langue des Français, des mots pleins de

---

*Maurice Bardèche & Claude Elsen (cités par Françoise d'Eaubonne).

substance comme « sperme » et « spermatozoïde » qui veulent dire:
« graine » et « semence ».

Il se peut que même la linguistique ait fait quelque progrès
depuis, au point de se baser maintenant sur les découvertes de la
biologie plutôt que sur le symbolisme agricole.

Il devint clair pour moi que, dépassant l'esprit rudimentaire
de ces époques reculées où la femme passait pour une *terre inerte*
attendant le geste auguste du semeur pour se mettre à donner des
fruits et des légumes, l'on avait enfin saisi la différence entre la dite
femme et la dite terre inerte.

707.   Cependant, je me rendis compte qu'un doute persistait dans
les esprits évolués des époques dites modernes, toujours au sujet de
cette sacrée graine!

Et la question que l'on fouillait avec tant d'ardeur était celle-ci:
l'honorable petite graine de papa était-elle douée des deux sexes comme
la graine du chou-fleur qu'on met en terre, ou bien, n'était-elle que
d'essence mâle? Question ardue entre toutes! Car, en ce dernier cas,
où était la femelle gamète? Nous avait-elle filé entre les doigts comme
la comète aux longs cheveux, ou était-elle déjà installée, la coquine,
dans cette bonne terre femelle qu'on voulait labourer?

Si elle était déjà « en terre », on ne pouvait décemment plus
parler de « terre inerte » en parlant de la femme, et alors et alors,
suprême révélation, la graine de papa n'était réellement qu'une mi-
graine comme on s'en doutait et comme on se refusait encore à l'admettre.

Cela voulait dire aussi que, même maman, cette vivante
amphore, ce vase antique à deux anses et à pied étroit, même elle,
cachait une « semence », même elle, la traîtresse, semait sa graine,
non pas en plein jour, mais subrepticement, à l'intérieur même de son
corps et que cette graine suspecte, en réalité, avait l'honneur d'être
l'autre moitié de la mi-graine de papa! Ouf! il y avait de quoi attraper
de sérieux maux de tête!

XIII

LA TÊTE ET LE NOYAU

708.   Du moment qu'on savait cela, me suis-je dit, fallait-il révéler
aux jeunes générations d'aujourd'hui dont regorge cette planète, fallait-
il leur révéler que *le corps de maman est un émetteur autant qu'un
récepteur?* Que cet émetteur, pour être clandestin, n'en est pas moins
aussi réel et authentique que le corps-émetteur de papa, cet incorrigible « laboureur de nature »? Et que leurs émissions à tous les deux
sont parfaitement au point, sur ondes courtes comme sur ondes à
fréquence modulée...

Fallait-il, dit l'Euguélionne, divulguer aux jeunes esprits de cette planète, le secret bien gardé de la fécondation, à savoir que celle-ci est « l'union des deux cellules reproductrices, la masculine et la féminine »,* et que, par conséquent, « l'ovule n'est pas fertilisé par le spermatozoïde (mais que) tous deux contribuent ensemble à un processus qui aboutit à la conception »?**

Quand ils apprendraient que ce phénomène est bilatéral, quand ils sauraient qu'il n'est pas exact de dire qu'une des deux cellules féconde l'autre puisqu'elles se fécondent mutuellement, comment allaient-ils réagir? Allaient-ils s'en prendre à la langue française pour son imprécision, ou à leurs pères pour les avoir cruellement trompés?

Ces pères abusifs leur avaient fait un tel éloge de leur pouvoir fécondant. Avec quelle fierté leur avaient-ils fait le récit épique de l'odyssée des spermatozoïdes se pressant par centaines de millions autour de l'ovule. Et combien haut ces pères avaient-ils chanté la victoire d'un seul, de celui qui avait réussi à pénétrer de force dans l'enceinte...

709.   Les fils allaient-ils douter à présent du pouvoir du vainqueur? Allaient-ils se demander si l'ouverture qui s'était ainsi faite tout à coup, n'avait pas dépendu aussi de la place assiégée, de sorte que cette place ne s'était pas laissé envahir? Et si c'était elle qui avait décidé de laisser passer un seul de ses assaillants, un en particulier, n'était-ce pas parce qu'elle avait su tenir en respect cette foule grouillante autour d'elle?

Enfin, c'est peut-être avec modestie que ces jeunes Humains apprendraient que ce n'était que la tête de l'un et le noyau de l'autre qui s'étaient unis pour concevoir l'œuf Humain.

710.   Je gage que ces jeunes gens allaient être surpris quand ils constateraient que, eh bien non, l'ovule n'était jamais évoqué en tant qu'*agent actif* de la fécondation. Jamais ou presque...

Et, s'ils sont logiques, ces jeunes, je gage qu'ils se demanderont avec inquiétude comment il se fait que ce ne sont pas les Hommes qui prennent la pilule, étant donné que ces derniers ont toujours cru que l'ovule n'était qu'un *élément passif* de la fécondation.

Curieux, se diront-ils, comme, en cette matière, les Hommes se sont toujours conduits passivement...

*Jean Rostand.
**Ashley Montagu.

XIV

IMPRÉCIS DE LA LANGUE

Et puis, et puis, se demanderont-ils en riant, qu'est-ce que c'est que cette agence de voyages à la publicité trompeuse, qui ne s'intéresse qu'à la folle équipée des microscopiques gamètes mâles partis à la recherche de leur impressionnant partenaire, comme si celui-ci n'accomplissait pas chaque mois un long périple pour justement les rencontrer... Encore un coup des agents de la passivité...

711.   Femmes et Hommes de la Terre, dit l'Euguélionne, je suis sûre que les futures générations de cette planète auront assez de santé pour s'amuser à vos dépens quand elles sauront tout sur la carrière du mot « fécondation » à travers vos civilisations, à commencer par sa descendance. Car, vous ne l'ignorez pas, ce mot est à l'origine du mot « femme », au même titre que les doux noms de « fœtus, fellatio, et félicité! »

En parlant d'étymologie, il me vient à l'esprit que les sciences Ψ devraient reviser leur terminologie, car celle-ci remonte à l'époque où on se faisait pas mal d'idées farfelues sur les sexes et sur la transmission de la vie. Voilà pourquoi on ne peut pas en vouloir à St Siegfried quand il taxa naguère de régression toute prétention féminine à l'activité...

712.   Peut-être me faut-il un face-à-main, dit l'Euguélionne, pour lire vos livres, surtout ceux qui traitent de vos Humaines sciences...

Peut-être me faut-il des lunettes pan-scientifiques, correctrices et même à double foyer, pour lire, en histoire par exemple:

« Les Athéniens, leurs dieux et leurs femmes... »;
en anthropologie:

« Les habitants de la tribu Tasaday ne partagent pas leurs femmes... »

d'autant plus que règne l'égalité des sexes dans cette tribu monogame; ou, en psychologie, entendre parler de « virilité » et me rendre compte qu'il n'existe pas de mot équivalent pour exprimer la puissance sexuelle de la femme.

713.   Quelqu'un parmi vous a-t-il déjà écrit un IMPRÉCIS DE LA LANGUE, de ses causes et de ses déplorables conséquences? Dans cet ouvrage, on pourrait lire de courts articles dans le genre de ceux-ci:

101 — AMBIGUÏTÉ DE LA LANGUE

Il y a encore des Hommes qui croient que les femmes ne sont pas des Hommes.

102 — OUTRECUIDANCE

Il y a encore des Hommes qui croient que les femmes sont des Hommes manqués.

103 — HUMOUR NOIR

Il y a encore des Hommes qui croient que c'est normal que le masculin l'emporte sur le féminin.

104 — HUMOUR MACABRE

Il y a encore des femmes qui croient que c'est normal que le masculin l'emporte sur le féminin.

105 — MANSUÉTUDE

— Moi, je suis de celles qui ne croient pas que les Hommes soient inférieurs aux femmes… Pas vraiment!

ETC. ETC. ETC.

XV

LA MUETTE

714.   La langue française, dit l'Euguélionne, tout comme l'Homme, a capitalisé l'espèce elle aussi au profit des Hommes, non seulement dans les termes, mais aussi dans les règles.

715.   Il serait intéressant de voir un *tableau comparatif de la misogynie, entre les langues.* J'ai une amie qui prépare actuellement un Dictionnaire de la misogynie par ordre alphabétique d'auteurs, une sorte de Manuel de la Boursouflure… C'est sans contredit dans les dictionnaires des proverbes de tous les pays, des sentences et des maximes de tous les peuples, c'est aussi dans les dictionnaires des citations, qu'elle a trouvé les plus beaux spécimens de ce phénomène universel.

J'ai lu des extraits de cet ouvrage en préparation. Et ce qui m'a le plus frappée, dit l'Euguélionne, ce n'est pas la Boursouflure de ces auteurs — je commence à m'y faire — c'est, à travers les siècles, leur impérieuse injonction adressée aux femmes de se taire, jointe à leur affirmation quasi désespérée par son extrême insistance que le génie est essentiellement masculin. N'est-ce pas cocasse?

716.   C'est alors que j'ai compris *la muette.* Vous savez, cette petite voyelle en forme d'*e* muet qui se place à la fin des mots féminins? Elle est toujours mise entre deux parenthèses invisibles. Elle signifie le mutisme de la femme. Elle a pour but principal de dire à la femme, ainsi que le Golem-Gong sur ma planète: « Sois belle et tais-toi. »

Je ne veux absolument pas revenir sur la savante étiologie de cette maladie. Il me souvient avoir lu récemment un proverbe arabe qui en rendait un compte exact bien que succinct:

« Mari de bois vaut mieux que la maison paternelle. »

717.   Voilà pourquoi votre femme est muette, ai-je ajouté mentalement.

Mais la voyelle muette qui caractérise le féminin doit rester muette. On pourrait l'appeler *la Voix des Femmes* ou la majorité silencieuse de votre société. Si cette voyelle graphique se met à vibrer sur des cordes vocales, on l'appelle aussitôt: *LA VOIX COMME PHALLUS.** C'est bizarre, me direz-vous, mais c'est ainsi que cette voix est décrite chez la plupart de vos bons auteurs.

Peut-être est-ce pour cela que la langue est si avare à l'égard des femmes, non pour les qualifier — ça, elle ne s'en prive pas! — mais pour les substantiver. Le mot « femme » est un passe-partout avec le mot « fille » qui suppose pourtant une filiation.

Je vous propose un petit monologue où le mot « fille » désigne successivement le sexe, la filiation, la virginité, le célibat et la prostitution.

Nous étions trois enfants chez nous: deux garçons et une fille. *Moi, j'en ai eu deux: un fils et une* fille. *Regardez-moi sur cette photo, cela date du temps où j'étais encore une* jeune fille... *Mais je ne me suis jamais mariée, je suis restée* fille. *Et voyez ce que je suis devenue: je suis une* « fille » *maintenant. (!)*

718.   L'Euguélionne traça des lettres sur la terre avec une branche.

On pourrait, dit-elle, établir un petit tableau comparatif de cette curieuse sémantique où le mâle est articulé sur différents registres dont le principal est l'espèce, et selon une croyance générale qui veut que le masculin est singulier ou pluriel tandis que le féminin est blessé.

Le petit tableau donnait à peu près ceci:

HOMME = HUMANITÉ

HOMME	FEMME
MARI	FEMME
MÂLE	FEMELLE
FILS	FILLE
GARÇON	FILLE
	FILLE (prostituée)
MASCULIN	FÉMININ
VIRIL	FÉMININ
VIRILITÉ	FÉMINITÉ
MASCULINITÉ	FÉMINITÉ

Voilà pourquoi, messieurs, dit l'Euguélionne, voilà pourquoi vos femmes sont muettes. Même si vous vous imaginez qu'elles sont bavardes, même si vous écrivez dans les manuels scolaires qu'elles « caquettent comme des poules ».

---

*G. Legman, *in Psychanalyse de l'humour érotique.*

Elles sont muettes, muettes, muettes, muettes, muettes! À l'infini. Mortellement. Comme si on leur avait coupé la langue.

Mais ne croyez pas qu'elles soient sourdes! Elles ont d'immenses Oreilles pour vous Écouter, ai-je remarqué avec stupéfaction, elles ont de Gigantesques Oreilles à l'infini, accumulées depuis le début des temps.

XVI

LA LANGUE DE L'OCCUPANT

719.   La langue, ai-je appris, dit l'Euguélionne, a des fonctions multiples chez les animaux,* comme de saisir les aliments, de les goûter et de les malaxer, de lapper les liquides, de tâter l'environnement, de rafraîchir le corps, d'attaquer et de tendre des pièges. Chez l'Homme, elle sert également à l'usage de la parole. Chez la femme, la paralysie de la langue lui sert à ne pas se faire comprendre, exactement comme ce qu'on peut observer chez un peuple occupé.

Dans un pays occupé, les occupants se servent de leur langue pour tendre des pièges, attaquer et faire pression sur la langue des occupés, de sorte que ceux-ci finissent par contracter une avitaminose qui les fait parler à tort et à travers — surtout dans ce « parloir » qu'on appelle un Parlement — comme des machines mal programmées ou déboussolées.

Il est alors intéressant de faire une étude anatomique comparative de la langue de l'occupant et celle de l'occupé, pour voir ce qui s'est passé.

720.   Chez le premier, l'organe charnu, solidement fixé par sa partie postérieure au plancher buccal, est mobile grâce à 17 + 10 muscles striés innervés par le grand hypoglosse. Chez le second, l'organe décharné plus ou moins branlant, tenant à peine par sa partie postérieure au plancher buccal, se meut encore difficilement grâce à 17 − 10 muscles striés innervés par le grand hypoglosse ratatiné. La langue de l'occupé est donc amputée de plus de la moitié de son innervation que l'occupant a saisie à son profit.

Il est alors évident que si des émigrés s'amènent dans ce pays, ils dédaigneront la langue de l'autochtone qui n'est plus que balbutiement pour adopter celle de l'occupant même si celui-ci s'y trouve en très petite minorité. La langue de l'occupé est ainsi destinée à péricliter, à mourir à petit feu dans un délai plus ou moins bref. Ce

---

*Cf. *Le Corps* d'Isaac Asimov.

phénomène s'observe encore aujourd'hui chez différentes peuplades colonisées.

Ils leur disent, sans sourciller: « Voilà! Nous avons dépensé tant de millions de dollars pour que les experts nous disent si la langue que vous parlez depuis trois cents ans est bien la langue de votre pays. Malheureusement, après rapport de la Commission d'Experts, nous en sommes encore au même point. *Nous ne savons pas si votre langue est bien la vôtre.* Voilà pourquoi nous disons aux émigrés: « Écoutez, nous ne savons pas quelle est la langue de ce peuple, alors, parlez comme vous voudrez. Nous vous bâtirons des écoles dans la langue de votre choix. » Quant à vous, chers électeurs, nous espérons que vous trouverez quand même que votre argent est bien placé. »

Il me semble, dit l'Euguélionne, que je ne les ai pas vus sourciller quand ils disaient cela.

721.   Ainsi en va-t-il de la langue des femmes, appauvrie et presque inexistante.

Il n'est pas étonnant que les filles veulent émigrer dans le camp des garçons. Parce qu'elles savent qu'elles ont quelque chose à dire ou à faire. Et elles sont prêtes, pour le dire et le faire, à se servir d'une langue empruntée, elles sont prêtes à ressembler aux garçons pour pouvoir parler et agir de façon intelligible. Parler pour se faire comprendre. À n'importe quel prix.

Ainsi font les occupés d'un pays conquis. Ils agissent en arrivistes... dans leur propre pays.

XVII

LES ÉGÉRIES SONT FATIGUÉES

722.   Si une femme a du génie, on dit qu'elle est folle. Si un homme est fou, on dit qu'il a du génie.

Voilà, dit l'Euguélionne, entre beaucoup d'autres, un puissant ressort au mutisme des femmes.

Un autre postulat fait marcher le système désespérément en sens unique, surtout en littérature. Il pourrait s'énoncer à peu près comme ceci:

723.   Le critère du génie est sa misogynie!

724.   Femmes de la Terre, ajustez vos lentilles, dit l'Euguélionne, recyclez-vous, refaites vos classes, prenez des cours de lecture lente, relisez vos classiques.

Relisez les chefs-d'œuvre de l'Humanité avec des yeux neufs, objectifs, avec des yeux débarrassés de la taie de votre esclavage et voyez comment l'on vous traite, voyez comme l'on vous hait, sur papier imprimé uniquement, bien sûr.

Si le critère du génie est sa misogynie, comment pourrez-vous jamais prétendre en avoir? À moins de devenir vous-mêmes misogynes... si vous ne l'êtes déjà...

Si l'idée de « génie » est une idée masculine, pourquoi en briguer le certificat?

725.　Femmes de la Terre, femmes modernes et géniales de la Terre, n'êtes-vous pas fatiguées d'être des Égéries, dit l'Euguélionne?

Toutes les œuvres d'art et de littérature, toutes les œuvres Humaines ont été faites aux dépens d'une mère, d'une sœur, d'une épouse, d'une maîtresse, d'une domestique, d'une secrétaire, d'une muse, d'une égérie.

Tout a été fait sur la Terre aux dépens de la liberté et de la créativité du plus grand nombre. Du pire au meilleur. Rien de grand n'a été fait qu'aux dépens de la liberté et de la créativité de quelqu'un. Toutes les œuvres des Hommes, des plus laides aux plus belles, ont été faites aux dépens de la liberté créatrice du plus grand nombre.

N'êtes-vous pas fatiguées d'être des Égéries, vous, les éternelles violonistes des violons d'Ingres?

726.　Femmes de la Terre, délivrez-vous des voix qui vous empêchent de parler, dit l'Euguélionne.

Délivrez-vous des voix tonitruantes,
　　des voix outrecuidantes
　　des voix paternalisantes
　　des voix légiférantes
　　des voix victorhugolantes
　　des voix méprisantes
　　des voix dominantes
　　des voix contraignantes
　　des voix ordonnantes
　　des voix prétendantes
　　des voix contondantes
　　des voix matraquantes
　　des voix ronflantes
　　des voix pontifiantes
　　des voix conseillantes
　　des voix dogmatisantes
　　des voix totalitaires
　　des voix autoritaires
　　des voix dictatoriales
　　des voix PéDéGéantes
　　des voix boursouflantes
des voix qui osent dire que la femme est un obstacle à la création pour l'Homme, qu'elle est une pierre d'achoppement pour le

créateur.* Demandez-vous si on a déjà fait ce reproche aux Hommes qui ont tué dans l'œuf le génie des femmes.

727.   Femmes de la Terre, nettoyez vos yeux à l'encaustique, brûlez-vous les yeux à l'encaustique, dit l'Euguélionne. Mettez dans vos yeux des couleurs de soude, rouge ou verte dans l'un, bleue ou jaune dans l'autre, passez-vous les yeux aux couleurs du prisme solaire, afin que vous ayez un nouveau regard, afin que vous jetiez sur le monde et sur vous-mêmes, un regard nettoyé, un regard lavé, un regard neuf et coloré. Ayez un regard nettoyé des préjugés sur vous-mêmes. Ayez un regard lavé des ignominies qui vous collent encore à la peau des paupières. Que ce soit là votre coquetterie d'aujourd'hui.

XVIII

UN OS SURNUMÉRAIRE

728.   Hommes de la Terre, dit l'Euguélionne, avez-vous déjà vu un os surnuméraire ou une esquille se mettre à composer des symphonies? Avez-vous déjà vu une propriété mobilière prendre la parole et réciter des poèmes?

     Hommes de la Terre, avez-vous déjà vu un éboueur, avez-vous déjà vu un vidangeur écrire des chefs-d'œuvre, assis sur leurs tas d'ordures? Avez-vous déjà vu un paillasson composer une épopée universelle?

     Hommes de la Terre, avez-vous déjà vu un objet d'usage courant se mettre à pondre des chefs-d'œuvre? Votre théière s'est-elle jamais mise à parler et à dire des choses sensées?

     Hommes de la Terre, avez-vous déjà vu des objets d'art se substituer à leur créateur? Avez-vous déjà vu des mégères apprivoisées vous disputer le droit de penser et de créer des objets d'art?

     Hommes de la Terre, avez-vous déjà vu une fleur faire de la peinture? Une colombe inventer des machines à voler?

729.   Pourquoi voudriez-vous que vos ménagères aient du génie?

730.   Hommes de la Terre, avez-vous déjà créé dans la hantise de déplaire à la personne aimée? Non dans la crainte que votre œuvre pourrait lui déplaire, mais dans la crainte qu'elle vous tienne rigueur de votre génie?

     Hommes de la Terre, avez-vous déjà créé dans la hantise de manquer à vos enfants? Non dans la crainte de ne pouvoir subvenir à leurs besoins, mais dans la crainte de ne pas leur donner l'attention que réclame votre génie?

---

*C'est du moins l'opinion de ce cher Victor que rapporte fidèlement l'autre Victor, son *alter hugo…* (Note de l'auteur)

Hommes de la Terre, avez-vous déjà créé dans la hantise d'être ridiculisés par la critique, d'être insultés, bafoués jour après jour par les Hommes et les femmes de la Terre, non parce que vos œuvres ne valent rien, mais parce que vous osez créer?

Hommes de la Terre, vos œuvres ont-elles déjà été marquées par toutes ces hantises, en ont-elles jamais été diminuées?

A-t-on déjà dit à Shakespeare ou à Michel-Ange qu'à titre de mâles c'était un crime que de vouloir sculpter, que de vouloir écrire, que le mieux pour eux était de devenir de bons pères de famille? Les a-t-on ridiculisés ou traînés dans la boue d'avoir osé s'exprimer à la face du monde?

A-t-on déjà refusé aux mâles l'accès aux académies ou institutions supérieures sous prétexte qu'ils ne savaient pas danser ou que leur croupe n'était pas assez appétissante?

731.   Hommes de la Terre, pourquoi voudriez-vous que vos femelles aient du génie?

Je vous trouve bien ingénus et bien inconséquents, dit l'Euguélionne, quand vous dites que dans leurs propres domaines, elles n'ont pas su se montrer géniales.

Et depuis quand, dites-moi, des postes de chefs cuisiniers sont-ils offerts aux femmes sur le marché du travail? Avez-vous déjà entendu qu'une grand-mère, une mère, une épouse, aient fait un procès au grand « maître queux » pour avoir utilisé les recettes dont elles étaient les auteurs? Existe-t-il seulement un féminin à l'expression « chef cuisinier »?

Et depuis quand, dites-moi, le mot « couturière » a-t-il le prestige du mot « couturier »? Depuis quand prend-on les « couturières » au sérieux et leur donne-t-on leur chance? Depuis quand laisse-t-on les femmes devenir de « grands couturiers »?

732.   Pendant des siècles, dit l'Euguélionne, vous avez *prétendu* avoir du génie, car il s'agissait pour vous de transcender la nature, de l'améliorer à votre profit. Vous y avez cru si fort que le génie a fini par poindre... Quelques-uns d'entre vous en ont eu.

Mais pendant tout ce temps, pendant ces mêmes siècles, vous avez essayé de convaincre les femmes de votre espèce qu'elles n'avaient pas de génie, qu'elles ne pouvaient pas en avoir, car il s'agissait pour elles de se soumettre à la nature, à leurs dépens et à votre profit. Tous les moyens étaient bons dans cette entreprise, depuis la force musculaire jusqu'au chantage sentimental. Et vous avez été si impérieux, si impératifs et si ironiques, qu'elles ont fini par vous croire, qu'elles ont fini par comprendre que ce n'était pas du tout dans leur intérêt d'avoir du génie. Et elles n'en ont point eu... Ou bien, elles ont eu le génie de ne pas en avoir pour ne pas vous contrarier... Les autres, vous les avez brûlées vives, par millions!

733.   L'Université s'ouvrait pour vous dès le XIIe siècle.
Depuis quand est-elle ouverte aux femmes?

Pour combien de siècles de rattrapage doivent-elles se recycler?

734.   Hommes de la Terre, vos chefs-d'œuvre sont admirables, dit l'Euguélionne. Ils m'enflamment sur le coup, parce que je suis une femme sensible, mais l'instant d'après je suis refroidie parce que je ne suis pas Humaine, parce que je ne participe pas à votre Humanité.

Je n'ai pas d'admiration pour les œuvres des Hommes, dit l'Euguélionne, parce qu'elles se font aux dépens de la liberté et de la créativité de la majorité de l'Humanité.

Et qu'est-ce que je vois? Qu'est-ce que j'entends? Des chefs-d'œuvre tronqués, des chefs-d'œuvre boiteux, de pâles reflets des chefs-d'œuvre possibles, de ceux qui sont à venir.

Je n'ai pas d'admiration et mon émotion devant eux se pourrit et s'empoisonne par le fait même, je n'ai pas d'admiration pour les chefs-d'œuvre des Hommes, parce qu'ils ont été possibles grâce au massacre de l'intelligence et de la sensualité de la moitié de l'Humanité tout au long des siècles.

Tout le monde sait bien, pourtant, que derrière chacun de vos grands Hommes, il y a une femme pour l'épauler, le torcher et le nourrir à la petite cuiller.

Tout le monde sait bien, pourtant, que derrière le cher grand Homme, se tient une femme (c'est parfois la même) pour l'inspirer, le rassurer, le consoler, et parfois le ramasser à la petite cuiller...

735.   Les avez-vous observés entre eux, dit l'Euguélionne, et avez-vous remarqué comme ils sont touchants! Il arrive parfois qu'ils donnent, sans le savoir, tout un spectacle son et lumière. Voyez-les alors s'entradmirer, s'entrenvoyer des fleurs, voyez-les s'entrecrier au chef-d'œuvre dès que l'un ou l'autre d'entre eux a pondu son œuf tout chaud teinté si possible d'hilarante ou grave misogynie « pas méchante pour un sou », entre deux feuilles blanches ou sur un carton noir, et les avez-vous écoutés? Entendez-les s'entreféliciter, regardez-les s'entrepondre des essais sur leurs essais portant sur les chefs-d'œuvre de l'un ou l'autre d'entre eux qui est peut-être mort fou, préférablement sur sa ponte, et encore mieux entre deux bières et deux hoquets et mille imprécations.

Bien sûr que j'exagère! Mais quand donc finirez-vous de les prendre au sérieux?

Ils ont massacré tant de libertés, réduit tant de femmes en esclavage au nom de l'Art et même au nom de la Liberté! Oubliant que l'Art était une manifestation de la Vie, ils ont décrété que la vie émanait de l'Art comme la femme de la côte d'Adam. Et regardez comme l'Art leur est resté collé entre les doigts comme une poisse.

736.   L'héritage de l'Homme, dit l'Euguélionne! Qui veut le sauver? Qui tient à le sauver? Qui en prend les moyens?

Quant à vous, femmes de la Terre, en quoi cet héritage boiteux vous concerne-t-il? Vous n'y apparaissez que comme de beaux objets d'art ou comme des mégères plus ou moins apprivoisées.

737.   Il faudrait, dit l'Euguélionne, déplacer le monde de quelques millimètres vers le côté féminin: l'art et la littérature y gagneraient beaucoup. Tous les livres sont remplis de « la femme », mais elle y est mal conçue, mal accouchée. Toutes choses existantes dans le cerveau des Hommes sont imprégnées de « la femme », mais d'une substance stérilisante pour elle.

        Cela ne serait pas grand-chose que de déplacer le monde de quelques millimètres, dit l'Euguélionne. Et la liberté y gagnerait sur toute la ligne.

738.   Et vous, objets d'art figés sur des socles, vous, mégères intrépides, ne vous laissez plus apprivoiser, descendez de vos socles ou remontez de vos enfers, brisez ces statues de vous-mêmes et marchez sur ces débris...

XIX

LE PLUS GRAND CRIME DE L'HISTOIRE

739.   Les Hommes de votre planète sont naïfs, dit l'Euguélionne. Ils croient que ce sont eux les Mozarts assassinés!

        Les Hommes de votre planète sont naïfs, dit l'Euguélionne, car ils n'ont pas encore compris quel était le plus grand crime de leur histoire.

        Et ils cherchent à sauver le Futur de l'Humanité en proclamant l'Unité de l'Homme, ils ne savent pas le définir mais ils veulent l'unifier et ils se réunissent en petits comités d'experts et sur les seules épaules expertes de ces Hommes repose l'échéance d'une déflagration possible de votre petite planète.

740.   Les Hommes, dit l'Euguélionne, sont amoureux d'eux-mêmes et comme tous les amoureux, ils se croient seuls au monde.

        Ils se croient seuls dans le cosmos à l'exclusion de tout être intelligent et ils se croient seuls sur leur planète à l'exclusion de tout autre sexe intelligent.

        Les Hommes, dit l'Euguélionne, n'ont pas encore compris que le plus grand crime de leur histoire est aussi le plus ancien, car c'est celui qui a engendré tous les autres crimes de l'Humanité.

741.   Ils n'ont pas encore compris que le massacre sexuel et intellectuel des individus femelles de leur espèce contient en germe tous les autres grands crimes historiques de l'Humanité.

        Les Hommes, dit l'Euguélionne, n'ont pas encore compris que ce crime était le plus grand puisqu'il est fondé sur le Pouvoir Absolu, sur l'Autocratie du Phallus, sur la prétention de se croire supérieur par rapport à un autre sexe. Tous les crimes relèvent de cette aberration mentale.

Mais ce crime passe inaperçu. Il est oublié. Il n'est nulle part mentionné dans les traités d'histoire ou de criminologie.

On fait comme s'il n'avait jamais existé. On fait comme s'il ne continuait pas à se commettre chaque jour.

742.   Celui qui dit que le massacre des femmes est folklorique, celui-là est un de ceux qui en profitent le plus, dit l'Euguélionne. C'est un souteneur de tempérament, un souteneur qui s'ignore, c'est un *pimp*, un maquereau, un *bum* des quartiers résidentiels.

743.   Je lui demande à celui-là d'aller un peu se promener du côté de *Notre-Dame-Hors-les-Murs* et de prendre la peine d'écouter la plainte des *Paramécies Massacrées*.

Derrière ce mur, c'est tout le potentiel non exploité des femmes qui gît là depuis des siècles, qui pourrit, qui ne cesse de pourrir et de vous empoisonner. C'est là votre pollution première.

Derrière ce mur, c'est tout le potentiel non exploité des femmes que vous avez mis en friche pendant des siècles, qui crie vers vous et demande vengeance.

C'est leur corps-objet, c'est leur corps-machine-à-tout-faire, c'est leur corps-machine-à-reproduire, qui crie vers vous. C'est leur corps affublé de la dérisoire « robe de mariée » que vos trahisons ont déchiquetée et que vous persistez à vouloir leur faire endosser. C'est leur corps plein de la Grossesse Nommée Non-Désir, que vous comprimez de force neuf mois durant pour en faire sortir un fruit non désiré et déjà en surnombre dans la corbeille universelle.

744.   Vous vous arrachez les cheveux, et vous vous pincez le nez et vous dites: « Il y a quelque chose de pourri dans notre royaume. » Et depuis des siècles, vous promenez votre flair à ras de sol et à ras de ciel pour découvrir la source de la pourriture.

745.   Allez donc, dit l'Euguélionne, vous promener du côté de *Notre-Dame-Hors-les-Murs*. Et découvrez le dépotoir où vous jetez encore vos *Paramécies Massacrées*. Et ayez le front de dire que le massacre des femmes de votre espèce n'est qu'une histoire du passé.

XX

LE COMPLEXE DE CAÏN

746.   Quand on arrive sur votre planète, dit l'Euguélionne, il y a une chose qu'on apprend tout de suite. Cette chose peut s'énoncer ainsi sur toutes les latitudes: la prétention masculine est sans bornes, ne l'oubliez jamais, gravez cela dans votre esprit extra-terrestre. Cette prétention est sans bornes, naïve, et calmement assurée de son bien-fondé.

747.   Comme corollaire à cette vérité première, je pourrais ajouter ceci : « Femmes de la Terre, c'est vrai que cette vérité prend du temps à parvenir à votre cervelle, étant donné que vous êtes vous-mêmes sans prétentions, mais dès que vous en serez saisies, gravez-la vous aussi dans votre esprit terrestre. Et gravez aussi cette seconde vérité qui n'est peut-être qu'une suggestion amicale, mais qui est d'une importance incalculable dans vos propres prétentions toutes neuves à l'Humanité : évitez d'effaroucher le mâle Humain et essayez plutôt de le rassurer tout en gardant ferme vos positions, sinon vous n'y arriverez jamais.

Je me rends bien compte de quelle acrobatie de comportement vous devrez faire preuve.

748.   Ils sont comme des enfants, de tout petits enfants uniques qui se voient un jour dotés d'un frère ou d'une sœur dont ils se seraient bien passé. Ils ont peur. Ils sont anxieux. Ils ont peur de perdre leur place, d'être relégués au second plan. Ils ont peur de perdre leurs privilèges, ils ont peur d'être obligés de partager.

Le nouveau venu accapare toute l'attention, il vole sa place privilégiée, unique, au premier et le premier, naturellement, est jaloux.

Au lieu de les punir de cette jalousie, dit l'Euguélionne, il faut au contraire les entourer d'affection, tout en leur faisant comprendre avec fermeté qu'il y a de la place pour DEUX dans cette maison, qu'il y a de la place pour DEUX SEXES sur cette planète.

749.   Il faut les rassurer, dit l'Euguélionne. Car depuis si longtemps ce sont des Enfants Uniques !

750.   Mais que votre compassion, femmes de la Terre, ne dépasse pas les bornes. Elle se joue à vos dépens, ne l'oubliez pas ! Car les Hommes, certes, sont pitoyables, mais aussi ils sont sans pitié. Comme des Enfants Uniques, ils sont envahissants. Ils envahissent votre cœur, ils se nourrissent de votre intelligence et de votre énergie.

Femmes de la Terre, que votre compassion ne dépasse pas les bornes de leur prétention.

XXI

LE VERBE PRÉTENDRE

751.   Le sommet de la prétention masculine, dit l'Euguélionne, réside à coup sûr dans « les tables de la loi Ψ » que St Siegfried a eu la bonté d'ériger pour vous, femmes de la Terre. Plus qu'un sommet de la prétention, la loi Ψ est une agression car elle est la projection sur la femme de l'antique culpabilité de l'Homme.

Un autre exemple de la prétention masculine est « la grossesse d'Adam » qui fait encore croire aujourd'hui, même aux réformistes, même aux athées (car il ne faut pas croire ceux qui disent qu'ils n'y croient plus et que c'est du folklore biblique), que « la femme sort de l'homme et non l'homme de la femme ».

752.   Je m'étonne que St Siegfried n'ait point donné un nom à cette prétention, quelque chose comme « protestation utérine »!

753.   Et voici un autre aspect de la question: le mâle Humain, dit l'Euguélionne, croyant à tort n'avoir point reçu la beauté en partage, s'est fait la conviction naïve que c'était l'intelligence qui lui avait été dévolue... en exclusivité! Cela expliquerait peut-être pourquoi les Hommes prétendent à tout et obtiennent tout.

754.   C'est en cela qu'il faut les imiter, dit l'Euguélionne. Pour le reste, n'essayez même pas, ils sont inimitables! Vous n'avez nul besoin d'ailleurs de les imiter. Ce serait plutôt à eux de vous imiter, ne croyez-vous pas? Car, irez-vous jamais conquérir des territoires en versant le sang Humain? Car, voulez-vous devenir sanguinaires, despotes, ou petits dictateurs?

755.   Mais, comme eux, soyez de grandes prétendantes, dit l'Euguélionne. Prétendez être et vous serez. Prétendez être de grands écrivains et vous le deviendrez. Prétendez être de grandes artistes, de grands législateurs, de grands administrateurs, de grands plaideurs, de grandes thérapeutes, et vous le serez.

Regardez-les. Ils ne sont rien du tout au départ. Puis, ils prétendent être quelqu'un et ils le deviennent. Rien ne les empêche, eux, de se prendre au sérieux. Et, effectivement, ils deviennent des Hommes sérieux et respectés. Rien ni personne ne les empêche de se prendre pour d'autres, et ils deviennent autres effectivement, magnifiques et admirés à juste titre.

756.   Sans être prétentieuses, dit l'Euguélionne, soyez des prétendantes convaincues et vous convaincrez les autres de vos prétentions et vous deviendrez grandes dans le domaine que vous aurez choisi. C'est ainsi que plusieurs d'entre vous sont devenues de grands hommes... Ouche! Comment les appeler celles d'entre vous qui sortent de l'ordinaire? Au catalogue des grands Hommes, la linguistique et les sciences vous empêchent d'entrer, l'aviez-vous remarqué?

Quant à savoir conjuguer le verbe prétendre à la première personne du féminin singulier, il n'y a qu'à les regarder et qu'à les écouter attentivement pour apprendre. Les Hommes, quand ils sont entre eux, ne sont pas habitués à être observés par des entomologistes femelles.

757.   Femmes de la Terre, soyez les entomologistes des Hommes. Vous commencerez peut-être par les mépriser, ensuite par ressentir de la pitié pour d'aussi petites natures dans de si grands habits. Mais bientôt, vous vous apercevrez de votre méprise: les Hommes ne sont pas plus stupides que vous, ils sont seulement plus prétentieux. Ils savent même être charmants, et même se rendre attachants, au sein même de leur prétention!

758.   Ce qu'ils disent au restaurant pendant leur déjeuner d'Hommes d'affaires est souvent passionnant. Ils ont gagné une cause qui semblait désespérée, ils ont sauvé un patient qui allait mourir, ils ont fait voter une motion difficile au conseil de ville ou à l'Assemblée nationale, ils ont signé un contrat très important, ils ont construit une tour d'habitation, ils ont exposé leurs œuvres dans une galerie sérieuse, ils ont obtenu une bonne critique, ils ont mis en scène une des meilleures pièces de l'année, ils ont réalisé la meilleure émission, ils ont dirigé leur Service avec tact et fermeté, ils ont bien administré le budget de leur grosse compagnie.

759.   Et vous, petite dame, qui êtes à leur table, vous ne dites pas un seul mot de tout le repas.

Vous avez l'air intelligent. Vous riez au bon moment de leurs bons mots, vous suivez leur conversation avec intérêt, vous avez l'air de les admirer beaucoup, vous êtes fascinée par le récit de leurs hauts faits.

Pourquoi avez-vous été admise à leur table? Pourquoi, bons princes, ont-ils permis à une petite créature aussi insignifiante de manger à leur table?

De ces trois Hommes intelligents et astucieux, lequel est votre patron? L'un d'entre eux est-il votre mari ou bien votre amant?

760   Vous n'êtes rien par vous-même, petite dame en rouge au minois spirituel, au corps minuscule et gentil, au sourire humble et fin. Vous n'existez que *par* eux.

761.   Vous ne mangez là, à leur table, que parce qu'ils vous y ont conviée. Vous n'y avez été conviée que parce que vous écrivez les lettres de l'un d'entre eux, que vous classez ses papiers, que vous allez lui chercher son café, que vous répondez à son téléphone, que vous prenez ses messages, que vous êtes sa mémoire ambulante.

Ou bien, vous n'y avez été conviée occasionnellement que parce que vous couchez avec l'un d'entre eux, parce que vous lui préparez son petit déjeuner et son repas du soir, parce que vous entretenez son linge et sa maison, parce que vous avez soin de ses enfants, parce que vous faites ses courses, parce que vous administrez son argent.

762.   Petite dame en rouge assise à la table des rois, quand donc aurez-vous la prétention de vivre par vous-même? Et aurez-vous jamais la prétention de vivre pour vous-même, dit l'Euguélionne?

XXII

UN GROS CANON

763.   De tout temps, sur votre planète, un certain sens de l'humour semble avoir été le gros canon masculin destiné à tenir en respect les femmes de votre espèce.

Ne vous laissez plus impressionner par cette arme grossière, si fine soit la poudre qui vous éclabousse. C'est une arme si désuète que l'on s'étonne de la voir encore utilisée chaque jour sur vos ondes et dans vos imprimés.

Notez bien que ce merveilleux sens de l'humour s'exerce à sens unique, car essayez donc de rire à leurs dépens? Vous verrez que vous vous engagez alors dans un sens interdit.

764.   L'humour érotique est particulièrement éprouvant pour vous, femmes de la Terre, car c'est sur ce terrain excitant qu'ils grimpent à l'apogée de leur boursouflure.

Et malgré que vous sentiez la haine et le mépris qu'ils vous portent, il faut bien que vous continuiez à les aimer, à faire l'amour avec eux, à les caresser, à les embrasser, à arrondir leurs angles avec vos mains, car ils doivent être bien malheureux pour vous mépriser à ce point.

765.   Mais pourquoi êtes-vous les premières à rire de leurs plaisanteries? Pourquoi feignez-vous de posséder à un très haut degré leur sens de l'humour unilatéral? Est-ce pour vous concilier leur tolérance à l'égard de votre propre existence? Est-ce pour vous faire pardonner d'exister? Est-ce pour éviter les punitions que vous infligeront sûrement vos Hommes à la maison, au bureau, dans la rue, dans les salons, si vous n'êtes pas complices de leurs insultes et de leurs tentatives de vous dégrader? Est-ce parce qu'enfin vous êtes devenues des *arrivistes de l'espèce*? Ou est-ce parce que vous êtes encore des *démissionnaires de l'espèce?*

766.   Hommes de la Terre, vous ne supportez pas que la femme proclame son Humanité.

Vous riez jaune, vous vous croyez dépossédés de votre Humanité; quand elle ose manifester d'autres désirs que celui de vous mettre au monde et de vous dorloter, vous vous moquez.

767.   Vous ne croyez pas à la coexistence. Vous croyez que la femelle a été créée pour vous, pour être mise à votre disposition, pour être mise entièrement à votre service, et vous ne croyez pas qu'elle puisse avoir une Humanité propre, bien à elle.

768.   Vous croyez que c'est *vous* qui lui conférez l'Humanité. Vous croyez que c'est *vous*, en bons samaritains, qui lui concédez une part de *votre* Humanité.

Hommes de la Terre, vous ne croyez pas que votre femelle est Humaine. Vous croyez qu'elle le devient parce que vous consentez à la regarder et à vous unir à elle.

Vous croyez que son Humanité vient de votre pénis que vous condescendez à introduire en elle. Vous croyez que son Humanité vient de votre érection et de votre éjaculation. Hommes de la Terre, vous croyez qu'en bons démiurges c'est *vous* qui avez créé la femme et vous vous bercez de cette illusion.

769.   Ce qui est étonnant, ce n'est pas que « ça » continue, le

sexisme, machisme, chauvinisme mâle, racisme sexuel. Ce qui est
étonnant, dit l'Euguélionne, c'est qu'on croit que « c »'est arrivé, le
règne de l'égalité!

XXIII

D'AUTRES PIÈCES D'ARTILLERIE

Votre délicieux humour n'est pas le seul gros canon que l'on
trouve derrière vos remparts, Hommes de la Terre.

770.   Vos poètes, dit l'Euguélionne, ont rarement considéré la femme autrement que comme un territoire à envahir, une terre à investir,
un chef-d'œuvre à façonner.

Vos poètes ont répandu la croyance au prétendu vide féminin,
ils ont comparé leur muse à une crevasse, à un accident de terrain,
où tout un chacun allait s'engloutir.

771.   Vos poètes ont chanté la beauté des femmes, mais quand
ont-ils chanté leur droit à la liberté?

Vos poètes ont revendiqué la liberté des Hommes, mais quand
se sont-ils levés pour revendiquer la liberté des femmes?

772.   Vos poètes ont maudit l'Utérus dont ils étaient sortis. Ils ont
renié la filiation charnelle et ils ont inventé la filiation spirituelle.

Ils ont inventé une filiation d'Hommes à Hommes, des accouchements masculins, des gestations masculines d'où sortaient des
Merveilles Désincarnées.

773.   Vos poètes ont-ils célébré la femme autrement que comme
du gibier à poursuivre et à porter à bout de bras comme un trophée
de chasse? Ou comme quelque objet inanimé de type végétal ou comme
quelque créature ailée de type animal d'une parfaite inanité? Et malgré
toute la poésie qu'ils trouvaient en elle, n'est-ce pas sur elle qu'ils se
déchargeaient de toutes les occupations triviales nécessaires au maintien
de leur vie et qu'ils voulaient à tout prix ignorer pour ne pas « dé-
poétiser » celle-ci?

774.   Aux philosophes qui ont nommé l'amour: Faiblesse efféminée,
qui ont nommé la compréhension: Faiblesse efféminée, qui ont nommé
les sentiments humains: Faiblesse efféminée, vous élevez des autels.

775.   Vos Ψ chologues ont nommé Efféminés ceux d'entre vous qui
assument le poids de leur *entropie négative*, ont nommé Efféminés
ceux d'entre vous qui assument le poids des choses triviales de la vie.

776.   Vos prophètes ont chanté l'amour entre les Hommes mais
quand ont-ils dénoncé l'injustice du contrat social imposé aux femmes?
Quand ont-ils démasqué l'amour inconditionnel exigé d'elles et destiné
à les baillonner, à les ligoter? N'ont-ils pas eux-mêmes prêché cet
amour?

777.   Hommes de la Terre, dit l'Euguélionne, la boursouflure mène le monde comme une grenouille fabuleuse. Avez-vous contracté l'obligation de vous enfler? « Halte à la Boursouflure », devez-vous vous écrier malgré vous pour ne pas crever!

Regardez ce que vous avez fait du monde. Vous l'avez fait à votre image et à votre ressemblance. Il est magnifique en apparence, il a des extensions jusqu'aux étoiles, mais regardez-le sous son apparence: il est laid, il est plein d'horreurs et de crimes. Seul le soleil est beau « sur » votre planète et le visage nu de vos enfants.

778.   Un jour, un jugement sera rendu par une Dame Salomon. Elle tranchera le différend entre les sexes en renversant la situation tout simplement. Puisque l'Homme se distingue par sa force musculaire et son agressivité maladive, qu'il serve aux travaux d'Hercule et qu'il s'exhibe dans les foires.

Et puisque la femme se distingue par ses qualités humaines, que ce soit elle qui gouverne le monde.

XXIV

LA NOMBRILITE

779.   Votre façon de considérer les femmes, votre mentalité au sujet des femmes, me paraît relever de l'infantilisme, dit l'Euguélionne.

Vous pensez à elles en termes de fesses ou de biberons. Chaque jour, vous effectuez, en paroles, en écrits ou en actes, un retour frauduleux dans le sein maternel.

Vos conversations au sujet des femmes sont restées au stade de la caserne et de la salle de garde, ou au stade de la nursery. De la fanfaronnade ou de l'enfantillage.

780.   Par ailleurs, vous pouvez vous montrer tellement sérieux! Vous pouvez calculer les distances incommensurables qui séparent votre planète des galaxies.

781.   Mais la distance que vous avez mise entre vous et la femme, aucun de vos savants jusqu'ici n'a réussi à la calculer.

782.   Et si la femme essaie de se rapprocher de vous, alors, du plus haut de votre sphère inaccessible, vous la remettez à sa place. « Retourne à tes casseroles et à tes cosmétiques, nous, nous nous occupons du cosmos. »

Et si, d'aventure, elle aussi s'occupe du cosmos, alors, vous inventez d'étranges « arguments biologiques » et autres fables grotesques pour la tenir en respect et la ridiculiser. Vous invoquez la nature pour la convaincre de ne pas vous devancer, alors que c'est cette même nature qui vous permet à vous de vous surpasser. N'est-ce pas surprenant?

783.　　Combien de temps encore vous prendrez-vous pour le nombril du monde? Que diriez-vous d'élargir votre vision et votre cosmogonie? Ou bien de vous faire soigner pour *nombrilite aiguë?* Je parie qu'il y a des spécialistes pour cette maladie. En cherchant bien…

784.　　J'admire la minutie dont vous faites preuve dans la description de vos exploits. Vous n'en ratez pas un détail. Vos mâles activités sont relevées, magnifiées, numérotées, codifiées, classifiées, analysées, comparées, soumises aux exégètes, aux spécialistes, aux comptables, aux encenseurs. Jetez un coup d'œil sur vos activités sportives à la télé, une partie de hockey par exemple ou de football, et remarquez comme chaque mouvement de chaque joueur est relevé, commenté, décrit, comme chaque bon coup est repris au ralenti, à reculons, dans tous les sens, porté aux nues ou sévèrement blâmé, comparé avec des exploits semblables remontant parfois à plusieurs années. Un tel souci d'exactitude vous honore et qui oserait bouder votre plaisir d'esthètes? Mais s'il ne s'agissait que de cela…

785.　　J'aimerais poser une question à St Siegfried, malheureusement, il a disparu. Et voici ma question: l'Homme qui se regarde le nombril et évalue son pénis tout au long des années, l'Homme qui n'a d'oreilles que pour les pulsations de son nombril est-il moins narcissique que la femme? L'Homme qui tourne en rond autour de son Nombril Transcendantal n'est-il pas profondément narcissique? Et que peut-il transcender d'autre dans cette position?

　　　　D'ailleurs, qu'a-t-il appris d'autre au cours de cette longue nombrilite, à part cette vérité essentielle à savoir qu'un Homme digne de ce nom ne peut venir de derrière un nombril extérieur, c'est-à-dire du ventre, c'est-à-dire de l'utérus, c'est-à-dire du vagin, c'est-à-dire de *l'Aphallique* et que cette vérité douteuse, voire fallacieuse, le met en rage, en désespoir, à la merci de la traîtresse ennemie. Heureusement qu'il y a la grossesse d'Adam.

786.　　Donc, sa Transcendance Ombilicale consiste, en fin de cycle, à affirmer qu'étant un *Homme* il ne peut pas avoir de nombril.

787　　La *blessure narcissique* de l'Homme se situerait à la hauteur de son nombril que je n'en serais pas étonnée outre mesure, dit l'Euguélionne.

XXV

LES ADORATEURS

788.　　L'ascension de l'Obélisque est une performance d'alpiniste chevronné. Voilà pourquoi les religions existent encore sur votre planète, dit l'Euguélionne.

789.　　Ce n'est pas la femme qui a inventé les dieux. Elle sait d'instinct que les démiurges n'ont rien d'humain.

Pour se protéger du pouvoir réel et de la fascination de la femme sur sa volonté, l'Homme a inventé à travers l'histoire de tous les peuples, toute une mythologie à son usage, une kyrielle de dieux masculins uniques détenant le pouvoir absolu, abstrait, reflet de sa propre volonté de puissance et de domination.

790.   L'Homme a fait Dieu à son image, puis il a fait la femme à l'image de quelque esclave de sa Divinité.

L'Homme a besoin d'adorateurs et d'adoratrices. Voilà pourquoi il a fabriqué un Dieu avide d'être adoré, avide de gloire, avide de louanges.

791.   La vanité divine est telle qu'elle exige qu'on lui sacrifie tout. « J'ai cherché des adorateurs et n'en ai point trouvé. » St Jacques Linquant pourrait nous éclairer sur le sens de cette phrase qui réfere directement à son fameux « En avoir ou pas, that is the question ». En Avoir, c'est risquer de le perdre. Pour l'Avoir toujours à bonne hauteur, Il doit être encensé la nuit et le jour.

792.   Dans cet univers « capitalisant » où l'Avoir prime l'Être jusqu'à l'annuler, la fonction de la femme n'est pas d'aimer un être humain et d'en être aimée, mais d'adorer le Phallus déguisé en Dieu pour qu'Il se tienne toujours debout, tel un Obélisque.

793.   Femmes de la Terre, vous continuez d'adorer des dieux masculins. On dit qu'il y a encore des nonnes dans le fond des couvents qui adorent une Divinité masculine articulée sur trois personnes masculines.

On me dit qu'il y en a encore parmi vous qui adorent la Trinité mâle d'un Dieu mâle. C'est très curieux. Je me demande comment cela est encore possible à l'aube du XXIe siècle de votre ère préhistorique.

794.   Que les mâles adorent une telle Divinité, cela se comprend, car cette Divinité émanant de leur propre substance, ils adorent leur propre reflet. Ils s'adorent, ils s'encensent, ils se rendent gloire.

Mais que des femmes adorent encore la Divinité mâle qui exige d'elles impérieusement le sacrifice de leur autonomie, cela me dépasse, dit l'Euguélionne. Il est vrai que je ne suis pas Humaine et c'est sans doute pour cela que ces choses me dépassent.

795.   Il serait intéressant de dresser un tableau comparatif de la misogynie entre les différentes religions. Je me demande laquelle remporterait la palme.

L'Autorité Suprême, le Père Omnipotent, le Chef despotique, l'Avatar de l'Homme prétentieux et boursouflé qui fait cavaler le monde entier dans l'espoir que Son règne arrive!

796.   Hommes de la Terre, votre règne est fini, ne le saviez-vous pas? Vous vous obstinez à porter la couronne du roi Midas et même vos statues d'or sont retombées en poussière pour faire place au règne de l'égalité, dit l'Euguélionne.

OUTRANCE VERBALE
SUR DES
OCÉANS FUTURS OUTRANCIERS

797.   Bien que le monde entier de votre planète ressemble à une grande nursery, dit l'Euguélionne, vous avez créé au sein de cette pouponnière des mondes multiples dont la caractéristique est d'être sans femmes. Des mondes compartimentés, imperméables, où tout ce qui est gynile est exclu, vomi, rejeté avec une force sans égale.

Les femmes qui semblent s'y être immiscées sont, ou bien des exceptions qui confirment cette règle universelle, ou bien de pures mécaniques bureaucratiques robotisées et déguisées en femmes.

798.   Dans ces mondes exclusivement virils, les Hommes se reproduisent par relais homosexuel, comme des punaises de lit. Aucun d'entre eux, cependant, n'admettrait que leurs petites sociétés cadenassées où ils sont « entre Hommes », fonctionnent grâce à leur homosexualité latente.

C'est ainsi que je vois les Parlements, par exemple: des assemblées d'homosexuels qui s'ignorent, qui n'ont donc pas la possibilité de s'assumer. Rien de féminin n'a le droit de s'y manifester et si le féminin y est évoqué, c'est avec des rires et des sarcasmes. Tout ce qui déroge à la règle de la virilité est déclaré « efféminé » et condamné sans autre forme de procès.

799.   C'est grâce à ces mondes boursouflés, dit l'Euguélionne, que votre « verte » planète a perdu le sens de la vie, que le corps Humain connaît sans cesse des solutions de continuité, comme si votre chair était greffée à un sang étranger et finissait par le rejeter.

Vous avez créé un monde violent frappé au sceau du métal.

800.   Si j'étais prophète, dit l'Euguélionne, j'aurais des visions apocalyptiques qui vous feraient mourir de rire. Quand je vous vois « progresser » au mépris de votre équilibre naturel, je me sens le cœur plein d'optimisme à votre sujet. Il me vient alors des mots d'un autre âge qui vous feraient vous tordre de rire. L'heure est à se tordre et je vous dis: « Ceci est votre corps, ceci est votre sang. Et, grâce à la transsubstantiation: Ceci est votre plomb, ceci est votre mercure. »

L'heure étant à se tordre, j'irais plus loin. Empruntant la voie aérienne de l'hyperbole, je vous tiendrais à peu près ce langage:

Je vois un incommensurable Océan hugolien: un monstrueux sperme Océan, je vois un océan de chair, de sang, d'os et de métal charroyés par les vagues, un océan de sueur, de carbone, de larmes, de sperme et d'humeurs.

801.   *Un océan de déchets industriels où le sang versé de la violence est brassé avec force, où la chair massacrée de la violence est pétrie avec force, avant de prendre forme Humai-*

ne. Un océan où les organes et les os fracassés se livrent une bataille cruelle avant de se rendre à la chair et au sang.

Je vois un terrible Océan Humain qui déferle de siècle en siècle, jusqu'aux générations futures issues de vos honnêtes glandes actuelles. Un Océan Humain terriblement viscéral et métallique qui inonde les générations futures de ses pustules, de ses blessures fraîches, de sa rouille et de son indignation.

Je vois cet Océan inHumain déborder sur la Terre et la polluer pour des siècles à venir. Cette chair en lambeaux, ce sang en effusion, ces organes infestés de parasites, ces os desséchés, ces humeurs malignes, ne rentrent pas sous terre comme d'habitude quand le corps a fini sa carrière. Il paraît que la Terre ne veut plus absorber les morts violentes, elle ne veut même plus absorber la mort tout court. Quand bien même elle le voudrait, elle ne le pourrait plus: car elle est pavée de toutes parts. C'est une boule de béton. C'est une balle de base-ball, on peut encore s'en servir. Mais pour enterrer les morts, pas question: il faudrait creuser au milieu des rues et au milieu des routes. Même le feu n'y peut rien. Il voudrait brûler les morts qu'il ne le pourrait plus: il y a trop de ferraille à l'intérieur. Les corps aujourd'hui sont à l'épreuve du feu. Rendons grâce à Dieu!

Ils s'en viennent donc pêle-mêle sur les plages du futur, car ils n'ont que la surface où s'épandre. Ils se répandent à la surface parmi la chair tendre et vivante ayant pris forme Humaine dans ce chaos.

802.   Il se tiendra une foire aux organes et aux tissus anciens. Et pour devenir un Homme, un vrai, il faudra incorporer ce Caillou de Barbarie échoué lui aussi sur le sable, en provenance des milliers de siècles antérieurs, immortel, féroce, incarné, exsangue, reproduit à des milliards d'exemplaires.

L'Homme nouveau, brassé à point, non né, issu de charognes, d'anhydride sulfureux et de monoxyde de carbone, mais toujours Homme parce que toujours Roche, toujours Roc, toujours Obélisque, pitoyable corps monolithique et fermé, baignant secrètement dans ses humeurs d'angoisse. L'Homme nouveau, Surhomme pléthorique, futuroïde, Humanoïde, métalloïde, sans femelle, sans descendance, polycopié à la pelle, distribué à la tonne, en nombre sans cesse croissant, selon une progression géométrique, polluant la Terre, polluant l'atmosphère, polluant la lune, polluant le système solaire, polluant le soleil, polluant la galaxie, polluant l'univers.

803.   L'Homme-cataclysme du futur antérieur, enfin parvenu à la xième puissance de sa Puissance, enfin devenu Surom, Surom, Surom, Surom, Surom!

Avouez, dit l'Euguélionne, que ce discours vous a fait mourir de rire. C'est quand même une belle mort, à bien y penser!

LE CATALOGUE DES VALEURS

804.   Il y a des actes qui sont des atteintes à la Vie, dit l'Euguélionne. Il y en a d'autres qui sont des atteintes au Pouvoir. Ainsi sont
les guerres, d'une part, ainsi serait l'inceste, d'autre part, s'il était
pratiqué et généralement admis dans vos sociétés.

Mais la Vie a infiniment moins de valeur aux yeux des Hommes
que leur Pouvoir sacro-saint sur tout ce qui existe.

Voilà pourquoi l'inceste est prohibé et sont les guerres toujours en action.

Je ne comprends pas pourquoi la Vie a si peu d'importance
pour les Hommes. Probablement parce que ce ne sont pas eux qui la
donnent.

805.   Je comprends que les femmes, de tout temps, aient risqué
leur propre vie pour donner la Vie, ou même pour refuser de la donner.

On devrait d'ailleurs les payer chèrement de risquer leur
propre existence afin de perpétuer l'espèce. Comme on paye grasse-
ment certains Hommes dont c'est le métier de risquer leur vie.

Les véritables drames historiques ont eu lieu plus souvent sur
les tables d'accouchement et dans les officines d'avortement que sur
les champs de bataille ou dans les Parlements. Et pourtant, aucun
livre d'histoire n'en fait mention, car les femmes ne participent pas
à l'histoire.

Mais les Hommes, eux, risquent la vie des autres et la leur
pour se donner des raisons de vivre.* Ils ne savent pas ce que c'est que
la Vie, quoi qu'ils en disent dans leurs pieux chefs-d'œuvre. Ils n'ont
pas compris que la Vie était la raison de vivre la plus valable et la plus
fondamentale. Leurs actes démentent leurs pieuses paroles. Leur
comportement est un affront à tous les êtres de leur espèce qui prennent la peine et le risque de donner la Vie. C'est un affront insoutenable pour les femmes.

806.   Ils ont toujours fait bon marché de la vie de leurs semblables
et de la leur en dernier ressort. L'immortalité est dans l'air de leurs
laboratoires, et pourtant, ils continuent à s'entretuer.

807.   Ils ont un Catalogue des Valeurs, dit l'Euguélionne. Un catalogue à n'en plus finir.

Curieusement, la Valeur Vie n'y paraît pas. Ou plutôt, si, elle
y paraît, en appendice, en note au bas de la page, en lettres minuscules
et toujours en fonction de vraies Valeurs Majuscules, comme le Pouvoir, la Guerre et l'Argent, qui sont leurs vraies raisons de vivre.

---

*« C'est parce que l'Humanité se met en question dans son être c'est-à-dire préfère à
la vie des raisons de vivre qu'en face de la femme l'homme s'est posé comme le
maître. » Simone de Beauvoir, in *Le Deuxième Sexe*.

Ces raisons de vivre sont exactement les mêmes que leurs raisons de mourir et de faire mourir.

808.   La Valeur Vie est une valeur embryonnaire. Ils ont un respect embryonnaire pour la Vie. C'est un sentiment qui ne s'est pas développé, qui est resté court.

809.   Voilà pourquoi ils ont un tel respect pour la vie embryonnaire. Voilà pourquoi leurs papes, leurs moralistes et leurs législateurs préfèrent la Vie Embryonnaire à la Vie Accomplie. Voilà pourquoi ils font des lois qui mettent en danger la Vie Accomplie au profit de la Vie Embryonnaire.

810.   Voilà pourquoi leurs raisons de vivre ne participent pas à la Vie mais à la Mort anticipée.

XXVIII

L'EMBRYONNITE

811.   Vouloir du sang neuf à tout prix, en quantité illimitée, en quantité non contrôlée, sans tenir compte des structures Humaines déjà acquises, surpeupler une planète au risque de la voir éclater, préférer l'état léthargique d'un embryon sans désirs au désir de la femme de s'en débarrasser, ne pas pousser les recherches biologiques en survie et en gérontologie, sacrifier l'individualité des femmes à la reproduction de l'espèce; puis, envoyer ce sang neuf se faire répandre en terre étrangère au nom de la loi du plus fort, telle est la logique Humaine, dit l'Euguélionne.

812.   Je dis que ceux qui cultivent le respect de la Vie Embryonnaire aux dépens de la Vie Accomplie, je dis que ceux-là souffrent d'*embryonnite aiguë*.

Ils s'imaginent que des lois permissives vont « obliger » toutes les femmes à avorter. Se pourrait-il qu'ils aient raison? Pensez aux anciens anti-divorcistes. Si mes renseignements sont exacts, ils ne voulaient pas entendre parler du divorce parce qu'ils s'imaginaient qu'une loi permissive allait « obliger » tous les couples à divorcer!

Ont-ils vu juste? Les couples, aujourd'hui, ne sont-ils pas tous contraints légalement à divorcer? Est-ce qu'on ne traîne pas en prison les malheureux époux qui veulent rester ensemble coûte que coûte? Ne sont-ils pas forcés de se séparer malgré eux?

Dans cette perspective, il est bien imprudent de croire qu'on peut être pour ou contre le principe de l'avortement, sous prétexte que c'est le droit strict de chacun. Il faut être fou pour affirmer que, vouloir et réclamer une législation qui l'interdise à toute une population, est d'une intolérance égale à celle qui voudrait l'imposer de façon obligatoire à toutes les femmes.

813.   Cependant, est-ce folie, est-ce inconscience? Je continue de

penser que, pour ceux qui souffrent d'embryonnite, *l'enfant est précieux, non parce que né, mais parce que conçu*. Et conçu par le pouvoir divin du Sperme Divin. Je les appelle avec une impudence semblable à la leur: *les Spermomanes*. Ce sont des Harpagons de l'or spermatique, de grands spécialistes en Économie du Spermatozoïde, lequel, comme chacun sait, est extrêmement rare dans leurs bourses. Leur aberration relève tout à la fois de l'antique terreur de l'onanisme et de la survalorisation obsessive de la rigidité obélisquienne. Ces deux attitudes mentales font une épargne comptable de tout épanchement. Celui-ci se produit-il par extraordinaire, il faut qu'il soit rentable. Peu importe qui paiera la note.

Les Spermomanes ne sont tout simplement pas au courant de l'Humanité de la femme, non plus que de sa physiologie. Personne ne les a renseignés. Qui les blâmerait? Voilà pourquoi ils ont des raisonnements qui s'apparentent à la vieille théorie de *l'homonculus...* selon laquelle le « petit de l'Homme » tient tout entier dans le Spermatozoïde. Mais cela se passait au Moyen-Âge. Aujourd'hui, le processus de la conception s'est singulièrement compliqué. Il paraît que la femme y participe! C'est sûrement une conséquence de sa libération... Mais on n'y peut rien...

De là l'opposition massive des Spermomanes à l'avortement et à la contraception. Un grand nombre de vos médecins et de vos biologistes sont, avec vos papes et vos législateurs, des Spermomanes convaincus. Qui ne respectent la vie que lorsqu'elle est encore tout près du stade de leur respectable Spermatozoïde. Quand cette vie a pris forme à l'air libre, quand cette vie vagit, a faim et court dans les rues, lequel d'entre ces grands moralistes s'en préoccupe?

814.   Quant aux femmes qui ont horreur de l'avortement, de quel droit veulent-elles imposer cette horreur et ses lourdes conséquences à celles qui ne l'éprouvent pas?

815.   C'est en regardant certains de vos théâtres télévisés que j'ai compris pourquoi les Hommes interdisent l'avortement. Dans un de ceux-ci — où il n'est par ailleurs nullement question d'avortement — la jeune fille dit qu'elle est libre et qu'elle agit librement. Cela cause un tel désespoir chez le garçon, surtout quand elle lui signifie qu'« elle ne lui appartient pas et n'appartient d'ailleurs à personne », qu'il a le front de lui rétorquer: « autant dire à tout le monde! »* Et de la traiter de « putain » et de déverser sur elle toute sa haine de mâle déjoué. (La logique est une qualité masculine, ne l'oublions pas.)

816.   Voilà l'impardonnable! Que la femme s'appartienne et agisse en propriétaire de son corps, et voilà l'Homme dérouté, malheureux, complètement déboussolé. Il faut être une putain pour disposer de son propre corps! Il n'y a pas d'alternative...

Le crime, l'abomination dans l'avortement, ce n'est pas de

---

*Cf. *Les Semelles de vent* d'André Langevin.

soi-disant tuer une vie Humaine, *c'est que la femme prétende s'appartenir*. C'est cela qui est intolérable.

817.   On ne veut pas légaliser l'avortement, dit l'Euguélionne, mais on légalise la peine de mort et on justifie l'agression armée. L'assassinat est facilement justifié sinon légalisé quand il se produit sur des êtres Humains accomplis, parvenus à un stade fort éloigné du Spermatozoïde...

818.   Pour vous consoler, femmes de la Terre, imaginez un instant que tous les fœtus dont vous avez avorté soient devenus des enfants, et imaginez que les adversaires de l'avortement soient condamnés à les prendre en charge...

819.   Soyez des Paramécies, dit l'Euguélionne aux femmes de la Terre. Disposez entièrement de votre corps et que pas une loi, pas une seule, ne prétende limiter l'emploi que vous en ferez par choix. Avortez, contraceptez, interceptez, divorcez, épousez, faites l'amour à votre gré, faites ce que vous, vous avez décidé... même des enfants!

XXIX

OÙ SONT LES ASSASSINS?

820.   Qui parle de meurtre, dit l'Euguélionne? À mon avis, un fœtus n'est pas un enfant, ce n'est pas non plus un être Humain. Avez-vous déjà vu un être Humain en forme de fœtus?

821.   Le fœtus n'a encore ni père ni mère, il n'a que des donneurs. Et si la femme a des droits sur ce fœtus, ce n'est pas en tant que mère, c'est en tant qu'il fait partie de sa chair. C'est une greffe que son corps a le droit de rejeter. C'est un tissu auquel ses propres tissus ont le droit d'être incompatibles.

822.   Qui parle de meurtre? À la suite d'un grand nombre d'entre vous, femmes de la Terre, je dis que le meurtrier est le législateur qui vous interdit l'avortement puis vous laisse avorter au péril de votre vie.

L'être humain « viable » dans cette affaire, c'est la donneuse de vie, car elle est déjà un être accompli, avec toute sa tête, tous ses membres et tous ses sens; ce n'est pas cet amas de cellules encore à l'état embryonnaire, que le hasard ou la malchance, ou l'ignorance, a mis dans sa peau. Et savez-vous, monsieur le légiférant à la conscience tranquille, savez-vous qu'il est criminel d'obliger cet être viable à poursuivre contre son gré, une œuvre faite de sa chair et de son sang? Vous voulez ignorer, de cette ignorance crasse qui vous caractérise, vous voulez ignorer qu'elle ira se faire charcuter par le premier avorteur venu, dans des conditions dont vous ne voulez surtout pas entendre parler.

823. Cette femme, monsieur, cher monsieur, a le droit d'être heureuse tout comme vous, et il ne vous appartient pas de lui imposer ce « surcroît de bonheur » d'avoir un enfant si ce n'est pas ce qu'elle désire.

Cet enfant, votre enfant peut-être, monsieur, s'il n'est pas désiré par sa mère, sera un être insupportable et malheureux. Le contact ne se fera pas, la première relation Humaine à laquelle il a droit n'aura pas lieu. Et cet enfant ou cette enfant, monsieur, a le droit d'être heureux, ou d'être heureuse, autant que vous, monsieur, qui siégez avec autant de bonheur dans cette Chambre, ou dans cette Cour; il a le droit d'être le bienvenu dans sa famille, autant que vous l'avez été, monsieur, dont les fesses de nouveau-né bienheureux étaient encore loin du siège que vous occupez en ce moment, monsieur et respectable législateur, juge, ou sénateur.

824. Si vous aviez un fœtus dans le ventre, monsieur, cher monsieur sénateur, juge ou législateur, si vous aviez un fœtus dans votre brioche sénatoriale, législatrice ou juridique, je dis que vous n'iriez pas vous faire charcuter, monsieur, cher monsieur ventru, cher monsieur omnipotent bien que certainement impotent.

Je dis que vous n'iriez pas chez le charcutier de ces dames et que vous n'avez pas le droit d'y expédier les femmes. Vous n'en avez nullement le droit.

Cela ne vous regarde pas. Cela ne regarde pas le code criminel. Cela regarde uniquement la femme que ça regarde, cela regarde cette femme uniquement.

Et allez donc vous faire charcuter vous-même si cela vous chante. Mais abstenez-vous d'envoyer les autres dans ces sales endroits avec vos sales lois. Vous n'en avez pas le droit, monsieur, cher monsieur grand spécialiste du Droit et grand spécialiste des Lois. Absolument pas le DROIT.

XXX

LA GROSSESSE NOMMÉE DÉSIR

825. Si les Hommes se font tuer à la guerre, les femmes se font tuer « à l'amour », mais c'est beaucoup moins glorieux!

J'ai appris qu'il existe des méthodes d'avortement thérapeutique rapides, indolores, inoffensives. J'ai appris que, pratiqué dans de bonnes conditions hygiéniques, l'avortement est une intervention mineure. J'ai appris aussi une chose terrifiante, dit l'Euguélionne. Il y a trois femmes à la minute qui se font avorter clandestinement en terre française, qui se font donc avorter dans les pires conditions.

Et sur ce nombre, dit l'Euguélionne, cinq mille en crèvent!* Cinq mille femmes françaises charroyées derrière *Notre-Dame-Hors-les-Murs*. Cinq mille Françaises par an jetées par-dessus bord! C'est ce que vous appelez, je crois, une saine politique de la natalité...**

En divisant ces cinq mille macchabées femelles par trois cent soixante-cinq jours, on obtient treize Françaises virgule sept par jour, mortes pour avoir fait l'amour avec treize Hommes de la Terre virgule sept qui se portent assez bien merci.

Ce jour, donc, treize Françaises virgule sept, le ventre évidé, sont allées rejoindre leurs pareilles, elles-mêmes parties retrouver celle qui, pour en avoir aidé d'autres dans la même situation, a été guillotinée — mais si — en l'an de grâce mil neuf cent quarante-trois, sous le gouvernement de monsieur TRAFAILFAMILLEBATRIE.

826.   Aucun de leurs treize amants ou maris virgule sept n'a jugé bon de les suivre au dépotoir ce jourd'hui. Aucun législateur n'a été mis en terre ce jourd'hui à ma connaissance.

Presque quatorze électeurs français — ou de nationalités diverses, résidant en France — aujourd'hui ont perdu leurs amantes! Quelle tristesse! Ne sont-ils pas à plaindre? Presque quatorze électeurs français — ou autres — demain seront en deuil de leur amour. Ne faudra-t-il pas les plaindre?

827.   Chaque jour, le Minotaure des temps modernes reçoit dans une grotte de France sa ration quotidienne de jeunes femmes: treize virgule sept aujourd'hui. Demain il en exigera quinze.

Aucun brave chevalier des temps modernes ne s'est levé avec indignation et n'a dit, avec une ferme détermination: « C'est assez! Je vais tuer ce monstre! » Et ne l'a tué.

Aucun curé ne s'est levé avec indignation et n'a joint les mains pour s'écrier, le menton pointé vers le ciel: « De grâce, ne lui donnez pas aujourd'hui son pain quotidien! » Aucun curé n'a exhorté les gens à s'armer pour abattre le monstre. Aucun curé, aucun chevalier n'a été mis en terre aujourd'hui. Le roi Renaud n'est pas mort. Ce n'est pas lui ce matin, qui tenait ses tripes entre ses mains.

828.   Tous, ils ont continué à prier, à se remplir le ventre, à légiférer, à voter, à aimer d'autres femmes!

Aucun de vos proches descendants ne voudront croire cela, dit l'Euguélionne. Tous, ils s'imagineront que vous habitiez les cavernes tant cette « coutume » leur semblera barbare. Il y a même de vos contemporains qui ne veulent pas le croire, qui ne veulent pas croire que dans beaucoup de pays il se passe la même chose monstrueuse et clandestine.

---

*Cf. *Le Livre blanc de l'avortement* (Les Cahiers du Club du Nouvel Observateur), Cahier # 2, 1971.
**Même si, depuis, la loi a été abrogée, le massacre continue.

829.   L'avortement clandestin? Bof! Du folklore! Du folklore poétique!
    Du folklore les aiguilles à tricoter, les produits à déboucher les toilettes, à nettoyer les parquets, du folklore, le ricin, le détergent, les cintres, les couteaux! Tout cet arsenal est folklorique, Dieu merci! À mettre au Musée de l'*Homme!*

830.   Ils vous disent sans sourciller dans les cours de justice: « Voilà. Bien que ce ne soit pas une loi écrite, il faut que vous sachiez que la femme ne s'appartient pas. Quand elle est enceinte, elle appartient à l'État. Il faut veiller à ce que ce corps soit sous la tutelle de l'État et punir tout ce qui pourrait briser cette entrave. Nous espérons, chers jurés, que vous saurez où est votre devoir. »
    Dans le même temps, ils vous disent sans sourciller à la radio, à la télévision: « Voilà. Nous avons dépensé tant de milliards de dollars pour abattre la chair vietnamienne, car cette chair n'est pas Humaine. Elle est venimeuse. Elle s'est laissé inoculer un « venin idéologique » qui n'est pas le nôtre (sic). Il est moral de tirer à bout portant sur cette chair, que ce soit celle qui bouge pour s'enfuir ou celle qui a été capturée. Nous espérons, chers électeurs, que vous estimerez votre argent bien placé. »
    Il me semble, dit l'Euguélionne, que je ne les ai pas vus sourciller à la télé quand ils disaient cela.

831.   Ils vous disent sans sourciller: « Voilà. Nous allons poursuivre une politique de natalité afin que notre courbe démographique remonte sur le papier. Mais ce n'est pas nous qui nous occuperons des enfants, vous devez le comprendre. Car tous nos efforts et notre énergie passeront à faire remonter cette foutue courbe démographique et à poursuivre avec fermeté notre politique de natalité. Nous espérons, chers électeurs, que vous estimerez votre argent bien placé. »

832.   Une loi injuste qui est transgressée quotidiennement devrait être une loi en voie d'abolition, dit l'Euguélionne.
    Les lois répressives qui disposent des corps des individus innocents sont des lois à transgresser, dit l'Euguélionne. Telles sont les lois restrictives sur l'avortement et les lois sur la conscription.

XXXI

LE BOEUF DE L'OUEST

833.   La Valeur Guerre est encore la doublure mentale de l'Homme, dit l'Euguélionne. Il ne saurait être question de situer ailleurs le débat. Il faut se battre. Tuer ou être tué si on vous attaque. Comme au temps antépréhistorique.
    Jamais ils n'ont pensé enfermer celui qui déclenchait la guerre, dit l'Euguélionne. Ils le respectent avec trop d'effroi, ils viennent de

loin pour lui serrer la main et apposer leur signature au bas de ses traités de dupes.

Jamais personne n'a pensé qu'il fallait mettre les führers de tout poil et leurs généraux au cachot.

834.   Il est bien plus rentable d'essayer de s'entendre entre Hommes pour ne pas déplaire aux dictateurs mégalomanes, que de se décider à partager le pouvoir avec des femelles.

Dans le premier cas, tout ce qu'on risque, c'est le massacre de centaines de millions d'Hommes et d'êtres Humains, dans le second cas, on risque d'en arriver à une paix durable qui serait considérée comme « efféminée »… Pas un Homme digne de ce nom ne choisirait le deuxième terme de cette alternative. On est des Hommes ou on n'en est pas. On « en » a ou on n'« en » a pas que diable!

835.   Votre logique m'épate, dit l'Euguélionne, votre sagesse m'en bouche un coin. Non à l'avortement, dites-vous, et sous aucun prétexte il ne faut céder là-dessus. *Par respect de la vie!* Mais voui aux guerres, voui à la surpopulation, voui à l'air empoisonné, voui à la famine, voui à la terreur, voui au massacre des travailleurs, voui au « massacre des paramécies ». Non à l'avortement, mais voui à la torture, voui à l'incarcération, voui à la souffrance et à la mort violente.

836.   Le scénario est très réussi, dit l'Euguélionne. La Puissance et la Puissance se sont donné rendez-vous sur un terrain neutre habité de votre planète, afin de se disputer le monde.

Chacune tire de son côté. Chacune empoigne la terre et la presse comme un citron. Chacune loge des balles dans la poitrine des habitants, dans la tête et les jambes des habitants, dans les os des habitants, loge des balles mortelles dans la chair vive des habitants du terrain neutre. Mais ni la Puissance, ni son adversaire la Puissance, ne s'atteignent réciproquement.

C'est convenu entre elles. Elles sont ennemies, d'accord, mais elles ne vont pas s'abîmer le portrait quand même!

Les balles sont inoffensives pour les Puissances en présence, en habit du dimanche. Mais combien les balles sont payantes pour chacune d'elles!

837.   Au moment où les balles font un trou ici, un trou là, un trou dans une petite cervelle en croissance sur le chemin de l'école, un trou dans un ventre en croissance sur le chemin des digues, un trou dans un cœur combattant sur le chemin des balles, ah oui! c'est à ce moment-là que les balles sont payées, argent comptant. Elles sonnent joyeusement au même moment sous forme de grosses pièces sonnantes dans la poche de l'une des deux Puissances, ou dans celle de ses supporters, à des milliers de milles du terrain neutre. Quel sport excitant!

838.   Les balles qui ont percé la grosse outre de la Vie sur le terrain neutre, voilà qu'elles se transforment — ô miracle de l'économie politique — à des milliers de milles de là, en gros châteaux boursouflés,

en piscines, en visons pour les complices, en whisky, en bœuf de l'Ouest marque rouge, en copulations clandestines dans les motels, en champagne, en petits fours.

Le bœuf de l'Ouest ne s'est jamais douté qu'il serait un jour échangé contre une balle perçant la grosse Outre de Vie sur le terrain neutre élu par la Puissance et la Puissance. Ces choses sont difficiles à comprendre, dit l'Euguélionne.

839.   Femmes de la Terre, vous êtes complices de ces choses, dit l'Euguélionne. Vous fabriquez la chair à canon, vous la vendez et vous en acceptez le prix.

Vous vendez votre chair à canon car vous votez pour ceux qui s'en emparent et vous en recevez le prix.

Femmes de la Terre, vous qui êtes une puissance numérique redoutable sur l'échiquier de la politique des Hommes, pourquoi n'apprenez-vous pas à vous faire redouter? Pourquoi ne pesez-vous pas de tout votre poids pour faire cesser ces massacres? Ça vous amuse tellement de fabriquer de la chair à canon afin qu'elle soit changée en un rouleau sans fin de papier-monnaie?

Mieux vaut être stériles, dit l'Euguélionne.

XXXII

« C'EST AINSI QUE JE LES VEUX »

840.   Bof! Du folklore! On ne verse plus le sang Humain aujourd'hui. Les batailles rangées, c'est du passé, les bombes, c'est du passé!

« De la chair en lambeaux, du sang en effusion », voilà des images dramatiques, hyperboliques, répugnantes, voire dégoûilantes, à mourir de rire, que les habitants des pays civilisés ont depuis longtemps mises au rancart car elles ne correspondent plus à rien de connu. Les évoquer, c'est faire preuve d'arriération mentale, car la guerre qui produisait ces horreurs est devenue folklorique à l'échelle planétaire de votre tolérance. Il n'y a que les pays en voie de développement qui connaissent encore ces horreurs folkloriques. C'est justement là leur voie de développement, ai-je cru comprendre.

Pourtant, celui qui dit que la guerre est folklorique sur votre planète, est un de ceux qui profitent le plus de la guerre. C'est lui, l'Homme du bifteck de l'Ouest, dit l'Euguélionne.

841.   « C'est ainsi que je veux l'homme et la femme: l'un apte à la guerre, l'autre apte à enfanter, mais tous deux aptes à danser avec la tête et les jambes. »

C'est ainsi que s'exprime l'un parmi vos philosophes dont vous êtes le plus fiers, et pour cause! Écoutez encore ce qu'il dit:

« L'homme véritable a deux désirs: le danger et le jeu. C'est pourquoi il veut la femme comme le jouet le plus dangereux.

277

« L'homme doit être élevé pour la guerre et la femme pour le repos du guerrier; tout le reste est sottise. (...)

« Le bonheur de l'homme est: « Je veux. » Le bonheur de la femme c'est: « Il veut. »

N'est-ce pas que ces propos sont stimulants pour les femmes? Et celui qui les a conçus ne mérite-t-il pas le Prix d'Excellence de la Boursouflure? Et que veut-il ce grand Homme dont le plus grand mérite, semble-t-il, a été de comprendre que l'espèce Humaine était mâle?

Ce qu'« il veut », c'est que l'Homme soit apte à tuer, la femme apte à pondre les victimes et les tueurs. Après quoi, cette dernière pourra servir de jouet au guerrier. À vrai dire, c'est à une danse du ventre que celui-ci la convie...

Enfanter pour tuer, tuer pour enfanter, ce doit être ainsi que s'établit l'économie vitale de cette espèce dite Humaine. Ce doit être sur ce principe étrange que s'appuie leur économie.

842.   Entendez-vous la voix de celle qui a enfanté toute sa vie? « Je les veux avec des fusils longs comme des bras, tirant sur mes fils avec profusion et précision, dit la vieille, tirant sur eux avec profusion et tirant ensuite sur moi avec précision, comme sur un vieux cheval de trait à la retraite, comme sur une vieille vache laitière à la retraite, comme sur une vieille poule coquette à la retraite. Qu'ils ne manquent pas leur coup, surtout, dit-elle. Puisqu'Il le veut, je le veux aussi. Que sa sainte Volonté soit faite! »

843.   La femme apte à pondre, l'Homme apte à étrangler le poulailler. Économie de renards et de coqs, pas plus bête qu'une autre. Équilibre de la terreur!

844.   Une puissance de quinze mégatonnes est suspendue, paraît-il, sur chaque tête de pipe de cette planète... Bon gré mal gré, tout le monde obéit au précepte du philosophe, qui est de *vivre dangereusement*. Quinze mégatonnes sur chacune de vos têtes! C'est vraiment trop de bonté de la part de vos dirigeants! Il me semble que vous vous seriez contenté de quelques mégatonnes en moins. Il en serait resté toujours assez pour faire à chacun de vous un gentil chapeau orthopédique en forme de champignon vénéneux, rappelant l'image champêtre de l'amanite phalloïde. Méfiez-vous d'un tel couvre-chef: il n'est pas garanti contre les intempéries... Et, en plus, c'est un phalle impudique... et un affreux *Little Boy*.

C'est quand il lâche sur les villes cet ultime excrément Humain que l'Homme a enfin le sentiment d'avoir *transcendé la nature* pour de bon! Le reste est silence...

Quant à la guerre conventionnelle, elle est pourvoyeuse d'emplois, Dieu soit loué! Elle lutte contre le chômage, la bonne apôtre!

Ce sont les Hommes qui y ont pensé! Avec leur génie habituel. Faire travailler une partie de l'Humanité à détruire l'autre partie, détruire une partie de l'Humanité pour que l'autre partie puisse travailler, n'est-ce pas une idée de génie?

845.   Entendez-vous ce mot? Tuer! TUER! Tuer! Tuer! TUER! Ils n'ont eu que ce mot à la bouche pendant des siècles! Et encore aujourd'hui, il est tout humide de leur salive et se tient debout sur leurs lèvres, prêt à bondir.

846.   Ils ont prolongé leurs bras meurtriers avec des armes. *Ils ont tout pris par la force.* Ils continuent de tout prendre par la force, bien que celle-ci soit souvent devenue clandestine, insidieuse.

Ils ont tenu des Hommes à la pointe de leur fusil, à la pointe de leur revolver, à la pointe de leur couteau, à la fine pointe de l'actualité sociale, juridique et militaire.

> *L'acier contre la chair*
> *Le fil contre la masse*
> *La main qui fomente l'acier qui tue*
> *L'acier qui tue qui émane de la main comme un souffle*
> *Un souffle*
> *Trois fois rien*
> *Comme récompense, s'ils sont bien « aptes à la guerre »,*
> *ils auront un revolver entre les jambes*
> *Un souffle entre les jambes*
> *Trois fois rien*

Et voilà assurée la virilité pour des siècles à venir. Les *cœurs virils* sont haut placés, n'est-ce pas, monsieur Nietzsche?

Et voici une équation incontestable:

$$Le\ Pouvoir\ est\ au\ bout\ du\ Fusil$$
$$=$$
$$Le\ Pouvoir\ est\ au\ bout\ du\ Phallus$$

Qu'en dites-vous, monsieur Mao? Aviez-vous pensé à cela?

847.   C'était peut-être vrai, après tout, qu'une espèce de génie fût essentiellement masculin, dit l'Euguélionne, qu'on pouvait nommer le génie de la destruction. À son actif: Villages détruits. Terres brûlées. Peuples massacrés. Génocides. Extermination de millions d'Indiens dans toutes les Amériques, de millions de Juifs dans toutes les Europes. Barbarie. Torture. Napalm. Bombe H. N'était-ce pas là l'œuvre du mâle?

Et quelle était l'œuvre de la femelle « apte à enfanter »? C'était l'enfant. Une « œuvre » tellement dévalorisée sur le marché (à moins qu'elle ne fût à l'état embryonnaire), qu'on s'en emparait volontiers dès qu'elle était achevée pour l'égorger sur le bûcher d'Abraham. Rien de plus conventionnel. C'était là une invention géniale digne de l'Homme. Comparées à cette invention, toutes les autres faisaient piètre figure. Toutes les œuvres de civilisation, à côté de celle-là, ne faisaient pas le poids.

848.   Le pôle négatif de l'Humanité fabrique l'Humanité, son pôle positif et créateur la détruit. N'est-ce pas passionnant, monsieur St Siegfried? Quelles autres œuvres sont comparables à celle-là?

Un des leurs a écrit: « C'est ainsi que je les veux: l'homme apte à la guerre, la femme apte à enfanter. »

849.   Mais quelles sont ces étranges aptitudes? Je ne suis pas Humaine, dit l'Euguélionne. Je ne comprends pas cette économie.

XXXIII

COMME AU THÉÂTRE

850.   À peine êtes-vous nés, dit l'Euguélionne, que l'on vous enrôle comme au théâtre ou comme à l'armée.

— Voici ton rôle, vous dit-on, alors que vos yeux ne sont pas encore ouverts et que vos oreilles ne distinguent pas le langage Humain des autres sons. Tu n'en dois déroger sous aucun prétexte, apprends-le par cœur dès maintenant.

On distribue un rôle de premier plan au petit mâle nouveau-né et *un rôle de soutien* à la petite femelle, et on les envoie sur les planches avant même qu'ils aient appris à marcher.

851.   Sur ma planète, dit l'Euguélionne, ils ont tous quelque chose d'écrit dans le front. Mais sur votre planète, il n'en est rien. Les fronts sont lisses. Pas de tiers-œil sournois. Pas de couches impératives.

Il n'y a que cette distribution des rôles à la naissance de chacun d'entre vous. Il n'y a que ce cinéma. Il n'y a que ce théâtre…

852.   LA NAISSANCE, dit l'Euguélionne, le processus de la naissance est le même pour la fille que pour le garçon. Il est identique en tous points.

Tous deux sont projetés dans le monde. La fille ne naît pas à l'envers, elle ne naît pas par en dedans. Elle naît comme le garçon d'un puissant mouvement de contraction suivi d'une énorme détente qui la projette au-dehors, tête la première le plus souvent.

853.   La fille n'est pas projetée à l'intérieur du foyer, dit l'Euguélionne. Elle est projetée au-dehors de l'utérus, comme le garçon.

Mais c'est à partir de ce moment que la pièce commence. Et c'est là que commence la différence.

854.   On s'aperçoit que le garçon a dix petits doigts fortement préhensiles et on se dit avec enthousiasme: « Celui-là va s'approprier le monde! » Et tout son entourage l'aide à placer ses petits doigts préhensiles sur le monde, avant même qu'il n'ait ouvert les yeux.

On s'aperçoit aussi avec consternation que la fille a également dix petits doigts fortement préhensiles et on se dit avec terreur:

« Celle-là, si on n'y prend pas garde, va vouloir s'approprier le monde! »

Alors, on la saisit au vol et on l'enferme dans un cercle vicieux.

Et c'est sur le vide de ce cercle vicieux que s'agrippent ses petits doigts fortement préhensiles, avant même qu'elle n'ait ouvert les yeux.

Ce cercle vicieux peut s'exprimer ainsi: « Il ne faut pas qu'elle s'approprie le monde parce que c'est une fille; c'est une fille parce qu'elle ne peut pas s'approprier le monde. »

C'est ainsi qu'elle commence à tourner en rond: c'est là son apprentissage puisqu'elle est destinée à tourner en rond toute sa vie. Et l'on se plaint, à mesure qu'elle avance en âge et en inexplicable révolte: « Que c'est donc compliqué une fille! »

Plus tard, on dit avec admiration du garçon devenu Homme: « Regardez comme il a prise sur le monde! »

Et de la fille transformée en femme, on dit avec étonnement et consternation: « Regardez comme elle tourne en rond! Ses doigts préhensiles sont devenus des pseudopodes! »

855.   Cependant, ce serait bien surprenant si elle avait encore dans la tête et les doigts de quoi vouloir s'approprier le monde...

Que diriez-vous d'une société où les Hommes, *uniquement parce qu'ils sont des mâles*, seraient tous tenus d'être des plombiers? Ou encore, d'un monde où ils seraient tous vidangeurs obligatoirement à partir du premier jour de leur mariage jusqu'au jour de leur mort, sans droit à la retraite. Que diriez-vous d'un monde aussi étriqué?

Que diriez-vous d'un employeur qui obligerait ses employés à lui réclamer l'argent de leur paye chaque fois que celle-ci serait due, faute de quoi il « oublierait » de les payer? Et qui ne leur donnerait jamais le même salaire? Et qui demanderait des comptes au sujet de l'emploi de cet argent? Et qui ne consentirait à leur payer que les frais de leur entretien et de leur maintien en vie? Et qui insisterait: « N'oubliez pas que c'est *mon* argent que je vous donne! N'oubliez pas que c'est *moi* qui ai gagné cet argent! C'est *moi* qui gagne la vie ici. C'est *moi* qui vous entretiens! »

C'est à un employeur de cette sorte, à quelques nuances près, qu'est livrée la femelle de l'espèce Humaine quand elle se marie.

Et comme travailleuse « à l'emploi » de cet Homme, ses droits sont-ils consignés quelque part? Dans quelle charte des *Droits de l'Homme* en est-il fait mention? Qui défendra ces droits dans le quotidien? Qui se préoccupera de son milieu de travail?

856.   Il est vrai que les droits de l'Homme ne sont pas forcément ses droits... mais le droit de tourner en rond dans sa cage est cependant un droit qui est reconnu à tous les animaux captifs. De quoi se plaint-elle alors, je vous le demande!

857.   Je vous propose un petit jeu, dit l'Euguélionne. Essayez de deviner dans le texte qui va suivre, quels étaient à l'origine les mots que je vais mettre entre parenthèses et remplacer par d'autres mots:

« En plus de la traumatisation, la (société) employait trois autres méthodes pour détruire toute autonomie personnelle. La première consistait à imposer aux (femmes) un comportement enfantin. La deuxième était de les obliger à renoncer à tout individualisme pour se fondre dans une masse amorphe. La troisième, de détruire toute capacité d'autodétermination, toute possibilité de prévoir l'avenir, donc de s'y préparer... Ce qui (n'était pas) nouveau c'est qu'un État utilise ces procédés à l'égard de ses propres sujets et s'en serve délibérément pour détruire l'intégrité de l'être humain. »*

XXXIV

ÉCRIT SUR LE FRONT

858.   Femmes de la Terre, pourquoi faut-il que ce soit vous?

859.   Est-ce écrit sur votre front, est-ce gravé dans votre front à votre naissance: « voici le sac à ordures de l'Humanité »?

Est-ce écrit sur votre front à votre naissance: « voici un autre aspirateur bénévole pour l'Humanité »? Alors, pourquoi faut-il que ce soit vous?

Est-ce écrit sur votre front à votre naissance: « voici le poisson-vidangeur de l'aquarium de l'Humanité »?

Êtes-vous le dépotoir naturel de l'Humanité? Êtes-vous son filtre à saletés perfectionné? Êtes-vous son étancheur de souillures attitré? Êtes-vous son ramasse-poussière spécialisé?

Pourquoi faut-il que ce soit vous?

860.   Avez-vous fait le vœu du bénévolat? Avez-vous fait le vœu de pauvreté? Avez-vous fait le vœu d'obéissance? Avez-vous fait le vœu de chasteté? Ô servantes, ô moniales, ô sœurs tourières!

Pourquoi faut-il que vous soyez les servantes du seigneur? Pourquoi n'êtes-vous pas, vous aussi, les seigneurs de l'Humanité?

N'avez-vous pas des occupations supérieures — l'éducation de jeunes citoyens, par exemple — qui vous interdisent de vous salir les mains, de vous les entacher, de vous les souiller, de vous les mouiller, de vous les tremper, de vous les fendiller, de vous les brûler, de vous les écorcher au couteau, de vous les javelliser, de vous les décaper au détersif, de vous les récurer à l'abrasif?

861.   Est-ce votre pouvoir d'être mères qui vous a valu le doux devoir de torcher? Que pensez-vous de cette curieuse exploitation de la maternité?

862.   Quelques-unes parmi vous croient que rien n'est plus sublime

---

*Les mots changés sont: *Gestapo*, *prisonniers*, et *Ce qui était nouveau*. Le texte est de Bruno Bettleheim, tiré de *Le Cœur conscient*.

que de laver la vaisselle. Que c'est ainsi que l'on apprend à lutter et à se dépasser soi-même. Elles m'en donnent pour preuve le fait si souvent observé que ce sont toujours les Hommes qui se battent pour obtenir le droit et le privilège de faire toutes ces choses rebutantes de la vie.

En effet, j'ai pu constater que les héros Humains sont des Hommes qui se sont hautement distingués en exécutant des corvées domestiques toute leur vie. Quant aux Hommes ordinaires, ils ont des conférences, des meetings, des journées d'étude, des congrès, qui les obligent à se confronter et à réfléchir sur le sens de leur action. Eh bien, ils déjeunent, ils dînent ces jours-là comme les autres jours. Vous ne le croiriez pas, mais, ces jours-là comme les autres, on les voit se précipiter pour laver la vaisselle dès qu'ils se sont levés de table, dans le but avoué de se dépasser... C'est pas beau, ça?

863.   Femmes de la Terre, pourquoi accepter les tâches serviles de l'Humanité?

864.   Êtes-vous touchées par quelque malformation secrète qui vous interdise l'accès aux tâches supérieures?

Avez-vous la cervelle en forme de Phallus? Avez-vous une cervelle monolithique qui vous empêche de penser et de créer? Avez-vous une cervelle en forme de corne de rhinocéros?

FEMMES DE LA TERRE, POURQUOI FAUT-IL QUE CE SOIT VOUS?

XXXV

LE POMMIER ET LE BANANIER

865.   Comment pouvez-vous encore ignorer ce que vous êtes, femmes de la Terre? Vous êtes des êtres libres et complets que personne n'a le droit d'assujettir.

866.   Vous ressemblez aux sujets britanniques francophones ayant pris racine en terre d'Amérique, qui se désolent et se demandent en geignant ce qu'ils sont. Jusqu'au jour où ils s'aperçoivent qu'ils sont Québécois ou Acadiens. Et alors, ils rayent la mention inutile *sujets britanniques* sur le visage qui les identifie aux yeux de tous et ils deviennent ce qu'ils sont: des Québécois ou des Acadiens. Quelque effort que Sa Majesté britannique puisse déployer, elle ne pourra jamais vraiment les récupérer et les considérer comme siens.

867.   Essayez donc de trouver des bananes dans un pommier. Vous pouvez écrire le mot « banane » sur chaque pomme, vous ne ferez pas la preuve par ce moyen que les pommes sont des bananes.

Vous pouvez, de rage, arracher toutes les pommes du pommier, les pommes tombées n'en deviendront pas des bananes pour autant.

Vous pouvez, de désespoir, arracher le pommier, vous n'y trouverez pas, enfouies à sa place, les racines d'un bananier.

Vous pouvez même pousser l'entêtement jusqu'à planter un bananier en lieu et place du pommier. Je parie qu'il donnera des pommes, car cette terre est pleine de la semence des pommiers depuis des siècles et le climat leur est favorable.

868.   Voilà pourquoi je dis que les faux sujets britanniques peuvent devenir ce qu'ils sont, des Québécois ou des Acadiens, n'en déplaise à Sa Majesté. Il leur suffit seulement de savoir ce qu'ils sont.

869.   Femmes de la Terre, vous aussi vous pouvez devenir ce que vous êtes. En apprenant qui vous êtes et en refusant toute étiquette dès votre naissance. Avec un peu de vigilance…

XXXVI
UNE RADIOGRAPHIE

870.   Le monde n'est pas à nous, dites-vous avec regret. Et pourquoi ne serait-il pas à vous?

871.   Regardez ceux qui ont prise sur le monde. Ils ne se sont jamais préoccupés des petits détails de leur existence.

Croyez-vous qu'il y ait une issue pour la *ménagère?* Ou elle a conscience de sa frustration et empoisonne l'existence de son entourage, ou elle accepte de torcher sans fin cet entourage jusqu'à ce que mort s'ensuive. D'une façon ou d'une autre, elle est désavouée.

872.   Tant que vous ne rejetterez pas avec horreur ce manteau de poussière et d'ordures dont vous affuble l'Humanité, vous ne serez pas des êtres libres, femmes de la Terre.

Femmes de la Terre, déchargez-vous de la poussière millénaire de votre espèce. Vous vous en chargerez de nouveau quand l'espèce entière s'en chargera avec vous.

Pourquoi faut-il que ce soit vous?

Femmes de la Terre, vous pouvez devenir ce que vous êtes, des êtres libres. Vous n'avez qu'à secouer la poussière de votre esclavage.

873.   Si vous ne voyez pas cette poussière, si vous ne voyez pas cet esclavage, si vous vous en accommodez, vous n'avez qu'à vous placer dans un rayon de soleil: vous verrez cette poussière danser autour de vous et vous faire une aura d'outre-tombe.

Vous la verrez s'attacher à vous en une multitudes de particules magnétiques qui vous font une auréole grise comme celles que l'on voit autour de la tête des morts.

Vous la verrez imprégner vos vêtements, votre épiderme,

vous la verrez s'insinuer dans vos entrailles et vos organes sexuels, vous la verrez vous frapper à mort sous une forme cancéreuse, vous la verrez mordre en votre cœur comme un crabe.

874.   Il vous suffit de vous placer dans un rayon de soleil pour voir danser la poussière de votre esclavage.

Il vous suffit de vous radiographier jusqu'à l'os et jusqu'à la moelle.

Regardez-vous dans un rayon de soleil, femmes de la Terre.

875.   Contemplez-vous et admirez la poussière de vos vies.

XXXVII

LES ASTRONAUTES

876.   Hommes de la Terre, cessez de compter sur des femmes pour vous débarrasser de la poussière de vos existences.

Hommes de la Terre, il n'y aura pas de salut pour vous tant que vous penserez vous débarrasser sur une femme de la poussière de vos vies.

Et vous, femmes de la Terre, il n'y aura pas de salut pour vous tant que vous vous chargerez de la poussière des Hommes.

877.   Quand ils vous disent: « Il faut pourtant que quelqu'un le fasse », répondez: « Faites-le donc vous-mêmes. »

Quand ils vous disent: « Il faut pourtant que cela se fasse », répondez: « Trouvez donc dans vos crânes désincarnés une solution à ce problème. »

Femmes de la Terre, sachez répondre aux Hommes de la Terre que leur poussière quotidienne ne vous concerne pas. Qu'elle ne concerne qu'eux et eux seuls.

878.   Je croirai les philosophes altruistes qui disent que l'individu n'existe pas eu égard à la collectivité, lorsqu'ils n'utiliseront plus les femmes pour se faire servir!

879.   Il n'y aura pas d'Unité de l'Homme, il n'y aura pas d'Avenir de l'Homme, si vous ne réglez pas ce problème, Hommes de la Terre, si vous ne le prenez pas en charge, car c'est *votre* problème. Les femmes ont aussi un problème personnel de poussière à régler. C'est uniquement celui-là qui les concerne.

Femmes de la Terre, vous ne participerez pas à l'Être de l'Homme, au génie de l'Homme, si vous continuez à prendre en charge leur propre problème de poussière, si vous continuez de prendre en charge leur problème personnel d'entropie négative, ce qui leur permet d'Être et d'avoir du Génie!

880.   À chacun sa poussière. À chacun ses ordures. C'est là le com-

mencement de la Justice distributive. Les Hommes sont-ils manchots ou sont-ils de purs esprits?

881.   La fesselle, les enfaons, le lafage, ce n'est pas notre affaire, disent-ils. Et pourtant, ils mangent, ils salissent et ils font des enfants. Est-ce que, par hasard, ces activités seraient « efféminées »: manger, salir, faire des enfants?

Si vous vous mettez à deux pour salir, mettez-vous à deux pour nettoyer. Si vous vous mettez à deux pour faire un rejeton rempli de beautés et de délicates saletés, partagez-vous équitablement les beautés et les saletés, et non la moitié des beautés à l'un et la totalité des saletés à l'autre...

882.   Femmes de la Terre, lancez vos casseroles comme la Duchesse de Carroll, et allez découvrir l'Amérique, l'uranium, la relativité, le code génétique. Allez conquérir l'espace. Allez sur la lune découvrir la plante de pérégrination.

Sinon, quand adviendra la civilisation des loisirs qui est toute proche, on vous trouvera encore à vos chaudrons, à vos brosses et à vos balais, tandis que vos maris se prélasseront dans vos maisons comme des pachas qu'ils seront devenus.

883.   Veillez, dès votre naissance, à ne pas vous mettre le corps et la tête dans la poussière, dit l'Euguélionne aux femmes de la Terre. Si vous attendez vingt ans, il sera trop tard.

884.   « Ce n'est pas notre affaire! » voilà ce que vous répondrez aux Hommes de la Terre quand ils vous demanderont des comptes au sujet de la poussière et des ordures qui encombrent l'Humanité.

Maintenant que vous avez fait vos premiers pas en dehors du « foyer », il est temps que l'Homme fasse des pas en sens inverse vers le « foyer », vers les corvées du « foyer » et vers les enfants que ce « foyer » abrite. Ce n'est que de cette façon que vous vous rejoindrez: quand tous les deux vous goûterez et au dehors et au dedans, quand tous les deux vous goûterez les avantages et subirez les inconvénients et du dehors et du dedans.

885.   Ne soyez plus des femmes de ménage bénévoles. Ne soyez plus des *Sagouines*. Relevez la tête de votre seau.

Mais pour cela, soyez vigilantes dès votre naissance à ne pas vous laisser immerger dans le seau aux ordures.

886.   Plus tard, il sera trop tard, dit l'Euguélionne. Vous continuerez à lécher les parquets pour assouplir le pas des Hommes.

887.   Avez-vous remarqué? Ils vont sur la lune qui est une planète de Poussière, dit l'Euguélionne. Attention! Ils engageront des femmes pour secouer la poussière de leurs vêtements.

Et quand ils amèneront des femmes sur la lune, dit l'Euguélionne, ce sera dans le but de leur faire faire le ménage!

888.   Femmes de la Terre, faites attention! Voulez-vous devenir les femmes de ménage de la lune?

PLAIDOYER POUR UNE MOITIÉ

J'ai lu un jour dans un hebdomadaire la définition suivante, dit l'Euguélionne.

889.   « Le robot doit être intelligent comme un homme, pour que l'homme puisse se décharger sur lui des besognes qui réclament de l'initiative ou du jugement. Et docile comme une machine pour ne pas mettre en péril la suprématie de son créateur. »*

Et alors, je me suis dit: n'est-ce pas là la parfaite définition sur cette planète de la femme au travail telle que conçue et pratiquée par l'homme?

890.   Femmes de la Terre, qui a décidé que vous n'étiez pas des individus différenciés mais une catégorie?

Qui a décidé que vous ne seriez pas des êtres Humains à part entière?

Qui a décidé que vous n'auriez pas à tenter votre chance vous aussi?

891.   Qui a décidé cela? Qui, en dehors de vous, a décidé que vous ne pouviez prendre part à la vie publique au même titre que l'Homme? Qui a décidé que vous n'auriez pas voix au chapitre là où se font les lois, là où se prennent les décisions capitales pour l'Humanité?

Qui a décidé que vous n'auriez pas votre place au soleil vous aussi?

Qui a décidé que vous deviez vivre dans l'ombre d'un Homme, en parasites de sa lumière et de ses sous?

Qui est-il celui-là qui a décidé cela pour vous? Le connaissez-vous? L'avez-vous déjà vu?

892.   Magistrats, diplomates, politiciens, législateurs, candidats députés, président de la République, premier ministre, qui a décidé que ce ne serait pas vous?

Qui a décidé que ce ne serait vous que parcimonieusement, qui a mis des mains de fer sur vos épaules? Qui vous a empêchées de sortir de votre cercle vicieux? Qui vous a incitées à aimer et même à revendiquer ce métier de « ménagères »? Qui s'est moqué cruellement de vous quand vous avez réussi à briser ce cercle infernal?

Architectes, ingénieurs, administrateurs, médecins, avocats, sculpteurs, peintres, écrivains, poètes, orateurs, qui a décidé que ce ne serait pas vous?

Qui a décidé que ce ne serait vous que parcimonieusement, au hasard de vos corvées? Qui s'est moqué de votre art et de vos écrits?

---

*Gérard Bonnot, in *L'Express*, #1091, à propos d'un livre sur *Les Machines vivantes de Daniel Vincendon*.

Prêtres, curés, prédicateurs, évêques, pape, qui a décidé que ce ne serait pas vous? Qui a décidé que vous seriez les servantes du Seigneur? Qui a décidé cela pour vous, sans vous consulter?

893.　Qui vous a fait cette mentalité servile? Qui vous a massacré l'esprit? Qui vous a détérioré la volonté? Qui vous a arraché vos moyens les plus simples, vos moyens Humains?

894.　Femmes de la Terre, Servantes, Nourricières, Porte-Poussière, Aspirateurs, qui a décidé que vous seriez des *moitiés* d'êtres Humains?

Femmes de la Terre, Ouvrières, Travailleuses, qui a décidé que vous feriez une double journée de travail dont la deuxième ne serait pas payée? Qui a décidé que dans la première vous auriez les plus bas salaires? Qui a décidé de vous cantonner dans les métiers les plus discrédités?

Femmes de la Terre, Femmes de ménage, Femmes de peine, Femmes de charge, Ménagères, Secrétaires, Infirmières, Assistantes, qui a décidé que vous seriez toujours des employées subalternes, subissant la promiscuité d'un patron, attendant ses ordres et son bon plaisir?

Qui vous a fait croire que c'était *dans votre nature?* Qui vous a cruellement trompées depuis des siècles?

895.　Qui sont les meurtriers de votre conscience? Qui sont les meurtriers de votre matière grise? Qui sont les meurtriers de votre clitoris, les meurtriers de votre sexe?

896.　Soyez des Paramécies, dit l'Euguélionne. N'ayez pas de limites aux formes que vous prendrez. Celle de la maternité n'en est qu'une parmi d'innombrables. N'ayez pas peur de cumuler.

897.　Femmes de la Terre, enfanter n'est qu'une de vos immenses possibilités. C'est votre privilège, c'est votre droit, mais qui a dit que c'était votre devoir?

Qui vous oblige à enfanter? Qui vous oblige à perpétuer l'espèce? Est-ce que votre espèce est en voie d'extinction? Qui vous oblige à faire regorger l'espèce Humaine de « petits de l'Homme » aux dépens de votre propre existence de femmes? Qui vous oblige à ne faire que ça dans la vie?

898.　Qui a associé les corvées domestiques à la maternité? Qui a intérêt au XXe siècle à perpétuer cette association?

899.　Qui vous a donné ces ordres impératifs? Qui a fait des lois pour régenter votre corps? Pour l'obliger à enfanter malgré vous? A-t-on fait des lois pour régenter le corps des Hommes dans leurs fonctions viriles?

Qui a décidé que vous deviez être soumises? Qui a décidé que vous deviez être dominées, subordonnées, obéissantes? Qui a décidé que c'était la nature qui voulait cela pour vous?

Qui a décidé cela pour vous sans vous consulter?

LE CORPS INTERDIT

900.   Vous croyez encore, femmes de la Terre, que vous êtes au Catalogue des Valeurs une valeur marchande stable et que l'Homme, pour vous avoir, doit vous acheter et vous payer comptant ou à tempérament.

Vous croyez encore que l'amour n'a rien à voir avec la justice.

Vous croyez encore, femmes de la Terre, que l'injustice où vous croupissez est une bonne valeur d'échange contre l'amour qu'on exige de vous. Vous croyez que l'amour s'échange avec l'injustice. Vous croyez que l'amour vous dispensera de la haine.

901.   Vous croyez que l'injustice vous apportera l'amour, femmes de la Terre.

902.   Vous croyez, Hommes de la Terre, que la femme est encore à vendre et qu'il existe une monnaie pour vous l'approprier.

Vous croyez que le corps de la femme ne lui appartient pas en propre et que vous pouvez faire des lois pour l'empêcher d'en prendre une possession concrète.

Vous croyez que vous pouvez faire des lois qui vont jusqu'à légaliser le viol du moment que vous le commettez sur la personne de vos femmes légitimes. À femme légale, viol légal, telle est votre équation juridique.

Vous croyez que vous pouvez faire des lois interdisant le viol et qu'ensuite vous pouvez tranquillement ne pas les appliquer.

Vous croyez qu'il suffit de condamner deux pour cent de ces viols pour vous sentir quittes des quatre-vingt-dix-huit autres pour cent.*

903.   Femmes de la Terre, pourquoi vous soumettre à des lois qui ne vous concernent pas?

904.   Vous n'appartenez à personne. Vous vous appartenez.

Votre corps est ultime. Il est initial et ultime. Vous n'en aurez jamais d'autre.

Il est ultime et unique. Vous n'en avez jamais eu d'autre, quelles que soient les formes qu'il ait prises avant aujourd'hui.

C'est votre nu original.

905.   Le corps Humain, quand il est nu, est un ensemble magnifique, qu'il soit femme ou qu'il soit Homme.

Qu'il soit Homme ou femme, il a de quoi donner et de quoi recevoir. Et c'est cela qui le rend magnifique.

S'il est Homme, il a aussi de quoi violer le corps d'un autre

---

*Au Canada, douze personnes par jour sont violées. Toutes les douze minutes, on viole une femme aux États-Unis.

être Humain et cela seul devrait le rendre doux et sur ses gardes car le viol est presque un meurtre.

S'il est femme ou enfant, il a aussi de quoi être violé par un autre être Humain et cela seul devrait le rendre vigilant à connaître sans tarder toutes les techniques de *self-defense*. Car le viol est presque un assassinat sur sa personne.

906.   Femmes de la Terre, vous connaissez sur le bout de vos doigts les interdits qui pèsent sur votre corps, mais ce corps interdit, vous ne le connaissez pas.

Vous connaissez sur le bout de vos doigts les interdits qui limitent l'expression de votre corps, mais le potentiel de ce corps interdit, vous ne le connaissez pas.

Vous n'aimez pas votre corps unique. Vous n'aimez pas vos corps de femmes. Vous ne vous aimez pas. Vous vous haïssez.

Vous vous promenez dans la vie munies seulement de vos techniques de provocation. Mais, curieusement, vous vous trouvez trop faibles pour défendre votre corps unique contre ceux qui l'envahissent sans votre consentement.

Vous n'êtes pas dignes de vos corps ultimes, vous ne les méritez pas. Vous ne savez pas en tirer les jouissances les plus hautes, vous ne savez pas en tirer la moindre satisfaction pour vous-mêmes.

907.   Vous avez cru ces pompeux spécialistes qui vous ont affirmé, selon la loi Ψ qui est stricte et terroriste, que vous n'aviez qu'un sexe tronqué, mutilé, à moitié volé au corps de l'Homme, ou que vous n'aviez RIEN DU TOUT.

Vous avez cru ces marchands d'esthétique qui vous ont persuadées que le reste de votre corps était mesurable et pondérable, suivant des lois strictes et terroristes.

Vous avez bichonné vos corps, vous les avez désodorisés, aseptisés, non parce que vous les aimiez, mais pour mieux les donner en esclavage. Vous les avez parés pour aller les vendre au plus offrant. À quatre pattes, comme des pouliches au marché. Et ceux qui les ont achetés, la langue pendante, étaient aussi semblables à des bêtes.

Vous n'aimez pas vos corps de femmes, car au premier chagrin sérieux, vous les engraissez, les remplissez, les gavez, ou vous les pressurez, les desséchez, les momifiez, jusqu'à ce qu'ils n'aient plus forme Humaine. Plus l'on vous rejette, plus vous vous rendez rejetables. Vous n'êtes pas assez narcissiques, quoi qu'en disent les pompeux spécialistes de l'« âme féminine ».

908.   Si vous êtes obèses, c'est que vous portez en vous un enfant mort, une enfance désolée, un amour dédaigné, une grande œuvre dont vous n'osez accoucher car cette sorte de gestation est adamique et ne saurait convenir à votre société.

Si vous êtes obèses sans porter en vous un organe malade, peut-être est-ce tout simplement votre façon d'être. Peut-être êtes-vous enceintes de vous-mêmes et n'êtes pas prêtes à vous mettre au monde. N'ayez pas honte de cette grossesse. C'est la plus fructueuse.

909.   Si vous êtes trop maigres et n'êtes pas malades, c'est peut-être tout simplement votre mode d'exister, ou bien avez-vous accouché de votre vie avant que de la vivre. N'ayez pas honte de votre maigreur. C'est la plus prometteuse. Car si vous êtes maigres, c'est que vous vous êtes mises au monde trop tôt, à la va-comme-je-te-pousse. Vous vous accoucherez bien une seconde fois et, alors, l'enfant sera beau.

910.   Un jour, dit l'Euguélionne, la plus grosse d'entre vous sera la plus mince, la plus maigre sera la plus épanouie, la plus vieille d'entre vous sera jouvencelle, et la plus laide sera la plus belle.

911.   Je parle aussi à celles dont le corps chante pour qu'il continue à chanter d'année en année.

Je parle à celles dont le corps joue de la flûte et à celles dont le corps joue du tambour et je dis: vive la différence des instruments et des styles.

Je parle à celles dont le corps porte la marque de l'enfant et je dis que l'enfant qui a balafré le Ventre est le petit de la femme avant d'être « le petit de l'Homme ».

XL

LA LOI DES SINGES

912.   Votre destin corporel, femmes de la Terre, est individuel. Il n'est pas le destin de la collectivité. Soyez des Paramécies libres de se réaliser. Refusez de vous faire massacrer au profit de l'espèce.

Vous avez donné votre chair et votre sang et votre matière grise à l'espèce depuis des milliers d'années. Vous avez sacrifié votre individualité et votre autonomie à l'espèce depuis des milliers d'années.

913.   L'espèce est ingrate. Elle ne vous en a su aucun gré. Elle vous a bafouées. Elle vous en a payées avec des insultes ou avec des hommages qui étaient pires que des insultes. Cessez de garantir votre collaboration à l'espèce.

L'espèce d'ailleurs n'est pas en perdition. Elle est d'ailleurs surpeuplée. Elle est d'ailleurs boursouflée jusqu'à la limite de sa capacité. Elle veut d'ailleurs exploser. Elle prend d'ailleurs tous les moyens possibles pour éclater. Retirez votre collaboration à l'espèce. Et devenez enfin des Individus.

914.   Fondez des républiques pour vous-mêmes car celles des Hommes vous ignorent. Soyez des *Hors-la-Loi* dans les républiques Humaines. Et pourquoi vous faudrait-il prendre la relève des gouvernements

masculins quand ils ont laissé la situation pourrir de telle sorte qu'il n'y a plus aucun moyen d'en sortir à moins de verser le sang Humain?

Faites vos propres lois puisqu'il vous faut des lois. Soyez les auteurs à part entière de votre contrat social. Signez vos propres engagements mais n'endossez plus ceux des autres.

915.   N'acceptez plus que ce soient des *Comités d'Experts* — surtout quand ils sont composés d'Hommes seulement — qui vous disent s'il faut enfanter ou non, qui décident à votre place s'il est besoin ou non de vous faire une ligature. Soyez les seules comptables de votre âge et de votre progéniture, en rapport avec votre éventuelle fécondité. Il n'existe pas de meilleures expertes que vous-mêmes en ces matières.

Les Hommes ont dramatisé la conception à outrance parce qu'elle échappait à leur pouvoir. Il vous appartient de la dédramatiser. Ne comptez pas trop sur eux pour cela.

916.   Si les Hommes aimaient vraiment les femmes comme parfois ils le prétendent, ils accepteraient eux aussi d'être les cobayes de la contraception. Mais, en général, c'est au-dessus de leurs forces. Ne considérez pas votre utérus comme une usine en *stand-by*, prête à fonctionner au moindre signe, une usine à reproduire l'espèce.

917.   Et qu'est-ce que l'espèce Humaine, dit l'Euguélionne? Est-il donc souhaitable de la perpétuer?

918.   Êtes-vous sûres, femmes de la Terre, d'appartenir à l'espèce des Humains? N'avez-vous pas parfois ce sentiment étrange de ne pas appartenir à l'espèce que vous perpétuez?

919.   Les Hommes font des lois qui les limitent eux-mêmes, qui limitent leur appartenance à leur propre corps. Ils les font à leur usage. Qu'ils les supportent. Qu'ils en portent le fardeau.

Mais vous, femmes de la Terre, qu'avez-vous à voir avec les lois des Hommes? Elles ne vous concernent pas. Pourquoi obéir à des lois qui concernent une espèce étrangère? Avez-vous paraphé ce contrat social de vos propres mains?

920.   Vous conformez-vous aux lois des singes et des caribous? Pourquoi vous conformer aux lois de l'espèce Humaine si vous sentez que vous n'en faites pas partie?

Peut-on dire qu'on fait partie d'une espèce animale quand cette espèce ne tient compte que d'un sexe et n'a pour l'autre que du mépris? Quand ce sexe royal évince l'autre sexe au moment de légiférer? Quand ce sexe despote prétend régenter le corps et les mouvements de l'autre sexe en lui imposant d'abord ses embryons, puis ses rejetons, jour et nuit, nuit et jour, sans repos ni salaire?

Femmes de la Terre, enfin, vous reconnaissez-vous dans cette espèce inHumaine qui prend vos enfants pour en faire de la chair à canon, de la chair d'usine, de la chair de cuisine, de la chair bureaucratique, de la chair de consommation?

921.   Êtes-vous bien sûres d'appartenir à l'espèce Humaine, dit l'Euguélionne?

XLI

L'OEUF DE CANARD

922.   Agissez comme le caneton qui se croyait poussin et qui découvre un jour que, œuf de canard, il a été couvé par une poule.

Agissez comme l'oiseau qui a été élevé par un amphibie et se rend compte un jour que ses nageoires sont des ailes.

Vos ailes, femmes de la Terre, ont été enduites de beurre de plomb dès votre naissance. Vous n'avez jusqu'ici osé les ouvrir que parcimonieusement, de crainte que l'on ne vous ordonne de les refermer.

923.   Le poids de vos enfants vous a longtemps retenues à la Terre. Vous avez cru que votre état habituel était d'être gravides, même si vous n'avez porté qu'un ou deux enfants.

Expulsez vos enfants joyeusement de vous-mêmes et lancez-vous dans l'espace aveuglé de soleil.

Partez vers le soleil, entraînant dans votre sillage vos fils et vos filles. Et montrez enfin votre envergure!

Inventez de nouvelles formes de génie puisque le génie que vous avez pratiqué jusqu'à présent n'a récolté que sarcasmes et ne vous a valu que sujétion et impotence forcée.

924.   Car enfin, si vous étiez boursouflées, vous pourriez vous demander ce que sont les travaux d'Hercule auprès des travaux de la grossesse? Ce qu'est la puissance du spermatozoïde auprès de celle de l'ovule, ce soleil irradiant apparemment immobile, ce majestueux promeneur solitaire qui vient une fois par mois au-devant d'une foule innombrable d'*homonculus*... On a dit de lui qu'il était passif! Raisonnement préhistorique, caractéristique de la Boursouflure.

925.   Dit-on du soleil qu'il est passif parce qu'il ne tourne pas autour des planètes?

926.   Et si vous étiez des boursouflées de l'espèce, vous pourriez vous demander ce que vaut le génie du mâle, créateur de choses mortes et fragmentaires qui ont toutes l'air de « substituts » d'enfants, qu'il berce névrotiquement en se félicitant de leur utilité tout en songeant déjà au moyen de les rendre nuisibles; que vaut ce génie auprès du génie de la femelle, créatrice de choses vivantes qui lui ressemblent, de substances réelles et complètes douées d'intelligence et d'autonomie. Qui a dit que ces créations n'étaient que des « pénis déguisés » comme si vous étiez encore au théâtre au moment d'accoucher?

Ne vous laissez plus impressionner par le génie masculin et ses concrétions douteuses et fragmentaires et dures comme la roche sédimentaire et souvent meurtrières. Ses arguments faussent votre jugement sur vous-mêmes.

927.   Votre génie est vert comme une prairie printanière.

Ne vous laissez plus obnubiler l'esprit et le cœur par les arguments géniaux pleins d'humour à sens unique de vos honorables contradicteurs masculins. Dans leur prétention naïve, ils constituent vos plus sûres entraves, vos freins les plus solides.

928.   Et que cesse cette servitude! Ne servez plus de servantes, ni d'égéries, ni d'hétaïres, aux honorables créateurs d'essence masculine, cessez d'être de gigantesques Oreilles attentives.

Essayez de parler à votre tour. Et regardez autour de vous: les gigantesques Oreilles masculines sont-elles là pour vous écouter? Existent-elles seulement? Les avez-vous vues? Croyez-vous vraiment que les Hommes soient intéressés à vous écouter, à vous prendre au sérieux?

Quand comprendrez-vous qu'il est inutile d'insister? Que les Hommes n'ont d'oreilles que pour eux-mêmes? Qu'il est inutile de forcer leur attention?

929.   Parlez pour vous-mêmes et n'attendez rien des autres. Vous aurez l'attention des Hommes quand vous cesserez de solliciter l'aumône de cette attention.

XLII

LES CANDIDATES À L'EXISTENCE

930.   « Fondons nos sciences par rapport à nous-mêmes, seriez-vous en droit de vous dire s'il vous arrivait de prendre momentanément vos distances avec vos compagnons, et laissons aux Hommes leurs douteux critères d'Humanité.

« Faisons table rase de tout ce que nous tenons des Hommes. Et inventons, à partir de nous-mêmes, une Ψ sans loi qui aurait l'être féminin comme critère de base. Décrétons le *primat des seins*, ou le *primat de l'utérus*, ou le *primat du vagin*, ou le *primat du clitoris* et que personne n'ose mettre cela en doute, sous peine d'« excommunication »!

« Mettons au point une biologie qui aurait l'être féminin comme principal sujet de recherche, sauf en ce qui concerne la contraception, car il est temps qu'en cette matière le spermatozoïde prenne la relève de l'ovule. Ou inventons une contraception féminine qui soit supportée par toutes, qui soit cent pour cent sûre et n'ait aucun effet secondaire. Soyons nos propres gynécologues: c'est le seul moyen d'être renseignées adéquatement. Faisons nous-mêmes notre médecine préventive. Soyons nos propres médecins.

931.   « Et pourquoi vouloir à tout prix être des Hommes? C'est la première illusion, la première imposture que nous ayons subie. On nous a d'abord fait croire que nous étions des Hommes et ensuite, on nous a prouvé par a + b que nous n'en étions pas.

« Et pourquoi vouloir à tout prix réintégrer cette espèce? Est-elle donc si enviable? Ses œuvres sont-elles si hautes et ses représentants si dignes de respect?

932.   « Hommes de la Terre, il est temps que vous fassiez vos comptes. Il est temps que vous nous rendiez compte de votre administration millénaire. Comment avez-vous conduit le monde pendant ces derniers siècles? Où l'avez-vous conduit? Dites-nous comment vous allez vous en sortir? Comment vous allez nous en sortir, nous qui sommes de votre espèce?

« Mais nous, qu'avons-nous de commun avec cette espèce dite Humaine qui a fomenté depuis des siècles des situations aussi extravagantes que celles du Bengla Desh, du Cambodge, du Brésil, d'Haïti, du Vietnam, du Chili, de l'Espagne, de la Grèce, de l'Irlande, de l'Angola, du Moyen-Orient? Ne mérite-t-elle pas d'être vomie?

« Et puisque l'Homme, ce lycanthrope insatiable, est aussi le terme générique qui qualifie l'espèce, que l'Homme soit maudit! Que la femme se dissocie de ses ambitions fratricides, de son appétit de croissance illimité, du mépris qu'il a de son environnement, mépris qu'il pratique ouvertement sur une haute échelle! Que la femelle Humaine se déclare étrangère à l'Humanité dont elle ne veut plus rien savoir. Allez! Nous vous avons assez vus et assez entendus! Nous avons assez subi vos violences et vos gestes boursouflés. Trop, c'est trop! Nous quittons l'espèce! »

933.   Voilà, femmes de la Terre, ce que vous diriez à chaque minute de votre vie si vous aviez à peine le quart de la moitié du sentiment qui gouverne les champions de la Boursouflure, dit l'Euguélionne. Et si vous aviez le sens des valeurs et la science du trop-plein. Quand la mesure est comble, inutile d'insister!

934.   « Et pourquoi vouloir à tout prix être leurs égales, seriez-vous tentées de vous dire? Avons-nous des comptes à rendre sur notre grandeur ou notre petitesse, vous diriez-vous si vous étiez un petit peu boursouflées? Sommes-nous des mâles en compétition?

935.   « Qu'avons-nous de commun avec ce monde? Détachons-nous-en puisque rien ne nous y attache. Détachons-nous de cette horde de barbares, de ce consensus de législateurs. Qu'avons-nous à faire des lois de ce monde? Elles s'inscrivent en faux avec notre autonomie, avec notre horreur de la violence, avec notre sens de l'amour. Elles ne nous concernent que dans la mesure où elles nient notre Existence et celle de nos enfants.

« On ne nous veut ni dans la robe des prêtres, ni dans celle des juges, ni dans celle des chefs d'État, ni dans celle des législateurs.

« Alors, pourquoi tant briguer ces fonctions despotiques qui, toutes, réclament de la chair Humaine sur leurs autels pour la marquer de leur sceau?

« Pourquoi tant vouloir nous brancher sur ces tristes tigres en papier qui n'ont donné le plus souvent dans le passé, comme preuves de leur puissance de vrais tigres, que matière à dérision et à destruction, que motifs à rire ou à pleurer?

« Construisons le monde à notre nouvelle image, car cette image est la plus riche et la plus nouvelle des temps modernes. C'est la plus subversive car elle n'exclut personne, même pas les Hommes... C'est elle qui fera sortir le monde antérieur de sa gangue préhistorique, si elle réussit à faire l'unanimité entre nous.

« Construisons notre monde à partir de schémas différents, indépendants des tigres, en robe ou en papier. Cessons d'envier l'existence des Hommes. Existons. »

936.   En raisonnant ainsi, dit l'Euguélionne, vous pourriez obtenir le championnat, non de la Boursouflure, car vous en êtes très éloignées, mais le championnat de l'Existence. N'est-ce pas ce que vous souhaitez?

XLIII

LE POUVOIR OU L'ALLIANCE

937.   Vous connaissez l'interrogation fameuse et arrogante que tous les oppresseurs de cette planète adressent, on ne sait jamais à qui, avec une fausse condescendance mêlée de beaucoup de réelle impatience: « Mais enfin, que veulent-ils donc? »

« Que veulent les Québécois et les Acadiens, disent les Anglo-canadiens? Que veulent les syndiqués, disent les patrons, que veulent les étudiants, que veulent les écoliers? Que veut donc le peuple, dit le consensus des législateurs? *Que veulent donc les femmes, disent les Hommes?* »

Eh bien oui, femmes de la Terre: que voulez-vous donc? Le pouvoir ou l'alliance?

938.   Si c'est le *pouvoir*, tous les moyens sont bons, il n'y a qu'à observer ceux qui détiennent le pouvoir. Et adapter leur comportement à votre situation.

Voyons, vous pourriez... par exemple, répudier vos maris, ne plus reconnaître la paternité, coucher avec vos fils et vos filles...

Je suis étonnée, dit l'Euguélionne, que tant d'Hommes par le passé — et peut-être encore maintenant — ont refusé de « reconnaître » leur enfant. Certains d'entre eux donnaient à leur refus une volonté non dissimulée d'humilier la mère...

Et pourquoi donc l'inverse n'arrive-t-il jamais? Alors que ce serait plus facile et en quelque sorte plus « naturel »?... Pourquoi n'est-ce jamais la mère qui refuse de reconnaître le père de son enfant?

Alors que ce serait si facile? Alors que les preuves de paternité n'existent pas?

939.   La paternité, qui se présente toujours à l'état virtuel ou hypothétique, constitue cependant la pierre angulaire du système patriarcal de vos sociétés, dit l'Euguélionne. Vous reconnaîtrez, femmes de la Terre, que vous tenez là le meilleur outil de négociation dont vous puissiez rêver!

Jusqu'à maintenant, votre indigence vous interdisait de vous en servir. Mais aujourd'hui que vous commencez à vivre debout, qu'est-ce qui vous empêche de vous passer des pères si vous ne les aimez pas? S'ils vous humilient, s'ils vous considèrent comme des sous-produits d'Humanité?

940.   Que vous importe la légalité, femmes de la Terre? Que vous importe la légitimité? Êtes-vous nées avec elles? Sont-elles des membres de votre corps?

Supposons que vous éliminiez le membre gênant du triangle œdipien? Supposons que vous renversiez la domination exécrable des pères et des maris? Supposons que vous rompiez le pouvoir mâle en vous attachant vos fils? Supposons que vous rompiez le tabou sacro-saint de l'inceste?

Vous pouvez avoir envie de me fusiller pour de telles paroles, car votre planète ne tournerait pas rond sans vos tabous. Mais comment pouvez-vous accepter le sort qui vous est fait en ce monde? Comment pouvez-vous accepter qu'on vous empêche encore d'être des personnes et de jouir de vos prérogatives Humaines? Ce n'est pas parce que certaines d'entre vous en jouissent que vous pouvez prétendre que la condition féminine a rejoint la condition Humaine... Ce n'est pas parce que certaines d'entre vous siègent derrière des bureaux de direction que vous pouvez affirmer que la sujétion féminine est une affaire du passé.

Pour s'assurer le pouvoir, les Hommes ne vous ont-ils pas réduites en esclavage, n'ont-ils pas ravalé la maternité au rang des fonctions serviles, n'ont-ils pas eu le front de ne vous reconnaître que cette fonction, outre celle de leur servir de jouets, n'ont-ils pas tué vos fils et vos filles?

941.   Qu'y a-t-il de plus moral, selon vous: coucher avec ses enfants ou les tuer?

942.   Que voulez-vous donc, femmes de la Terre? Le pouvoir ou l'alliance?

943.   Si c'est le pouvoir, vous pourriez, par exemple, jouer un instant à mettre les choses au pire, ce que font régulièrement les détenteurs du pouvoir.

Vous pourriez considérer les Hommes (même les meilleurs) comme des êtres nuisibles, tout juste des donneurs de sperme, et les neutraliser dès qu'ils ont rempli cette fonction.

Bien qu'au départ elles fussent d'une très grande utilité, leurs inventions sont devenues nuisibles pour la plupart. On peut en calculer les effets en statistiques de massacres routiers, en tonnage de plomb dans votre atmosphère. La chlorophylle souterraine, chercheuse de lumière et donneuse d'oxygène regénéré se heurte à un plafond de béton et vous vivez à l'étage au-dessus sur ce plancher mortel et meurtrier qui couvre la surface de votre Terre. De cette Terre en terre brune que les enfants de vos villes cherchent à entrevoir, croyant parfois la trouver dans vos caves…!

L'oxygène, auquel vous avez un droit strict pour conserver votre vie, vous parvient au compte-gouttes, chargé de délicates particules empoisonnées. Elles papillotent dans ma gorge d'extra-terrestre, elles énervent mes poumons d'extra-terrestre, je ne pourrai les supporter bien longtemps, car je tiens à la Vie!

944.   Vouloir le pouvoir sans l'alliance, c'est se mettre sur la voie du pouvoir absolu. Et vouloir l'alliance sans le pouvoir, c'est s'exposer à se faire exploiter jusqu'à l'os, c'est accepter l'équation entre l'amour et l'injustice.

945.   Si c'est le pouvoir que vous voulez, femmes de la Terre, que ce soit un pouvoir partagé entre tous, et le pouvoir de partager avec tous.

Car donner des ordres à ses semblables sans y être autorisé par ses semblables est un acte de violence. Obéir à un tel ordre donné, c'est se faire complice d'un acte de violence.

Il n'y a d'autorité que dans la compétence et je ne crois pas à la soumission « librement consentie ». Je ne crois pas à la soumission aux personnes. Ce n'est pas se « sous-mettre » que de reconnaître à quelqu'un les pouvoirs momentanés que lui donne sa compétence. C'est participer à celle-ci et s'acheminer soi-même vers cette compétence.

946.   Comment se fait-il que vos « démocraties » soient si violentes, si autoritaires, si totalitaires, si injustes? Comment se fait-il qu'elles s'appuient si souvent sur les inégalités sociales et le lavage de cerveau pour subsister? Serait-ce parce qu'en réalité le pouvoir n'est partagé qu'entre Hommes et encore qu'entre un petit nombre d'Hommes, et que les femmes en sont systématiquement écartées?

Un tel pouvoir est absolu, dit l'Euguélionne, parce qu'il est absolument masculin.

947.   Que voulez-vous, femmes de la Terre, le pouvoir ou l'alliance?

948.   Si c'est l'*alliance* que vous voulez, n'allez pas la quémander. N'allez pas solliciter l'alliance, vous, éternelles quémandeuses, éternelles demandeuses d'aumône. Vous, éternelles mendiantes, ne mendiez pas l'alliance.

Vivez sans alliance jusqu'à ce que l'Homme agisse comme votre allié, jusqu'à ce que l'Homme ait déposé le pouvoir.

Mais ne pactisez pas sur l'essentiel qui est votre autonomie debout.

L'alliance de la femelle humaine et du mâle humain, avec le partage des pouvoirs, serait quelque chose de tellement nouveau dans votre monde, qu'elle serait bien capable de le transformer, dit l'Euguélionne.

949.   Parler de l'unité de l'Homme sans l'avènement de cette alliance et sans ce partage des pouvoirs, aussi bien parler de l'unité du taureau.

XLIV

LES LANGUES DE FEU

950.   Parler d'amour sans l'alliance dans l'égalité et la réciprocité des deux sexes en présence, aussi bien parler de zoophilie.

951.   Mais si vous aimez un mâle de votre espèce, femmes de la Terre, vous n'irez pas à lui du fond de la terre gelée, encore enveloppée de vos bandelettes, rampant vers ses pieds et marchant à quatre pattes, le suppliant en silence de prendre garde à vous du haut de sa grandeur, son regard léchant le sol pour vous effleurer.

Si vous aimez un homme de votre espèce, femmes de la Terre, surgissez devant lui à son insu, surprenez-le, allez à sa rencontre s'il vient vers vous, mais ne montez pas vers lui du fond de vos hypogées anciens, n'essayez pas de capter son intérêt par mille ruses insignifiantes auxquelles il feindra de se laisser prendre.

Soyez des langues de feu qui descendent vers lui et le surprennent et l'inondent de lumière éblouissante et le brûlent au visage et enflamment son corps et son sexe.

Ne soyez pas des larves qui se traînent entre la terre et la terre, qui se font une trouée vers la surface et qui essaient de lécher le talon d'Achille et d'aspirer sa vie sans réussir à le piquer.

Ne soyez pas des amibes qui se déplacent avec des pseudopodes pour se mettre à l'abri sur la peau de l'Homme dans l'intention d'y vivre en parasites.

952.   Si vous aimez un homme de votre espèce, femmes de la Terre, ne lui demandez pas de se charger de votre vie. Votre vie est trop précieuse pour la léguer à quelqu'un, fût-ce à un homme de votre espèce. Car si vous mettez votre vie en tutelle, vous la perdrez pour toujours et vous perdrez aussi l'amour de cet homme de votre espèce.

953.   Qu'est-ce qu'il arriverait dans le monde de votre planète, si les hommes consentaient à donner aussi aux femmes, avec leur force, toute cette douceur qui est aussi en eux?

Qu'est-ce qu'il arriverait, qu'est-ce qu'il se passerait dans ce monde, si les femmes consentaient à donner aussi aux hommes, avec toute leur douceur, toute cette force qui est aussi en elles?

N'y aurait-il pas enfin l'interaction de deux équilibres semblables, et ne verrait-on pas la fin de la lutte choquante de deux natures déséquilibrées, disproportionnées, dissemblables, haineuses, qu'on appelle *la lutte des sexes?*

XLV

LES PARAS

954.   De quoi avez-vous peur, femmes de la Terre? De qui, contre qui devez-vous être protégées? Contre d'autres femmes? Contre vos enfants? N'est-ce pas contre les Hommes eux-mêmes qu'il faut vous protéger?

955.   L'Homme, en tant que protecteur de vos vies, femmes de la Terre, n'est-il pas votre paravent, votre parapluie, votre parasol, votre parachute et votre paratonnerre?

Et vous, femmes de la Terre, en tant que totalement dépendantes de l'Homme, n'êtes-vous pas chacune, ensemble et tour à tour, sa parasite et sa paraplégique? Et n'êtes-vous pas surtout sa plus grande parodie!

Dans ce cas, vous êtes des amibes, femmes de la Terre. Vous êtes des protozoaires d'eaux douces, vous vous déplacez à l'aide de pseudopodes. Vous appartenez à l'une de ces espèces d'amibes qui vivent en parasites de l'Homme.

Et vous, Hommes de la Terre, vous êtes d'éternels pourvoyeurs, on vous vole le salaire de votre sueur quotidienne, on vous étrangle de responsabilités financières.

956.   C'est étonnant de constater, dit l'Euguélionne, combien la division de l'Humanité provenant de la distribution des rôles, comme au théâtre, paralyse les acteurs de ces rôles, d'une part, et les astreint d'autre part à des gestes démoralisants.

Par exemple, j'ai remarqué chez les couples mariés, qu'à l'extérieur de chez eux, les Hommes sont actifs et les femmes ont l'air d'avoir les bras coupés: elles n'ont même plus la force d'ouvrir une porte!

À peine rentrés, ce sont les Hommes qui ont les bras coupés et les femmes qui sont actives. Quand les Hommes sont actifs chez eux, c'est qu'ils s'adonnent à un hobby qui leur est agréable, même s'il s'avère utile. Les Hommes ne font rien de routinier chez eux. Ils croiraient déchoir...

D'ailleurs, on a tendance à prendre en pitié un Homme qui est « obligé » de se servir lui-même une tasse de café chez lui. Ou bien, il se tourne lui-même en dérision en disant qu'il « fait la femme dans cette maison ». Mentalité pour le moins étonnante et pleine de mépris!

957.   N'est-ce pas absurde de faire porter tout le poids financier d'une famille sur les seules épaules d'un Homme? Et n'est-ce pas absurde de faire porter sur les seules épaules d'une femme tout le poids des corvées domestiques ainsi que le poids de la progéniture en croissance?

Faut-il s'étonner qu'un tel arrangement aboutisse à des êtres déséquilibrés, frustrés, se sentant exploités, et n'aspirant qu'à la liberté?

On élève encore les filles en parasites, ai-je entendu dire, et on est surpris qu'elles le deviennent si facilement, acceptant d'être domestiquées en échange de la nourriture et du logement. Elles ne se rendent même pas compte qu'elles travaillent « au pair » toute leur vie, comme des étudiantes sans fortune.

958.   Et qu'est-ce que la famille, dit l'Euguélionne? Elle a son origine dans l'esclavage. Le mot « famille » vient du mot « serviteur »!

Famulus	=	Esclave domestique.
Familia	=	Ensemble des esclaves qui appartiennent à un même Homme.
Famille	=	Communauté composée d'un esclave domestique de sexe féminin appartenant à un Homme, de celui-ci qui en est le pourvoyeur et des enfants que les deux premiers ont ensemble, enfants qui appartiennent à leur père, lequel en est le pourvoyeur.

959.   Est-ce normal que la « famille » existe encore sous cette forme patriarcale et servile sur votre planète?

Il est vrai que vous êtes encore dans l'épaisseur de votre préhistoire!

XLVI

LA NURSERY

960.   L'INDIVIDU ne compte pas dans votre société, dit l'Euguélionne. C'est la FAMILLE qui compte. La société en est venue à développer des défenses puissantes contre l'individu pour perpétuer la famille patriarcale.

C'est ce puissant développement qui est malsain, dit l'Euguélionne, qui étrangle l'individu, qui le fait éclater, qui le fait se diviser dangereusement, lui l'*indivisible*, qui le fait basculer dans des comportements étranges.

961.   L'Humanité, dit l'Euguélionne, est pareille à une grande nursery: d'un côté les Enfants, de l'autre les Mères.

Les Enfants sont encore tous à la mamelle, même ceux qui
sont devenus grands, même ceux qui dirigent le monde.

ILS ONT BESOIN DES MÈRES!!! Ils ne souffrent pas que les
Mères quittent la nursery, ne serait-ce que quelques heures par jour.
Car il leur faut leur tétée bien chaude le soir venu.

962.   Inutile de dire que ceux, parmi les Enfants qui sont devenus
grands sans cesser d'être des Enfants, sont tous de sexe masculin:
c'est ce qui les distingue des Mères.

L'Enfant femelle a peu de chances de rester longtemps une
Enfant à la mamelle. Elle sera vite récupérée pour devenir une Mère.
Elle cessera vite d'être une Enfant.

963.   Femmes de la Terre, êtes-vous des pondeuses, des reines-
abeilles, des termites, des vaches à lait dans leurs stalles?

964.   Je n'ai pas d'aversion pour la maternité, dit l'Euguélionne.
Bien au contraire. J'en ai beaucoup cependant pour le temps qu'elle
dure.

Car les Hommes n'acceptent pas d'être sevrés. Ils exigent
d'être servis, nettoyés, nourris, cajolés, approuvés, excusés, encensés,
jusqu'à la fin de leur vie.

Ils se bercent d'illusions en se disant qu'ils ont une compagne,
épouse ou maîtresse, dans leur existence.

En réalité, ce sont des êtres démunis qui ne peuvent se servir
de leurs mains pour se nettoyer et se nourrir par eux-mêmes, qui ont
une mère à leur portée pour voir à leurs petits besoins. Une mère
interchangeable du reste, une mère plurielle, une mère hybride aux
nombreuses appellations.

965.   Les Hommes, dit l'Euguélionne, prétendent qu'ils deviendront des serviteurs s'ils laissent les femmes devenir ce qu'elles sont,
c'est-à-dire, des êtres libres et non plus des Mères-servantes.

En réalité, ils n'ont pas peur de devenir des serviteurs de
l'Humanité. Ils n'ont pas vraiment peur de devenir les serviteurs des
femmes. C'est un mauvais prétexte quand ils le prétendent. Aucun
d'entre eux n'y croit réellement.

966.   Non, ce dont ils ont peur par-dessus tout, *c'est de devenir les
serviteurs d'eux-mêmes.* Ils ont peur d'avoir à se prendre en charge sans
pouvoir s'appuyer sur des femmes pour voir aux petites choses de leur
existence, pour voir à leurs petits besoins, pour voir aux petits détails,
pour avoir leur petite cuisine de bureau et autres officines, y compris
ce qu'ils appellent leur « foyer ».

XLVII

LES EXTRA-TERRESTRES

967.   Surveillez-les bien: ils vont sur la lune et savent adapter les corps Humains à la non-atmosphère, à la non-pesanteur, ils ont des systèmes tout à fait adéquats pour toutes sortes de situations invraisemblables, rocambolesques, fortuites, ils ont pour cela une ingéniosité remarquable, mais pour l'enfant qu'ils considèrent tantôt comme une calamité, tantôt comme une bénédiction, ils n'ont trouvé aucun système d'adaptation vraiment efficace.

968.   Ils ont trouvé la formule: « l'enfant au foyer », et ensuite ils ont inventé « la femme au foyer ». Après cela, ils pouvaient s'en laver les mains: ni vu ni connu toute la journée durant, l'enfant ne reparaissait visible et connaissable que lorsqu'ils rentraient fourbus à la maison. Celle-ci alors devait s'immobiliser tout entière afin de respecter leur fatigue si éminemment digne de respect parce que c'était une fatigue rentable, pourvoyeuse de pain et de beurre et certes c'était une fatigue respectable.

« La femme au foyer » cependant avait alors le devoir d'immobiliser sa fatigue à elle car sa fatigue apparemment n'était pas rentable. Elle n'avait le droit d'agiter cette fatigue qu'une fois l'an, le jour de la Fête des Mères. Et encore, ce jour-là n'était pas plus un jour férié pour elle que ne l'était le jour de Noël!

969.   Quant à « l'enfant au foyer », il devait s'immobiliser lui aussi, corps et âme et jambes en l'air, il devait se rendre le plus possible invisible et méconnaissable. Avec un tel système, allez donc connaître vos enfants, ô pères de famille, dit l'Euguélionne! Allez donc exercer votre autorité! Et quelle compétence pouvez-vous acquérir dans ces conditions dans le domaine de la paternité, quelle compétence réelle qui vous autoriserait à exercer votre autorité paternelle? Savez-vous ce qu'est réellement un enfant? Savez-vous ce que sont des enfants dans une maison?

Et pourtant, voyez votre douceur parfois avec eux et voyez comme vous les aimez parfois, sans le laisser voir, au point de vous tuer pour eux.

Le sentiment paternel est une chose étonnante, dit l'Euguélionne. C'est une des choses les plus émouvantes que je connaisse, parce qu'il a des effets absolument gratuits, d'une totale et pure générosité. Mais c'est aussi la chose la plus suspecte à cause de tous les sentiments haïssables qui s'y greffent souvent: sentiment patriarcal, paternalisme, autoritarisme, complexe d'Abraham, etc. Malgré cela, je persiste à croire que le sentiment paternel est une beauté émouvante de votre planète, dit l'Euguélionne.

970.   Mais je n'en dirais pas autant de cette chose qu'on appelle

« le foyer », dit l'Euguélionne. Pour beaucoup de femmes, le foyer est une prison. Voilà donc un minuscule prisonnier condamné à « faire son temps » bon gré mal gré, sous les yeux de son tendre et impatient geôlier nommé d'office.

Les prisons en question sont des appartements exigus conçus pour grandes personnes où le bébé aura droit à ne pas salir, à ne pas se salir, à ne pas crier ni se mettre en colère, pendant tout le temps que durera son apprentissage.

Le discipliner, le faire entrer dans l'ordre, l'initier à sa future vie d'adulte qui se passera dans l'ordre préétabli, lui bourrer le crâne et lui ôter les doigts dans le nez ou dans sa culotte, voilà tout ce qu'ils ont trouvé depuis des siècles sur cette planète pour faire de cet apprentissage une non-enfance, aujourd'hui permissive, hier encombrée d'interdictions.

971.   Et comment en sont-ils arrivés là? Sans doute ont-ils regardé le « problème » par le mauvais bout de la lorgnette, à savoir « comment adapter l'enfant à l'adulte »!

Jamais ils n'ont pensé regarder cet « objet » en *close-up*, jamais ils ne se sont demandé sérieusement: comment adapter l'adulte minable ou réussi à l'enfant cet inconnu, ce volcan, ce ruisseau plein de truites et d'éclats qui rêve à la mer et au chemin inusité qu'il prendra pour s'y rendre.

L'enfant en garderie, c'est souvent, très souvent hélas, une voiture en stationnement. Pour cette voiture et ses pareilles, on a assigné des gardiens avec un guichet et des tickets, tant à l'heure, à la demi-heure, au quart d'heure et la mention: « la maison n'est pas responsable des objets égarés, ni des *poques* sur les ailes. »

972.   On a étudié l'enfant sur toutes ses fines coutures. On l'a décortiqué, disséqué, on a plongé dedans jusqu'au tréfonds, on a examiné de lui chaque particule au microscope, mais l'enfant tout entier avec ses cinq sens et ses mille pattes, on ne l'a pas encore regardé en gros plan.

L'enfant format géant, on ne sait pas ce que c'est. Parce qu'on n'a pas des yeux adaptables à cette dimension, pas d'écran pour recevoir cette projection. Les pupilles d'adultes sont des lentilles trop étroites pour voir et percevoir l'enfant *king size*.

L'enfant, il vous emmerde. Vous voulez lui montrer ceci et cela, il l'avait déjà saisi. Vous voulez ouvrir son esprit, cet esprit était déjà *wide open*. Vous croyez que son univers parallèle ressemble au vôtre. Quelle erreur!

973.   L'enfant, il vient d'Ailleurs. C'est votre extra-terrestre. Vous l'avez sous le nez depuis des siècles et vous ne l'avez pas encore reconnu. Parce que, pas bête, il ne s'est pas amené en soucoupe volante comme tout le monde. Parce qu'il s'est déguisé en môme sans défense pour vous faire une bonne blague et vous laisser vos illusions sur vous-mêmes.

Il faut qu'il vous ressemble à tout prix, voilà votre idée fixe. Quand vous lui dites: « fais ceci, ne fais pas cela », c'est pour la ressemblance, la sacro-sainte ressemblance. Pas étonnant que les enfants, tôt ou tard, soient toujours devenus des adultes, finissant par oublier leur origine extra-terrestre. Bien que leur résistance ait toujours dépassé vos ordonnances!

Vous les *parquez* à l'école ou dans vos appartements murés. Vous êtes les maîtres, ils sont vos « élèves ». Vous prétendez les « élever » alors qu'ils sont plus grands que vous, qu'ils vous dépassent de plusieurs coudées, car ils sont toujours juchés sur quelque montagne. Ils ont la tête dans les nuages d'où ils sont venus et les pieds dans le sous-sol boueux de la mer où ils ont chu.

Laissez-les donc vivre leur vie. Ce sont eux qui demandent à vivre, non vos embryons. Laissez-les donc courir et se salir, laissez-les s'enterrer, laissez-les s'envoler. Mettez-les sur les plages et dans les bois et regardez-les « s'élever » chaque jour de quelques millimètres.

974.   L'enfant, c'est votre environnement. C'est ce qui vous reste de vos espaces verts. Vous vous imaginez qu'ils ne seront pas « civilisés » si vous les laissez d'abord à eux-mêmes avant de vous les approprier et de vous les « laisser » mutuellement.

Vous vous faites beaucoup d'illusions, il me semble, sur la grandeur de votre civilisation. Et la preuve de cela, c'est que tous les enfants du monde s'y montrent — et s'y sont toujours montrés — réfractaires. Vous aussi, rappelez-vous!

XLVIII

LES RÉVOLUTIONNAIRES

975.   Quelle vilaine chose que de « laisser à eux-mêmes » des êtres intelligents, que de les laisser à leurs désirs tout en satisfaisant leurs besoins, que de les laisser s'appartenir dès leur commencement. Ils seraient capables de vous retourner le monde sens dessus dessous et après qui fera le ménage du monde? Capables de vous mettre par amitié de la boue sur vous et sur vos vêtements, terre et eau mêlées sur mesure par-dessus et à travers votre prêt-à-porter et vous voilà forcés de vous mettre nus et de considérer réunies sur votre personne l'eau, la terre et la peau, assemblage étrange dont votre alchimie a depuis longtemps oublié la formule.

Seuls des révolutionnaires peuvent faire cela. Et les vrais révolutionnaires sont les enfants si on les laisse faire, parce que, ne voyant pas le monde avec les mêmes yeux que vous, ils le changent régulièrement sans y prendre garde, cela fait partie de leurs jeux.

976.   L'enfant, c'est salissant. Donc, c'est sur « la » femme qu'on s'en débarrasse, car qui d'autre mieux qu'elle est entraîné à absorber la saleté?

L'enfant, c'est bruyant. C'est donc dans les Gigantesques Oreilles féminines qu'on s'en décharge, car quelles autres oreilles ont subi un entraînement aussi intensif à écouter?

L'enfant, c'est fatigant. Donc, pour avoir la paix, il faut dresser une muraille et l'installer derrière avec sa mère, car qui d'autre que sa mère a mieux appris à immobiliser sa fatigue et à l'oublier?

L'enfant, c'est dangereux pour lui-même. Il faut donc le surveiller sans indulgence et faire obstacle sévèrement à ses mouvements.

Vous êtes-vous déjà regardés dans une glace et tenez-vous tellement à cette ressemblance, ô vous dont la jeunesse a été perdue et demeure introuvable? De quel droit prétendez-vous « élever » vos enfants? Et d'abord, croyez-vous qu'ils vous appartiennent?

977.   Laissez-les rayonner, laissez-les jouir de leur corps sensible, laissez-les monter tout seuls du sol au soleil, du sommeil au rêve éveillé, laissez-les grimper de la cave au sommet. Ils n'ont pas besoin que vous leur fassiez la courte échelle. Ils n'ont pas besoin que vous tiriez sur leurs membres pour grandir. Ils n'ont pas besoin que vous montiez la garde auprès d'eux comme des corbeaux dans les veillées funèbres.

Ne soyez attentifs qu'à leur sécurité et à leurs élans vers vous. Ne soyez là que pour les renseigner sans prétendre les orienter. N'arrivez pas dans leurs palais de porcelaine avec vos gros sabots. De quels dommages irréparables ne pourriez-vous être la cause! Regardez-vous et demandez-vous si le dommage qu'on vous a causé a été réparé. Et dites-vous qu'il est encore temps pour vos enfants de ne pas se faire endommager... Contentez-vous de les aimer.

978.   Vos législateurs vous disent sans sourciller: « Voilà. Nous allons dépenser tant de millions de dollars pour faire éduquer vos enfants selon notre idéologie qui est la bonne, la seule qui soit vraie, la seule qui soit morale, la seule qui, jusqu'à preuve du contraire, nous vienne d'En-Haut... Nous espérons, chers électeurs, que vous trouverez votre argent bien placé. »

979.   Et voilà comment vos enfants pourrissent à l'école. On y a mis le prix!

980.   Ils sont nus de naissance. Ils aiment l'eau. Pourquoi les empêchez-vous de se salir? L'eau les aime aussi.

Ils ont des jambes par droit de naissance. Ils aiment les distances. Pourquoi les empêchez-vous de courir? Pourquoi ces quatre murs toujours autour d'eux, où qu'ils aillent?

Leurs mains, si petites soient-elles, sont à eux, rien qu'à eux. Pourquoi exercer un contrôle sur leurs mains?

Ils ont un pouvoir d'imitation incroyable, comme de jeunes

chimpanzés. Laissez-les donc vous imiter et soyez plutôt attentifs à ce que vous faites.

981.   Ils croissent comme la lune. Ils sont en croissance, en fermentation, en ébullition. Quelle prétention que de vouloir les « éduquer » malgré eux!... Est-ce qu'on dicte à la lune ses quartiers? Est-ce qu'on assigne à l'alcool un moment pour fermenter, à l'eau un moment pour se mettre à bouillir?

Regardez-les plutôt.

Écoutez-les plutôt. Soyez à l'affût. Soyez à l'écoute.

Ils ont tant de choses à vous dire de la nébuleuse d'où ils viennent. Ce sont vos vrais maîtres. Mais ils ne savent pas qu'ils le sont. Ils prennent vos connaissances sans songer à vous inculquer de force les leurs, malgré vous. Ils n'ont pas l'art de violer vos esprits et vos consciences. Prenez des cours de recyclage à leur école.

982.   Ce sont eux qui vous enseigneront l'usage de votre corps et de votre esprit, l'usage de vos sens et de votre « âme ». Comment se servir de son âme sans l'user...

Regardez-les. Écoutez-les. Et apprenez à vivre s'il n'est pas trop tard.

983.   Si vous vous respectez, je veux dire si vous respectez vos désirs et la liberté qui est souveraine en vous, ils vous imiteront, ils se respecteront et continueront à être libres.

Si vous respectez les autres, je veux dire si vous respectez les désirs d'autrui et la liberté qui est souveraine dans autrui, ils vous imiteront et respecteront les autres et vous n'aurez pas pour en arriver là à faire de grands discours, et à rédiger d'interminables lois, et à leur montrer à se servir de fusils pour se faire respecter.

984.   Votre liberté les gardera vrais. Car, eux, ils sont déjà libres!

985.   Regardez-les et apprenez à vivre. Agissez et laissez-les vous imiter.

Et devenez des parents et des profs « bien élevés ».

XLIX

UN ALCOOL SÛR

986.   Mais dans ces « foyers » étouffants où l'enfant est le prisonnier et la femme le geôlier, les enfants sont l'usure de la femme, dit l'Euguélionne. L'usure à petit feu.

Ils usent ses nerfs, ses aspirations, ses rêves et ses sentiments.

Personne n'a pensé à négocier pour le geôlier de bonnes conditions de travail. Personne n'a songé à défendre les intérêts du geôlier.

987.   L'enfant, dit l'Euguélionne, est l'alcool de « la femme au

foyer ». Il la tue lentement mais sûrement. Il la grise longtemps et il la tue à coup sûr.

988.   L'Homme peut la griser un moment. Mais c'est un alcool dont « la femme au foyer » est vite dégrisée. Elle apprend de bonne heure qu'il est frelaté le plus souvent, ou que la coupe est vide ou que cette coupe est bue en d'autre compagnie. Et comme elle n'a pas le cœur de le remplacer, elle doit renoncer à cette ivresse.

989.   Mais « l'enfant au foyer », dit l'Euguélionne, est une chose nouvelle à chaque matin il a un bouquet et un teint différents de ceux de la veille il a une vigueur et une saveur qui ne ressemblent pas à celles de la veille il a d'autres cheveux d'autres dents un autre éclat des mains plus articulées des jambes plus longues des énigmes de plus en plus indéchiffrables dans le regard des mots mieux prononcés des mots étranges et nouveaux des cris étranges qui ameutent les Invisibles un nouvel appétit des refus insolites des résistances épuisantes de nouvelles pirouettes de nouvelles prouesses de nouvelles caresses.

990.   La femme au foyer se grise de ses enfants. Cet alcool la rend gaie puis la précipite dans la colère et l'impuissance. Elle a alors ses crises de *delirium genitrix*.

991.   La femme au foyer veut s'approprier cet alcool dont elle ne peut se passer. Elle le met en bouteilles, elle le met en fûts, elle le met en tonneaux. Elle en boit chaque jour. Et chaque jour elle titube davantage. Et un jour, pfft! Il n'y a plus rien dans ses tonneaux. Il y a eu une fuite quelque part. Quelqu'un a percé sa précieuse réserve. Et l'alcool s'est débiné… à son insu…

        Et la femme au foyer se désole. Rien ne pourra la consoler. Elle est intoxiquée, incurable. Rien ne pourra remplacer sa boisson favorite. C'est une alcoolique anonyme que personne ne pourra récupérer.

992.   Car aujourd'hui elle a perdu ses enfants et sa vie est finie. Aujourd'hui qu'elle a tout perdu, on vient juste de la tuer.

L

LA FIN DES PÉNÉLOPES

993.   Avez-vous remarqué, dit l'Euguélionne, qu'Ulysse n'a bandé son arc qu'une seule fois en vingt ans?

        Si ce n'est pas là un record d'insuffisance, je voudrais bien savoir quel autre matador remporte la palme dans votre mythologie quotidienne.

        Insuffisant dans son île conjugale, mais pas si insuffisant que cela votre cher Ulysse auprès des nymphes de rencontre et dans les bras des magiciennes.

Et ce qui est le plus cuisant pour Pénélope, c'est qu'elle aurait été massacrée la première si elle avait délaissé sa tapisserie pour jouer de l'arbalète avec quelques adroits archers de son royaume.

Apprenant qu'elle s'en était chastement abstenu, votre cher et remarquable Ulysse s'est contenté de massacrer les prétendants. Belle mentalité! Voilà, si je ne m'abuse, ce que vous appelez un archétype universel...

Prototype de rêverie, cependant: tous les Hommes rêvent qu'ils sont Ulysse et quand ils se réveillent, c'est Pénélope qui dort à leur côté. Il n'y a pas de quoi être fiers, et comme je les comprends!

994. Les Pénélopes des temps modernes en ont assez de faire tapisserie à la maison, chers Ulysses des temps modernes de cette ère préhistorique. C'est du moins ce que j'ai pu constater.

995. Le mariage institutionnalisé sur cette planète est un véritable marché de dupes, dit l'Euguélionne.

D'autant plus qu'il ne semble pas facile à rompre. Est-ce vrai ce qu'on dit, que se marier c'est se mettre une corde au cou? Qu'est-ce qui vous porte à vous pendre?

996. Mais, tout pendus que vous êtes, vous pourriez vous *dépendre* avant que de vous étrangler. Curieusement, votre consentement mutuel qui a rendu valide votre union, ne compte plus quand il s'agit de l'invalider. Il paraît que *la loi exige un coupable!* Le divorce est-il une punition?

Ce n'est pourtant pas bien difficile de se rendre chez un juge et de lui dire: « Voilà, nous voulons divorcer, nous sommes d'accord. »

J'admets que ce n'est pas toujours aussi simple, mais quand ça l'est, pourquoi ne peut-on pas « faire son divorce » soi-même sans toutes ces procédures longues et ruineuses?

J'ai cru comprendre que le divorce est la mine d'or des avocats. C'est absurde. A-t-on eu besoin de plaideurs le jour où l'on s'est marié?

Mais revenons à notre marché de dupes.

997. C'est au mot *sacrifice* dans un dictionnaire que j'ai trouvé la plus belle définition du mariage Humain: La femme « doit en se mariant, faire un entier sacrifice de sa volonté à l'homme, qui lui doit en retour le sacrifice de son égoïsme » dixit un certain Balzac. La formule est admirable! Elle est folklorique, dites-vous? Je n'en doute pas. J'aimerais bien savoir cependant comment une femme du temps passé pouvait sacrifier sa volonté sans également sacrifier son égoïsme? Et comment un Homme de cette époque pouvait exiger un tel sacrifice de sa compagne sans être un monstrueux égoïste... L'énigme reste entière pour moi.

998. J'ai remarqué, dit l'Euguélionne, que pour beaucoup de femmes le mariage est une ceinture de chasteté. Pour quelques-unes,

beaucoup moins nombreuses, c'est un état de siège. Pour tous les Hommes, c'est un fardeau.

999.   Quand les femmes se marient pour le meilleur et pour le pire sur votre planète, elles croient qu'il n'y aura que du meilleur et sont incrédules quant au pire. Les Hommes, eux, se promettent de prendre le meilleur et de rejeter le pire. C'est ce qu'ils font. Peut-on les blâmer?

Les maris ordinaires des « femmes au foyer », dit l'Euguélionne, sont ordinairement de fieffés menteurs, quelques-uns sont impuissants par lassitude, les autres, les extraordinaires, transposent leur sexualité dans leur travail selon le principe de sublimation de la loi Ψ.

Il y a en encore peut-être de ces maris qui font l'amour conjugal monogynique de façon régulière et satisfaisante pour leur compagne et sans se sentir en devoir! Qui sait? Je n'ai pas encore tout vu sur cette planète, dit l'Euguélionne.

1000.   Si vous croyez que le mariage n'est pas malsain pour Pénélope, dit l'Euguélionne, je me demande ce qu'il vous faut! En plus de courir le danger de tomber dans l'éthylisme particulier dont j'ai parlé, elle s'aperçoit bien vite que son Ulysse endormi est insuffisant à satisfaire ses désirs sexuels. Et pourquoi celui-ci se sent-il en droit de satisfaire les siens ailleurs, alors qu'il ne lui est pas possible à elle d'en faire autant?

Étant une « femme au foyer », elle se voit contrainte à s'asseoir sur ses désirs, ce en quoi elle se montre sublime mais la fait souvent engraisser... Ou bien, elle détourne de leur chemin les compagnons d'Ulysse, l'un après l'autre, vers sa plus stricte intimité. Ce qui n'est possible que si elle a du temps bien à elle. Ou bien, elle se fait joujou dans la clandestinité. Ou bien, elle se réfugie dans les bras d'une autre esseulée, non par inclination, mais à défaut d'autre chose...

1001.   Si cette triste situation est aujourd'hui la sienne, c'est parce que le valeureux Ulysse lui a dit un jour: « Je bande, donc je suis! Tu ne bandes pas, donc *tu n'existes pas.* »

Les Ψ des temps modernes, comme St Jacques Linquant par exemple, ont fort bien repris à leur compte ces antiques paroles.

Croyez-vous que cette situation est juste pour vous, femmes de la Terre?

Soyez vigilantes dès votre naissance à ne pas vous laisser prendre dans la glu de l'injustice.

1002.   Quand on naît dans l'injustice, on ne le sait pas tout de suite. Il n'y a pas de panneaux-réclame pour indiquer les lieux où l'injustice s'est installée. Du moins pas toujours... Il faut compter beaucoup de temps avant d'en avoir une conscience claire. Et alors, la plupart du temps, il est trop tard.

LI

LA VIGILANCE ET LA CARICATURE

1003.   La déficience sexuelle des maris, très honnêtement mise sur le compte de la fatigue, du surmenage et autres bonnes raisons, ou encore leur assaut sexuel inopiné où ils semblent concourir pour le record de la vitesse, assaut qui a lieu généralement après une longue séance dans les tavernes où ils sont allés puiser le courage nécessaire, font naître des maladies mentales apparemment inexplicables chez les conjointes légitimes.

1004.   Car la femme, quand elle se marie, compte sur son mari pour assurer sa vie sexuelle tout entière, sa vie durant. Ce qui n'est certes pas le cas pour le mari.

En général, dit l'Euguélionne, j'ai constaté que la femme mariée est frustrée sexuellement mais n'ose pas se l'avouer.

Prisonnière dans sa geôle grise ou dorée, avec de jeunes citoyens à surveiller dont l'État ne veut pas se charger d'une manière ou d'une autre, par quel prodige d'invention cette Pénélope arrivera-t-elle à pallier à l'insuffisance de son mari sans prendre les moyens plus ou moins minables dont j'ai parlé?

1005.   Enfin, arrive le jour où Pénélope n'a plus personne à garder. Mais alors, ses meilleures années de sexualité se sont envolées sans retour.

Et Pénélope a perdu, en même temps que sa jeunesse, l'habitude et le goût des amants.

D'ailleurs, en eût elle gardé le goût, quel Homme aujourd'hui pourrait bien « vouloir » d'elle? Comme la majorité des femmes qui ont un certain âge, elle est une véritable caricature.

1006.   Car, dit l'Euguélionne, j'ai constaté avec tristesse que rien n'est plus caricatural qu'une femme sur votre planète. Parce qu'elle est censée être ceci et cela, d'abord être jeune, puis mesurer ceci, peser cela, avoir l'air de ceci, sourire comme cela, porter ceci, se tenir comme cela. Et comme c'est la minorité qui est capable de supporter tous ces masques et parce qu'on n'est jeune qu'une fois, il en résulte que la femme est une véritable caricature, en fait ou en puissance. Il faut bien que les Hommes — qui ne sont déjà pas tellement drôles — s'amusent aux dépens de quelqu'un!

1007.   Pénélopes des temps modernes, vos Ulysses ont aussi connu l'amour et les enfants. Ils ont aussi connu les joies du foyer, ils ont connu la sécurité du foyer.

Mais ils n'ont perdu ni leur identité ni leur liberté.

Mais ils n'ont accepté ni le fardeau d'ordures ni le fardeau d'insatisfactions sexuelles.

1008.   Vous avez accepté de renoncer à votre carrière ou à une partie de votre carrière pour connaître l'amour et les enfants.

Mais vos Ulysses n'ont renoncé ni à leur carrière ni à leurs aventures sur terre et sur mer et ils ont connu quand même l'amour sacro-saint qu'on dit conjugal — la conjugaison fait le larron — et ils ont connu les enfants sacro-saints qu'on dit légitimes.

1009.   Femmes de la Terre, la société ne vous fait-elle pas penser à une vieille chaussette pleine de trous que vous devriez mettre au rancart? Aujourd'hui, les femmes ne ravaudent plus!

1010.   Femmes de la Terre, croyez-vous que le mariage est une solution pour vous? Croyez-vous que c'est la meilleure solution pour vos maris qui se croient obligés de vous mentir parce que vous et vos enfants vous portez leur nom et qu'ils doivent malgré cela préserver leur autonomie? Et par quel moyen vous-mêmes avez-vous pensé à préserver votre autonomie, vous qui n'avez même pas de nom à vous?

1011.   Soyez vigilantes dès votre naissance à ne pas vous faire affubler d'un nom d'Homme, dit l'Euguélionne. Ne portez plus le nom de votre père, ni celui de votre mari, ni celui de votre mère, car le nom de votre mère, c'est le nom de son père et non le sien.

Les Hommes consentiraient-ils à porter votre nom? Il n'y a qu'à voir comment ils réagissent quand on les affuble du nom de la femme célèbre qui partage leur vie. Au lieu d'être un nom, c'est un quolibet!

Imaginez un instant tous les Hommes de l'Humanité portant le nom et le prénom de leur femme. Personne ne peut imaginer cela. C'est inimaginable, n'est-ce pas? Ce serait une telle humiliation pour eux, même pour les plus amoureux. Ce serait une telle caricature!

Et pourquoi vous-mêmes portez-vous leur nom et parfois leur prénom sans vous sentir humiliées?

1012.   Soyez vigilantes dès votre naissance à porter un nom bien à vous, un nom de femme.

Soyez vigilantes, Femmes de la Terre, et revendiquez votre liberté dès votre naissance. Si vous n'y pensez que vingt ou trente ans plus tard, il sera trop tard. Vous ne saurez quoi en faire.

Vous ne saurez pas, pour ne l'avoir jamais su, comment on fait quand on est vraiment libres.

LII

LA SIGNATURE DU CORPS

1013.   Et peut-on blâmer les Hommes de vous mentir? N'êtes-vous pas complices de leurs mensonges, puisque vous avez accepté ce marché de dupes?

Mentir! N'est-ce pas ce que vous faites vous-mêmes quand vous accédez à la liberté de les tromper?

1014.   Si les Hommes ne disent pas la vérité, dit l'Euguélionne, dans quelque circonstance que ce soit, j'ai remarqué que ce n'est pas par imposture naturelle. C'est parce qu'ils croient que la vérité n'est pas bonne, qu'elle leur enlève leur autonomie.

En fait, presque toujours la vérité fait des ravages, dit l'Euguélionne. Elle n'est pas, à l'origine, de nature subversive, elle l'est devenue à la suite d'un profond malentendu.

1015.   Je me demande pourquoi le visage Humain cache sa peur des autres visages Humains sous des paroles mensongères qui sont comme de grossiers masques de théâtre.

1016.   Et pourtant, dit l'Euguélionne, le visage humain le visage nu c'est plein de rires et de lueurs sous-marines l'aviez-vous remarqué c'est plein de narines frémissantes de joie ténue et de larmes éblouies plein de fureur de fierté de présence plein de lèvres frémissantes ça commande avec précision le rythme des gestes corporels c'est signature du corps en dépossession progressive de la peur le visage nu fait corps avec le corps il fait corps avec l'esprit à découvert le vrai visage le visage nu ça contrôle à peine des émotions incontrôlables c'est directement relié aux fils sensoriels du sexe épanoui le visage nu et sans peaux surnuméraires c'est joie fébrile et vulnérable c'est rires et chansons de combat c'est berceuse imperceptible où s'équilibre chaque trait lancé en pagaille dont l'enjeu est d'être là est d'être là sans béquille pour se soutenir un regard qui se tient tout seul sans risquer de tomber un regard qui s'arrime tout seul au plus proche regard sans broncher.

Connaissez-vous des visages nus, vous les Humains de la Terre? Connaissez-vous une telle nudité? Connaissez-vous de tels regards?

1017.   J'en ai vu un tout dernièrement sur votre planète, dit l'Euguélionne: il n'avait pas plus de trois ans d'âge...

LIII

TRANSGRESSER C'EST PROGRESSER

1018.   Femmes de la Terre, vous ne savez pas être libres même si vous êtes en liberté. Vous ne savez pas savourer les fruits de votre indépendance. Cela s'explique par la *récence* de votre liberté.

Il faut transgresser tout commandement, ordre, intimidation quels qu'ils soient. Il faut briser les tables de la loi, quelles qu'elles soient. Il faut transgresser les tabous, quels qu'ils soient. Il faut transgresser les dogmes quels qu'ils soient. Car ces lois vous ont été imposées alors que vous n'étiez pas libres.

1019.   Résister est bien, dit l'Euguélionne, transgresser est mieux.

1020.   Il faut transgresser les maximes, les proverbes, les mots d'auteur, les évangiles, les mentalités, les souffles de salon, les modes, les conventions, les conformismes même révolutionnaires, les phrases lapidaires, qui sont des intimidations pures et simples.

Se mettre au-dessus des lois est-il le propre de vos législateurs? Alors, je dis que les lois sont faites pour être transgressées.

Il faut enfreindre les lois injustes et criminelles et exiger que celles qui sont justes soient appliquées avec une justice égale pour tous.

Il faut inventer son propre code d'éthique en respectant le chromatisme de ses propres désirs.

1021.   La morale officielle est immorale car, en vous contraignant à réprimer vos désirs profonds et à satisfaire des besoins artificiels qui vous stigmatisent en profondeur, elle crée une tension qui désintègre par le dedans tous les membres de votre société sans exception.

Vaincus par d'innombrables petites explosions intérieures, les explosés sont alors projetés en morceaux, les uns dans des institutions carcérales, pénitentiaires ou asilaires, les autres dans le suicide quotidien par très minimes mais très sûres étapes.

Iventer ses maximes et ses proverbes personnels... inventer ses propres lois, inventer sa vie et vivre la sienne propre, laisser les autres vivre la leur, ne pas essayer de la vivre à leur place.

1022.   Ceux qui, par principe, empêchent la libéralisation de l'avortement, ceux qui sont pour la peine de mort et l'exigent, ceux qui sont en faveur de la guerre et condamnent les objecteurs de conscience, ceux qui sont contre les homosexuels et contre le divorce, sont de ceux qui essaient de vivre la vie des autres à leur place, et même leur mort anticipée.

1023.   Transgresser est un pas en avant, un progrès. C'est comme traverser. Obéir est une régression vers la peur, vers l'autorité concertée des pères.

Transgresser c'est progresser, dit l'Euguélionne.

1024.   Et qu'est-ce que le respect de soi-même, dit l'Euguélionne? Et qu'est-ce que le respect des autres?

Si vous le saviez, vous auriez là un critère infaillible pour émettre vos lois. Mais vous ne savez pas ce que c'est. Vous auriez là un commencement de morale, mais vous ignorez ce que c'est parce que vous ignorez ce qui est respectable en vous et ce qui est respectable dans les autres.

1025.   Vous croyez le savoir cependant, et vous faites des lois dérisoires, des lois tatillonnes, des lois désuètes, des lois scélérates, des lois d'exception, des lois à double tranchant, des lois-suicide, des loismatraque, des lois qui s'annulent l'une l'autre, des lois d'anarchisme institutionnalisé, de violence institutionnalisée, des lois discriminatoires, des lois immorales, *des lois qui s'appuient encore sur le péché*, des lois qui protègent des collectivités abstraites contre des individus réels, des lois qui protègent des individus abstraits contre des collectivités concrètes. « Juste ou pas juste, c'est la loi », vous entend-on dire. Comme vous dites d'un même souffle que l'amour se passe du sentiment de justice!

Résister à ces lois est bien, les transgresser est mieux.

1026.   Vous ne savez pas ce qui est respectable dans l'individu et ce qui est respectable dans une collectivité.

L'individu qui se respecte ne consent pas à s'aliéner au profit de la collectivité. Car s'aliéner au profit de la collectivité c'est aussi ne pas respecter la collectivité.

La collectivité qui exige l'aliénation des individus ne se respecte pas non plus et tôt ou tard se voit forcée de disparaître.

De même, dit l'Euguélionne, l'individu qui exige l'aliénation de tous pour se réaliser n'a de respect ni pour lui-même ni pour la collectivité et tôt ou tard se voit forcé de disparaître, assailli de toutes parts.

1027.   Car c'est la collectivité qui est une collection d'individus et non l'individu qui est composé de collectivités.

1028.   Pour savoir ce qui est respectable en vous, dit l'Euguélionne, il faudrait commencer par vous connaître et cela ne vous intéresse pas vraiment.

Vous ne vous connaissez pas et par conséquent vous ignorez vos désirs profonds. Vous vous ignorez aussi profondément que vous ignorez les autres.

Et c'est pour cela que vos désirs se transmuent en actes violents et en ordres impératifs pour les autres et pour vous-mêmes.

C'est pour cela que vous faites des lois qui ne vous respectent pas et qui ne concernent réellement personne. Des lois contre vous-mêmes et contre les autres. Des lois pour des fantômes. Des lois-fantômes. Des lois ennemies.

1029.   C'est pour cela que vous faites des quantités de lois pour protéger la propriété privée et très peu pour protéger le droit des personnes. Vos lois sont comme des fusils qui seraient pointés sur tout ce qui pourrait marcher sur votre lopin de terre mais qui resteraient pendus à leur clou si on marchait sur le corps de votre voisin.

L'imbroglio de vos lois est tel qu'on dirait vraiment que vos codes civils sont des attrape-nigauds purs et simples. On dirait que vos lois sont faites pour gens astucieux et fortunés, capables de les comprendre et de les faire appliquer.

Nul n'est censé ignorer la loi dites-vous le cœur plein d'innocence... Vous me faites bien rire, car comment peut-on connaître ce qui est invisible? Personne ne l'a vue, votre loi. Est-elle publiée en livre de poche, à la portée de tous? Elle est à la merci de la rumeur publique et si vos payeurs de taxes en savent quelques bribes, ce n'est que par ouï-dire.

Vous avez capitalisé vos lois comme le reste, et seuls quelques privilégiés peuvent jouir de ce capital.

1030.   Législateurs, vous êtes vos premiers ennemis. Libérez vos lois. Elle vous étouffent dans leur carcan d'un autre âge. On m'a parlé d'un certain Code Napoléon... Qu'est-ce que c'est? Qu'est-ce que ça mange en hiver? Est-ce une pièce de musée? Une pièce d'artillerie? Un fossile? Un bicorne? Ou une baleine bleue?

LIV

LES TUBÉREUSES BLEUES

1031.   Depuis si longtemps vous vous dites: « Ça ne peut plus durer, ces lois sont intolérables. Cette société nous piège, nous frustre de nos droits, nous fait mourir à petit feu. » Et vous continuez à tolérer l'intolérable, à endurer ce qui n'est pas endurable, pourquoi?

Vous vous jetez vous-mêmes en prison, vous vous jetez dans les asiles conçus pour les aliénés que vous êtes, dit l'Euguélionne. Tout cela, parce que vous ne vous respectez pas.

1032.   Vous avez inventé un jeu de cache-cache, un jeu de colin-maillard, un jeu de chat perché, un grand jeu de cachotterie collective. Vous avez inventé le cachot, dit l'Euguélionne.

Pourquoi?

Le cachot, c'est comme la frontière de la peste derrière laquelle vous cachez vos pestiférés.

C'est remugle, c'est odeur de pourriture et de renfermé. C'est là que vous cachez vos pièces rares, vos spécimens de chasse. Vous avez vous-mêmes contaminé vos pestiférés puis vous vous êtes empressés de les cacher. Et ainsi, vous pensez être quittes de la peste.

Jeu de cache-cache. Jeu de chasse à l'Homme. Jeu de lycanthrope. Jeu de loup-garou.

Vous ne vous respectez pas, dit l'Euguélionne. Vous ne savez pas ce qui est respectable dans l'Homme, surtout dans celui que vous cachez comme un pestiféré.

1033.   Vos prisonniers, dit l'Euguélionne, qu'ils soient fous ou criminels, sont des tubéreuses bleues. Ils végètent à l'ombre des sous-bois de votre société et « quand ils se décomposent, ils ont une odeur humaine ». C'est votre pollution seconde, après les Paramécies Massacrées.

1034.   La liberté, dit l'Euguélionne, devrait être le seul romantisme de l'être humain. C'est cela qui est respectable dans l'Homme.

Au lieu de respecter la liberté, tout est mis en œuvre pour la détérioration systématique des fibres libres de l'être, surtout de celui que vous cachez comme un pestiféré: votre criminel ou votre soi-disant fou.

Entre temps, vous emprisonnez vos contestataires, étudiants, ouvriers, chefs syndicaux, patriotes, et autres Don Quichottes du même acabit, vous leur tapez dessus et vous pensez qu'ils deviendront vos valets par la force de vos arguments-massue. Vous pensez qu'ils finiront par comprendre et par tolérer l'intolérable et vous pensez qu'ils finiront par renoncer à la liberté.

1035.   Vos « bois de justice » fleurissent encore en ces temps modernes de votre préhistoire. Quand les tubéreuses bleues tardent à mourir, vous menacez de rétablir là peine de mort et, sans mourir de honte, vous la rétablissez.

1036.   Et vous, Femmes de la Terre, allez-vous enfin avoir voix au chapitre au sujet de cette grande cachotterie? N'est-ce pas vos enfants qui pourrissent au cachot, ne sentez-vous pas cette odeur humaine?

Est-ce vous qui souscrivez à cette horrible formule mathématique: Meurtre pour meurtre, sang pour sang?

LV

DES SINISTRES QUI S'IGNORENT

Cet univers d'incarcération n'est-il pas situé dans une galaxie hors-vos-murs?

1037.   Vos ministres, dit l'Euguélionne, sont des sinistres qui s'ignorent et vous, les administrés, vous êtes des sinistrés épisodiques.

1038.   Je pense aussi à l'indicible. Je pense à la terre nue et gelée, couverte de linoléum, qui est le plancher des pauvres d'une grande métropole de l'Amérique du Nord. Je pense à leur chaudière à mazout qui est leur Floride en hiver.

Je pense à tous les professionnels du chômage, tristes cols gris sans cravate officielle, qui jouissent dans la honte, la mauvaise conscience et le mépris des autres, de la bonté sinistre de ceux qui vous gouvernent.

Je pense à ce qui se passe parfois dans les prisons, les asiles de vieillards et les hôpitaux de la loi Ψ. Je pense à ce que personne ne sait ou ne veut savoir. « Je n'en savais rien! Est-ce vrai? Je n'étais pas au courant, » disent ces sinistres innocents.

« Les cris des êtres humains débiles attachés, entravés, pourrissant sur place, ont-ils traversé les murs de pierre? La plupart étaient des cris d'enfants, dites-vous? Ont-ils vraiment été entendus? »

Ils vous disent aussi sans sourciller: « La misère de nos pauvres dans notre grande et riche métropole, a-t-elle été vraiment entrevue à travers les paravents opaques et prospères que nous avions prudemment élevés sur le passage des touristes? »

1039.   « Bof! Du folklore! Nous ne sommes plus au Moyen-Âge! »

1040.   Vous avez connu naguère des temps sinistres où la mort était devenue une industrie, où la chair humaine d'un certain type racial était réquisitionnée dans le monde entier pour alimenter cette industrie.

Cette chair des usines de la mort à cheminées actives, on la voit aujourd'hui se consumer dans vos ateliers, sur vos chantiers et dans vos mines malsaines, peu importe son type racial. On la voit s'étioler derrière des barreaux et derrière des bureaux. Et c'est la chair jumelle de la chair à canon remisée aux oubliettes selon les folkloristes.

C'est la sœur jumelle de la chair à guillotine, à chaise électrique, à pendaison, toute chair remisée aux oubliettes.

Elle a une accointance morbide avec la lame du couteau, avec le courant électrique, avec le chanvre de la corde, avec le gaz de la cuisinière ou du chauffe-eau de la douche.

Cette chair condamnée a connu un jour le bienfait du tranchant, le bienfait du gaz et de l'électricité, le bienfait du lien. Et elle a survécu tristement à tous ces bienfaits.

1041.   Croyez-vous, dit l'Euguélionne, qu'une extra-terrestre comme moi soit intéressée à vivre dans ce monde où l'on tue encore à l'aube de pauvres types sans défense et où on appelle cela: « faire payer aux criminels leur dette envers la société »? Comme s'il fallait croire naïvement que le sang c'est de l'argent...

A-t-on jamais fait le total de cette dette? A-t-on déjà trouvé le réel débiteur?

Et si vous croyez encore à la culpabilité, comme aux cruels temps bibliques, le sang impur du coupable ne pourra jamais effacer cette dette qui est infinie. Et alors, quelle est l'utilité de le répandre?

Et si vous ne croyez pas à la culpabilité, il n'y a pas de dette à payer, ou du moins le débiteur n'est pas celui qu'on pense, et il y a seulement un être malheureux à aider, à aimer, à initier peu à peu à cette liberté qu'il avait perdue. Et alors, pourquoi assassiner un malheureux?

1042.   Vous vivez actuellement sans bien les connaître des temps sinistres où la famine est devenue une industrie, où la chair humaine de la tierce partie de ce monde alimente quotidiennement cette industrie.

Vous vivez de cette industrie florissante. Vous en consommez dix mille unités par jour sans être anthropophages. Vous réussissez ce tour de force. Je dois dire que vous êtes très forts.

1043.   Ainsi que vous avez affamé les femmes pendant des siècles

et que vous vous étonnez aujourd'hui qu'elles aient envie de vous dévorer, ainsi les peuples affamés de la tierce partie de ce monde songe-
raient à vous dévorer que je n'en serais pas surprise si vous n'étiez pas
déjà à moitié asphyxiés par les déchets de cette industrie.

Et telle est votre tierce pollution.

LVI

LES LÉGISLATEURS DE CETTE PLANÈTE
1. LE QUORUM ET LE DÉCORUM

1044.   Au début de mon séjour sur votre planète, dit l'Euguélionne, je suis allée dans une de vos Assemblées dites nationales. J'étais
dans la galerie du public. Quelqu'un m'avait dit, un haut fonctionnaire
de ce gouvernement: « Ces séances sont faites pour les gogos. C'est
dans les commissions parlementaires que se fait le travail des députés. »
Bon. J'étais prête à le croire, mais j'étais un peu désorientée,
car si c'était dans ces commissions qu'avait lieu le travail intéressant,
pourquoi le public n'y avait-il pas un libre accès? Pourquoi ces discussions n'étaient-elles pas diffusées sur les ondes de la radio et de la télévision pour que le public se fasse une idée claire de ses représentants?
Et enfin, me disais-je, n'était-ce pas au cours des séances de l'Assemblée
nationale qu'en dernier ressort se discutaient et se votaient les lois?
Les lois étaient-elles faites pour les gogos?

1045.   Ce jour-là, les législateurs de ce pays étaient peu nombreux
dans la grande salle des débats. On allait proposer une loi importante
pour le peuple. Il s'agissait, cette fois, non pas de protéger la propriété
privée, mais de protéger ceux qui usaient de la propriété des autres.
C'était une loi en faveur des locataires.

Tandis qu'il y avait branle-bas dans la Chambre parce qu'un
député de l'Opposition avait fait remarquer qu'il n'y avait pas quorum,
j'avais commencé de prendre des notes sur le spectacle que j'avais
sous les yeux.

J'avais remarqué d'abord que toutes les personnes présentes
étaient de sexe masculin. Je me dis alors qu'on devait utiliser toutes
les femmes députées aux commissions parlementaires. Cela ne me
semblait pas très correct. Plus tard, quand les députés absents com-
mencèrent de rentrer à la Chambre, je fus surprise de constater que
c'étaient encore des personnes de sexe masculin.

Le protestataire de l'Opposition fit remarquer une seconde fois
qu'il n'y avait toujours pas quorum. On lui objecta que les députés
absents reviendraient pour la plupart avant la levée de l'Assemblée
mais que, pour le moment, ils poursuivaient leurs travaux dans divers
comités extrêmement importants où l'on discutait des investissements
étrangers, de l'aide à apporter à l'entreprise privée pour mousser

l'économie et surtout de la langue du peuple qu'un curieux projet de loi rendait officielle dans un premier article très court tout en lui retirant subrepticement ce statut dans les cent trente articles qui suivaient!

1046.   L'Assemblée prit fin avant que ne se montrât le nez d'une femme!

Ou bien les femmes députées n'étaient pas conscientes de leurs responsabilités, me disais-je, ou bien elles étaient toutes de grandes économistes, linguistes ou patriotes, rendues indispensables aux travaux des commissions, ou bien, ce qui me paraissait finalement plus plausible bien qu'inexplicable, la moitié des députés étaient déguisés en Hommes.

1047.   Car enfin, me disais-je, si, comme me l'a appris mon amie Exil le jour de mon arrivée, « un homme sur deux est une femme » sur cette planète, il apparaît impensable qu'il n'y ait pas la moitié des législateurs qui soient de sexe féminin.

Donc, la moitié de ces députés étaient des femmes déguisées en Hommes. Je me demandais bien pourquoi elles avaient même déguisé leurs voix et allaient même jusqu'à porter moustache et barbe postiches!

1048.   À ce moment de mes réflexions, un garde en uniforme vint me dire poliment qu'il était interdit de prendre des notes. Je lui demandai pourquoi. Sans répondre à cette question, il me dit qu'à moins d'être journaliste accrédité ou secrétaire particulier d'un ministre, et alors il fallait prendre place dans la galerie réservée aux journalistes ou dans celle des secrétaires particuliers, le public ordinaire n'avait pas le droit de prendre des notes. D'ailleurs, ajouta-t-il, je n'avais qu'à me procurer dès le lendemain *Le Journal des Débats* et tout y serait. Je voulus lui dire que, justement à cause de cela, ce n'était pas ce qui se disait qui m'intéressait pour le moment, mais ce qui se passait dans cette Chambre. Il me fit signe de me taire.

Par la suite, je menai une petite enquête à ce sujet, et tout ce que je pus apprendre fut que, si tout un chacun était libre de prendre des notes, le décorum de la Chambre finirait par en souffrir.

Je fus remplie d'admiration pour les journalistes et les secrétaires particuliers qui réussissaient ce tour de force de ne pas nuire au décorum de la Chambre tout en prenant des notes.

LVII

LES LÉGISLATEURS DE CETTE PLANÈTE
2.   DEUX OBJETS CONTONDANTS

Je fis donc appel à ma mémoire photographique pour continuer à noter mes observations et c'est ainsi que mon attention fut attirée par deux objets contondants exposés en des places d'honneur.

1049.   Le premier de ces objets était fait de deux morceaux de bois, l'un vertical et l'autre horizontal, se croisant perpendiculairement, et qu'épousait étroitement une forme Humaine. Je ne pus voir cette forme en détails ni l'expression de son visage, car l'objet en question était trop éloigné de mon regard.

1050.   Il était suspendu, telle une épée de Damoclès, au-dessus du président de l'Assemblée. Celui-ci, par contre, je pouvais le voir changer constamment de visage et de corps. Et, bien que tous les orateurs s'adressaient toujours à lui, il pouvait, au cours d'un même discours, avoir changé cinq ou six fois de forme, et à chaque fois c'était un nouveau président qui avait pris la place du précédent.

L'orateur semblait n'en avoir cure et continuait à s'adresser au fauteuil présidentiel en lui disant: « Monsieur le président », exactement comme si c'était toujours le même qui occupait ce fauteuil et comme si chaque nouveau président avait suivi attentivement depuis le début sa longue et ennuyeuse plaidoirie. J'en conclus que les présidents de cette auguste Assemblée étaient interchangeables à n'importe quel moment, ce qui n'était pas le cas des orateurs, malheureusement....

Chacun des nouveaux présidents qui venait prendre place dans le haut fauteuil présidentiel monté sur une estrade tapissée de pourpre, semblait obéir à un signal secret qu'il était impossible de capter.

1051.   Peut-être jouent-ils à la chaise musicale, me disais-je, me souvenant que les enfants de mes amies Exil et Omicronne m'avaient initiée à ce jeu.

Mais j'abandonnai vite cette hypothèse. Des Hommes aussi sérieux ne pouvaient se laisser aller à jouer dans une chambre aussi protocolaire. D'ailleurs, leur dignité était reconnue de tous. Pas un député ne quittait la dite Chambre sans adresser un salut de la tête et parfois du corps à celui qui était assis à l'autre bout de la salle dans le fauteuil présidentiel.

Peut-être prennent-ils peur quand ils se trouvent sous l'épée de Damoclès, car celle-ci peut sans doute leur tomber dessus sans crier gare, et alors ils préfèrent céder leur place d'honneur au plus vite plutôt que de risquer plus longtemps d'être pourfendu...

1052.   La façon dont chacun s'asseyait dans cet honorable fauteuil était aussi extrêmement distrayante. Tandis que l'un s'y tenait droit comme un pic à glace et braquait ses yeux sur l'orateur, l'autre s'y laissait couler à pic et commençait à feuilleter un document que venait de lui remettre un messager. Un autre somnolait, un quatrième chassait des yeux quelque insecte invisible. Enfin, il y en eut un qui se levait sans cesse pour ramener à l'ordre la respectable Assemblée ou les galeries publiques. À ces dernières, il disait qu'il était interdit de manifester, à la première, il invoquait des règlements qui la régissaient, lesquels règlements, précisait-il, étaient justement sujets à révision.

1053.   Ce qui était aussi extrêmement divertissant, c'était la manière dont les députés applaudissaient le discours de leurs partisans. Ils le faisaient en tapant de la main droite ou de la main gauche sur leurs pupitres. Cela faisait dans le style collégien — quels coquins ces élus du peuple — et c'était très réjouissant pour le public des gogos non initiés. Quand le discours avait été particulièrement brillant à leur point de vue, ils en remettaient en soulevant le couvercle de leurs pupitres et en le rabattant bruyamment à plusieurs reprises. Vous auriez pu croire, à les entendre, que le pays venait d'être ébranlé grâce à la rhétorique de l'un d'entre eux.

Cette façon d'applaudir, jointe à la chaise musicale et aux allées et venues constantes des messagers portant des petits billets à l'un ou l'autre des ministres et des représentants du peuple, cueillant les réponses et recueillant les suites de ce dialogue muet pendant que les correspondants se souriaient aimablement d'un travers à l'autre de la Chambre — car c'était presque toujours des députés de partis opposés qui s'écrivaient — constituait un spectacle suffisamment amusant pour que le public de gogos ne soit pas obligé de mourir d'ennui ou d'une crise de fou rire en prêtant attention aux paroles des parlementaires.

1054.   L'autre objet contondant qu'on ne pouvait pas ne pas voir car il était déposé sur un coussin de velours écarlate à l'autre bout d'une grande table centrale où siégeaient les greffiers, était une espèce de maillet à tête d'or ouvragée.

En jetant les yeux sur le dépliant qu'on m'avait remis à l'entrée, j'appris que cet objet s'appelait *la Masse* et qu'il était le symbole de l'autorité dont cette Chambre était investie.

Cependant, j'appris aussi, grâce à un dictionnaire que je consultai par la suite, que la masse était un objet qu'on utilisait « pour enfoncer, frapper, dégrossir une matière brute ». Ce mot voulait aussi désigner une multitude de personnes, les couches populaires, la majorité opposée aux individus qui font exception.

Mon esprit extra-parlementaire connut alors un drôle de ballottement: ou bien *la Masse* n'était que symbolique et n'était pas réellement utilisée dans l'enceinte des débats pour dégrossir les esprits en présence, ou bien elle n'était pas du tout symbolique et était constamment utilisée en dehors de l'enceinte pour enfoncer et frapper le crâne de la masse...

Finalement, après quelque temps de réflexion, je me dis que les deux termes de cette subtile alternative pouvaient très bien coexister.

UN JEU DE PENDULE

1055.   Et c'est vrai qu'ils coexistent, dit l'Euguélionne. Comme continue de régner en maître dans l'esprit des législateurs cet autre symbole désuet de la Chambre, que l'on nomme le Crucifix ai-je appris, et qui est reconnu pour être un entremetteur intransigeant en matière de « morale », ainsi qu'un gardien séculaire de la propriété privée.

1056.   Il y a toujours eu des gouvernements sur votre planète et d'élire un nouveau gouvernement et même une nouvelle forme de gouvernement n'a rien d'une nouveauté.

La nouveauté serait de vous passer de gouvernement.

Mais vous préférez l'anarchie institutionnalisée à l'anarchie tout court. Et comme vous ne vous respectez pas, vous n'êtes pas autonomes. Et, non autonomes, vous avez besoin d'être gouvernés. Être gouvernés à n'importe quel prix, fût-ce au prix de votre liberté, voilà votre aveugle idéal.

1057.   Et qu'est-ce que l'« autonomie », dit l'Euguélionne? Selon vos dictionnaires, c'est *la liberté de se gouverner par ses propres lois.* En conséquence, si chaque individu tendait à son autonomie personnelle, l'autorité des gouvernements serait peu à peu éliminée.

Oui, je sais, cela vous fait sourire, car vous ne voulez pas savoir que vous êtes capables de vous gouverner par vous mêmes, vous ne voulez pas en entendre parler, vous affirmez avec la dernière énergie que cela est impossible, parce que vous avez bien trop peur d'avoir à vous respecter.

Vous avez pourtant le sentiment des injustices que vous font quotidiennement vos gouvernements et vous savez pourtant qu'ils sont eux-mêmes gouvernés par une poignée d'individus.

Si vous étiez convaincus de cela, vous envisageriez peut-être de vous gouverner par vos propres lois et peut-être sauriez-vous vous passer de gouvernements.

1058.   La liberté s'éprouve individuellement, dit l'Euguélionne. Ce n'est pas un sentiment que l'on éprouve en groupe.

La libération peut être une affaire collective. Libération sous-entend esclavage encore récent. C'est un accident de parcours de la liberté. Mais la liberté ne sous-entend aucun esclavage.

Z'avez mis les collectivités au-dessus des individus et z'avez entassé ceux-ci dans celles-là et z'avez fait des collectivités avec des individus éteints, emmurés, proscrits, assoiffés, désertés. Z'avez mis une poignée d'individus au-dessus des collectivités et z'avez créé les privilèges.

LE REVERS DE LA MÉDAILLE

1059.   La liberté est une médaille à deux faces, dit l'Euguélionne, la vôtre et celle d'autrui. Ces deux visages sont adossés comme dans la figure de Janus. Ils ne se nuisent ni ne s'aveuglent et vivent en bonne entente, inspirés par une harmonie profonde venant de l'intérieur.

Mais la liberté des autres est toujours considérée comme le revers de la médaille.

Si vous obligez la liberté à se scinder en deux, vous détruisez son unité et alors elle lutte contre elle-même. Dans cette position qui ne lui est pas naturelle, elle est toujours mise en échec par l'une ou l'autre de ses parties.

La seule façon de résoudre cette contradiction, c'est de remettre en place les deux faces de la liberté, car ces deux faces, apparemment irréconciliables, ne font qu'une seule médaille, et s'attirent comme des aimants au lieu de se repousser et d'engendrer d'innombrables conflits.

Les portes du temple de Janus étaient fermées en temps de paix: un côté de ces portes surveillait le dedans, l'autre côté veillait à l'extérieur. Réunissez les deux faces de la liberté si vous voulez éviter la guerre.

La liberté est un passage. C'est par elle que vous allez à la paix ou à la guerre, au deuil ou à la joie.

1060.   La liberté a les clés de vos désirs. Elle est la gardienne de vos désirs profonds. Remettez la liberté dans sa position souveraine, car c'est dans cette position qu'elle est synonyme de créativité.

Voilà pourquoi je ne crois pas que ma liberté s'arrête là où commence celle des autres. Je crois au contraire qu'elle est toujours en exercice quand les deux faces de la médaille sont réunies.

1061.   *Car la liberté souveraine a un respect souverain d'elle-même dans autrui.*

L'ÉVANGILE SELON ST SIEGFRIED (& AUTRES)

Vous pourriez, si vous le vouliez, résoudre tous vos conflits. Mais vous ne le voulez pas, d'une non-volonté très ferme et très obstinée. Vous avez bien trop peur de vivre en souverains de vous-mêmes et d'agir en conséquence.

1062.   Pour vous en garder, vous avez inventé des évangiles re-

doutables, des évangiles-tampons, des évangiles sournois, des évangi-
les-matraques.

L'un de ces évangiles cautionne la richesse de quelques-
uns en leur promettant des pauvres à la tonne jusqu'à la fin des temps.

Ce même évangile cautionne *la meilleure part* ou la portion
incongrue de l'existence, en promettant à la pelle des femmes de
ménage, des cuisinières et des bonnes d'enfants bénévoles jusqu'à
la fin des temps.

Un autre de ces évangiles propose la dépersonnalisation
des individus en décrétant *ex cathedra* ce qui est bien et ce qui
est mal et en promettant de conditionner chaque individu à vouloir
le premier et à haïr le second.

Un autre de ces évangiles prétend niveler l'Humanité en faisant fi des libertés individuelles.

Un autre de ces évangiles prétend privilégier quelques individus à même la sueur du plus grand nombre sous prétexte de
faire marcher l'économie du pays.

Mais le plus redoutable de ces évangiles cautionne la violence et le despotisme en proclamant le *Primat du Phallus*.

Ce même évangile prescrit le sentiment d'impuissance en
proclamant l'*Envie du Pénis*.

LXI

LES DÉBOIRES DE LA LOI Ψ

1063.   Qu'est-ce que c'est que ce manteau d'Arlequin dont St
Siegfried et ses disciples affublent les femmes de cette planète?
Les voilà toutes sommées d'exhiber quelque chose de phallique
sous peine de ne pas être en « loi », et, en même temps et par le
fait même, elles sont toutes condamnées pour crime de lèse-majesté!

C'est-y assez fort entre nous dirait mon amie Exil!

Personne, avant St Siegfried, n'y avait pensé. Il faut remonter aux premiers dogmes catholiques pour retrouver un cercle aussi
parfaitement vicieux. Vous vous rappelez? « Crois les yeux fermés
et toutes tes fautes te seront pardonnées. Seul le doute n'est pas
permis, c'est le seul péché qui ne soit pas remis car c'est le péché
contre l'Esprit. Autrement dit: crois ou meurs! »

1064.   Au fond, c'est assez amusant, dit l'Euguélionne, que les
chanalystes, les chologues, les chiatres et autres Ψ prétendent expliquer l'« âme féminine » par le biais du phallus.

Ce qui est beaucoup moins amusant, c'est qu'ils n'ont pas
l'air de se rendre compte que leurs sciences sont immorales, car il
est immoral de fonder arbitrairement toute la psychologie d'un seul

sexe sur le *Manque*, c'est-à-dire sur le fait qu'il lui manque l'autre sexe, ce qui a pour résultat une psychologie entièrement négative, depuis l'alpha jusqu'à l'oméga.

Et il est également immoral de fonder toute la psychologie de l'autre sexe sur la *Surabondance*, sans souligner qu'à lui aussi il manque l'autre sexe, ce qui a pour résultat un effet superfétatoire qu'il devient presque impossible d'éviter, et ce qui a pour résultat de nier l'aspect négatif que comporte tout être, fût-il Humain et fût-il mâle. De plus, l'immoralité des sciences Ψ se trouve démontrée par le fait qu'elles sont un diktat pour le *statu quo* de l'inégalité des sexes.

1065.   Je me suis attardée aux détails de ce costume de cirque commandé aux femmes par la loi Ψ et j'en aurais ri pendant quatorze journées et quatorze nuits consécutives à la manière de Sylvanie Penn dans la forêt des Squonks, si celles qui le portaient honteusement ne m'avaient pas fait autant pitié. Mais j'en dresserais volontiers un catalogue auquel figureraient les articles suivants:

#06 — LE MANQUE ET LA SURABONDANCE

1066.   *D'abord, dit l'Euguélionne, selon la loi Ψ, il faut que le clitoris soit un pénis atrophié et, par conséquent, la femme doit apprendre à l'ignorer pour ne pas devenir comme un Homme!*

Ainsi disent les bons auteurs à la suite de St Siegfried, et autres littérateurs tout aussi innocemment boursouflés. Ils disent alors que le clitoris est « une parcelle volée au corps de l'homme »!*

1067.   *Voulant éclaircir ce mystère, dit l'Euguélionne, j'ai fait ma petite enquête. Et je puis vous assurer que chez tous les hommes que j'ai connus nus et qui m'ont gracieusement permis de faire sur eux des investigations, je n'ai trouvé nulle trace de clitoris! Mais je dois dire que j'ai eu affaire à de « vrais hommes », dans le plus pur sens anatomique du terme. Peut-être ces bons auteurs dont j'ai parlé ont-ils eux-mêmes un clitoris et croient-ils sincèrement que tous les Hommes sont conformés à leur image?*

1068.   *Mais s'il est permis de dire sans rire et d'écrire de volumineux traités sur la question, que le clitoris est un pénis atrophié, on doit pouvoir dire, sans rire également et par un juste retour des choses, que le pénis est un clitoris hypertrophié. Vous riez? Tut tut! On ne plaisante pas avec ça! Le pénis est une prolifération du clitoris, parfaitement, c'est un clitoris qui a mal tourné, et, par conséquent, l'Homme doit apprendre à l'ignorer pour ne pas devenir comme une femme!!!*

J'ai appris aussi, grâce à ces bons auteurs, que la femme doit assumer son « manque », c'est-à-dire son « infériorité bio-

---

*Expression employée par un personnage de Raymond Abellio *in* La Fosse de Babel.

326

logique » qui fait d'elle un « Homme châtré » avec une « sexualité mutilée » (sic).**

1069.   Cela m'a bien étonnée, dit l'Euguélionne, car chez toutes les femmes que j'ai connues nues et qui m'ont gracieusement permis de faire sur elles des investigations, je n'ai pas trouvé qu'il leur manquait quoi que ce soit. Il est vrai que c'étaient de « vraies femmes », dans le plein sens anatomique du terme. Peut-être manque-t-il quelque chose à ces bons auteurs et doivent-ils assumer ce manque pour devenir de vrais Hommes!

1070.   Mais s'il est permis de dire sans rire qu'il manque quelque chose à la femme, on doit pouvoir dire également et sans rire, que l'Homme a quelque chose en trop!

Pas étonnant alors que le mâle ait un complexe de castration si prononcé, d'après St Siegfried. Car, si « cela » est de trop, « cela » n'est pas normal! Et si « cela » n'est pas normal, « cela » doit disparaître! Voyez où la loi Ψ nous mène!

#07 — MUTILATION & BOURSOUFLURE

1071.   De même, si la sexualité des femmes est « mutilée », c'est que nécessairement la sexualité des Hommes est boursouflée. Cela dit entre nous, car, malheureusement, il semble que ce soit le propre de l'Homme de ne pas se rendre compte qu'il est boursouflé et de ne pas pouvoir, par conséquent, se moquer de sa boursouflure.

1072.   Entre nous encore, dit l'Euguélionne, que St Siegfried considère la femme come un « homme châtré » en dit long sur sa propre castration, ne trouvez-vous pas? N'est-ce pas lui qui, justement, parlait de la projection sur autrui de ses propres complexes?

Dit-on des roses qu'elles sont châtrées parce qu'elles n'ont pas la forme de la tige qui a donné naissance au rosier?

Parler d'un manque en parlant de l'absence de pénis, c'est vraiment établir celui-ci comme norme de l'Humanité.

1073.   Il n'y a pas un être pensant normalement constitué, même très jeune, qui puisse admettre qu'il lui manque quelque chose, que son sexe par exemple, bien que très complexe en lui-même, soit un manque par rapport à l'autre sexe. C'est absolument contraire à l'image qu'il se fait très tôt de son propre corps.

1074.   Est-ce qu'on dit du sexe masculin qu'il lui manque le sexe féminin?

1075.   Ce que l'on reproche finalement à la femme, c'est de n'être pas hermaphrodite!

C'est un non-sens, la pire absurdité des temps modernes de votre préhistoire et l'une des plus dangereuses. C'est comme si l'on fondait l'étude de la constitution Humaine sur le fait qu'il lui

---

**Cette dernière expression est employée par David Cooper *in La Mort de la famille*, pour désigner la sexualité féminine.

manque des ailes ou des nageoires ou une poche marsupiale ou
une queue comme celle des singes ses ancêtres. C'est comme si
l'on disait des mâles Humains qu'ils ne sont pas normaux parce
qu'ils n'ont pas d'utérus et ne peuvent enfanter et que leurs mamelles ne sont pas développées ou qu'ils n'ont pas la forme de l'œuf
originel!

C'est ainsi que le clitoris n'est pas plus une anomalie que
n'est une anomalie le scrotum. Le clitoris est essentiellement féminin comme le scrotum est essentiellement masculin.

#08 — LES PHASES DE LA LUNE

1076.   S'il est permis de dire sans rire que la fillette doit passer
par un stade phallique pour devenir une vraie femme, on doit pouvoir dire également, et sans rire, que le garçonnet, pour devenir
un vrai Homme, doit passer par un stade gynile et connaître successivement les phases mammique, clitorile, vagile et utérile qui
conviennent à son sexe.

#09 — ATTENTION, ON FERME!

1077.   S'il est permis de dire sans rire que la fillette éprouve un
complexe de castration en ce qui concerne un pénis qu'elle n'a pas, on
est en droit de dire sans rire que le garçonnet éprouve de son côté un
complexe d'enflure par rapport à une vulve et à un vagin qu'il n'a pas,
absence fatale qui lui interdit de mettre des enfants au monde! Cette
fermeture de son sexe peut lui paraître catastrophique au point d'en
faire un complexe d'infibulation!

#010 — TOUT SUR LA LIBIDO

1078.   S'il est permis de dire sans rire que la libido est masculine,
même chez les femmes, on doit pouvoir dire sans rire que le libida est
féminin, même chez les Hommes.

1079.   (Quant au lit-bidon, il est conjugal, naturellement).

1080.   Sérieusement, dit l'Euguélionne, si l'on considère que le clitoris est le seul organe humain destiné uniquement au plaisir, on pourrait
inverser la célèbre proposition de St Siegfried et affirmer que la libido
est, de façon constante et régulière, d'essence femelle, « qu'elle appa-
raisse chez l'homme ou chez la femme, abstraction faite de son objet,
homme ou femme ».*

#011 — LA POUPÉE

1081.   Si l'enfant, selon la loi Ψ, est un « substitut du pénis », soyez
assurées mesdames que le pénis est un parfait substitut de l'enfant.
Voyez comme il se fait dorloter de sa naissance à son déclin…

#012 — PAR RICOCHET

---

*Parodie d'un texte de Sigmund Freud, tiré des Trois essais sur la théorie de la sexualité.

1082.   Si l'enfantement est un simulacre de l'éjaculation, on peut alors affirmer, sans crainte de se tromper, que l'éjaculation n'est qu'un faible simulacre de l'enfantement.

Car aucun Homme, à ma connaissance (mais je répète que je n'ai pas encore tout vu sur cette planète) n'a jamais éjaculé un être vivant ayant 21 pouces de longueur et pesant 8½ livres!

Aucun Homme n'a jamais été capable de cet exploit autrement qu'en imagination et dans ses créations mythologiques.

1083.   S'il faut une puissance phallique multipliée à l'infini pour faire d'une cellule embryonnaire un être humain complet et viable, ne faut-il pas une puissance utérile extrêmement réduite pour entrer en érection, etc., etc., etc. La loi Ψ nous permet toutes les extrapolations.

#013 — UN ENVIEUX IMMATURE

1084.   S'il est permis de dire sans rire que la fameuse « envie du pénis » se manifeste même au moment du coït, de quelle envie innommable (parce que nommée nulle part dans la loi Ψ) le pénis n'est-il pas saisi lui-même au même moment!

1085.   De plus, ne sommes-nous pas en droit de nous écrier: « Ô pénis infantile! Instrument de retour dans le sein maternel! »

#014 — MAMMOCRATIE

1086.   S'il est permis de dire, sans éclater de rire, que la mère est phallique quand son enfant perçoit sa Toute-Puissance à le nourrir, on doit pouvoir dire, sans éclater de rire également, que le père est mammique quand l'enfant se tourne vers lui pour lui réclamer sa subsistance.

#015 — BOTANIQUE — I

1087.   L'Homme est un être andromorphiste. C'est une fleur qui a jeté son pistil aux ordures et n'a gardé que ses étamines.

#016 — BOTANIQUE — II

1088.   Le Phallus est un arbre mort qui cache la forêt tout entière avec ses boules de Noël et ses lumières artificielles.

#017 — ZOOLOGIE   I

1089.   Il est faux de dire que l'Homme est un mammifère: ses mamelles ne sont-elles pas atrophiées?

#018 — ZOOLOGIE — II

1090.   Si St Thomas d'Aco se permet de parler avec un dégoût apitoyé et comme d'un égoût de ce qu'il appelle le « cloaque » féminin, il est permis d'en rire et de dire que l'Homme, de son côté, n'est pas loin du kangourou, de l'opossum et des oiseaux, qui possèdent un carrefour d'évacuation unique pour les produits urinaires et génitaux ainsi que pour les déchets intestinaux et, qu'à ceux-ci près, le pénis Humain cumule les fonctions de miction, d'éjaculation et de libido.

1091.   Sérieusement, dit l'Euguélionne, les femmes ont-elles jamais

reproché aux Hommes d'émettre leur sperme par la même voie qu'ils
émettent leur urine? Au premier abord, pas une femme ne doit trouver
cela très ragoûtant! Et pourtant, elles l'acceptent de bonne grâce, sans
en concevoir de théorie humiliante à l'égard du pénis...

#019 — MATHÉMATIQUES & BIOLOGIE

1092.   *L'Homme ne serait qu'un corollaire de la femme si on prend*
pour acquis que l'Humanité est constituée à base de chromosomes X
et que les embryons Humains sont tous femelles au départ.

   Dans cette perspective, le mâle ne serait qu'un accident hormo-
nal de l'espèce. Précaire existence! Mais puisque l'«anatomie est le
destin» selon la loi Ψ, il doit s'en contenter s'il veut rester dans les
«normes»...

1093.   *Sérieusement, dit l'Euguélionne, m'étant promenée un peu*
partout sur la Terre, je n'ai rencontré la plupart du temps que des
hommes ordinaires, sans autre majuscule que celle que parfois ils
s'octroyaient eux-mêmes, quelquefois ils étaient petits et pitoyables,
ou bien c'étaient de braves types, bons diables, bons travailleurs,
bons pères, bons époux, sans plus, et je me suis souvent demandé en
quoi les spécimens humains mâles étaient-ils dits plus puissants et plus
forts que les spécimens humains femelles sur cette planète.

#020 — UN BOOMERANG

1094.   *S'il est permis de dire que les femmes n'acceptent pas leur*
«féminité» et meurent d'envie d'être des Hommes, sous prétexte et
alors même qu'elles trouvent ceux-ci prétentieux, stupides ou insigni-
fiants, on doit pouvoir dire que les Hommes, parce qu'ils sont miso-
gynes, n'acceptent pas leur «masculinité» et meurent tous d'envie
d'être des femmes...

#021 — TOTUS VIR IN FALLOT

1095.   *Si, se basant sur le brillant aphorisme latin:* tota mulier in
utero, *St Siegfried a pu décréter avec pessimisme que «l'anatomie,*
c'est le destin», on peut se baser sur un nouvel aphorisme non moins
digne de foi et s'énonçant ainsi: totus vir in fallot, *pour affirmer, sans*
crainte de se tromper, qu'hélas, oui, le destin des mâles c'est leur
anatomie!

1096.   À ce que je vois, dit l'Euguélionne, la loi Ψ n'échappe pas
au formidable complexe de supériorité masculine, car elle a été conçue
par des Hommes.

   Ce complexe qu'on pourrait appeler « l'envie de l'utérus »
est quasi impossible à extirper puisqu'il compense leur complexe d'infériorité vis-à-vis des femmes douées de la capacité biologique d'avoir
des enfants.

   Il faudrait, pour le détruire, que les Hommes considèrent
vraiment et non avec leur mépris habituel, que ce n'est pas plus une
supériorité d'enfanter que c'en est une de bander, et alors, l'équilibre
entre les sexes risquerait de se rétablir...

LA BOURSOUFLURE À L'ÉTAT PUR

1097.   Enfin St Siegfried vint! Et le monde de cette planète connut son grand théoricien de la boursouflure.

Car le génie stupéfiant de cet Homme n'a eu d'égale que sa stupéfiante misogynie.

Ce n'est pas du jour au lendemain, dit l'Euguélionne, qu'il m'a été donné de percer les mystères de la théorie Ψ concernant les femmes de cette planète. Et concernant aussi cette bête antédiluvienne appelée *Phryma-du-Faluce* qui est, m'a-t-on dit, de la grande famille des brontosaures ou des mégalosaures.

Car, en plus d'être fortement alambiquée, cette théorie, pour s'exprimer, utilise un langage hermétique accessible aux seuls initiés. Autrement dit, les mots les plus courants revêtent une toute nouvelle signification quand ils sortent, comme des perles, de la bouche ou de la plume des initiés en question.

Une fois cette difficulté plus ou moins surmontée, j'ai eu mon « coup de grâce » comme on dit chez vous, le jour où j'ai eu sous les yeux le célèbre texte suivant dont l'auteur ne pouvait être autre que St Siegfried lui-même:

1098.   « AVEC LA RECONNAISSANCE DE SA BLESSURE NARCISSIQUE SE CONSTITUE — COMME CICATRICE EN QUELQUE SORTE — UN SENTIMENT D'INFÉRIORITÉ CHEZ LA FEMME. APRÈS QU'ELLE A DÉPASSÉ LA PREMIÈRE TENTATIVE D'EXPLIQUER LE MANQUE DE PÉNIS COMME UNE PUNITION PERSONNELLE ET QU'ELLE A COMPRIS L'UNIVERSALITE DE CE CARACTÈRE SEXUEL, ELLE COMMENCE À PARTAGER LE MÉPRIS DE L'HOMME POUR CE SEXE DIMINUÉ EN UN POINT DÉCISIF ET, AU MOINS EN CE QUI CONCERNE CE JUGEMENT, ELLE TIENT À ÊTRE L'ÉGALE DE L'HOMME. »*

Stupéfiant! Il ne me restait plus qu'à me frotter les yeux et qu'à relire ce passage, espérant m'être trompée.

1099.   ELLE COMMENCE À PARTAGER LE MÉPRIS DE L'HOMME POUR CE SEXE DIMINUÉ EN UN POINT DÉCISIF...

C'était donc vrai! Quelqu'un sur cette Terre des Hommes n'avait pas craint d'écrire une chose aussi énorme, l'avait tranquillement publiée,

---

*Sigmund Freud, in *La Vie Sexuelle*.

et avait été pris au sérieux par tout le monde! Mais il me fallait relire et
relire encore pour m'en convaincre.

1100.　ET, AU MOINS EN CE QUI CONCERNE CE JUGEMENT,
　　　　ELLE TIENT À ÊTRE L'ÉGALE DE L'HOMME!

　　　　Génial! ÉGALE EN MISOGYNIE! Qui dit mieux?

　　　　Il n'y avait aucun doute, c'était écrit en toutes lettres et, bien
pis, l'auteur de ce texte désarmant passait pour être le découvreur
incontestable des profondeurs psychiques de l'Homme!

1101.　Comble d'ironie, des femmes avaient entériné ce texte qui
me paraissait être le sommet de la boursouflure et qui aurait dû leur
servir de repoussoir dans leurs tentatives de sonder leurs propres
profondeurs... Au lieu de cela, elles avaient même professé cette
théorie outrageante pour leur propre sexe, théorie frauduleuse qui
falsifiait des données particulières pour pouvoir les ériger en système,
théorie qui, à première vue, n'était qu'une projection masculine du
sentiment de castration propre aux individus mâles de votre espèce.

1102.　Et je me disais que ce texte méritait d'être reproduit et affiché
partout, dans les endroits publics, sur les autobus, dans le métro, dans
les bureaux, dans chaque maison, afin que les femmes de cette planète
prennent conscience enfin du POINT DE VUE DE L'HOMME à
leur sujet, afin qu'elles soient convaincues de l'image méprisante
qu'elles projettent dans le regard de l'Homme et que l'Homme leur
renvoie sous toutes sortes de formes, afin qu'elles sachent enfin à quel
point les Ψ les trompent et les tiennent pour des ersatz de l'Homme.

　　　　Quand elles comprendront cela parfaitement, me disais-je,
aucune de leurs filles n'aura plus jamais besoin de se faire Ψ chanalyser.

　　　　*Pas une femme sur la Terre ne devrait ignorer le discours
psychanalytique de l'Homme sur elles-mêmes.*

1103.　Mais il y avait cette difficulté dont j'ai parlé, dit l'Euguélionne:
quelle femme ordinaire, non-initiée, pouvait comprendre la portée de
ce texte, pouvait en interpréter le sens avec justesse, pouvait comprendre ce que St Siegfried voulait dire par l'expression: « blessure
narcissique »?

　　　　À moi, cette expression me semblait paradoxale. Je ne comprenais pas. Il me paraissait que les termes mêmes étaient incompatibles. C'était une antinomie pure et simple. Ce qui était narcissique
n'était-il pas, par définition, gratifiant pour la personne qui l'éprouvait?
Comment une blessure pouvait-elle être narcissique?

　　　　Et quelle blessure? Je n'en voyais aucune chez la terrienne
normalement constituée qui n'avait pas subi de traumatisme physique.

　　　　Et de quelle cicatrice s'agissait-il? *Les grands blessés de l'histoire Humaine n'étaient-ils pas des Hommes?* Ceux-ci n'avaient-ils pas
inventé la guerre et les soldats et les initiations sanglantes dans le but
inavoué de souffrir à leur tour de cette « blessure narcissique » dont ils
croyaient la femme affligée?

LES CAHIERS D'ANCYL

1104.   Afin d'approfondir cette question épineuse, dit l'Euguélionne, j'eus recours aux lumières d'Ancyl qui s'était fait Ψ chanalyser. C'est dans ce but que je l'ai rencontrée plus d'une fois.

L'essentiel de nos conversations, je l'ai consigné soigneusement dans des cahiers que j'ai déposés en un endroit où, sur votre planète, sont gardés tous vos « mots en conserve ».*

1105.   Au cours de ces conversations, dit l'Euguélionne, Ancyl me parla longuement de *son point de vue à elle*, envers et contre « le point de vue de l'Homme ».

1106.   J'ai trouvé le point de vue d'Ancyl très intéressant. Par exemple, ce « point de vue » m'éclaira sur ce qu'avait été pour Ancyl la véritable *blessure narcissique* laquelle s'avéra être tout à fait différente de celle que St Siegfried crut décerner chez les femmes.

1107.   Ancyl me fit aussi un tableau à la fois drôle et navrant d'une espèce d'objets volants fort bien identifiés qu'elle appelle *les phallus ambulants* et qui semblent être le dada de St Jacques Linquant.

1108.   J'eus droit un peu plus tard à un discours très fouillé sur ce qu'Ancyl nomme *le complexe des Dupes* et qui m'apparut comme la critique des deux grands principes Ψ toujours actuels qui ratatinent les femmes à leur plus simple expression à la façon des réducteurs de tête: il s'agit évidemment de l'« envie du pénis » et du « primat du phallus » qu'Ancyl considère comme de graves impostures. C'est en écoutant ce pur réquisitoire que j'ai compris pourquoi l'Homme — et ce n'est vraiment pas de sa faute — se sent menacé par les femmes qui s'affirment comme des êtres autonomes et libres.

1109.   Enfin, Ancyl m'expliqua comment, en Phallocratie, le Nom-du-Père représente la loi du plus fort. Elle termina en exaltant « l'éclatante gynilité » après avoir démontré une chose surprenante, à savoir que « le féminisme est un humanisme ».

Mais avant de me quitter, Ancyl me confia ceci:

1110.   — Les Ψ orthodoxes font beaucoup de tort aux femmes, dit-elle. Et pourtant, c'est grâce à l'un d'eux si je suis encore vivante.

Je suis arrivée dans son cabinet et je me suis effondrée en un petit tas mouillé par terre. Il m'a ramassée malgré sa répugnance, il m'a étendue sur un divan, il m'a fait sécher et il a attendu que je prenne forme.

Mais à chaque fois que je me retrouvais là, trois années durant, j'étais un petit tas mouillé par terre qu'on ramassait, qu'on mettait à sécher sur un divan et qu'on aidait à prendre forme.

---

* *LES CAHIERS D'ANCYL, Dialogues avec L'Euguélionne,* ouvrage inédit.

À la fin, à la toute fin, je n'étais plus par terre, j'étais encore humide mais j'avais pris une certaine forme.

1111.   Ils appellent cela la vie! Ils m'ont rendue à la vie, c'est certain, mais ils m'ont confisqué la joie que je voyais suinter de la vie.

Pas de joie pour toi qui es le non-être, qui es la négation du Pénis, qui es le Manque, qui es la castration.

1112.   C'est pour cela que la colère m'a prise et que j'ai fait sauter leur cabinet avec leur divan et leur fauteuil.

1113.   Ils ont occulté mon étoile de première grandeur, ils ont occulté mes rayons de lumière en un faisceau étroit, mesquin, bouché, de forme phallique, *étrangère à ma nature.*

Et mes rayons ne rayonnaient plus et ma lumière n'éblouissait plus et j'étais condamnée à vivre à l'ombre du faisceau où ma propre lumière était emprisonnée.

1114.   Je me suis souvent demandé, dit Ancyl, si cette confiscation n'était pas une habile tactique Ψ pour nous forcer à reprendre en main notre étoile!

LXIV

LA MARCHE À L'ÉTOILE

Ma rencontre avec Ancyl, dit l'Euguélionne, m'a éclairée beaucoup sur le comportement Humain des deux sexes et m'a inspiré quelques réflexions sur ce passionnant sujet.

1115.   Si j'en juge par le culte phallique qui est co-pieusement à l'honneur sur toute la surface de votre petit globe, je dois en conclure que vous marchez tous vers une étoile plus grande que nature!

Et il ne s'agit pas de l'étoile d'Ancyl!

1116.   À ce propos, et à la lumière des déboires de la loi Ψ, à la lumière aussi du point de vue d'Ancyl, on peut se demander ce que c'est au juste que le *primat du phallus* et sur quoi St Siegfried s'est appuyé pour le proclamer. Il semble que St Siegfried se soit appuyé sur sa conviction que l'organe par quoi la fillette connaît la jouissance masturbatoire — le clitoris — est un pénis en réduction et que, par conséquent, cette activité est phallique. Prouvant par là que la libido est d'essence mâle, St Siegfried donnait au Phallus ses lettres de noblesse!

1117.   Mais si nous admettons que le clitoris est un clitoris et non un pénis; que, étant donné ses proportions et sa position non privilégiée dans la vulve (en effet, il est relié si étroitement aux nymphes qu'il semble former un tout indissoluble avec elles), il n'est jamais perçu comme un pénis, ni par la fillette, ni par la femme adulte; si nous admettons que le clitoris est un organe femelle exclusivement et que, par conséquent, l'activité masturbatoire clitoridienne est d'essence clitoridienne et non phallique (activité d'ailleurs où tous les organes de la vulve sont impliqués et non seulement le clitoris), nous prouvons du même coup que la libido féminine est d'essence féminine et il n'y a pas de raison pour que le Phallus soit considéré comme le Primat de la sexualité.

Bien plus, étant donné que le pénis est un clitoris hypertrophié — si l'on en croit les sciences embryologiques — vous seriez en droit, femmes de la Terre, de proclamer, à la manière enflée de St Siegfried, le *Primat du Clitoris!* Mais j'ai cru comprendre que de telles proclamations ne vous intéressent pas particulièrement.

Il vous suffit de savoir que votre libido vous est propre et n'emprunte rien à l'autre sexe.

1118. Vous sentez d'ailleurs combien est ridicule et prétentieuse cette idée qu'un sexe aurait le monopole de la sexualité!

1119. On peut alors se demander sérieusement pourquoi la puissance a-t-elle toujours été exclusivement attribuée au phallus, au point qu'a pu naître dans l'imagination masculine débordante cette drôle d'idée que la femme de cette planète poursuivrait tout au long de son existence sa « triste quête phallique »... Même si nous en avons trouvé une explication dans le fait que le mâle est frustré de ne pouvoir enfanter, cela me paraît encore très étrange, dit l'Euguélionne, non seulement que cette idée ait pu exister, mais qu'elle fasse encore carrière aujourd'hui.

1120. Impuissante, la femme de cette planète? Ne faut-il pas une puissance énorme pour déclencher dans sa chair et à travers ses os une brèche assez grande pour laisser passer à travers soi un être semblable à soi, après croissance en soi de l'infiniment petit cellulaire jusqu'à la taille d'un bébé? Cette super performance ne se compare-t-elle pas avantageusement avec la croissance du pénis et l'expulsion des spermatozoïdes?

Car si le volume de l'ovule est 85 000 fois supérieur à celui du spermatozoïde, que dire du volume de l'enfant nouveau-né comparativement au volume du sperme qui a été expulsé pour le produire?

1121. Pourquoi la loi Ψ prétend-elle justement le contraire, à savoir que c'est l'enfantement qui est une imitation de l'érection et de l'éjaculation et l'enfant qui est une imitation du pénis?

N'est-ce pas un raisonnement inattendu et assez comique?

Je suis d'accord pour trouver odieux ce genre de comparaisons et d'étalonnage mais comment il se fait que les Ψ qui ont été les premiers à comparer et à calculer les sexes selon la règle phallique, soient encore si écoutés et nullement contestés sur ce sujet sauf par les groupes féministes et par quelques scientifiques courageux, pionniers en la matière?

Personne ne niera qu'il faut une bonne dose de puissance virile à un Homme pour accomplir l'acte sexuel, mais pourquoi les puissances sexuelle et génitale seraient-elles exclusives au sexe mâle?

1122.   Où se trouve donc cette exclusivité? Depuis quand les immeubles et les gratte-ciel, œuvres des Hommes, ont-ils le pouvoir de se reproduire? Depuis quand ont-ils le pouvoir de se multiplier en des milliards de cellules?

Un seul être Humain, œuvre de femme, est composé de 10 000 milliards de cellules. Un seul globule blanc de cet être Humain est composé d'un milliard de molécules.

1123.   Où est-elle donc cette *exclusivité phallique de la puissance* à laquelle on essaie encore de vous faire croire, femmes de la Terre? Dans la volonté du mâle?

Allons, allons, un peu d'humilité, messieurs les partisans Ψ de cette exclusivité. Il n'y a pas plus de volonté qui intervienne directement dans ces phénomènes virils d'érection et d'éjaculation qu'il n'y en a dans ceux de la croissance de l'embryon et de l'accouchement, et vous le savez mieux que quiconque.

Physiologiquement, chacun des deux sexes est capable de faire un certain nombre de choses et il n'y a aucun mérite personnel à ce que cela soit, de part ou d'autre.

1124.   Peut-être pensez-vous que cette exclusivité phallique de la puissance est attachée à l'érection, manifestation la plus évidente de la puissance virile?

Et alors, qu'est-ce que l'érection, dit l'Euguélionne? Elle se produit quand les corps *caverneux* de la verge se gorgent de sang comme des éponges et se durcissent. Elle est spectaculaire et c'est à elle seule qu'on n'ait jamais accordé de l'importance.

1125.   Mais comment appelle-t-on la manifestation du désir sexuel chez la femme? Heu! On ne l'appelle pas, dites-vous! Et pourtant, elle existe!

Comme chez l'Homme, il y a congestion de vaisseaux sanguins et érection. Il y a turgescence au niveau des lèvres et du vagin, érection du clitoris et des mamelons, gonflement des seins, lubrification des parties vaginales, coloration de la vulve, accroissement de la tension musculaire, augmentation de la pression sanguine: telles sont les « réactions sexuelles » féminines observées scientifiquement en laboratoire terrestre alors que les sujets étaient en état d'excitation.* Faut-il souligner que ces observations datent déjà de quelques années et que, malgré cela, les opinions n'ont guère changé au sujet de l'exclusivité phallique de la puissance…

Si les phénomènes sont plus discrets chez la femme que chez l'homme, si ses « réactions sexuelles » sont moins visibles, par contre, elles sont beaucoup plus variées et plus intenses, car la femme possède plus de tissus sexuels que son compagnon. Mais qui sait cela?

1126.   *Toutes ces manifestations du désir sexuel de la femme n'ont*

---

*Cf. *Les Réactions sexuelles*, de William Masters et Virginia Johnson.

reçu aucun nom, dit l'Euguélionne, car, quand on a dit « érection » du mâle, on a tout dit!

1127.   La femme est la non-nommée, la non-identifiée, jusque dans sa puissance sexuelle. Et c'est pourquoi cette puissance est niée, même quand elle est démontrée de façon incontestable.

1128.   Et alors quoi? Cette puissance exclusive du mâle résiderait dans l'orgasme? Dans son intensité? Dans sa fréquence? Je crois bien que, à ce point de vue, l'Homme même très puissant ne peut soutenir de comparaison avec sa partenaire dont les capacités en ce domaine ne sont plus heureusement à démontrer.

Et si, au premier abord, l'orgasme féminin semble plus long à atteindre que celui de l'Homme, qui sait, c'est peut-être qu'il demande plus d'énergie?

1129.   Car l'orgasme féminin ne s'obtient pas passivement, contrairement à ce qu'enseignent les partisans Ψ de la passivité féminine. Il faut que la femme y mette du sien pour l'avoir, tout autant que l'Homme...

On sait que cet orgasme peut être multiple et durer plus longtemps que celui de l'Homme. De plus, n'étant pas lié à la reproduction, comme l'est celui de l'Homme, l'orgasme féminin permet à la femme d'en avoir autant qu'elle veut... N'est-ce pas un multiple scandale qu'une puissance pareille, ô St Siegfried?

1130.   Quand on pense à l'existence historique des harems sur cette planète, au droit qu'ont toujours eu les Hommes d'avoir plusieurs femmes sans que la réciproque ait jamais été admise vraiment dans vos sociétés, quand on pense à l'âge tendre qu'ont les maîtresses des Hommes mûrs et même des vieillards sans que la réciproque ait jamais eu lieu sans scandale, surtout quand on sait que la puissance sexuelle de la femme est en progression constante au cours des années tandis que celle de l'Homme décroît dans le même temps, on ne peut s'empêcher de crier à la face de ce monde étrange et cruel: « Quel gâchis! Quel gâchis! Quel gâchis! » Et de formuler ce souhait: « Aux femmes mûres de cette planète les jeunes amants de toute constellation! »

LXV

DE LA PASSIVITÉ DES BOUTONNIÈRES

1131.   Il y a autre chose que je voudrais savoir, dit l'Euguélionne, et qu'Ancyl ne m'a guère expliqué: pourquoi, sur votre planète, parle-t-on toujours de *pôle masculin actif* et de *pôle féminin passif* et dit-on que le premier serait synonyme d'extériorisation et le second d'intériorisation?

1132.   Comment se fait-il que le mâle, qui n'accouche pas et dont la puissance orgasmique est limitée, se soit donné le monopole de l'adjectif « actif »?

1133.   Y a-t-il cependant au monde quelque chose de plus extériorisé et de plus extériorisant que l'expulsion d'un enfant?

Y a-t-il quelque chose au monde qui demande plus d'énergie et de puissance active?

1134.   Les Hommes ne sont-ils pas d'une passivité exemplaire tout le temps de la grossesse? Et que dire de leur passivité au moment de l'accouchement? Pendant l'accomplissement de ces « mystères » si importants, c'est le corps de la femme qui est intérieurement et extérieurement actif, alors qu'on ne peut pas dire que leur corps à eux, leur corps masculin, y ait la moindre participation.

Il n'est pas question de le leur reprocher, mais pourquoi ont-ils monopolisé le pôle actif de l'existence?

1135.   Je me demande, dit l'Euguélionne, si c'est avec son pôle masculin actif que la femme a des orgasmes, fabrique des enfants, les met au monde, les élève, les nourrit, vaque aux soins domestiques, respire, se meut, mange, marche, et fait la cuisine pour son Homme? Par quel prodige réussit-elle à vivre sa vie, à accomplir toutes ces activités parfois même tout en gagnant le pain de la maisonnée, elle qui n'est que le pôle passif de l'Humanité!

1136.   Ils sont étranges vraiment avec leur *bipolarité*.

Avec St Siegfried, cette bipolarité était en séparation de corps: tout le pôle actif était situé dans la mâle constitution physique et psychique, alors que tout le pôle passif était l'apanage de cette triste et amorphe femelle de l'Homme.

Puis, quelques penseurs mieux avertis, un peu électriciens sur les bords, rectifièrent la dite polarité: l'être Humain étant bisexuel, chaqun des deux pôles se trouve réuni dans chaque personne quel que soit son sexe, mais attention: le pôle actif de chacune de ces personnes est masculin tandis que leur pôle passif — qu'ils doivent accepter en toute humilité — est féminin comme il se doit! Drôle de coïncidence: les bons vieux Chinois appellent ça le *yin* et le *yang!*

C'est très joli cette distinction, très oriental et surtout très gratifiant si on est un mâle, mais cela n'avance pas à grand-chose! Les femmes se trouvent toujours du côté de la passivité, même si en elles bouillonne un soi-disant pôle-masculin-actif! Je trouve que ceux qui ont décrété cela ont bien de la chance d'être ainsi dans le secret du moteur électrique des femmes!...

1137.   Pour ma part, dit l'Euguélionne, *j'ai toujours pensé que c'était le féminin de ma personne qui était actif et que le masculin en moi était passif et latent...* Ce n'est sûrement pas mon « côté-masculin-actif » qui fait agir mes hormones femelles!

1138.   À ce sujet, il me revient qu'un auteur Ψ parlait du « rôle passif des boutonnières /» comme symbole du rôle féminin!* Décidément, ils y tiennent, me suis-je dit alors, et où ne vont-ils pas chercher leurs comparaisons! D'autant plus que, si on y regarde de près, c'est la boutonnière qui est mobile et que l'on fait passer autour du bouton lequel est bien fixé, lui, au vêtement! Ce qui montre à quel point ces exemples frisent la stupidité. Cela m'a bien fait rire sur le coup, car il me souvenait avoir lu justement, dans un ouvrage de linguistique, que les mots en « ière » comme poudrière et cafetière indiquent l'activité et les mots en « ier » comme poudrier et cendrier indiquent l'immobilité, la passivité.* *

Je n'ose penser à quelle extrapolation acrobatique se fût laissé aller notre auteur Ψ si les boutons se fabriquaient dans l'acier ou l'osier!

1139.   C'est comme le fameux exemple tant rebattu des prises de courant mâles et femelles: les premières voyagent, les secondes restent au logis! N'est-ce pas la preuve que le féminin est passif, etc.! Preuve sérieuse s'il en fût!

— Mais qui fait circuler le « jus », qui « possède » l'électricité, qui détient l'énergie, pourrait dire la prise femelle en mal de discussion oiseuse.

Et de faire intervenir le petit Larousse à sa rescousse: « ...Le développement de ces charges électriques est dû au fait que les atomes sont formés d'un noyau central électrisé positivement, entouré d'électrons, corpuscules chargés d'électricité négative. » N'est-ce pas là, dirait notre petite prise femelle, la parfaite image de l'ovule entouré de spermatozoïdes...

1140.   Il n'y a pas un Ψ qui n'arrêterait pas ici avec hauteur le discours de notre petite prise femelle: « Votre *anthropomorphisme* de mauvais aloi ne vous mènera nulle part! » lui dirait-il s'il est un Ψ digne de ce nom. « Surtout dans un domaine aussi asexué que la science », ajouterait-il sévèrement...

Quoi qu'en dise notre docte Ψ, il est remarquable de constater à quel point les écrits Ψ de la ligne orthodoxe, même les écrits les plus récents, sont imprégnés du Phallus comme étant le symbole unique de l'activité Humaine: ils sont un peu, comme qui dirait, « en imprégnation spermatique »!

L'opposition fallacieuse *masculin-actif* et *féminin-passif* a encore l'adhésion de la plupart des auteurs: quand ce n'est pas écrit noir sur blanc, c'est inscrit en filigrane ou c'est illustré à la manière des « boutonnières » dont on a déjà évoqué le petit côté féminin passif...

---

*Cf. *Nouvelle revue de psychanalyse*, vol. 7, printemps 1973.
* *Knud Togeby, in *Structure immanente de la langue française*.

LXVI

LES « *ARTEMIA SALINA* »

1141.　L'agitation n'est pas l'activité, dit l'Euguélionne. Il y a des insectes qui s'agitent à la surface de vos lacs le soir, en été, à une vitesse incroyable. Ils font des sillons moirés sur l'étendue liquide, mais, de ces innombrables sillons, rien ne reste dès qu'ils ont quitté leur patinoire. Par rapport à la libellule qui traverse l'air calmement au-dessus de l'eau, ces insectes semblent incroyablement actifs. Mais personne ne dira qu'ils le sont. Agités oui. Actifs non.

Récemment, j'ai vu éclore une quantité incroyable d'*Artemia Salina* invisibles à l'œil nu, dit l'Euguélionne. Avec une lentille grossissante, on peut très bien les voir s'« agiter » dans l'eau. Si j'étais anthropomorphiste, je dirais qu'ils me font penser à ce qu'on dit des spermatozoïdes. Ils bougent sans cesse. Mais peut-on dire qu'ils sont plus « actifs » que l'enfant qui vient de naître? Sont-ils plus vivants, plus énergiques? Personne ne peut avancer une telle théorie bien que le bébé naissant ne bouge presque pas à comparer aux *Artemia Salina*.

Les agitements des infiniment petits ne peuvent faire oublier la course des infiniment grands, dit l'Euguélionne!

Il me vient à l'esprit une autre équation qui serait plus favorable au féminin, celle-là, que la classique équation qui le rend passif et négatif et c'est celui-ci: *féminin = qualité,* et *masculin = quantité*... Mais vous pensez bien que je ne souscris pas plus à cette dernière équation qu'à la première!

1142.　Et pourtant, regardez comment sont les mâles Humains de cette planète: l'activité sexuelle de leurs compagnes se produisant sur un autre mode que la leur, ils en concluent que leurs compagnes sont passives. Il n'en faut pas plus pour que les Ψ nous apprennent que « la féminité s'acquiert par la passivité »! Est-ce assez déraisonnable! Quand donc ces pauvres Hommes apprendront-ils que ce qui est AUTRE pour eux, est le MÊME pour la moitié de l'univers!

On se base sur le rôle actif du pénis dans le coït pour affirmer que la féminité est passive. Mais c'est à tort, on l'a déjà vu, car, physiologiquement, la chair de la femme est active durant l'union sexuelle, mais cela est moins apparent. Aucun Homme doué d'un minimum d'intelligence n'osera cependant jamais prétendre que ce qui ne se voit pas n'existe pas...

J'ai déjà lu dans un dictionnaire spécialisé quelque chose de très intelligent à ce sujet, bien que ce fût un dictionnaire Ψ. Eh oui, toujours les dictionnaires, on n'en sort pas, c'est beaucoup trop instructif! Du moins, en ce qui me concerne.

1143.　« ...les formulations en termes de rôle actif et passif laissent supposer que les relations sont des *collisions* plutôt que des *interactions* et confondent l'activité avec l'instauration de l'action et la passivité avec la possibilité de réponse et la réceptivité. »*

Et c'est moi, l'Euguélionne, qui souligne ces deux mots de « collisions » et d'« interactions », dont l'un exprime si bien toute la contradiction Humaine et dont l'autre propose une solution à tous ces conflits.

1144.   Et pourquoi y a-t-il « collision », pourquoi y a-t-il conflit, puisque tenon et mortaise s'entendent si bien, ou plutôt, sont si bien faits pour s'entendre. Que viennent faire ici les fauteurs de troubles qui veulent absolument démontrer que l'un est actif et l'autre passif comme si c'était là leur enjeu!

Est-ce qu'on dit que la bouche est passive? Est-ce que ce sont les aliments qui « prennent possession » de la bouche ou est-ce la bouche qui se les incorpore?

Est-ce le tenon qui entre dans la mortaise ou la mortaise qui s'empare du tenon?

1145.   Il faut donc renverser les termes des équations qui, pour moi, sont inadéquates et qui se sont toujours formulées ainsi:

$$masculin = actif \& positif$$

et

$$féminin = passif \& négatif$$

et les remplacer par les équations suivantes que l'on pourrait formuler ainsi:

chez la femme: pôle féminin = *actif & positif*
                     pôle masculin = *passif & négatif*

chez l'Homme: pôle masculin = *actif & positif*
                   pôle féminin = *passif & négatif*

1146.   Et à partir de là, vos filles ne seront plus muettes, dit l'Euguélionne! Elles aimeront ces nouvelles équations. Elles marcheront vers leur propre étoile et non vers un Obélisque mort en béton armé. Elles comprendront ce que ce mot *femme* signifie.

LXVII

LA SURFACE ET LA PROFONDEUR

1147.   Elles sauront que ce qui s'appelle « femme », que ce qui s'épèle au féminin singulier actif, est une parfaite synthèse spatio-temporelle de l'énergie créatrice et de son long cheminement, l'expression vivante de « cet équilibre extraordinairement difficile à maintenir entre la

---

*Charles Rycroft, in op. cit.

surface et la profondeur » qu'un de vos grands savants atomistes* qualifiait de « phénomène nouveau dans la situation des hommes du XXe siècle ».

Et pourtant, ce n'est pas un phénomène nouveau, dit l'Euguélionne. Depuis toujours la femme de cette planète réalise cet équilibre qui est aussi une épreuve d'endurance inaccessible à vos meilleurs sportifs. Car, en dix lunes elle « gestationne » au plus profond d'elle-même et, en quelques heures seulement, elle projette à la surface de l'univers un être nouveau, un peu comme la rampe de lancement d'une fusée interplanétaire.

1148. « C'est en cela qu'elle est phallique », disent bizarrement les réactionnaires à sa libération, probablement parce que cette puissance les fait rêver et parfois enrager.

Ceux-là ne savent pas se contenter de leur propre puissance qui est grande cependant, mais ils la sous-estiment en enviant celle de la femme, et voudraient la leur exclusive en la surestimant. Ils voudraient que la puissance de la femme porte leur nom, comme au civil, et qu'ainsi, cette puissance ne lui appartienne pas.

1149. Votre puissance vous est propre, femmes de la Terre, elle n'a nul besoin d'être phallique pour exister et se manifester. Vous l'exprimez autrement, c'est tout.

D'ailleurs, ne trouvez-vous pas que la résistance de ces réactionnaires et leur entêtement à vouloir vous confiner dans un rôle sexuel négatif est très symptomatique d'un certain complexe typiquement masculin de castration... Comme si, d'admettre vos potentialités leur enlevait quelque chose...

1150. Votre protestation, femmes de la Terre, n'est ni virile, ni pseudo-virile, ni masculine. Elle est humaine. Elle est féminile, clitorile, clitorivagile, elle est utérile, elle est gynile. Elle prétend à l'humanité et au sexe féminin tel qu'il est, et non tel qu'on s'acharne encore à ce qu'il soit dans les tables de la loi Ψ, c'est-à-dire inexistant.

1151. Curieux, très curieux, dit l'Euguélionne. Avez-vous remarqué, femmes de la Terre, que St Siegfried et ses disciples ont tous été d'accord pour nier l'existence propre de votre sexe et qu'au moment où vous vous mettez à le revendiquer, tous, ils vous accusent de le renier au profit du phallus...

Comment peut-on renier ce qu'on n'a pas?

Comment peut-on renier ce qu'on revendique?

Voilà les questions élémentaires que vous devez leur poser, il me semble, car leur accusation constitue la preuve lumineuse qu'il n'existe qu'un seul sexe dans leur esprit.

C'est la preuve aussi qu'ils ne comprennent pas que vous luttez, non pour leur ressembler, mais pour briser cette statue grotesque du

---

Oppenheimer.

Phallus qui fait pendant à une autre statue non moins désuète et grotesque appelée *l'Éternel Féminin.*

Il faut répudier le Phallus Monumental, dit l'Euguélionne, si l'on veut pouvoir accueillir le pénis de chair avec cette joie extraordinaire qu'il peut procurer.

Car, on les entend dire encore que c'est le Phallus symbolique qui vous manque, que vous leur enviez...

1152.   Voilà de quoi vous étonner profondément, dit l'Euguélionne. Car, comment pouvez-vous envier le symbole de la prétention sans bornes, le symbole de la boursouflure, le symbole de la cruauté et de l'hermétisme masculins. Je ne parle pas du pénis, bien entendu, qui est gonflé de chair et de sang. Je parle de son symbole outrancier qui est aussi le symbole du Pouvoir et de l'Argent.

LXVIII

LA NATURE DU PRINCE

1153.   Il faut se méfier des symboles, dit l'Euguélionne, et ne pas les confondre avec la réalité.

Ne dirait-on pas une vérité bien policée?

Et pourtant, qui aujourd'hui se méfie de cette arme à deux tranchants? Pour parler un langage à la mode, disons qu'en tout symbole se meut une dialectique qui choque et dont les termes s'entrechoquent...

Toute symbolisation, ajouterons-nous, est une dangereuse simplification des phénomènes complexes, dans la mesure où on en arrive à la prendre pour ce qu'elle veut symboliser.

C'est le terrain rêvé des mythologies où n'apparaît qu'une face du symbolisé multiple.

1154.   Regardez les sciences occultes. Oui, je sais, cette appellation est un fourre-tout où l'on trouve le pire et le meilleur. Mais même le meilleur est suspect à mes yeux. Ésotérisme, religions orientales, astrologie babylonnienne, toutes ces connaissances sont très anciennes. N'ont-elles pas été conçues alors qu'on tenait la femme pour inférieure? Alors qu'on ignorait tout des sciences biologiques et de la génétique modernes?

Encore aujourd'hui, je crois savoir que le thème astral d'une personne se construit sur les conjonctures du Soleil et de Mars, si c'est un Homme, et sur celles de la Lune et de Vénus si c'est une femme. Peut-on accorder quelque crédit à de telles élucubrations?

Il suffit que l'on fasse du soleil un symbole masculin pour que tous les Hommes sans exception se prennent pour le Soleil!

1155.   On pourrait parler longuement de *la maladie du symbole*. Et comment peut être écrasant pour la femme le puissant symbolisme d'origine masculine! Celui-ci n'est, le plus souvent, que de l'andromorphisme simplet dont chaque symbole peut être retourné comme un gant ou donner lieu à une facile et amusante surenchère.

1156.   Ainsi, dans la symbolique sexuelle de la loi Ψ, les chanalystes et les chologues considèrent en général que tout ce qui a une forme est masculin et tout ce qui n'en a pas est féminin, bien que, en général, les formes féminines soient généralement plus accentuées et abondantes que les formes masculines.

De ces spécieuses prémices, ils en arrivent à regarder la femme comme le négatif d'où l'on tire de multiples exemplaires positifs de formes diverses.

1157.   Ils ont, de l'utérus, la vision naïve et archaïque d'un organe où serait inscrite *en creux* la forme détaillée du fœtus, comme dans un moule en plâtre ou en plastique. Voilà une des raisons de leur vision négative de la femme, imitant en cela les philosophes de l'Antiquité. Ce n'est pas pour rien que le mot *matrice* sert à désigner les moules en tous genres ayant reçu une empreinte quelconque.

Bien sûr, l'empreinte en question, quand il s'agit de la femme, c'est l'Homme qui la lui donne. Peut-être l'ignoriez-vous, mais c'est là l'action principale du pénis lors du coït, à savoir l'inscription *en creux*, dans l'utérus, de son *alter ego* lequel, en se formant, prendra le relief voulu et deviendra une copie positive de l'Homme.

Suivant la bonne tradition de ces bons apôtres — qui se font fort d'interpréter les rêves et les dessins d'enfants ou de schizophrènes suivant un code bien précis — seul compte ce qui a du relief ici-bas et tout ce qui a du relief ici-bas est phallique, depuis le nez jusqu'aux membres et jusqu'au corps Humain lui-même — les seins y compris — et depuis l'arbre jusqu'à la flèche de la cathédrale, en passant par le soleil et même par les chiffres!

En effet, j'ai déjà lu quelque part que, si le chiffre 7 est un nombre « faste », c'est parce qu'il symbolise les membres du corps masculin! Voyez-vous ça! Le pénis n'est pas un organe, mais le septième membre de tout corps Humain qui se respecte! Quant au nombre 6, il est « néfaste », vous saisissez pourquoi…

Voilà des symboles très courants dans les sciences ésotériques justement, qui ne sont peut-être pas interprétés ainsi par les initiés, mais qu'ont repris à leur compte des Ψ très sérieux dans le but de leur donner une signification sexuelle.* Et comme seuls comptent les membres dans la mythologie Ψ, les membres des femmes passent pour des choses empruntées et leurs organes pour des choses abjectes.

1158.   Voilà pourquoi ils trouvent le clitoris suspect ainsi que divers

---

Groddeck, par exemple.

détails de l'anatomie féminine comme le nez s'il est trop long ou les pieds s'ils sont trop grands ou les seins s'ils sont trop agressifs.

Femmes de la Terre, dit l'Euguélionne, vous l'ignoriez encore, mais votre petit doigt est phallique! Pouce! Du reste, votre poitrine est phallique, votre corps entier l'est, vous vous êtes manifestées sur la Terre sous de fausses représentations. Vous êtes hors-jeu d'emblée car vous êtes de sacrées tricheuses!

1159. Vous me direz que, selon vous, ce n'est pas le corps Humain qui a une forme phallique, ce serait plutôt l'inverse.

1160. Vous me direz aussi que, selon vous, *l'arbre* peut tout aussi bien symboliser la jambe, fût-elle féminine, ou un être Humain dans la position verticale, ou un ours dans la même position, ou un enfant en croissance... Si l'arbre est mâle, ajouterez-vous avec malice, que dire de son feuillage et de sa floraison? Ne serait-il plus alors qu'une tige démesurée, qu'un support à feuilles, à fleurs et à fruits? Et de quel sexe alors seraient les fruits, les feuilles et les fleurs?

Et cet arbre en question ne serait-il pas autre chose dans ces conditions qu'un accessoire de la Terre? Et elle-même, la Terre, « symbole féminin » par excellence de par tout ce qu'elle a de « souterrain » et d'immuable en apparence, ne serait-elle pas autre chose qu'un socle qui vous permet de vous tenir debout? Les obélisques et autres monuments monolithiques phallomorphiques ne sont-ils pas autre chose que des socles comme des troncs d'arbre?

LXIX

LE COMPLEXE D'HÉLIOS

1161. Quant au soleil, ce n'est pas par sa forme qu'il est phallique, ce cher vieux symbole, vous l'avez deviné. C'est par sa Puissance, par son Énergie! Or, avons-nous dit, il n'existe point de puissance hors le phallus, il n'existe point d'énergie hors ce démiurge à thuriféraires...

Puisque le soleil est puissant et énergique et doué d'une grande patience, puisqu'il éclaire et réchauffe, puisqu'il veille sur tous les enfants de la Terre de leur lever à leur coucher, le soleil est une image éminemment paternelle... Car, sans doute ne le saviez-vous pas, mais ce sont les pères ici-bas, je l'ai bien remarqué, qui ont l'énergie et la patience d'élever les enfants, quotidiennement, du matin au soir, heure après heure, minute après minute, qui leur accordent chaleur et affection, qui illuminent leur vie par leur présence bienfaisante, qui leur prodiguent les soins nécessaires à leur croissance de jeunes plantes avides d'eau, d'air et de lumière.

1162. J'aurais cru cependant, dit l'Euguélionne, j'aurais cru par moments que les pères ici-bas s'apparentaient plutôt à la nuit tombante, avaient plutôt tendance à apparaître en même temps que la lune et cultivaient de fortes propensions à éclipses totales ou partielles...

Je ne nie pas qu'il y ait beaucoup de pères qui se tuent littéralement pour faire vivre leur famille, mais cela passe souvent inaperçu au sein de la dite famille généralement ingrate où le *pater familias* ferait plutôt figure d'astre mort ou d'astre lointain, à des années-lumière de sa progéniture.

1163.   En réalité, le soleil peut être un symbole phallique si l'on considère qu'il se lève et se couche comme le pénis, si l'on considère que sa force est sans pareille, si l'on considère aussi que, sans lui, la Terre serait stérile.

Mais il peut être aussi un symbole maternel si l'on considère qu'il fait croître les plantes, les réchauffe et leur permet d'élaborer l'essentielle chlorophylle; il est féminin si l'on considère sa puissance de rayonnement, sa beauté sans pareille et sa forme ronde.

Mais les mythologies qui sont toutes essentiellement masculines et, bien sûr, la mystique de la loi Ψ, continuent à faire du soleil une image exclusivement paternelle.

1164.   N'est-ce pas amusant? Pour quelles raisons pensez-vous? Parce que les pères font la guerre? Parce qu'ils parlent fort? Le soleil, que je sache, — et je le connais bien — n'a jamais fait la guerre aux planètes, on ne l'a jamais entendu se mettre en colère. Bien au contraire, c'est quand il disparaît que la foudre vous tombe dessus!

1165.   Je parlais tout à l'heure, de la maladie du symbole. Elle mériterait parfois le nom de *symbolite aiguë!* Jugez-en vous-mêmes.

Mon amie Exil ayant pris un amant aveugle, le docteur Phipsi interpréta cette situation comme un désir, de la part de la jeune femme, de castrer les Hommes, afin de masquer sa propre castration! En fait, la cécité, pour la Ψ, est un symbole de castration comme d'ailleurs n'importe quelle infirmité physique. Dans un contexte onirique et jusqu'à un certain point, c'est une position défendable.

Mais je trouve, dit l'Euguélionne, que, dans le concret, de telles interprétations sont proprement scandaleuses car elles amènent le raisonnement à nier tout simplement le droit aux personnes handicapées d'être aimées.

Je me demande quelle aurait été l'interprétation du docteur Phipsi si l'handicapée eût été Exil? Peut-être aurait-il admiré son amant d'avoir ainsi dominé son angoisse de castration...

Toutes ces considérations sur le symbole, dit l'Euguélionne, me remettent en mémoire une anecdote que m'a racontée mon amie Ancyl.

1166.   Un jour, son fils, d'une dizaine d'années, lui dit: « Maman, j'ai trouvé quelque chose qui rend bien l'idée de... l'idée de... tu sais ce que je veux dire... Voilà: c'est le poste d'essence et la voiture. Le tuyau met de l'essence dans le trou de la voiture, tu comprends? — Oui, oui, je comprends, dit Ancyl. — Tu as remarqué, dit son fils, on dit LA voiture... Et l'essence, ça la fait marcher. Ça fait marcher son moteur. Enfin, continua l'enfant, ce serait plus simple de dire: le pénis met du sperme dans le vagin... — Pour faire marcher le moteur, demande sa mère en souriant? — Oui oui! dit l'enfant qui se met à rire.

— Tu vois, conclut Ancyl, mon fils a trouvé plus commode de laisser de côté le symbole pour aborder la réalité de front.

— C'est ça être un enfant, lui dis-je! Le symbole lui est nécessaire pour mettre de l'ordre dans le fouillis de ses idées et de ses impressions, mais c'est la réalité qui l'emballe le plus et il la préférera toujours au symbole, même si celui-ci le met en joie.

LXX

LE TENON ET LA MORTAISE

1167.   Les Φ et les Ψ de tout acabit, bien que n'étant ni architectes ni menuisiers, ont eu, de tout temps, l'esprit braqué sur ce double phénomène physique qui veut que ce qui est concave n'est pas convexe et vice versa.

Toute une dialectique s'est fondée sur cette image fascinante du tenon et de la mortaise, image on ne peut mieux adaptée à la copulation mais obligatoirement restrictive aux organes sexuels.

Et pourtant, on a édifié là-dessus une fort édifiante théorie manichéiste de la différence de nature entre l'Homme et la femme, en d'autres termes, une philosophie passionnante *de la pointe et du trou* qu'a reprise St Siegfried avec passion.

1168.   Il serait bien surpris, ce cher St Siegfried, si on lui faisait remarquer qu'au bout de son tenon il y a une mortaise et qu'au bout de sa pointe il y a un trou!

Quand il disait dédaigneusement, à propos de « l'homme aux comédons »: *un trou est toujours un trou* en interprétant — presque malgré lui tant cela lui semblait invraisemblable de la part d'un Homme — ce geste de presser ses boutons comme un désir de se faire d'innombrables vagins dans la figure, je me demande jusqu'à quel point ces trous résultant d'une « éjaculation symbolique », n'étaient pas tout simplement des symboles de l'orifice du gland!   * Mais cette interprétation ne serait pas venue à l'esprit de St Siegfried pour qui le trou est essentiellement féminin.

1169.   Il faut bien entendre que le « trou » féminin existe idéalement, surréellement, sans support charnel. La femme, c'est le trou absolu.

---

*Voir, au sujet de « *l'homme aux comédons* », un commentaire de Gérard Mendel, in *La Révolte contre le père*.

C'est le Barathre des Grecs, c'est le trou mortel, c'est l'entrée des Enfers!

1170. « Si la femme est le trou, l'homme est le bouche-trou », disait récemment votre fameuse madame Tête qui anime si brillamment son *talk-show* quotidien d'une durée d'une heure. Elle fit cette boutade alors qu'elle interviewait le docteur Phipsi et elle ajouta: « Si l'homme est fait pour entrer, c'est que la femme est faite pour sortir! Qu'en dites-vous, cher docteur Ψ? »

Le docteur Phipsi et ses pareils sont farouchement accrochés à la théorie limitative du concave et du convexe. C'est comme s'ils voulaient ouvrir une querelle entre le contenant et le contenu, en oubliant que les seins sont deux, sont convexes et ont la propriété de contenir et de donner du lait.

1171. Quand on parle de la convexité des seins, certains Ψ se récrient comme s'ils voulaient les aplatir ou comme s'ils voyaient là une manifestation de « l'envie du pénis ». Malgré tous leurs efforts, rien ne pourra empêcher que les seins soient une projection de la chair vers le dehors, qu'ils croissent à l'adolescence, qu'ils giclent le lait, et qu'ils constituent la première impression sensorielle que reçoit l'enfant.

St Siegfried, qui a une prédilection marquée pour tout ce qui est convexe dont il a fait le symbolisme sexuel « noble », n'a jamais l'air de se rendre compte que les seins sont convexes et que la poitrine mâle est plate et que les Hommes (ô déchéance!) ont plein d'organes creux dans leur corps. Il n'a pas l'air de se rendre compte que le « *trou* » n'est pas typiquement féminin!

1172. Tous les organes des sens sont creux, y compris ceux du toucher qui occupent toute la surface de la peau laquelle est constituée d'une multitude de pores. Même le pénis, cet éminent Convexe, n'en serait pas un sans sa *cavité* urétrale.

1173. Ainsi, si l'on veut être fidèle à la théorie du docteur Phipsi et de ses pareils, il faudra admettre que tout ce qui est orifice, tout ce qui est intérieur, tout ce qui est concave, est féminin.

Et, à l'instar de tous les organes du corps Humain, le pénis lui-même est féminin, du moment qu'il a une ouverture au gland, du moment qu'il contient le canal de l'urètre, lequel canal est obligatoirement *façonné en creux,* et du moment que son érection est due à des corps caverneux dont il est composé!!! Et voilà où nous mène cette fumeuse théorie: même le pénis est un symbole féminin!

1174. Et en cherchant bien, on trouvera beaucoup de tenons et de mortaises dans le corps Humain des deux sexes. Et si tout ce qui est convexe est masculin, on dira, sans risque d'erreur, que les femmes sont masculines jusqu'au bout des doigts!

Ô Symboles!

Et si le soleil est mâle, la galaxie entière est femelle, et si la

soleille est une femme, le natur universel est un Homme. N'est-ce
pas un peu idiot?

Ô Paraboles!

On peut argumenter longtemps là-dessus et dire que non,
décidément, la mer n'est pas femelle, c'est l'océan qui est mâle. L'un
d'entre vous n'a-t-il pas parlé du « *monstrueux sperme Océan* »? Celui-
là ne lésinait jamais dans l'expression de sa propre boursouflure.

Ô Hyperboles!

1175.   Tout dépend donc des langues et des auteurs et des genres
que ceux-ci prêtent à leurs mythes personnels. Déjà, les genres en
grammaire et en linguistique sont symboliques et, par là, plus ou
moins tendancieux.

Mythes concaves ou mythes convexes. Mythes ronds ou
mythes allongés, ce sont toujours des mythes!

Comme tels, ils sont à transgresser, car aucun symbole ne peut
prétendre à la nébuleuse dignité de « vérité révélée », comme personne ne peut décréter ce qui est naturel et ce qui ne l'est pas.

LXXI

LA FEMME-PUZZLE

1176.   Car, qu'est-ce que la nature, dit l'Euguélionne? La nature est
en vous et vous êtes dans la nature. Rien de ce que vous faites ne
peut être contre nature. Tout ce que vous faites est naturel. Quelle
différence entre Pompéï et Hiroshima? Les catastrophes sont naturelles, même si elles sont le produit de l'Homme, car même l'Homme
catastrophique est naturel! Et c'est dans sa nature de détruire après
avoir construit au prix d'efforts surhumains. Et c'est dans sa nature de
ne pas comprendre qu'un tel comportement est stupide.

La nature est contradictoire, elle engendre les maladies et
produit les remèdes. Quand on dit qu'on rectifie la nature, qu'on la
modifie, qu'on l'assume ou qu'on la transcende, cela ne veut rien dire
en fin de compte, car tous ces actes sont parfaitement naturels.

1177.   Alors, vous savez, s'il y a une chose qui me fait rigoler doucement, c'est quand j'entends parler de la nature de la femme. Avez-vous
jamais entendu parler de la nature de l'Homme? Oh si, bien sûr, on
fait grand cas de *la nature du prince* dont chaque Homme se croit
investi à tel point que souvent il n'en revient pas!

En somme, la nature de l'Homme se résume à son pénis mais
comme il a pris cette partie de lui-même pour en faire son tout, on
peut dire sans se tromper, avec St Jacques Linquant, que le Phallus
c'est l'Homme. Ou, suivant l'expression d'Ancyl: TOTUS VIR IN FAL-
LOT. Et ça, c'est la partie pour le tout.

L'Homme ne dit-il pas qu'Il entre dans le corps de la femme alors que celle-ci serait bien en peine de le contenir tout entier! C'est pourquoi il a l'image mentale d'un immense trou béant quand il songe au vagin, alors qu'à l'état normal il n'y a même pas d'ouverture puisque les parois se touchent. Mais l'Homme a sa naissance en mémoire et il n'en démord pas...

1178. D'un autre côté, *la nature de la femme*, c'est tellement plus compliqué, même si St Siegfried a tenté de réduire cette nature à une matrice.

Car, à l'inverse de son compagnon, elle a pris son tout et en a fait mille parties diverses, de sorte qu'on peut dire sans se tromper — et sans l'assentiment de St Jacques Linquant qui croit, lui, que la Femme c'est le Phallus! — on peut donc dire que la femme est cheveux, elle est jambes, elle est seins, elle est utérus, elle est taille standard, elle est poids standard, elle est fesses, elle est cuisses, elle est sexe, même si l'on croit que ce sexe n'existe pas.

Et ça, c'est le tout pour la partie.

L'art, sur cette planète, la littérature, la publicité, les sciences Ψ et autres sciences « Humaines », s'amusent à diviser la femme en ses multiples parties, à la déchiqueter, à briser l'unité de l'être féminin d'une part, et, d'autre part, à centraliser l'être masculin en une seule de ses parties.

1179. On a réuni tous les morceaux épars de la femme en morceaux sous un seul vocable dit: l'Éternel Féminin. Bien que folklorique, ce vocable est encore très à la mode dans la mentalité des gens des deux sexes.

Au nom de cette sacro-sainte soi-disant nature, il est évident que LA femme ne peut pas être un INDIVIDU, puisqu'elle est morcelée pour la consommation, la reproduction et la servitude, toutes trois obligatoires; puisqu'elle est répartie ici et là en membres et en organes.

Non point individu puisque divisée, non point individu unique et identifiable mais catégorie sexuelle.

1180. La preuve: l'Homme, quand il est stupide, l'est en tant qu'individu, il n'engage pas par sa stupidité tous les mâles. La femme, quand elle est stupide, l'est parce qu'elle est une femme!

Non point individu, ai-je dit, mais catégorie. Et, à ce titre, exploitable jusqu'à la corde, au coton, jusqu'au trognon, au boutte!

Vous pouvez essayer de détruire ces morceaux, vous n'y arriverez pas. Vous pouvez cogner dessus, les écraser, les dévorer, les réduire en miettes, ils sont toujours là. Vous avez beau vous acharner sur les morceaux de la femme en morceaux, les morceaux ne veulent pas mourir. Mais ne vous avisez pas de « chercher la femme », vous ne la trouverez pas, seriez-vous le champion des casse-tête chinois.

1181. Au nom de cette sacro-sainte soi-disant nature, la majorité des actions Humaines lui sont interdites. Même si elles les « commet » presque toutes, il se trouve toujours quelque censeur diplômé, spécialiste en quelque chose et atteint de dermatose, pour le lui reprocher ou le lui concéder publiquement.

1182.   Je suis fatiguée, dit l'Euguélionne, de tous ces grands auteurs condescendants, Ψ chologues, démagogues et décalogues, qui pondent leur grand œuvre sur l'« essence de la femme » en vue d'une tardive réhabilitation. Non, elle n'est pas si démunie, non, elle n'est pas si bête, oui, elle *peut* aussi être active, « c'est son côté masculin », « certes, elle a autre chose », « l'absence du pénis, oui, certes, mais... » etc., etc. Est-ce là de la prétention pure et simple ou sont-ils vraiment dingues? « Elle nous est tellement supérieure par certains côtés. Mais elle ne peut pas être notre égale, c'est impossible... L'égalité n'existe pas, etc., etc. »

On a envie de leur dire: « Assez! C'est assez dérailler! »

1183.   Car, dans leur for intérieur, ils continuent de penser: « il n'est pas bon que la femme soit simplement, totalement Humaine. Elle est *autre chose!* En fait, elle est sub-Humaine, ou para Humaine, ou supra-Humaine, ou sur-Humaine *de nature* et doit le demeurer, dans son propre intérêt. Elle devrait même nous remercier, nous les Hommes, de nous servir d'elle pour perpétuer *notre* espèce, pour perpétuer notre précieuse espèce Humaine. »

1184.   Il y a une chose qui est certaine, dit l'Euguélionne. La nature avait tout donné aux femmes, la culture leur a tout repris!

Et la loi Ψ les a achevées.

LXXII

LA RIGOLADE

1185.   Vous ne le croyez pas, dit l'Euguélionne. Vous pensez que j'exagère parce que je ne suis pas de votre espèce et que, sur ma pla nète, les femelles ne sont pas de la même espèce que les mâles.

1186.   Ne vous êtes-vous jamais interrogées, femmes de la Terre, sur le parti pris de votre société de marquer d'un sceau humiliant vos fonctions les plus naturelles, et d'un sceau de supériorité les fonctions les plus naturelles des Hommes?

Toutes ces humiliations! Toutes ces choses simples et naturelles qu'on vous fait ressentir comme des choses humiliantes: votre miction, vos menstruations, votre grossesse, votre maternité, surtout si vous n'êtes pas mariées, votre célibat, votre virginité, vos examens gynécologiques, vos avortements, vos accouchements, votre contraception, votre ménopause, votre vieillissement. Même votre capacité de jouissance est moquée, déformée, votre façon de vous habiller, de vous déshabiller, de dormir, de manger, de marcher, de respirer, de penser.

1187.   Il n'y a pas un Homme sur cette Terre, fût-ce le plus compréhensif, qui puisse réellement vous comprendre, car aucun n'a subi ces humiliations au cours de sa vie.

Mais vous-mêmes, vous êtes tellement habituées à vous sentir humiliées que, non seulement vous n'y prêtez plus attention, mais vous êtes devenues incapables de comprendre celles, parmi vous, qui subissent une plus grande humiliation. N'êtes-vous pas les premières souvent à les dégrader davantage?

1188.   Vous ne prêtez même plus attention à vos propres humiliations. Le médecin se moque de vous dans son cabinet quand il refuse de vous écouter, quand il vous expédie en cinq sec, quand il traite vos maladies comme des maladies mentales ou imaginaires, quand il décide à votre place de votre fécondité ou de votre seuil de douleur.

1189.   Le psychologue se moque de vous quand il veut vous convaincre que votre unique ambition est de rivaliser avec l'Homme et que cette ambition est néfaste, que votre jalousie n'est pas fondée même quand vous êtes certaine du contraire, que vous *devez* tenir la maison de votre mari parce qu'il faut bien que ça se fasse et que c'est dans votre *nature* de le faire.

1190.   L'auteur-compositeur-interprète se moque de vous quand il vous chante que vous vous laissez aller, que vous devriez maigrir et vous maquiller, que votre seule vue le rend sage, que vous devriez redevenir la « petite fille » qu'il a connue, etc. Il se moque de vous d'abord parce que cet Homme-là n'aime pas les femmes mais les « petites filles » et il a envie de jouer à la poupée. Ensuite, il se moque royalement de vous car ce n'est pas parce que vous avez engraissé qu'il a cessé de vous regarder, c'est parce qu'il a cessé de vous regarder que vous vous êtes mise à engraisser.

1191.   Ils se moquent de vous aussi tous ces troubadours avec leurs chansons désarmantes, leurs chansons d'amour et d'amitié universelle où ils vous ouvrent toutes grandes les portes de leur maison, où ils invitent tout le monde à boire le coup de l'étrier, à fumer la denrée du septième ciel, à faire l'amour dans leurs draps, car, il ne vous disent pas qui balaiera le plancher, qui lavera les verres et les tasses, qui videra les cendriers et qui nettoiera les draps. Voyez-vous une chanson d'amour universel se terminer sur une note aussi triviale? Soyez certaines que chacun d'eux a, derrière la porte de son logis, une petite femme amoureuse ou une petite amie taillée sur mesure pour s'occuper de la fin inédite et prosaïque de la chanson d'amour...

1192.   Le sociologue se moque de vous quand il raconte que la libération sexuelle est arrivée. Rien n'est moins vrai puisque cette soi-disant révolution n'a libéré qu'une fraction de la population, fraction dont la majorité est masculine, comme il se doit. Très peu de vos pareilles y trouvent leur compte. La plupart d'entre vous, ou bien sont enchaînées au « foyer » avec des jeunes à garder, ou bien, travaillant à l'extérieur toute la journée, entreprennent en rentrant leur « seconde journée de travail ». Elles ont bien le temps celles-là de « s'envoyer en l'air » !

Quant aux toutes jeunes filles, croyez-vous que ce soit une libération pour elles que d'être forcées de coucher avec tous les garçons de leur classe sous peine de passer pour des gnochonnes aux yeux de ces jeunes tyrans?

Celles qui rigolent bien et qui se sentent « libérées sexuellement » sont les filles de vingt ans qui persuadent un Homme-marié-père-de-famille ayant exactement le double de leur âge à tout plaquer et à partir avec elles. Elles ont pour excuse d'avoir le droit elles aussi de « vivre leur vie ». Autant le droit en tout cas que le quadragénaire « libéré » qui se paye le luxe de leur jeunesse. Qui pourrait d'ailleurs blâmer celui-ci de vouloir vivre enfin? Y a-t-il une volonté plus légitime? Et peut-on dire qu'il vit ou a vécu avec celle dont le travail est à ce point *invisible* qu'elle ne représente plus pour son mari qu'une charge, au même titre qu'un assisté social à la société...

Une qui n'a pas le temps de rigoler et encore moins de « vivre sa vie » c'est celle qui reste à la maison avec les enfants, le loyer, les factures, la nourriture quotidienne et un emploi à trouver, avec, au cœur, une blessure quasi inguérissable. Et, sur ses seules épaules, le poids de la responsabilité civile des pseudo-orphelins, jusqu'à ce que ces gamins aient atteint leur majorité. D'ailleurs, elle a le sentiment que cette vie est, d'ores et déjà, un échec. Comment pourrait-elle penser qu'elle peut encore « la vivre »?

1193.   Vous me faites rigoler doucement, dit l'Euguélionne, avec votre liberté sexuelle. Sans compter que ceux qui en jouissent — et même ceux qui n'en jouissent pas car ils sont alors victimes de leur conjoint « libéré » — sont encore à la merci des infections et maladies dites vénériennes. Mais oui! Ô Vénus, priez pour eux! Exactement comme à l'ère des colonies et des péripatéticiennes du temps jadis. Est-ce assez comique! Vos sciences microbiologiques sont décidément très avancées pour votre époque! En somme, elles suivent le cours de vos législations!

Tant qu'il n'y aura pas de vaccin pour vaincre définitivement les « microbes de l'amour », l'amour sera-t-il vraiment libéré?

Petites femmes au foyer, trop occupées pour avoir des amants ou trop amoureuses de vos maris, interrogez-vous sur les activités de vos conjoints quand vous constatez que vos infections se répètent trop souvent. J'en connais une, comme c'est étrange, dont les infections incessantes cessèrent miraculeusement lors d'une absence prolongée de son mari... Il va sans dire que cette judicieuse recommandation s'adresse également aux « Hommes au foyer » — et même à ceux qui sont « au travail » — et qui sont trop occupés pour avoir des maîtresses...

« Bof, c'est la pilule qui cause les infections... » Tiens, tiens, comme c'est curieux… Quand son mari s'est absenté, la petite femme au foyer dont il vient d'être question n'a pourtant pas cessé de prendre « la pilule »… Comme c'est bizarre…

Mais tout cela n'est pas bien grave, me direz-vous, les femmes n'ont qu'à se soigner, c'est tellement facile de nos jours.

Bien sûr. Si vous voulez. Quant aux Hommes qui sont visités par d'amoureux microbes, comment cela est-il possible puisqu'ils ne prennent pas « la pilule »?

LXXIII

DEUX MOTS TENDANCIEUX

1194.   Ils sont sublimes! Ils sont protéiformes! Ils vous saisissent à la gorge, par derrière. Ils font appel à vos sentiments les plus nobles mais c'est pour mieux vous précipiter dans les erreurs les plus grossières.

Ce sont des traîtres. On devrait les bannir puisqu'ils sont incapables de se donner pour ce qu'ils sont. Ils ont emprunté à l'Olympe pour l'un et au Styx pour l'autre leurs oripeaux et leurs algues malsaines.

1195.   Ils sont tendancieux. Ils ont derrière eux tout un passé politique, militaire et domestique. Ils ont résisté aux guerres et aux révolutions. Ils sont toujours là, dans votre vie, à la place d'honneur, archaïques, dépassés, sur le point de disparaître et ne disparaissant pas, comme des membranes caduques de votre corps, mythiques et honorés des mythomanes, par habitude plus que par conviction.

1196.   Ainsi sont les mots: *virilité* et *féminité*, dit l'Euguélionne.

1197.   Je ne veux pas dire que ces mots n'ont pas leur valeur propre et qu'ils n'ont pas gagné leurs épaulettes en leur temps. Je veux dire que la valeur de chaque mot existe jusqu'à un certain degré et que, passé ce degré, ils ont *tendance* à vouloir dire autre chose, à englober d'autres idées, à globaliser, et donc, *à tromper*.

LXXIV

LE MOT ET LA CHOSE

1198.   Comment un garçon ne se sentirait-il pas supérieur et la fille inférieure simplement à lire le dictionnaire et en apprenant la grammaire?

J'ai déjà montré à quel point le mot HOMME était abusif

354

quand il prétendait signifier l'espèce et en réalité ne retenait de cette espèce que le sexe mâle.

Et à quel point aussi ce mot est excessif quand il prétend signifier l'être Humain mâle et considère alors qu'il possède « les qualités de courage, de hardiesse, de droiture, propres à son sexe »...!*

1199.   Ainsi en est-il du mot VIRIL: « qui a les caractères moraux qu'on attribue plus spécialement à l'homme: actif, énergique, courageux, etc. »* Cet et cætera en dit long sur la virilité..., dit l'Euguélionne.

1200.   Donc, ce que vous appelez volonté, puissance, activité, action, courage, énergie, fermeté, etc., vous faites exprès de le confondre avec VIRILITÉ pour accuser les femmes de vouloir être viriles.

La virilité est un phénomène d'érection et d'éjaculation et, à ce titre, elle est un phénomène qui est loin d'être négligeable. Il est certain qu'elle doit déteindre sur tout le comportement du mâle. Mais elle ne peut englober toutes les actions Humaines! Et quand on dit érection, on ne veut certainement pas dire boursouflure!

1201.   *Ce n'est pas parce qu'il est viril que l'Homme agit, c'est parce qu'il est un être articulé, doué de vie.*

Sa « puissance » virile n'est même qu'un aspect particulier de sa puissance totale, de son énergie totale. Comme la puissance maternelle ou la puissance orgasmique ne sont que des aspects de la puissance totale, de l'énergie totale de l'être féminin.

Et en vertu de quoi l'énergie sexuelle ou génitale serait-elle d'essence « virile »? Au nom de quoi l'énergie que nécessitent l'ovulation, la menstruation, la grossesse, l'accouchement, l'allaitement, l'orgasme féminin, au nom de quoi toute cette énergie est-elle niée au profit de l'énergie « équivalente » à la virilité?

1202.   Il faut être bien prétentieux pour affirmer que toutes les qualités dites « viriles » sont d'essence masculine, alors qu'elles sont reconnues aux animaux, quel que soit leur sexe.

Le courage de la lionne est-il « un courage viril »? Que veut dire alors cette expression que l'on entend couramment et qui est un pléonasme puisque, selon le dictionnaire, être viril c'est être courageux?

La femme qui est courageuse est-elle une femme « virile » ou son courage est-il moindre parce qu'il émane de son sexe? Je défie n'importe qui de le prétendre et de le prouver.

Dans l'esprit de ces « virilisants » à tout crin, la lionne ou la tigresse doivent sûrement se présenter comme des animaux « virils »...

1203.   Ce n'est pas d'aujourd'hui que cette prétention existe. Si l'on se fie à l'étymologie, une femme *vertueuse* serait nécessairement une

---

Le Petit Robert.

femme *virile* puisque ce mot vient du latin VIR qui veut dire mâle, comme par hasard…

1204.   Un peu de modestie, messieurs les Virils. N'oubliez pas que le mot « verge » qui veut dire « baguette » a donné le diminutif « virgule »… Je ne vous ferai pas l'affront de croire que ce diminutif pourrait s'appliquer à l'un quelconque d'entre vous!

Cependant, vous me permettrez de rigoler doucement quand j'entends ou je lis des choses dans le genre de celle-ci: « Un comité gouvernemental voudrait bien qu'on en revienne à une *censure virile* pour le cinéma… » Entre nous, qu'est-ce que cela veut bien vouloir dire? Ah oui, quelque chose dans le genre: « adoptons une ligne dure et n'en démordons pas… » je suppose… Mais je ne vois là rien de bien réjouissant ni de très flatteur pour la « virilité »…

Ou bien, il m'arrive de lire, à propos d'une joute de hockey: « …le jeu a quand même été viril ». Quel est le sens exactement d'un jeu viril d'une part et d'une censure virile d'autre part?

Veut-on dire que la censure devrait être plus sévère et que le jeu a été brutal? Car, si une jeune skieuse ou une joueuse de golf ou de tennis se montre audacieuse et combative, si sa technique est vigoureuse, dira-t-on que son « jeu est viril » comme on dit d'une *femme* auteur que son *style est viril* du moment qu'il a quelque force!

Dans ce cas comme dans l'autre et, selon le dictionnaire, le mot viril signifierait également, outre sévère et brutal, audacieux, combatif, ferme, énergique, fort, courageux, hardi, noble, vigoureux, et quoi encore! en plus évidemment de qualifier le phénomène de l'érection. N'est-ce pas un peu beaucoup? Et qu'est-ce que notre jeune sportive a à voir avec ce phénomène?…

1205.   À bien y réfléchir, c'est même assez loufoque, toutes ces boursouflures à toutes vos entournures! Vous, les « Virils », les Burlesques, les Soufflés! Ne trouvez-vous pas que votre « virilité » a pris comme une tangente vers le délire paranoïaque lequel, comme chacun sait, est une frénésie dans la surestimation pathologique du moi…

1206.   On peut donc dire sans se tromper que le mot « virilité » est tendancieux. On peut dire qu'il est à tendance idéologique, car il sous-entend l'expression « affirmation de soi » ainsi que toutes les qualités fortes et Humaines. Or, si s'affirmer est « viril », toutes les femmes qui s'affirment dans votre société sont dites « viriles » — voir la loi Ψ — et votre société les regarde de travers…

1207.   Voilà ce qui m'étonne toujours, dit l'Euguélionne: qu'on dise des femmes qui ont du caractère qu'elles sont « viriles », qu'on les accuse de « porter la culotte », sans se demander si, ce qu'ils appellent « être virile » ou « porter la culotte » n'est pas tout simplement une manifestation du caractère individuel sans égard au sexe. Le terme « viril » employé en ce cas serait une impropriété sémantique et l'indice d'une grossière prétention.

1208.   Et si le fait de « porter la culotte » est si souvent observé chez les femmes et si souvent déploré par ceux-là mêmes qui en tiennent mordicus pour la « nature féminine naturellement soumise », n'est-ce pas étonnant que ces tenants de la nature ne se soient jamais demandé si ce n'était pas justement dans la nature des femmes de « porter la culotte »…?

LXXV

LE MOT ET SON CONTRAIRE

1209.   Le mot FÉMININ est donc devenu un mot péjoratif. Il a engendré EFFÉMINÉ, c'est-à-dire tout ce qui est sans force et sans caractère, ou tout ce qui est homosexuel masculin.

1210.   Le mot FÉMINITÉ est tendancieux, car il est censé évoquer exactement *le contraire* du mot VIRILITÉ dans ce que celui-ci a de plus tendancieux.

   Or, le contraire de VIRIL, c'est mou, asexué, châtré, timoré, lâche, relâché, soumis, injuste, etc.

1211.   Pour les Hommes, en général, ce qui est différent est contraire… Ce qui signifie que la différence les contrarie beaucoup!

   Ils ont donc valorisé à l'extrême le mot VIRILITÉ et, en proportion inverse, ils ont disqualifié le mot FÉMINITÉ.

1212.   Mais le mot « féminité » étant normalement l'équivalent du mot « masculinité », il faudrait trouver un mot qui soit l'équivalent du mot VIRILITÉ et qui caractérise ce qui est proprement féminin, vu sous l'angle de la puissance, de la noblesse, du courage, etc. Ce mot pourrait être GYNILITÉ ou un autre plus précis. Mais il n'est pas facile à forger: il y a tellement de choses que, biologiquement parlant, la femme a que l'Homme n'a pas!

1213.   Si on laisse de côté le vagin qui est complémentaire du pénis, on peut faire ressortir la fonction du clitoris, ou celle de l'utérus, ou celle des seins, comme étant des particularités strictement féminines qui n'ont pas leur équivalent chez l'Homme, comme l'érection est une particularité masculine qui n'a pas d'équivalent visible chez la femme.

   Les femmes les plus « féminines » ou les plus « gyniles » seraient donc, par exemple, les plus « clitoridiennes », comme les Hommes les plus « virils » sont ceux qui battent tous les records de l'érection, en plus d'être les plus courageux, les plus nobles, les plus etc., etc., voir plus haut!

1214.   Mais la théorie classique en mettant en parallèle les deux organes non complémentaires que sont le pénis et le clitoris, fait ressortir uniquement la taille du premier par rapport à l'autre, pour pouvoir considérer celui-ci comme une quantité négligeable, sans tenir compte que le clitoris est *un organe supplémentaire*, donc, quelque chose *en plus* dans l'appareil génital, un quelque chose en plus que ne possède pas l'appareil génital masculin. De ce point de vue, le clitoris prend une singulière importance, tout aussi grande que le phénomène de l'érection.

1215.   Toutes ces considérations montrent à quel point les mots VIRILITÉ et FÉMINITÉ ne correspondent pas à la réalité physiologique.

La première réalité fut surestimée et jugée primordiale, tandis que la seconde fut sous-estimée, méconnue, faussée et jugée secondaire.

Il y a une grande puissance dans le fait d'être femme que le mot FÉMINITÉ ne rend absolument pas et qu'aucun mot français à ma connaissance n'a jamais rendue, cette langue étant littéralement braquée sur la VIRILITÉ, la vraie et l'autre…

Si vous croyez que j'exagère, dit l'Euguélionne, consultez vos dictionnaires contemporains.

1216.   Pour rendre les choses exactement comme elles sont, disons qu'un mot comme DÉFÉMINISER (qui n'existe pas dans le dictionnaire), signifierait: châtrer la femme, c'est-à-dire, enlever ou tenter d'enlever à une femme ses organes sexuels ou la jouissance de son clitoris, de son vagin, ainsi que de sa fonction génitale.

Par exemple, prétendre que le clitoris n'est pas féminin, c'est déjà « déféminiser » la femme. Tout comme les termes ÉMASCULER ou DÉVIRILISER ne peuvent signifier qu'enlever au mâle sa fonction génitale et sexuelle et les organes correspondants, le châtrer en d'autres termes.

Le reste est délire d'interprétation, paranoïa et boursouflure.

LXXVI

LEURS GROS SABOTS

1217.   Je ne sais pas ce que c'est que d'être un Homme, dit l'Euguélionne, je ne sais pas ce que c'est que d'être un mâle. Je n'ai jamais éprouvé la sensation d'avoir un pénis et des testicules, aussi, *je ne prétends pas* savoir ce que c'est.

Je ne dis pas, avec un air connaisseur: « Les Hommes, sexuellement, c'est comme ci, les Hommes, c'est comme ça, ils devraient ressentir ceci, ils devraient jouir comme cela. »

Je ne dis ni n'écris sur la jouissance de l'Homme des choses aussi empiriques que celles-ci, par exemple:

1218. « Seule la jouissance de l'homme peut être individuelle, localisée; celle de la femme, de la vraie femme, ne peut être que globale, impersonnelle, et même, pourrait-on dire, collective: celle de la féminité tout entière diffusant le plaisir en tranquille clarté jusqu'aux confins du monde. La femme en tant qu'individu isolé est un non-sens. C'est tout le corps de la femme, symbole de tout l'espace qui doit jouir et non une parcelle dérobée au corps de l'homme. Mais c'est un fait, les femmes modernes voient tout à l'image de l'homme. Elles confondent plaisir et spasme. Le spasme clitoridien, qui est local, et qui est, dans l'ordre des régressions, leur plus sûre défaite, est considéré par elles comme une victoire, alors qu'il est un plaisir d'homme, avec, en plus, l'énervement qui est le produit des inversions (...) Vanité des femmes de vouloir jouir. Vanité des hommes de savoir les faire jouir. »*

1219. Sans doute, dit l'Euguélionne, le monsieur qui a écrit cela, est muni quelque part d'un clitoris, d'une vulve et d'un vagin, car il parle de l'orgasme féminin en fin connaisseur...

1220. Quant à moi, je n'ai pas cette chance et j'avoue humblement qu'il y a quelque chose que je ne saurai jamais: comment on se sent quand on est du sexe masculin, quand on bande et quand on éjacule. Je ne spécule ni ne glose sur la jouissance du mâle, dit l'Euguélionne, car je ne la connais pas.

Mais il y a une chose que je sais, dit l'Euguélionne, et c'est vrai que j'en tire quelque vanité: je sais ce que c'est que d'être une femme, car j'en suis une. *Je peux prétendre* savoir ce que c'est que d'être une femme, car j'éprouve depuis ma naissance la sensation d'avoir un sexe féminin, avec des entrées et des sorties secrètes, un sexe fleuri en forme de nymphéa qui réagit sous ma main et sous celle d'autrui, qui réagit au pénis d'une manière que je sais et que je sens et que l'Homme ne peut absolument pas connaître sinon par ouï-dire ou par des enregistrements compliqués en laboratoire.

1221. Ma chair est loin d'être inerte, dit l'Euguélionne. Voilà ce que je peux dire d'un ton connaisseur. Et la jouissance qu'elle me donne, je ne l'ai volée à personne, et elle est loin d'être impersonnelle, comme le voudraient curieusement certains de vos grands auteurs.

Et je remercie le Hasard cosmique d'être née femme, dit l'Euguélionne. J'ai souventes fois examiné mon sexe et je l'ai trouvé beau. Et j'ai souventes fois joui de mon sexe, dit l'Euguélionne et j'ai trouvé que cette jouissance était *incomparable*.

1222. Femmes, nous sommes si bien faites pour le plaisir. Les femmes et les hommes sont si bien faits pour aller ensemble dans le plaisir.

Pourquoi l'Homme est-il si méprisant, si autoritaire, si hâtif, si vite rassasié, si peu empressé, si vite habitué, si expéditif dans la durée de l'union et si déficient quand celle-ci a duré?

---

*Raymond Abellio, in op. cit.

Pourquoi aussi tous ces jugements masculins sur l'orgasme féminin?

1223. N'est-il pas absurde et infiniment prétentieux de dire que la femme est frigide quand elle ne parvient pas à l'orgasme dit « vaginal »? Outre que cette spécification soit très suspecte, c'est une fausseté dangereuse que de considérer l'orgasme sous l'angle de la légitimité. Si la femme a des orgasmes, que ce soit par stimulation clitoridienne ou autrement, le moins qu'on puisse dire c'est qu'elle n'est pas frigide.

1224. L'important, en l'occurence, c'est d'atteindre l'orgasme, peu importe le moyen employé.

Le clitoris est essentiellement féminin, tout autant que le vagin, et il n'a pas, que je sache, été prélevé sur le corps du mâle... Et comment cela se pourrait-il? Y a-t-il seulement chez le mâle un tel instrument de précision? Comme tout instrument de précision, le clitoris est de taille délicate et d'une sensibilité extrême.

1225. La femme jouit aussi de son vagin, et c'est une richesse de plus et non un appauvrissement. N'est-ce pas étrange et un tantinet suspect que St Siegfried, au lieu de reconnaître cette double richesse, ait tenté d'en déposséder la femme?

La jouissance dite « vaginale » est acquise, ou plutôt « permise » — de façon fort séparatiste d'ailleurs — car la « loi » dit qu'elle caractérise la féminité. Mais la jouissance clitoridienne caractérise aussi la féminité.

Pour tranquilliser l'adversaire choqué du clitoris, je dirai que cet organe est le bouton déclencheur électrique qui assure la transmission de la jouissance à tout le circuit. Quand le clitoris va, tout va!

LXXVII

LA NORME ET LA LÉGITIMITÉ

1226. Est-ce qu'on dit qu'un Homme est anormal parce que ses seins ne sont pas développés? N'est-il pas de l'essence masculine d'avoir une poitrine plate?

Mais s'il y avait une remarque à faire à ce sujet, elle serait plutôt à l'avantage de la femme, car son clitoris est un organe en action, capable d'orgasme, alors que les seins de l'Homme n'ont pas cette capacité. Pourtant, il pourrait cultiver cette zone érogène s'il le voulait. Mais il est douteux qu'il le fasse, car il est tellement complexé et terrorisé par la loi Ψ qu'il craindrait de passer pour « efféminé » s'il ne feignait plus de ne pas en jouir... Mais s'il voulait « dérober » ces deux grosses parcelles au corps de la femme... je suis certaine que celle-ci ne lui en tiendrait pas rigueur...

1227. Les interprétations délirantes de St Siegfried sur la « légitimité » de l'orgasme féminin et des organes génitaux de la femme, nous autorisent à tous les délires d'interprétation si l'on admet que chaque médaille a son revers.

Ainsi, pourquoi le pénis du papa ne serait-il pas une déformation du sein, un substitut de la mamelle, plutôt que le contraire?

Le mot latin *pappa* n'est-il pas l'expression enfantine pour désigner la « nourriture », d'où *pappare* qui veut dire « manger » et *papilla* qui veut dire « bout de sein »?

Le latin *puppa* qui signifie « petite fille », « poupée », et sans doute « sein », est aussi un mot enfantin de même structure.

J'ai déjà noté que *fellatio (fellare)* est à l'origine du mot « femme » et veut dire « allaiter ».*

1228.   L'étymologie est traîtresse... et St Siegfried aurait eu intérêt à s'y plonger avant de parler des organes féminins comme étant des substituts des organes masculins.

Vos dictionnaires étymologiques m'en ont plus appris sur la différence entre les sexes et la discrimination qui en a résulté, que tous vos manuels de Ψ chologie et de chanalyse. Il est clair que la base normative de l'être Humain de cette planète est la maternité et non le pénis comme le veut le culte phallique cher à St Siegfried.

1229.   Mais c'est l'individu qui est essentiel et non la particularité de son sexe.

C'est pourquoi, même si le Phallus, symbole du sexe masculin, est détestable et qu'elle doive le répudier de tout son être, la femme n'a aucune raison de se priver du pénis, dit l'Euguélionne. Il est bon en soi. Il est même délectable pour qui sait l'apprécier... Il la rend androgyne dans l'union sexuelle, il est le complément direct de son propre sexe. Pourquoi devrait-elle se priver de l'Autre sexe sous prétexte que le symbole de celui-ci est détestable?

LXXVIII

GLORIA IN EXCELSIS

1230.   L'Homme avec son pénis, dit l'Euguélionne, est assurément un phénomène impressionnant. Et il impressionne toujours presque autant les femmes que les Hommes eux-mêmes.

Mais la femme n'est pas moins phénoménale, dit l'Euguélionne.

Elle a, ai-je dit, quelque chose en plus, une *surabondance* en quelque sorte, quelque chose d'infiniment agréable, quelque chose de *désintéressé*, quelque chose qui n'est d'aucun intérêt pour l'espèce,

---

*Jacqueline Picoche, in op. cit.

qui n'est d'aucun intérêt pour la miction et qui est mieux doué de nerfs sensitifs que le pénis.

1231.   Sur ce point, dit l'Euguélionne, la femme est privilégiée. Car le pénis sert à tout, même à se croire supérieur... Tandis que le clitoris ne sert qu'au plaisir.

Un petit quelque chose qui n'a pas besoin de se recharger pour jouir et dont l'orgasme est à répétitions. Sa gratuité aurait pu lui attirer de grands éloges et inspirer à quelques grands esprits quelque fumeuse théorie sur « la primauté du clitoris ». Mais c'est l'inverse qui s'est produit.

Bien pis, le sexe tout entier de la femme a toujours été nié ou assimilé au *trou*, au profit de ses attributs sexuels secondaires. Alors que les avantages physiques du mâle, le monde entier craque sous le poids des louanges que le mâle s'est lui-même adressées pour les glorifier.

1232.   Pourquoi, dit l'Euguélionne, St Siegfried a-t-il jeté l'anathème sur le clitoris? Est-ce parce que le clitoris est un petit animal jouisseur, uniquement jouisseur, et qu'il est bien difficile de l'admettre chez la femme adulte si l'on croit fermement que la libido est exclusivement masculine.

Peut-être est-ce pour cette raison que St Siegfried a voulu l'escamoter au profit du vagin comme s'il nuisait à celui-ci, comme si la coexistence de ces deux organes était impossible... Peut-être est-ce pour cette raison qu'il a prescrit à la femme de faire comme si elle n'avait pas de clitoris, comme si son clitoris était amputé, inexistant.

1233.   Car, si l'on croit fermement que la femme est rongée par l'envie du pénis, comment lui permettre de se promener fièrement avec son clitoris triomphant?

LXXIX

LES RÉACTIONNAIRES

1234.   Si les Hommes aimaient réellement les femmes, ils ne les laisseraient pas se débattre en désespérées pour obtenir leurs droits autrement qu'en principe.

Mais les Hommes n'aiment pas les femmes. Ce qu'ils aiment par-dessus tout, ce sont les autres Hommes.

1235.   Il arrive souvent que les plus lucides considèrent la révolution féministe comme le moyen qu'ont trouvé les femmes de les imiter, même dans les choses les plus insignifiantes. Cependant, ils ont tort de s'alarmer, car, ainsi que je l'ai déjà dit, *les Hommes sont inimitables.*

Nous savons tous désormais que ce qui est naturel est masculin.

Ce n'est pas une raison pour accuser les femmes de revendication phallique quand, à leur tour, elles s'approprient ce qu'il y a de meilleur dans la nature...

1236.   Qu'elles prennent chez les Hommes quelques coutumes mieux appropriées à leur anatomie ou à leur intelligence est bien leur droit sans qu'il faille crier à l'envie du pénis. Les femmes ont-elles jamais accusé les Hommes de vouloir les imiter quand ceux-ci s'asseyaient pour évacuer leurs honorables intestins, ou quand ils s'allongeaient pour accoucher de leurs œuvres?

1237.   C'est comme la question de la chasse en amour et l'initiative sexuelle. Personne ne nie que ce sont là des comportements purement masculins.

1238.   L'instinct de chasseur du mâle de cette espèce est tel qu'il n'y a aucune femme sur cette planète qui ne soit comblée au-delà de toute espérance. C'est bien simple, elles ne savent plus où donner de la tête tellement elles sont sollicitées. Au point qu'on voit fréquemment des femmes mariées courir chez le psychiatre du coin pour fuir les avances répétées de leur mari...

1239.   D'autre part, il est vrai de dire que l'attente est une caractéristique de la féminité. Voilà quelque chose qui ne peut pas être mis en doute. C'est tellement vrai que vous pouvez vous-mêmes le constater très facilement.

1240.   Vous n'avez qu'à vous rendre dans un hôpital et à jeter un coup d'œil dans les salles d'attente du département d'obstétrique. Observez les personnes qui attendent: elles sont nerveuses et elles grillent sans arrêt cigarette sur cigarette. Toutes sont du sexe faible, ça saute aux yeux.

Et regardez les files d'attente aux arrêts d'autobus, aux bureaux d'assurance-chômage et de main-d'œuvre, au restaurant, au cinéma, partout. Qui sont donc tous ces gens qui attendent? De qui s'agit-il? Des personnes du sexe, naturellement...

1241.   Quant à la *dominance*, c'est justement ce que les femmes veulent instaurer dans le monde. Mais n'allez pas le répéter, c'est *top secret!* Vous voulez savoir pourquoi elles veulent le pouvoir? Leur plan d'action est bien arrêté: elles veulent disputer aux Hommes le privilège d'inventer la bombe atomique, de fabriquer des armes, de faire la guerre, de faire les matamors sur terre, sur mer et dans les airs. Elles ont décidé que ce serait elles désormais qui allaient engranger les armes nucléaires et les enfants pêle-mêle, sans discernement.

1242.   Hommes de la Terre, le temps de la chasse est révolu. Ne l'aviez-vous pas compris? Et rien, désormais, ne pourra justifier vos chasses gardées dans le monde, dit l'Euguélionne.

LXXX

LES DERNIERS PRIVILÈGES

Je vous ai parlé, je crois, de madame Tête, de cette intelligente animatrice et interviewer qui se distingue à la Télévision de cette ville.

1243.   L'autre jour, elle avait un jeune invité qui s'appelait monsieur Laparade, un charmant *playboy* comme vous dites, lui-même animateur d'un quizz télévisé. C'est un personnage réputé pour avoir le sens de l'humour.

Ce soir-là, il arborait fièrement une splendide moustache toute récente, destinée à séduire et qui séduisait à coup sûr, dit l'Euguélionne.

1244.   Madame Tête commença son entrevue par cette remarquable question:

— Doit-on dire *monsieur* ou *mondamoiseau?*

— Pardon?

— Je dis: doit-on vous appeler *monsieur* Laparade ou *mondamoiseau* Laparade?

— Je... je ne comprends pas le sens de votre question.

Il semblait absolument décontenancé.

— C'est très simple, dit madame Tête, et cette question devrait vous sembler familière. Je regarde souvent votre émission hebdomadaire et j'ai remarqué que vous posiez une question semblable à de vieilles dames aux cheveux gris venues sur « votre » sellette dans l'espoir de gagner quelque argent.

Mais *monsieur* Laparade ne comprenait toujours pas.

— Quelle question, dit-il?

— Vous leur demandez toujours: « dois-je vous appeler *madame* ou *mademoiselle,* bien qu'elles aient les cheveux gris et souvent un air tout honteux d'avouer publiquement qu'elles sont encore « demoiselles » à leur âge, car ces dames d'une autre époque ne savent pas mentir et ignorent encore que le mariage est beaucoup moins prisé aujourd'hui par les jeunes filles qu'autrefois. Voilà pourquoi je vous demande, à vous qui êtes jeune et sans doute célibataire: « Êtes-vous *monsieur* ou *damoiseau?*... »

1245.   Le dénommé Laparade tenta de prendre la chose en riant, mais on voyait qu'il riait jaune:...

— Je suis... je suis damoiseau, dit-il.

Imperturbable, madame Tête reprit:

— Eh bien, mon cher mondamoiseau Laparade, que pensez-vous des tavernes de cette ville que l'on transforme en brasseries, accueillantes aussi bien aux dames qu'aux messieurs?

Laparade sembla reprendre ses couleurs.

— Ce que j'en pense? Eh bien, je dois avouer que, jusqu'à maintenant, je croyais que les tavernes étaient le dernier bastion de l'Homme. J'ai dû déchanter.

— Pourquoi dites-vous: « déchanter », mondamoiseau? Serait-ce que vous êtes contrarié par cette nouveauté?

À chaque fois qu'elle disait: « mondamoiseau », l'invité s'agitait sur sa chaise et un gros plan de lui montrait sa physionomie qui marquait le coup.

— Contrarié… oui, un peu. Depuis que les femmes sont admises dans nos tavernes, le steak y est moins bon!

— Vraiment, dit madame Tête? Autrement dit, la présence de ces dames a dévalué les lieux…

— Oui… heu… c'est à peu près cela…

1246. — Mais pourquoi, dit madame Tête, pourquoi dites-vous que les tavernes étaient votre dernier bastion? Je croyais que votre dernier privilège était le « pipi debout »?

— Heureusement qu'il nous reste cela, dit l'invité avec soulagement!

— Détrompez-vous, cher damoiseau, hélas! Car, sans vous en parler et dans le plus grand secret, toutes les femmes pissent debout… je dois dire cependant qu'elles ne font cela que quand cela leur convient, par souci d'hygiène le plus souvent. Mais il ne faut pas que cela se sache car c'est défendu par la loi Ψ!

1247. « Un jour, continua madame Tête, j'ai vécu une expérience qui fut déterminante en ce qui concerne notre propos. J'étais avec des amis en voiture sur une autoroute et nous nous sommes brusquement trouvés au milieu d'une effroyable tempête de neige, la première de la saison. Après avoir affronté cette tempête sur presque deux cents kilomètres, en aveugles car on n'y voyait strictement rien, nous dûmes nous arrêter: une vanne renversée au travers de la route bloquait la circulation.

Nous étions cinq personnes: deux femmes, un petit garçon et deux hommes, immobilisées dans ce véhicule et ce, durant d'interminables heures. Je ne vous dirai pas ce qu'ont été ces heures angoissantes pendant lesquelles la neige continuait à tomber, balayée par un vent violent.

Les rafales étaient si fortes que, lorsque les mâles de notre petit groupe sont sortis à tour de rôle pour se soulager, ils durent se retenir à la voiture pour ne pas être emportés. Leur absence, à chacun d'eux, fut extrêmement brève car, dans cette poudrerie, le froid avait doublé d'intensité…

1248. Quant à nous, les femmes, qui étions en pantalon, après avoir attendu le maximum de temps qui était en notre pouvoir, nous dûmes nous résigner à sortir nous aussi.

Je vous jure que quand je suis rentrée dans l'auto, j'étais fermement décidée à ne plus jamais porter que des culottes fendues et des pantalons dont l'ouverture ne serait plus située à la place de la braguette! Ou bien, à changer de climat et aller vivre, nue, sous les Tropiques! »

Madame Tête riait. Mais le damoiseau, gêné par cette histoire évocatrice de détails auxquels il ne voulait pas penser, ne sut que répondre. Madame Tête enchaîna donc:

— Pour vous renseigner et renseigner aimablement nos téléspectateurs sur les fonctions naturelles des femmes, j'ai écrit un petit poème que je vous demande la permission de communiquer à notre public toujours très indulgent.

Sans attendre la permission, madame Tête déplia une feuille et lut, avec beaucoup de ton dans la voix:

1249.
> *La Toison*
> *Qu'elle soit d'Or ou de Nuit*
> *Est écartée de la voie*
> *Par les doigts amis*
> *Jouissant de liberté*
>
> *Les lèvres*
> *Les grandes et non les mignonnettes*
> *Qu'elles soient roses ou noires*
> *Sont largement ouvertes*
> *Par les mains amies*
> *Jouissant de liberté*
>
> *Et les arceaux sont avancés*
> *Et jaillit entre eux la naturelle fontaine*
> *Sans divaguer sans dérougir*
> *Sans dériver d'une paille*
>
> *Debout*
> *Sans ployer le genou*
> *En ployant tout juste*
> *Un peu la taille*

N'est-ce pas touchant, conclut madame Tête?

— C'est très gentil ce poème, dit le damoiseau qui était rouge jusqu'aux oreilles. Mais il ne nous reste donc plus aucun privilège, à nous, les mâles?

— Si, il vous en reste un, dit madame Tête.

Disant cela, madame Tête se détourne et ajuste quelque chose sur sa figure. Quand elle se retourne, on voit qu'elle s'est collé une moustache sous le nez. Tous les spectateurs éclatent de rire.

1250.   — Celui-ci, dit-elle! Quand vous nous verrez porter la moustache, vous pourrez être sûrs qu'elle sera postiche... Et alors, inutile de vous affoler!

Madame Tête rit aux éclats. Elle trouve que c'est une bonne blague, pas méchante... Et le public qui trouve cela aussi, rit avec elle. Sauf, bien entendu, les téléspectateurs Ψ qui, du fond de leur fauteuil de salon, regardent, consternés, la concrétisation de ce qu'ils avaient depuis longtemps prévu et annoncé, et de ce dont ils avaient en vain averti les populations: « Les femmes vont nous prendre tous nos privilèges, si vous n'y prenez garde. Déjà, elles trouvent que ce n'en est pas un de bander… imaginez la suite! » Et la « suite » était venue! L'ère sans privilèges était arrivée! Elle était inaugurée ce soir même par madame Tête!

Quant au damoiseau, il a envie de battre des ailes, on le sent. On sent même qu'il a envie de raser sa belle moustache. Je me demande bien pourquoi, puisque c'est un « privilège » que jamais une femme ne pourra se vanter d'avoir: *c'est contraire à sa nature!*

LXXXI

TU SERAS UN HOMME MON FILS

1251.   L'entrevue se poursuivit sur ce ton jusqu'à la fin. Mondamoiseau Laparade était sur des épines. Pour clore l'entretien, madame Tête, qui avait retiré sa moustache au grand soulagement des téléspectateurs Ψ, annonça à son interlocuteur qu'elle avait trouvé dans un vieux recueil de poèmes, une très jolie poésie, très très poétique, absolument *toumotche*, due à la plume d'une poétesse malheureusement inconnue.

— Je vous la dédie spécialement à vous, cher damoiseau, en espérant que vous vous en souviendrez le jour de vos noces.

Sans s'énerver, madame Tête répéta son manège de la feuille de papier dépliée:

— « *TU SERAS UN HOMME MON FILS* », voilà le titre de cette poésie. Je ne vous en lis que des extraits car c'est interminable.

1252.   « *Tu seras un homme, mon fils, quand tu considéreras les femmes autrement que comme tes nourrices et tes dépotoirs, autrement que comme tes mamans et tes putains, autrement que comme tes ramasseuses de linge sale et tes laveuses de vaisselle, que comme tes infirmières, tes servantes et tes secrétaires.*

       « *Tu seras un homme, mon fils, quand tu te lèveras parfois la nuit pour donner son biberon à ton bébé, permettant ainsi à ta compagne de prendre un peu de repos car* elle aussi *a sa journée de travail dans le corps, sans parler de celle qui s'en vient.*

       « *Tu seras un homme, mon fils, quand tu sauras changer bébé sans piquer une crise de nerfs et quand tu auras de Gigantesques Oreilles Attentives pour percevoir enfin le murmure de l'amour et le grondement de la colère autour de toi.*

*« Tu seras un homme, mon fils, quand tu sauras te faire
cuire un œuf et prendre soin de toi-même sur la terre comme
au ciel.*

*« TU SERAS UN HOMME, MON FILS, QUAND TU SE-
RAS TON PROPRE SERVITEUR. »*

Et ainsi de suite, dit madame Tête, qui replia soigneusement sa feuille
de papier, puis regarda notre playboy avec des yeux mi-sévères,
mi-rieurs... Que les dieux vous soient en aide, ajouta-t-elle, car voilà
un programme qui n'est pas facile à suivre, même pour un célibataire.

Et pour finir elle fit cette pertinente remarque:

1253.   — On a déjà suggéré que les mots « Madame » et « Mademoiselle » soient remplacés par « Mad » ou « Madelle », comme on a
créé « Ms » aux États-Unis. Je ne suis pas d'accord, car ni l'un ni
l'autre de ces substituts français ne conviennent à mon oreille. Je
propose donc qu'on abolisse « mademoiselle » qui réfère aux « damoi-
seaux » de jadis, et qu'on maintienne le mot « madame », quels que
soient l'âge et l'état civil. Même pour les petites filles. On dit bien:
« voilà un jeune monsieur » en parlant d'un tout petit garçon? Qu'est-ce
que vous en pensez?

L'auditoire applaudit avec enthousiasme à cette suggestion.

— Quant à moi, ajouta-t-elle, j'adresse toujours mon courrier
directement aux prénom et nom de la personne, sans les faire précéder
de « Madame », ou de « Mademoiselle » ou de « Monsieur », comme
le veut l'étiquette. Cela est possible évidemment quand on connaît
justement le nom et le prénom de la personne, ce qui n'est pas toujours
le cas verbalement.

1254.   Elle fit promettre au damoiseau qu'il donnerait généreusement
du « Madame » à n'importe quel individu de sexe féminin se présen-
tant à son quizz télévisé, cet individu lui parût-il vierge jusqu'au cou!

Elle lui fit promettre également de ne jamais, au grand jamais,
donner du « Mesdamoiseaux » aux vieux garçons qui se présenteraient
à son émission.

LXXXII

L'ACCUSATION

1255.   Un jour, dit l'Euguélionne, j'étais dans un endroit public en
compagnie de mes deux amies terrestres Exil et Omicronne, et toutes
trois nous parlions des difficultés rencontrées ce jour-là par Omicronne
auprès de son patron, quand un groupe de jeunes gens à qui nous ne
prêtions nulle attention malgré leur désir évident de lier conversation
avec nous, nous apostrophèrent soudain en nous traitant gentiment de

lesbiennes parce que, disaient-ils, ils avaient remarqué que nous nous tenions toujours ensemble et que nos discussions étaient fort animées.

Je fus d'abord étonnée car je n'avais pas la moindre idée alors de ce que ce mot voulait dire.

Renseignée par mes amies, je me permis de répondre à peu près ceci à ces jeunes gens:

1256. — Pour commencer, dis-je, il y a si longtemps que je cherche *le mâle de mon espèce,* qu'il m'a vraiment été impossible jusqu'ici d'expérimenter autre chose et même de penser à autre chose. Mais vous venez de me rappeler quelle lacune cela pourrait être dans ma vie si je ne m'y mettais à brève échéance. Vous pouvez donc compter sur moi.

Je lançai un regard complice à mes compagnes qui s'amusaient beaucoup.

1257. — Ensuite, continuai-je, je vous demande ceci: est-ce une accusation?

— Si vous voulez, répondirent-ils en crânant beaucoup.

— Est-ce donc un crime sur votre planète que d'aimer son semblable, dis-je? Est-ce une faute que d'élargir le champ de ses potentialités? Le potentiel sexuel Humain est-il si chiche qu'il doive se réaliser sur un tracé linéaire, sur un seul registre? Vous connaissez St Siegfried, n'est-ce pas?

— Qui ne le connaît pas, dirent-ils.

1258. — Eh bien, lui et ses disciples qui sont toujours ensemble sont-ils des *lesbiens?*

Ils partirent à rire.

On dit « homosexuels »...

— Bien. Sont-ils homosexuels?

— Non, pas que nous sachions. Ils seraient même vexés d'apprendre que vous osez vous permettre de nous le demander.

— Et les Hommes qui boivent coude à coude dans les tavernes dont l'accès est interdit aux femmes, sont-ils homosexuels? Et les législateurs à l'Assemblée Nationale où je n'ai pas vu la moindre trace d'un être féminin en dehors des secrétaires, sont-ils homosexuels? Il paraît qu'il y a maintenant deux ou trois femmes qui ont réussi à se faire élire, mais ce sont toujours des exceptions. Et les délégués qui siègent aux Nations Unies ou à la Communauté Européenne ou au Sénat américain ou aux divers Comités qui étudient la survie de l'Humanité, et les membres de toutes les assemblées importantes, ceux des clubs nucléaires où l'on joue au jeu palpitant de l'équilibre de la terreur autour d'un tapis vert, ceux-là sont-ils tous des homosexuels? Et vous-mêmes, chers garçons, qui vous mettez à quatre pour nous accuser, êtes-vous des homosexuels?

Ils se raidirent aussitôt.

1259. — Ce n'est pas pareil, s'il vous plaît. Les Hommes se sont toujours groupés en associations viriles pour leurs affaires, leurs combats, leurs jeux. Il n'y a là rien que de naturel car c'est la solidarité et la camaraderie qui nous lient.

— Et pourquoi, dis-je, pensez-vous qu'il ne pourrait pas en être exactement de même pour les femmes?

— Parce que... parce que... Ça ne s'est jamais vu... Dans la Préhistoire...

— Vous y étiez, demanda Exil en souriant?

— De bons auteurs affirment...

— Ah tiens, dis-je, j'ai envie de vous prendre en pitié... car vous n'êtes pas encore sortis de votre Préhistoire et vous ne vous en doutez même pas. Quant aux bons auteurs qui écrivent sur les Hommes entre eux, j'ai bien remarqué qu'ils avaient, au départ, une bonne dose de préjugés au sujet des femelles de leur espèce en général, et au sujet des femmes entre elles en particulier. En cherchant bien, vous finiriez peut-être par découvrir pourquoi cette accusation vous est venue à l'esprit.

N'est-ce pas parce que nous ne vous accordions aucune attention?

Cette intéressante conversation finit là, abruptement, car nos « adversaires » avaient décampé.

LXXXIII

DES AUTO-MOBILES RESPECTABLES

1260.   Lesbienne, homosexuelle, bisexuelle, hétérosexuelle, pansexuelle? Qu'est-ce que c'est que cette panoplie, dit l'Euguélionne? Ce qui compte pour moi, c'est d'être sexuelle. La façon importe peu.

1261.   À ceux parmi vous, dit l'Euguélionne en s'adressant à la foule, qui m'ont demandé pourquoi je ne suis pas lesbienne, je répondrai ce que j'ai répondu aux jeunes gens: parce que je suis trop occupée à chercher *le mâle de mon espèce*, étant persuadée qu'il existe bien quelque part. Je m'en excuse... Pour moi, cette recherche est fondamentale. Mais je ne peux la généraliser.

1262.   Pour une autre femme, la recherche fondamentale sera homosexuelle comme pour d'autres hommes.

Les homosexuels transgressent la fonction de reproduction et la famille patriarcale, c'est pourquoi ils sont tabous. Ce n'est pas parce qu'ils sont névrotiques que la société rejette les homosexuels, c'est plutôt parce que la société les rejette qu'ils sont souvent névrotiques.

La société tient à ses tabous mordicus. Car où iraient la famille, les nations et la surpopulation si tout le monde en faisait à sa guise, en respectant ses propres désirs?

Les religieux aussi transgressent la fonction de reproduction. Mais on les vénère parce qu'ils se sont constitués les gardiens de la société patriarcale.

1263.   Malgré tout, dit l'Euguélionne, je ne comprends pas pourquoi l'homosexualité ait si mauvaise presse sur cette planète, même dans la loi Ψ.

Puisqu'il est entendu que tout être Humain est aussi homosexuel étant bisexuel, en quoi le désir de chacun regarde-t-il la société?

Cette expérience est sûrement à tenter comme n'importe quelle autre pour qui en a envie, et elle doit être extrêmement enrichissante. Quoi de mieux pour se connaître soi-même que de connaître à fond son semblable?

1264.   Qui est juge de vos désirs? Qui a des droits de regard sur leur réalisation? À qui demandez-vous la permission? Qui a décrété que telle chose était normale et telle autre pas?

Qui a établi la norme, dit l'Euguélionne? Et en vertu de quoi? Et de quel droit? Tant que vous ne faites de tort à personne, que vous ne faites violence à personne, que vous respectez votre propre liberté en autrui et le désir profond d'autrui en vous-mêmes, à qui devez-vous des comptes?

Imaginez une société qui voudrait restreindre sa population et qui considérerait comme anormaux ou exceptionnels les rapports hétérosexuels...

S'il n'y avait pas d'interdits pesant sur la sexualité de cette planète, la pansexualité Humaine serait possible sans qu'il ne soit fait de tort à quiconque.

C'est parce qu'on ne vous permet de jouir de votre sexualité qu'au compte gouttes, c'est parce qu'on occulte presque entièrement votre potentiel sexuel, que vous vous jetez sur la minuscule partie qui est encore éclairée comme des chiens affamés et aveugles, sans prendre la peine d'identifier votre partenaire et de lui communiquer votre désir profond.

1265.   Il faut détruire les sexes, dit l'Euguélionne, si l'on veut construire des individus conscients de leur liberté. C'est alors seulement que ces individus seront capables de décider de leur comportement sexuel.

Il faut briser la séparation, la ligne Maginot incroyablement fortifiée que les Hommes et les femmes ont dressée entre eux sous prétexte qu'ils étaient différents.

Il faut abolir le décalage effarant qui existe entre les mœurs de votre société et votre législation.

1266.   *Les femmes et les hommes ne sont pas des êtres humains incomplets qui seraient par bonheur complémentaires. Ce sont des personnalités individuelles indivisibles complètes dont le sexe, par bonheur, est complémentaire.*

1267.   En-dehors de la génitalité proprement dite qui assure la re-production de l'espèce, dit l'Euguélionne, je ne vois qu'une raison pour laquelle les sexes continuent d'exercer leurs fonctions de façon complémentaire même quand est assurée cette reproduction: toute sexualité cherche à se fondre dans une autre sexualité et il semble que cette fusion soit plus facile à obtenir quand les sexualités sont opposées. Ce qui n'exclut absolument pas que deux sexualités semblables puissent atteindre ce fusionnement. La recherche, dans un cas comme dans l'autre est altruiste et c'est ce qui permet la fusion.

Si cette fusion n'a aucune chance d'avoir lieu, quels que soient les sexes en présence, je suppose qu'il vaut mieux se masturber car c'est la fusion qui est altruiste en fin de compte, et non la pseudo-relation où chacun poursuit un objet personnel sans égard à l'autre.

1268.   La recherche nerveuse de l'orgasme sans fusionnement véri-table, quand elle se pratique à deux, est tout simplement décevante et sans intérêt, du moins pour la femme, car celle-ci peut obtenir infiniment mieux par ses propres moyens.

Je dirais que dans l'amour avec le sexe opposé, l'orgasme arrive par surcroît de bonheur et se satisfait d'être unique, tandis qu'il est, chez la femme, l'objectif multiple de la masturbation.

1269.   C'est drôle, j'ai eu l'autre jour une vision curieuse. Je regar-dais toutes les petites machines humaines qui se promenaient sur la rue dont certaines, à en juger par leur apparence — ce qui n'est pas un critère — fonctionnaient autrement que la majorité, et ce n'était pas celles qui déviaient de leur route.

Et je me disais que les homosexuels, bisexuels, pansexuels sur cette planète étaient des AUTO-MOBILES. En effet, c'était leur AUTONOMIE qui leur permettait de se MOUVOIR librement dans la sexualité, avec des MOBILES différents de ceux dont la sexualité était admise dans la société.

Et à ces AUTO-MOBILES pacifiques et non meurtrières bien qu'iconoclastes, je cédais le passage.

LXXXIV

CHARITÉ BIEN ORDONNÉE

1270.   J'aime assez la vie, dit l'Euguélionne, pour proclamer qu'elle est bonne à prendre et à manger, que ce soit seule ou avec d'autres.

Je m'aime assez, dit l'Euguélionne, pour me conférer à moi-même joie et jouissance autant que je veux et, le voulant, autant que je peux.

J'aime assez les autres, dit l'Euguélionne, pour communiquer joie et jouissance à qui je veux et accueillir joie et jouissance de qui je veux et qui me veut dans le même temps.

Il n'y a rien de meilleur pour une femme, dit l'Euguélionne, que de faire l'amour avec un mâle bien bandé et pas pressé. Pour peu qu'il lui plaise et qu'elle y mette du sien, elle est assurée d'être sur le parcours du septième ciel.

J'ajoute qu'il n'y a rien de meilleur non plus pour elle, et en d'autres circonstances, qu'une bonne masturbation qui la retourne soudain comme une crêpe et l'envoie finir en vol plané les quatre fers en l'air après lui avoir octroyé sur demande une série d'orgasmes comme une réaction en chaîne bien orchestrée.

Ce dont je parle, dit l'Euguélionne, n'a évidemment rien à voir avec la masturbation infantile curieusement nommée « stade phallique » chez la fille, par ce curieux Homme connu sous le nom de St Siegfried.

1271. « La liberté de se gouverner par ses propres lois », telle est l'AUTONOMIE selon vos dictionnaires.

L'AUTO-érotisme fait partie de l'autonomie de l'individu adulte de la même façon que la capacité de se nourrir et de jouir des aliments, ou de faire du ski avec joie. *Ce sont des acquisitions de l'enfance qu'il faut conserver.*

A-t-on déjà entendu dire qu'il fallait cesser de se nourrir rendu à l'âge adulte sous prétexte que se nourrir est infantile, l'habitude en ayant été prise dans l'enfance?

1272. Pourquoi la masturbation, tout comme l'homosexualité ou la sexualité des enfants et des adolescents, ont-elles si mauvaise presse chez vous?

1273. Étant une chose sexuelle, la masturbation bénéficie depuis des siècles de l'anathème de la société. Et, depuis l'apparition de St Siegfried sur votre planète, elle n'a été admise que pour dégringoler au stade infantile.

La relation altruiste est une chose souhaitable dans toute société, mais une bonne relation avec soi-même, non seulement n'est pas incompatible avec celle-là, mais elle en est la condition *sine qua non* comme vous dites. L'une n'empêche pas l'autre, Déesses merci!

1274. Pourquoi refuser les bonnes choses de l'existence? Il y a énormément de situations dans la vie courante où il est impossible d'avoir une relation sexuelle régulière avec un ou une partenaire. Ou bien, même si c'est possible, où ça ne nous dit rien.

Faut-il arrêter de se nourrir de façon agréable si son conjoint est en voyage?

Et quand il est là et que la satiété s'est temporairement installée de part et (ou) d'autre, et que son meilleur ami si dévoué et si gentil n'est pas à proximité, faut-il ronger son frein ou partir en chasse en laissant les enfants dans la casserole et le ragoût dans la baignoire, ou faut-il faire un petit tas avec son désir et le laisser aimablement croupir ainsi que l'ordonnent les diktats de la Sublimation?

Ce mot me laisse songeuse... La Sublimation ou « Surmoi », n'est-ce pas des termes savants pour désigner une bonne vieille chose chrétienne qui s'appelle Sacrifice, Renonciation à soi et à ses désirs, Résignation à son sort, le tout enrobé de Masochisme consenti et déguisé en personnage « civilisé »...

1275. Il faut s'aimer beaucoup, dit-on, avant d'être capable d'aimer les autres et de demander à être aimé. Car, qui voudrait d'un corps méprisé et dédaigné par celui-là même qui en est le possesseur?

De même, faut-il se masturber beaucoup avant d'être capable de jouir d'un autre corps et de le faire jouir.

Charité bien ordonnée commence par moi-même, dit l'Euguélionne.

LXXXV

TOUTES LEURS HORMONES

1276. Je ne comprends pas non plus, dit l'Euguélionne, en quoi la sexualité des jeunes regardent les adultes. Que diraient ceux-ci si on forçait leur intimité, si on poussait la porte de leur chambre à coucher?

1277. L'enfant est un être complet dans son ensemble mais inachevé dans ses détails.

Laissez-le donc s'achever par lui-même, il a toutes les hormones voulues pour cela. Et cessez de mettre vos grosses pattes sur sa sensualité.

Celle-ci n'est certainement pas naissante. Depuis qu'il est au monde qu'il l'exerce et la raffine. Laissez-lui découvrir le volet le plus important de cette sensualité et qui est sa sexualité. Sa sexualité à lui, pas la vôtre!

1278. Informez-le. Le plus et le mieux possible. Mais ne jetez pas de regards indiscrets sur ses premiers éblouissements.

LXXXVI

LE REPAS COMPLET

1279. Il est étonnant, dit l'Euguélionne, que St Siegfried qui a dévoré à belles dents le Gâteau de la Vie, lui dont les sœurs ont interrompu leurs études musicales pour qu'il puisse lui-même étudier plus longtemps, lui dont la femme a consenti, sous ses pieuses exhortations, à n'être qu'une « femme au foyer » pour qu'il puisse découvrir sans embêtement prosaïque le complexe d'œdipe, il est étonnant que cet Homme se soit demandé avec perplexité à la fin de sa vie: « Que veulent donc les femmes? »

1280.   C'est bien simple, cher St Siegfried, elles veulent leur part du gâteau!

Elles veulent leur part égale à la vôtre du Gâteau de la Vie que vous et vos pareils dévorez depuis toujours à belles dents en n'en laissant aux femmes que les miettes.

1281.   Vous êtes des goinfres de la Vie. Vous exigez le Repas Complet depuis la goutte de lait jusqu'à l'addition et le pourboire — spécialités des vrais Pourvoyeurs au geste large — en passant par les alcools apéritifs de l'autorité, les vins secs de l'autonomie et le plat substantiel de la réalisation individuelle. Et, comme dessert, vous vous octroyez les femmes! Elles sont l'apothéose de votre Repas Complet, d'autant plus efficaces et attrayantes qu'elles vous débarrassent même des plats que vous avez salis.

1282.   Les femmes exigent dorénavant leur Repas Complet. Mais elles sont moins gourmandes que vous, car elles se passent volontiers d'apéritif et de dessert.

En effet, elles ne sont pas assez maniaques de l'autorité pour se croire obligées de s'en griser au risque de s'empoisonner et d'empoisonner les autres.

Et puis, elles ne considèrent pas que la « consommation » d'Hommes soit un dessert qu'il faille s'octroyer. Si consommation il y a, cela concerne la liberté de chaque convive de la Vie, chacun jouissant de chances égales, ces chances égales leur permettant d'abord le choix et ensuite de pouvoir guider ce choix.

1283.   Elles exigent aussi de payer la note et d'avoir dans leurs réserves ce qu'il faut pour s'en acquitter. Non pas grâce à un portefeuille subtilisé aux Hommes. Honteusement. Mais grâce à un portefeuille bien à elles et bien garni. Garni par elles-mêmes sans honte, sans problèmes.

Les femmes exigent de vivre, de jouir, de souffrir et de mourir pour leur compte et non plus à crédit ou par procuration.

Elles ont l'intention de payer comptant cette chance inouïe d'être enfin conviées au *Banquet* de la Vie.

1284.   Est-ce assez clair?

1285.   Et surtout, St Siegfried, ne priez plus pour elles! Car elles en ont assez, m'ont-elles dit, des Capitalistes de l'Espèce qui prient pour elles et vivent à leur place!

LXXXVII

LES CAPITALISTES

1286.   Ainsi qu'il y a les Capitalistes de l'Argent, les Capitalistes du Pouvoir, les Capitalistes du Savoir, il y a, sur votre planète, des capitalistes qui s'ignorent et ce sont *les Capitalistes de l'Espèce*, dit l'Euguélionne.

1287.   J'appelle Capitalistes de l'Espèce ceux qui, sous le nom d'Hommes, ont capitalisé *l'espèce humaine* et tenu à l'écart la moitié femelle de l'Humanité.

J'appelle Capitalistes de l'Espèce ceux qui, sous le nom d'Hommes, ont capitalisé *l'histoire de l'espèce humaine* depuis ses origines connues, et tenu à l'écart la moitié femelle des acteurs de l'histoire de l'Humanité.

J'appelle Capitalistes de l'Espèce ceux qui, sous le nom d'Hommes, ont capitalisé *l'énergie créatrice de l'espèce humaine* et l'ont canalisée à leur profit, laissant croupir à des tâches de servitude la moitié femelle et pourtant créatrice de l'Humanité, et exploitant la force de travail de l'autre moitié elle-même créatrice.

J'appelle Capitalistes de l'Espèce ceux qui, sous le nom d'Hommes, ont capitalisé à leur profit *le droit, la justice et la liberté propres à l'espèce humaine*, et ont tenu à l'écart de leurs législations, tout en l'y soumettant, la moitié femelle de l'Humanité.

J'appelle Capitalistes de l'Espèce ceux qui, sous le nom d'Hommes, ont thésaurisé les postes de commande, les situations lucratives, les travaux passionnants, aux dépens de la moitié femelle de l'Humanité remisée à l'écart et tenue dans l'ombre et dans l'épaisseur secrète de quatre murs clandestins secrétant l'ennui, l'isolement, l'inquiétude, la mesquinerie, la jalousie, les soupçons, la puérilité, l'infantilisme, la frivolité, les moyens termes, les manœuvres souterraines, le désespoir et la folie.

1288.   J'APPELLE USURPATEURS LES CAPITALISTES DE L'ESPÈCE.

1289.   J'appelle Capitalistes de *l'Espace* ceux qui, sous le nom d'Hommes, ont monopolisé toutes les places au soleil, privant d'air et de lumière la moitié femelle de l'Humanité.

J'appelle Capitalistes de l'Espèce ceux qui, sous le nom d'Hommes, ont prescrit et « fait » d'innombrables enfants à la moitié femelle de l'Humanité, faisant exploser la masse Humaine aux dépens des individus.

J'appelle Capitalistes de l'Espèce ceux qui, sous le nom d'Hommes, capitalisent les embryons Humains en exerçant une violente coercition sur le Ventre des femmes, par des lois injustes qui sont transgressées quotidiennement dans la honte, l'épouvante, la clandestinité et la mort.

J'appelle Capitalistes de l'Espèce ceux qui, sous le nom d'Hommes, ont capitalisé les enfants des femmes en les nommant « *les petits de l'Homme* ».

J'appelle Capitalistes de l'Espèce ceux qui, sous le nom d'Hommes, ont tenu un compte exact de leurs propres œuvres et de leurs propres hauts faits, tenant pour insignifiant de mettre des enfants au monde après neuf mois de gestation et tenant pour insignifiant d'éduquer ces enfants pendant de longues années.

J'appelle Capitalistes de l'Espèce ceux qui, sous le nom d'Hommes, ont capitalisé le merveilleux potentiel des enfants Humains sans vouloir endurer ni leurs cris ni leurs impatiences ni leurs peurs ni leurs insistances ni leurs caprices ni leurs saletés, ni tout ce qui est intolérable pour l'Homme chez « le petit de l'Homme », laissant cela à la moitié femelle de l'Humanité.

J'appelle Capitalistes de l'Espèce ceux qui, sous le nom d'Hommes, ont capitalisé *l'amour* et ont fait croire à la moitié amoureuse et femelle de l'Humanité que l'amour n'avait aucun compte à rendre à la *justice*.

1290. J'APPELLE IMPOSTEURS LES CAPITALISTES DE L'ESPÈCE.

1291 J'appelle Capitalistes de l'Espèce ceux qui, sous le nom d'Hommes, essaient de terrasser les Capitalistes de l'Argent, du Pouvoir et du Savoir, et qui continuent à capitaliser à leur profit l'énergie créatrice de la moitié femelle de l'Humanité.

J'appelle Capitalistes de l'Espèce ceux qui, sous le nom d'Hommes, ont capitalisé à leur profit *l'énergie sexuelle* de la moitié femelle de l'Humanité tout en niant l'existence de cette énergie.

J'appelle Capitalistes de l'Espèce ceux qui, sous le nom d'Hommes, ont fait croire qu'ils étaient les seuls détenteurs de l'énergie sexuelle de l'Humanité, excluant les femmes et les enfants du libre exercice de leur sexualité.

J'appelle Capitalistes de l'Espèce ceux qui, sous le nom d'Hommes, ont capitalisé l'énergie sexuelle des deux sexes, en laissant croire que les êtres humains homosexuels ne sont pas réellement des êtres Humains et n'ont donc aucun droit au libre exercice de leur sexualité.

J'appelle Capitalistes de l'Espèce ceux qui, sous le nom d'Hommes, ont capitalisé le sexe sous une forme unique et ont proclamé châtrés les êtres dont le sexe était différent.

J'appelle Capitalistes de l'Espèce ceux qui, sous le nom d'Hommes, capitalisent la force vive des nations et l'envoient régulièrement se faire massacrer au front pour rétablir leur économie.

J'appelle Capitalistes de l'Espèce ceux qui, sous le nom d'Hommes, s'approprient les biens de cette planète, en affamant les deux-tiers des êtres de leur espèce, et en empoisonnant l'eau, la terre et l'oxygène de l'atmosphère qui appartiennent à tous les êtres de leur espèce.

J'appelle Capitalistes de l'Espèce ceux qui, sous le nom d'Hommes, capitalisent la force nucléaire de cette planète et l'accumulent sur la tête des êtres de leur espèce, faisant courir à cette planète le risque de disparaître, au grand mépris de tous et du soleil qui les éclaire.

1292.   J'APPELLE PHALLOCRATES IMPÉRIALISTES LES CAPITALISTES DE L'ESPÈCE.

1293.   J'appelle ARRIVISTES DE L'ESPÈCE celles qui, sous le nom de *Femmes*, ont agi comme des Hommes pour s'immiscer dans le monde des Capitalistes de l'Espèce, et ont fini par oublier l'existence de la moitié femelle de l'Humanité, ou se sont mises à la mépriser comme des Capitalistes de l'Espèce.

1294.   J'appelle DÉMISSIONNAIRES DE L'ESPÈCE celles qui, sous le nom de *Vraies Femmes*, continuent à vivre à l'écart de leur espèce pour plaire à ceux qui la capitalisent, entraînant leurs fils à devenir des Capitalistes de l'Espèce et entraînant leurs filles à demeurer comme elles à l'écart de leur espèce, au service de ceux qui la capitalisent.

1295.   J'appelle CANDIDATES À L'ESPÈCE celles qui, sous le nom de *Femmes Gyniles*, ont décidé de réintégrer leur espèce sans condition, de ne plus tolérer qu'aucun être de leur espèce capitalise l'espèce à son profit, de briser la statue impérialiste du Phallus-Roi qui est l'Obélisque monolithique et hermétique de la Croissance sans merci, de ne plus jamais vivre et parler Au Nom-du-Père-et-du-Fils-et-du-Mari-Plein-d'Esprit, de renverser le système patriarcal sans jamais permettre au matriarcat de s'instaurer à sa place, de lutter pour que les rapports *entre les sexes* deviennent des rapports de réciprocité et non plus de domination, de lutter pour que les rapports *entre les êtres humains* ne soient plus des rapports de domination mais des rapports de réciprocité, de lutter pour que les rapports *entre les adultes et les enfants* soient des rapports de réciprocité et non plus des rapports de domination et de soumission.

LXXXVIII

MANIFESTE D'EXIL

Et voici ce que les *Candidates à l'Espèce Humaine* vous font savoir du fond de leur Préhistoire, dans un élan qui parcourt les siècles jusqu'à vos jours, dit l'Euguélionne.

Exil prit la parole au nom de ses sœurs:

1296.   — Nous ne répudions ni nos ventres, ni nos seins, ni nos vagins. Nous sommes toujours prêtes à enfanter.

Mais nous revendiquons nos clitoris comme nous appartenant et non comme étant un simulacre viril.

Nous revendiquons nos corps et nos utérus comme nous appartenant avec le pouvoir d'en disposer.

Nous revendiquons nos mains et nos intelligences comme nous appartenant avec le pouvoir d'en disposer.

Nous revendiquons notre place au soleil et notre part du Gâteau de la Vie.

1297.   Et il faut que vous sachiez ceci, dit Exil:

On peut être une « vraie » femme et en même temps faire une carrière, aimer jouir de son clitoris comme de ses seins, de son vagin, de tout son corps, et savoir apprécier les couchers de soleil.

On peut être une « vraie » femme tout en aimant faire l'amour avec les hommes ou même avec d'autres femmes, jouir de son clitoris, des couchers de soleil, des bons repas, des sourires d'un enfant, et, par-dessus le marché, faire une thèse sur les entomologistes du XIXe siècle. Il n'y a pas de contradiction dans les termes.

1298.   La contradiction réside dans la « tendance » que l'expression *être une vraie femme* a prise en devenant péjorative. Il n'y a que « les démissionnaires de l'espèce » qui aiment se faire appeler ainsi, car cette expression tendancieuse fait la somme des aliénations culturelles de la femme. Et il n'y a que les « capitalistes de l'espèce » qui aiment l'employer, désignant ainsi leur idéal de la « féminité ».

Car, dans l'esprit des gens et dans l'esprit de la loi Ψ, il y a un corollaire absolu, inéluctable, à la proposition être une vraie femme. Et ce corollaire, c'est l'enfant.

Cependant, un mâle peut *être un vrai Homme* même s'il n'a pas eu d'enfant.

Cela voudrait-il dire que la paternité est accessoire, voire inexistante ou calquée sur la maternité? Cela voudrait-il dire que la paternité ne serait qu'un substitut de la maternité et autres babioles du genre Ψ et qu'en conséquence elle est sans importance et qu'il vaudrait mieux l'oublier pour accéder au stade de l'Homme supérieur?

1299.   En ce cas, qu'est-ce que ça veut dire, au juste que le Nom-du-Père?

1300.   Nous ne demandons pas mieux que de faire alliance avec les Hommes, dit Exil.

1301.   QUAND ILS AURONT LAISSÉ TOMBER LEUR PRÉTEN-TIEUSE MAJUSCULE.

Quand ils auront assumé *l'e muet* qu'il y a *aussi* au bout de l'« homme ».

Quand ils auront déposé le Pouvoir. Et quand ils inviteront tous les humains, hommes, femmes et enfants, à le partager avec eux.

1302.   Jusqu'à ce que ce temps arrive, il se peut que nous nous arrangions seules, dit Exil. Il se peut que nous nous arrangions entre nous. Il se peut que nous nous arrangions sans eux... ou presque.

Nous aurons des enfants qu'ils ne connaîtront pas parce que nous ne voudrons pas qu'ils les « reconnaissent ».

Tant qu'ils ne croiront pas nécessaire de s'occuper avec nous de leurs enfants pour être pères, nous élèverons nos enfants sans eux. Nous nous entraiderons.

1303.   L'amour? On en reparlera, dit Exil. Faites justice, et après nous ferons l'amour. Nous satisferons l'amour quand justice sera satisfaite. Nous ferons l'amour quand justice sera faite.

1304.   Si, « être féminine », c'est renoncer à s'affirmer en tant qu'être humain, dit Exil,

Si, être féminine, c'est renoncer à son nom, c'est renoncer à son identité, dit Exil,

Si, être féminine, c'est renoncer à diriger sa vie, dit Exil,

Si, être féminine, c'est renoncer à faire sa marque sur le monde dans le domaine de sa compétence, dit Exil,

Si, être féminine, c'est renoncer à prendre le monde en main pour l'empêcher de courir à sa perte et si c'est être complice de ceux qui le perdent, dit Exil,

Si, être féminine, c'est ménager l'orgueil des mâles pour qu'ils se sentent les maîtres, dit Exil,

Si, être féminine, c'est être naturellement passive, masochiste et narcissique, dit Exil,

Si, être féminine, c'est avoir envie du pénis et se sentir châtrée, dit Exil,

Si, être féminine, c'est être une ménagère et si c'est être une bonne ménagère, dit Exil,

Si, être féminine, c'est obligatoirement être mère, dit Exil,

Si, être féminine, c'est consentir à une soumission volontaire, dit Exil,

Si, être féminine, c'est se défendre d'être féministe, dit Exil,

Alors, dit Exil, *je suis fière de ne pas être féminine.*

1305.   *JE SUIS GYNILE,* dit Exil!

LXXXIX

UN MOT DE LA PRÉSIDENTE DE LA S.P.C.A.

1306.   Exil fut acclamée par la moitié de l'assemblée alors que l'autre moitié, trouvant cette intervention excessive, se mit à huer son auteur et à lui lancer toutes sortes de projectiles, heureusement inoffensifs.

1307.   Tout de même, disaient ces gens sages et prudents, il ne faut rien exagérer. La paternité, c'est sacré. La féminité, c'est quand même quelque chose. On n'a pas le droit...

1308.   Et ceux qui disaient cela, ceux qui se scandalisaient qu'on veuille faire passer la justice avant l'amour, ne se demandaient pas comment, pendant des siècles, l'amour avait pu exister sans la justice, et ils ne se posaient pas de questions sur la nature de cet amour-là.

On entendit même Epsilonne élever la voix pour prendre la défense de « cet amour-là »... ou plutôt de sa grimaçante caricature:

1309.   — Je ne comprends pas, dit-elle, que des femmes puissent réclamer la justice. Sans doute, ces femmes ne sont-elles pas capables de se faire aimer des Hommes... ou ont-elles été déçues par les Hommes. Je connais Exil, qu'elle me pardonne, mais elle n'a pas su garder son mari... Elle ne s'en cache pas, d'ailleurs.

Quant à moi, dit Epsilonne, je n'ai jamais eu à me plaindre des Hommes et je suis *arrivée* à quelque chose dans la vie sans qu'aucun d'eux ne me mette des bois dans les roues sous prétexte que j'étais une femme...

1310.   Je n'ai jamais été l'esclave d'un Homme, dit Epsilonne. Ah non! Ça, j'ai compris de bonne heure! La preuve: je ne me suis jamais mariée. Et ce n'est pas parce qu'on ne m'a pas demandée en mariage! Si vous saviez!

J'ai eu des tas d'amants. J'ai cohabité avec quelques-uns d'entre eux. Eh bien, je n'ai jamais lavé une chaussette d'Homme! Je n'ai jamais servi un Homme de ma vie. C'est plutôt le contraire qui est arrivé. Moi, je fais ce que je veux des Hommes. Ils sont à mes pieds, là... comme des petits chiens!

1311.   Ça, on peut dire que j'ai compris de bonne heure. Même que je ne me suis jamais fait attraper question bébé. Quand on prend ses précautions, on ne tombe pas enceinte et on n'est pas obligée d'avorter. Il suffit de se servir de sa tête! Il y en a ma parole... elles ne comprendront jamais...

Pas de mari, pas d'enfants, une belle profession dont je viens d'être nommée la Présidente, la vraie liberté, la vraie vie, quoi!

Et je connais des tas de femmes qui sont comme moi. Il faut en sortir, bon Dieu! Arrêter ces jérémiades! Ça n'existe plus des femmes qui servent les Hommes. Ce sont eux maintenant qui sont à notre service! C'est vrai quoi! Vous n'avez qu'à regarder...

1312.   Mais il y a une chose que je veux faire pour les femmes, dit Epsilonne. Je ne vais pas laisser passer l'*Année Mondiale de la Femme* sans faire quelque chose.

1313.   En tant que Présidente de la *Société de Psychologie Contemporaine Archaïque*, j'ai l'intention de présenter une motion lors de notre prochaine assemblée générale pour qu'une proposition soit faite aux Nations Unies afin que le mot HOMME, qui sert à désigner l'espèce et fait ainsi double emploi avec celui qui sert à désigner le mâle, soit supprimé et remplacé par un autre mot. Car enfin, ce mot HOMME prête à confusion depuis trop longtemps. C'est vrai, on ne sait jamais s'il s'agit des mâles ou des Humains.

1314.   Mon discours est prêt: je l'ai appelé LA FEMME-ESPÈCE. Ce sont des considérations linguistiques émaillées de définitions prises dans le dictionnaire. Sans fausse modestie, je crois que ce discours fera date.

1315.   C'est de cette façon que moi, Epsilonne, en tant que femme, je projette de faire ma part pour libérer la femme, à l'occasion de l'Année Mondiale de la Femme, qui sera inaugurée bientôt.

Si l'ONU donne suite à ma proposition, la gloire en rejaillira sur la S.P.C.A.

Si au préalable et par malheur l'assemblée générale de la S.P.C.A. rejette ma motion, il ne me restera plus qu'à démissionner. Eh oui, il me faudra démissionner de mon poste de Présidente! Après tout, noblesse oblige!

1316.   Curieusement, cette intervention ne suscita guère d'enthousiasme dans l'assistance, bien que l'idée ne fût pas mauvaise. Mais même cette idée n'était pas d'Epsilonne: elle l'avait fauchée à sa sœur et se vantait partout d'en être l'auteur. Omicronne, qui en avait l'habitude, ne lui en voulait même pas. Car son effort personnel de libération allait bien au-delà de la linguistique.

XC

DE MULTIPLES RUBANS

1317.   L'Euguélionne reprit la parole:

— J'ai entendu sur votre planète une musique qui incite à se mettre en marche tout en restant sur place, et à faire le tour de la Terre en groupe, en balançant les hanches et en fermant les yeux.

Cette musique, dit l'Euguélionne, m'a fait parcourir des milliers de kilomètres, des milliers de milles, des milliers de nœuds marins, sur mes pieds infatigables, sur ma « plante de pérégrination ». Immobile et transportée comme tout ce qui est cosmique.

1318.   Je remercie les jeunes gens terrestres qui ont inventé cette musique, dit l'Euguélionne, et qui ont inauguré ces voyages.

Je suis fière d'avoir fait ce voyage d'un antipode à l'autre de votre planète, d'un pôle à l'autre de votre boule, et jusqu'au nadir de votre soleil où m'eurent conduite ces multiples rubans si on les avait déroulés.

1319.   L'heure est venue pour moi de repartir vers *ma planète positive.*

1320.   L'heure est venue pour tous d'arracher les masques et les peaux de rechange et de courir, nus, vers la délivrance de ce monde infernal.

1321.   L'heure est venue de marcher avec son squelette bien droit brandi dans sa chair comme une armature d'acier.

Personne n'a de droits sur ces squelettes et ne peut les obliger à se courber. Personne n'a de droits sur la chair qui les recouvre et ne peut obliger celle-ci à se traîner.

Personne n'a le droit de donner des ordres à cette horde d'or que le Soleil ne précède ni ne guide, mais que le Soleil suit, s'effaçant devant ce qui est libre enfin, autant que lui.

1322.   Et si le Soleil peut rire à cette heure, c'est bien la première fois car, jusqu'ici, il était sûrement le seul avec les étoiles à ne pas avoir peur des loups-garous. Et si ses sept planètes obscures se mettaient elles aussi à se sentir libres... Comme ça, tout en continuant de tourner...

Et si des milliers et des milliers comme lui, en chair et en os et en chaleur humaine, se mettaient à rayonner et à ne plus avoir peur...

Ce serait réconfortant pour les galaxies, se dira-t-il en riant dans sa barbe épanouie et ses longs cheveux fous. Et si le Soleil est une femme, elle rira en pinçant son rire, tout aussi malicieusement.

1323.   Vous ne savez pas la chance que vous avez d'être si près du Soleil.

De son côté, le Soleil sait depuis longtemps la chance qu'il a de ne se montrer chaque jour que sur un point de votre horizon. Et de vous faire croire que c'est lui qui tourne autour de vous!

1324.   C'est une chance pour lui réellement, à moins que ce ne soit que de la prudence. Autrement, qui sait comment vous oseriez le traiter...

XCI

LE CREDO DE L'EUGUÉLIONNE

1325.   Et voici mon credo, dit l'Euguélionne.

Je crois en Moi, inaliénable et immortelle, immobile et transportée, capable de créer le ciel et les planètes par la toute-puissance de mon Désir.

Je crois aux Autres qui sont Moi et qui sont les Mêmes que Moi, je crois aux Autres qui sont de chaque côté de Moi, qui sont devant et derrière Moi.

Je crois qu'il n'y a *personne au-dessus de Moi* et je crois qu'il n'y a *personne au-dessous de Moi*.

Je crois que je ne suis pas au centre d'une Croix ni au faîte d'un Obélisque.

Je crois que je suis au centre de la spirale cosmique et je crois que ma Forme est courbe comme l'Espace.

Je crois que ce mouvement de rotation est de plus en plus vaste et, par ce fait même, va vers l'avant et tend à l'infini.

Je crois que ce mouvement est créateur d'espaces, de formes et d'astres.

Je crois que l'Espace créé libère le Temps et je crois que le Temps libéré *me fait accéder à l'immortalité.*

Car moi, dit l'Euguélionne, je crois que je ne mourrai pas. J'ai beaucoup trop à faire.

Je crois à mon Cerf-Volant Survolté qui survole mon Sous-Marin Omniscient, l'apaise et le fait entrer périodiquement dans le Sommeil.

Je crois à mon Cerf-Volant Survolté qui préside à ma Santé en empêchant tout agent extérieur de venir la perturber. Et je crois à mon Sous-Marin Omniscient qui perpétue ma Santé en agissant directement sur mes cellules et empêche celles-ci de proliférer, de s'altérer ou de se boursoufler aux dépens de mon corps entier.

Je crois à mon Corps entier, je crois à sa chair et je crois à son esprit, je crois à chacune de ses parcelles de chair et à chacune de ses parcelles d'esprit.

Je crois que chacune de mes parcelles est saine et je crois sain mon Corps entier. Et je crois que mon esprit est tout rempli de chair et que ma chair est pleine d'esprit.

Et je crois, je crois au *clitorivage* heureux de mon corps heureux.

Je crois que mon Cerf-Volant Survolté et mon Sous-Marin Omniscient ne sont retenus ni tirés par une ficelle. Ils ont leur propre moteur et leurs mobiles personnels.

Le moteur de mon Cerf-Volant est le Vent qui vente sur mon Sous-Marin et tous les deux s'acquittent du vent comme ils peuvent.

Ils n'ont nul besoin d'être tirés ou retenus par une ficelle.

Le Vent qui meut mon Cerf-Volant et mon Sous-Marin est voltairien. Il souffle où il veut. C'est un Vent délicieusement incrédule.

Moi, dit l'Euguélionne, je ne mourrai pas. Ce qui ne veut pas dire que je sois immortelle, ajouta-t-elle en souriant.

XCII

LES ADIEUX DE L'EUGUÉLIONNE

1326. Adieux, Femmes de la Terre. Qui devenez fières, indépendantes, autonomes, sans être enflées comme vos chers compagnons.

Qui prétendez *être* des êtres humains à part entière sans prétendre être l'espèce tout entière.

Qui dominez déjà votre vie sans dominer celle d'autrui.

Qui vous alliez aux mâles de votre espèce sans vous les aliéner et sans vous aliéner vous-mêmes.

1327.   Adieu! Transgressez mes paroles et les paroles de tous ceux qui vous parlent avec autorité. De ces paroles, retenez celles qui vous conviennent profondément et qui conviennent à votre désir profond et transgressez les autres.

1328.   Et rappelez-vous: j'ai eu beau regarder, je ne vous ai pas vues dans les Parlements ou à peine, vous excusant presque d'être là, et pourtant ce qui se passe dans les Parlements vous concerne. N'oubliez pas que ceux qui sont là décident de votre vie à votre place.

J'ai eu beau regarder, je ne vous ai pas vues aux Actualités télévisées, ou plutôt, je vous y ai vues parfois et quelques-unes d'entre vous léchaient les bottes de ceux-là qui détiennent le Pouvoir avec avarice sans vouloir le partager avec vous.

1329.   Vous vous étonnez de ce que vos amours ne marchent pas longtemps. Vous en restez pantoises, stupéfaites, mortifiées, endolories, douloureuses, momifiées.

C'est le contraire qui serait surprenant. Si vous avez quelque sens commun, quelque autonomie, quelque conscience de votre individualité, il serait surprenant en vérité que vos amours marchent sur des roulettes car il n'y a pas un Homme sur cette planète, fût-il de bonne volonté, qui n'ait quelque relent de chauvinisme dans son comportement et dans son subconscient. Et il y en a bien peu d'entre vous, Femmes de la Terre, qui ne soient pas un tantinet misogynes sur les bords...

L'amour n'aura pas lieu entre partenaires qui se ressentent et se considèrent comme inégaux dans votre société.

Cet amour-là est impossible.

XCIII

LA GRANDE ROUE

1330.   Femmes de la Terre, soyez des roues de plaisir lancées sur des autoroutes, dit l'Euguélionne.

Soyez de grandes roues de fête foraine sorties de leurs gonds et roulant à cent milles à l'heure sur les routes de campagne.

Jetez mille éclats de lumière sur les maisons endormies.

Soyez de grandes roues lumineuses roulant sur elles-mêmes comme des étoiles de mer géantes sur l'asphalte luisante de pluie.

Dépassez les voitures lancées à des vitesses féériques.

Soyez la grande Roue de la Ronde avec des banquettes remplies de gens, amoureux du risque et de l'aventure, et amoureux du vent.

Soyez les mille lumières des grandes roues en mouvement, roulant de plaisir et scintillant sur le pavé mouillé.

Éblouissant les automobilistes et les veilleurs de nuit au fond des maisons endormies.

Soyez l'éblouissement nocturne lancé à toute vitesse sur la route.

Soyez l'éblouissement et l'élan irrésistible de celles qui attendent leur mari au fond de leur maison endormie.

Soyez la précipitation de la pluie et soyez les milliers de phares et soyez la lumière en mouvement de la nuit roulant comme des étoiles de mer sur vos *propres* rayons éblouissants.

Ne soyez plus des Égéries, dit l'Euguélionne.

XCIV

JUSTICE D'ABORD

1331.   J'ai peut-être mal jugé les Hommes, dit l'Euguélionne. Je l'espère. J'espère que vous pourrez faire la preuve que tout ce que j'ai vu et tout ce que j'ai dit est folklorique, est devenu de l'histoire ancienne. C'est mon vœu le plus cher. Même si cela était, je n'aurai pas perdu mon temps, car l'histoire est bonne conseillère.

D'ailleurs, qui suis-je pour vous juger, m'avez-vous déjà demandé? C'est pourquoi je m'en vais sans prononcer de sentence, ainsi ne suis-je vraiment pas un juge sérieux.

Je n'ai pas dit tout le bien que je pense des Hommes, dit l'Euguélionne, car, tout ce bien, — et il est immense — les Hommes savent très bien le découvrir par eux-mêmes sans trop de modestie. Ils ont même de gros budgets pour cela tandis que moi je n'en ai aucun et je suis pressée.

1332.   J'ai peut-être mal jugé les Hommes, c'est vrai. Mais je les ai vus, je les ai lus et je les ai entendus. Et j'ai vu que ce qu'ils appellent LEURS femmes leur léchaient les bottes et les servaient pour avoir de quoi se nourrir et s'abriter avec leurs petits. Et parfois, elles maltraitaient leurs petits tellement elles étaient exaspérées de leur situation.

Même quand elles étaient capables de se nourrir et de s'abriter seules, elles étaient encore à s'excuser d'avoir pris une place au soleil.

Et j'ai vu avec consternation que les Hommes étaient frustrés et souffraient réellement de voir les places au soleil gagnées une à une et occupées par leurs compagnes. Et je me suis demandé si cette souffrance pouvait être guérie.

1333.   Hommes de la Terre, vous n'êtes pas responsables du lourd passé d'injustice qu'ont fait subir vos ancêtres aux femmes de votre espèce.

Mais vous devez veiller à ce que cesse le *massacre des Paramécies*. Vous n'en serez jamais quittes à moins que vous n'aidiez les femmes actuelles à réintégrer votre espèce ainsi qu'elles le souhaitent et le réclament à cor et à cri et souvent en se déchirant le cœur.

Vous n'en serez jamais quittes à moins que vous ne leur laissiez prendre les places qui leur sont dues au soleil de vos gouvernements et des grandes entreprises humaines. Et ces gouvernements et ces entreprises, vous verrez, changeront de visage et ce visage sera plus humain.

1334.   Ensuite, vous parlerez d'amour.

Et n'ayez crainte pour l'amour, elles en ont toujours eu à revendre.

La Justice d'abord. Ensuite, vous pourrez parler de l'amour universel et vous pourrez parler de l'amour de l'Humanité et vous pourrez parler du salut de l'Humanité et de son avenir démographique, et vous pourrez parler de l'amour de l'Homme et de l'être de l'Homme et de son unité, et l'on pourra commencer à vous prendre au sérieux.

Nous en reparlerons, si vous voulez, quand vos femmes ne seront plus des exceptions là où c'est important d'être présent et d'agir, nous en reparlerons quand il n'y aura plus de ménagères que les ordures.

Mais Justice d'abord.

1335.   Hommes de la Terre, vos femmes vivent en ce moment la plus grande contradiction de tous les temps et la plus déchirante. Celle qui existe depuis toujours cependant — et qui ne devrait pas exister — entre l'amour et la justice.

Femmes de la Terre, vous ne devez escamoter, ni l'un au profit de l'autre, ni l'autre au profit de l'un. C'est la première fois que cette contradiction vous saute aux yeux, car vous vous êtes mises à réfléchir sur votre condition humaine de femmes. Mais c'est une contradiction qui est vieille comme le monde.

1336.   Et quand vous serez au pouvoir, femmes de la Terre, quand vous partagerez ce pouvoir avec les hommes de la Terre, voici une petite suggestion: pourquoi ne pas créer un ministère des *Gigantesques Oreilles* dont la tâche primordiale serait d'être aux écoutes du Discours du Peuple. De gigantesques oreilles attentives au discours du peuple, vous voyez cela? Ce serait un ministère dont la fonction unique serait d'être *démocratique*... Vous voyez cela d'ici?

Avec vos moyens techniques super-spécialisés, vous pourriez

utiliser l'écoute électronique pour écouter la *vox populi*... non pour faire taire cette voix à tout jamais ou pour l'espionner dans le but de la punir, mais pour satisfaire ENFIN ses besoins et ses désirs profonds.

XCV

UN CERTAIN RIVAGE

1337.   Votre monde ne m'intéresse pas, dit l'Euguélionne. Il ne m'intéresse plus.

Je m'en vais, car votre planète est négative, tout comme la *Planète des Législateurs* d'où je viens. Seulement, chez vous, c'est camouflé.

1338.   Vous faites croire que vous êtes développés, révélés à vous-mêmes, mais vous êtes des êtres négatifs divisés en deux espèces: les Fams, ces mal Faméés, ces Faméliques, cette antique race de domestiques, et les Zoms, ces Zombilics, ces Zombis de l'ère pré-historique...

Vous nourrissez vos Zenfaons d'une main et de l'autre vous les poussez de force à l'école, par traîtrise, car vos Zenfaons abhorrent l'école tout autant que vous.

Vous les cajolez d'une main et de l'autre vous les faites entrer de force dans des souliers trop étroits.

1339.   Vous me faites pitié, dit l'Euguélionne, tous et toutes tant que vous êtes. Vous êtes des sauvages. De bons sauvages qui se garga-risent avec de l'eau de bonté tout en faisant leurs petits massacres de droite et de gauche. De bons sauvages qui se nourrissent de vitamines tout en affamant avec adresse les trois quarts de leur planète.

Vous me glacez, vous me remplissez d'horreur, et cependant, j'ai envie de vous aimer et je vous aime, dit l'Euguélionne.

1340.   Moi, dit l'Euguélionne, je cherche mon Anthropie. Je suis *gyne* et le mâle de mon espèce est *andre*. *Je cherche mon Anthropie positive.*

Moi, dit l'Euguélionne, je cherche ma Métanthropie. Je suis *métagyne* et le mâle de mon espèce est *métandre*.

Je cherche le mâle de mon espèce, dit l'Euguélionne. Ce n'est pas ici que je le trouverai.

1341.   Je suis gyne et le mâle de mon espèce est andre, dit l'Eugué-lionne. Je suis en marche vers lui et il est en marche vers moi. Il vient vers moi de la dernière planète de cette galaxie. Ses yeux viennent vers mes yeux, sa bouche vient vers ma bouche et sa verge se tend vers le clitorivage de mon corps.

Et moi qui suis gynile, je viens vers lui qui est viril. Du plus profond de cette galaxie, mon visage est tendu vers son visage, mes seins sont tendus vers ses mains et vers sa verge avance le clitorivage de mon corps.

1342.   Je suis métagyne et je cherche le métandre de mon espèce.

Je cherche ma Métanthropie positive, dit l'Euguélionne.

XCVI

LE DÉPART DE L'EUGUÉLIONNE

1343.   Votre planète ne m'intéresse pas, dit encore l'Euguélionne. Je vais chercher ailleurs le mâle de mon espèce et ma planète positive.

Je m'en vais, dit l'Euguélionne. Adieu à tous.

1344.   À ce moment, une femme dans la foule lui lança une énorme pierre en criant:

Alors, si ça ne te convient pas, retourne-t-en là d'où tu viens. Va-t-en! Sois maudite! Ne remets plus jamais les pieds sur la terre. Non mais... qu'est-ce qu'elle est venue faire dans notre marmite cette étrangère...

1345.   L'Euguélionne voit la main de cette femme se mouler autour d'une petite sphère dans un mouvement très lent. Elle voit la petite sphère quitter la main et la main rester en suspens dans l'air après avoir été un peu projetée en arrière.

La petite sphère avance vers l'Euguélionne, lentement, en roulant sur elle-même. Sa trajectoire est légèrement courbe.

La petite sphère avance en grossissant. L'Euguélionne croit que c'est un petit enfant enroulé sur lui-même. Le petit enfant a les yeux rieurs et une moue comique aux lèvres. Il vient vers l'Euguélionne, immobile et transporté par un coussin d'air. En quel endroit de son corps le recevra-t-elle?

S'il vient sur son ventre, elle refermera vite les bras sur lui et le grondera bien un peu de prendre de tels risques sans compter sur la gravitation terrestre.

S'il vient sur sa joue, elle l'y maintiendra avec sa main afin de prolonger cette caresse venue de l'espace.

S'il vient sur son front, elle le ramènera vite sur son cœur afin de l'empêcher de tomber.

Et s'il vient sur son cœur... S'il vient sur son cœur...

1346.   Dans un éclair, la foule voit l'Euguélionne projetée brutalement jusqu'au fond de l'espace puis en revenir aussi vite comme une balle lancée au mur avec force.

La pierre revient doucement se blottir dans la main qui l'a lancée et qui était encore en suspens dans l'air.

L'Eguélionne dit à la femme interdite:

1347.   — Maintenant, tu es libre. Tu n'es plus une enfant enroulée dans la soie attendrie et ne crois pas qu'il te faille devenir pierre en plein cœur.

1348.   À ce moment, on vit arriver un peloton de soldats armés. Le commandant du peloton dit à l'Eguélionne:

— Pendant que tu parlais à la foule sur la montagne, on t'a fait un procès en bonne et due forme pour incitation à la désobéissance civile. Le juge t'a condamnée à être passée par les armes.

Sur l'ordre de leur chef, les soldats se préparent et font feu. L'Eguélionne explose en mille morceaux qui restent suspendus dans l'espace, figés, traçant de longues traînées blanchâtres et comme hors foyer.

Des pièces d'or minuscules apparaissent ici et là aux points de scission, là où le corps de l'Eguélionne fut traversé.

1349.   La foule entre en panique, car elle attend les « retombées » de l'Eguélionne et celles-ci ne se produisent pas.

Le commandant du peloton exige une nouvelle exécution. Les soldats tirent encore.

L'Eguélionne alors reparaît: tous ses morceaux se réajustent comme dans un puzzle en action filmé en accéléré ou comme dans un film de destruction projeté à l'envers.

1350.   — Je vous ai dit que je ne mourrais pas, dit l'Eguélionne. Trop de choses à faire. Programme trop chargé. Pas le temps de crever. Je m'en vais. Je quitte votre planète de mon plein gré. Votre planète négative…

1351.   Et, disant cela, et avant de disparaître, elle regardait la foule avec un œil triste et l'autre gai, tout comme le jour de son arrivée.

Toute la tristesse amassée dans le premier œil resta en suspens dans l'air au moment de la disparition définitive de l'Eguélionne. Elle resta, cette tristesse, sous forme d'une outre pleine de larmes.

Et toute la gaieté amassée dans le deuxième œil resta en suspens dans l'air sous une forme indescriptible qui rappelait l'Eguélionne, ce qu'elle était, ce qu'elle avait été tout le temps de son séjour parmi nous.

1352.   Le soleil, qui en était à son éblouissement quotidien, fit fondre la tristesse de l'Eguélionne, tandis qu'il répandait sa gaieté sur toute la surface de la terre, et c'étaient là les vraies retombées de l'Eguélionne.

1353.   Alors, Exil donna le signal. Suivie d'Omicronne, des femmes de la terre et des mâles de leur espèce, Exil monta à l'assaut des tables de la loi Ψ.

Il y avait là Lambda, Deltanu, Dzéta, Gamma, Sigma, les enfants d'Omicronne et d'Exil: Alik, Onirisnik, Kappa, Alyssonirik,

Dominik, les quatre garçons de Lambda, les deux enfants de Sigma, et les hommes qui venaient leur prêter main forte.

On ne vit ni Alfred Oméga, ni Upsilong, ni sa sœur Epsilonne, ni Étéa, ni le docteur Phipsi, ni Tau, mais on vit le jeune médecin clairvoyant qui accompagnait Lambda et même le malheureux Piro avec sa Dzéta et leurs cinq bessons, Pékisse, le mâle de l'espèce de Gamma, la mère d'Omicronne, la mère d'Alfred, Écho, Argus et Migmaki, et aussi madame Tête.

Et tout ce monde qui montait à l'assaut des tables de la loi Ψ fut suivi d'une multitude de gens, tandis que la voix d'Ancyl se faisait entendre avec force.

XCVII
LES CORPS CRIBLÉS DE TROUS

1354.   — Non, ce n'est pas vrai. Cette planète n'est pas entièrement négative, dit Ancyl.

Elle s'égare depuis des siècles dans un labyrinthe dont elle a enfin trouvé la porte de sortie. Il ne reste plus qu'à ouvrir les écluses des corps pour que les flux de désir se déversent sur les corps et que les corps respirent.

1355.   Moi, Ancyl, je suis criblée de trous de jouissance et de vie. Et mon frère l'homme est aussi criblé de trous de jouissance et de vie.

Nous sommes tous des corps criblés de trous, lancés dans l'espace à la vitesse de la lumière.

1356.   L'éponge se fait gloire de ses trous, dit Ancyl. Mais moi, j'en ai eu la hantise et la honte pendant si longtemps! *Car mon frère l'homme m'a dit que je n'étais qu'un trou*. Et il a dit qu'il crachait dans ce trou. Il s'en est vanté: « Je crache dans ce trou et ce trou c'est une femme. Je pisse dans ce trou et ce trou c'est une femme. Et ce trou s'appelle Ancyl. »

Alors, moi, je me suis tassée dans mon trou, éperdue de honte et de dégoût, essayant de me protéger des crachats et de l'urine masculine. Et lui, il a cru qu'il était de l'essence des obélisques et qu'il avait été conçu sans trous.

1357.   Homme, mon frère, tu avais oublié que c'était grâce à un trou, le trou de ta bouche, que tu pouvais me cracher dessus. Tu avais oublié que c'était grâce à un trou, le trou de ta bite, que tu pouvais me pisser dedans, tu avais oublié que c'était grâce à un trou, le trou de ton cul que tu pouvais me chier dessus, à cœur de jour, à cœur d'année, à cœur de siècle. Excuse mon langage, mais je l'ai appris du trou de ta bouche et c'est ainsi que tu t'exprimes quand tu parles de moi à tes frères.

1358.　Homme mon frère, tu avais oublié que ta fameuse bite-Obélisque était plutôt un panier percé. Eh oui, même si tu le nies, même si tous les Ψ font chorus avec toi, *ton pénis est percé*. Ton visage est percé, ton corps est percé de milliers de pores. Ton corps, comme le mien, est criblé de trous.

Pourquoi as-tu honte, mon frère l'homme? Pourquoi as-tu honte de tes trous? Pourquoi te prives-tu de la jouissance de tes trous et en es-tu si malheureux?

Ton corps est glorieux car il est percé de part en part. Il est bombardé de trous comme le mien, il est mitraillé de trous qui sont *tous* des trous de jouissance et qui sont tous des exutoires à ta douleur. Ta jouissance virile, homme mon frère, tu ne l'obtiens qu'en ouvrant le trou de ta bite aux cataractes de ton sperme. Si tu refusais d'ouvrir aux cataractes, adieu la jouissance suprême!

Tu ne jouis que par le trou, que ce soit par le tien, par celui des autres, par-devant, par-derrière, par en haut, par en bas, dans toutes tes dimensions, tu ne jouis que par le trou!

1359.　Alors, homme mon frère, rends grâce au trou!

1360.　Le trou est l'essence même de la génération. Il est l'essence même de la vie, dit Ancyl. Sans lui, aucun organe ne pourrait fonctionner. Le cerveau lui-même serait paralysé. Chaque fonction du corps a pour but de remplir ou de vider une cavité: respirer, manger, boire, baiser. L'émission du sperme vide la cavité du pénis qui lui-même remplit la cavité du vagin. C'est étudié pour! C'est au poil!

Sans les trous, dit Ancyl, nous ne serions pas au monde. La forme phallique n'est pas nécessaire pour la reproduction. C'est le trou qui est nécessaire. Beaucoup d'espèces comme les oiseaux se reproduisent sans pénis, grâce aux « cloaques » si tant méprisés, c'est-à-dire, grâce aux trous qu'ils abouchent mutuellement entre mâles et femelles. Le baiser humain n'aurait aucune signification si l'on n'admettait que deux trous peuvent s'aboucher et jouir l'un de l'autre.

Le trou ne manque pas à l'Homme, mais il veut l'ignorer. Il trouve même en ce moment que je charrie avec mes trous.

1361.　Homme mon frère, toi aussi tu as des trous mais tu les as toujours reniés. Tu veux que ton Obélisque soit monolithique et fermé de toutes parts. Tu ne veux pas admettre que ce fier monument soit porteur d'un *trou!*

1362.　Le trou, dit Ancyl, *c'est ça,* la condition humaine. Avec ses hauts et ses bas, de bas en haut et de haut en bas. Depuis le temps qu'on s'interroge là-dessus…

1363.　Même mon frère l'homme, si fier et si fanfaron, n'échappe pas au trou. Il naît par le trou de sa mère, il éjacule et engendre par le trou de sa bite, il meurt par les trous de son souffle, et finalement on le met dans le trou pour une longueur d'éternité.

Quant à ma sœur la femme, si honteuse de son trou, elle n'y échappe pas non plus. Elle naît par le trou de sa mère, elle jouit et enfante par le trou de son con, elle meurt par les trous de son souffle, et finalement, on la met dans le trou pour une longueur d'éternité.

1364.   L'anatomie, c'est l'histoire des trous qu'on découvre dans les corps criblés de trous, c'est l'histoire des canaux, des cavités, des muscles creux, des veines, de tout ce qui contient la vie, de tout ce qui transporte la vie, précieusement, obscurément, sans s'ouvrir plus qu'il ne le faut, mais sans non plus se fermer à double tour.

1365.   Toute matière est poreuse, dit Ancyl, même la pierre.

1366.   Homme mon frère, ne renie pas tes trous. Ne les bouche pas, ouvre-les, ouvre-les à capacité et tu vivras. Projette tes trous dans d'autres trous. Reçois d'autres trous dans tes trous. C'est cela qui s'appelle l'amour.

    C'est par le trou mon frère que tu vivras! N'aie pas peur de prendre vent par tes trous!

1367.   *Nous sommes tous des corps criblés de trous qui accueillent l'amour et de trous qui déversent l'amour.*

    Toi, le pénis, tu es le véhicule d'un extraordinaire trou de jouissance, celui que tu as au bout de ton gland.

    Vous, les seins, vous êtes les véhicules de deux extraordinaires trous de jouissance, ceux que vous avez au bout de vos mamelons.

    Pénis et mamelons, vous êtes *des trous pénétrants*.

    Vagin, tu es un extraordinaire trou de jouissance et tu es *un trou accueillant*.

1368.   Trou, tu es terminal. Trou, tu es définitif.

    Tu es le passage commun de toutes les sécrétions d'amour et de fatigue, de tous les excréments, de toutes les nourritures.

    Au bout du gland, tu es la sortie de l'urine, du sperme et des sécrétions d'amour.

    Au bout du vagin, tu es la sortie des sécrétions d'amour, des menstrues et de l'enfant.

1369.   C'est toi qui dégonfles le Phallus de la cruelle démesure. C'est toi le déclencheur de dégonflement du Phallus-Obélisque. C'est grâce à toi qu'il se dégonflera.

    Ce n'est que percé et dégonflé grâce à un vilebrequin approprié que le monolithe Phallus deviendra enfin un pénis de chair gonflé de sperme et de sang, capable d'érection et capable d'éjaculation.

    Car l'orifice du pénis abolit le Phallus.

1370.   Trou, tu es la porte de sortie du labyrinthe et la porte d'entrée de tous les enfants du monde.

    Oui, St Siegfried, « un trou est toujours un trou », que ce soit au bout d'un manche ou en rase-mottes!

    Oui, St Siegfried, « un trou est toujours un trou ». Heureusement! Magnifiquement! Voluptueusement!

Car, quand nos trous seront bouchés, ô St Siegfried, c'est que nous serons morts, mon frère!

En attendant nous sommes des *corps criblés de trous,*

de trous qui soufflent
de trous qui respirent
de trous qui aspirent
de trous qui dévorent
de trous qui mangent trois fois
    par jour
de trous qui boivent vingt fois
    par jour
de trous qui suent
de trous qui transpirent
de trous qui pleurent
de trous qui nourrissent
de trous qui se nourrissent
de trous qui pourrissent
de trous qui vomissent
de trous qui morvent
de trous qui bavent
de trous qui crachent
de trous qui saignent
de trous qui pissent
de trous qui chient
de trous qui accueillent l'amour
de trous qui déversent l'amour
de trous qui jaillissent
de trous qui éjaculent
de trous qui véhiculent la joie
de trous qui bruissent
de trous qui jouissent
de trous qui souffrent
de trous qui voient
de trous qui regardent
de trous qui entrevoient
de trous qui fusillent du regard
de trous qui se bouchent les yeux
de trous qui jettent le mépris
de trous qui rejettent
de trous qui entendent
de trous qui écoutent
de trous qui se bouchent
    les oreilles
de trous qui sentent
de trous qui hument
de trous qui fument
de trous qui s'essoufflent

de trous qui palpitent
de trous qui parfument
de trous qui empestent
de trous qui se bouchent les narines
de trous qui ont des dents
de trous qui ont une langue
de trous qui goûtent
de trous qui dégustent
de trous qui dégoûtent
de trous qui ont la nausée
de trous qui dégouttent
de trous qui font la grève de la faim
de trous qui font la grande bouffe
de trous qui interdisent
de trous qui mentent
de trous qui chantent
de trous qui passent aux aveux
de trous qui rient
de trous qui crient
de trous qui hurlent
de trous qui rugissent
de trous qui vocifèrent
de trous qui profèrent la loi Ψ
de trous qui crachent le mépris
de trous qui parlent
de trous qui sourient
de trous qui donnent des ordres
de trous qui prononcent des
    sentences de mort
de trous qui se tassent
de trous qui s'érigent
de trous qui pénètrent
de trous qui rentrent en eux-mêmes
de trous qui touchent
de trous qui se touchent
de trous qui se frottent
de trous qui se bouchent
de trous qui s'abouchent
de trous qui s'aiment
de trous qui se séparent
de trous qui éclatent
de trous à fleur de peau
de trous à fleur de sexe
de trous qui se vident

de trous qui se remplissent
de trous qui s'exhibent
de trous qui produisent
de trous qui reproduisent
de trous qui se reproduisent
de trous qui surproduisent
de trous qui dorment
de trous qui réveillent
de trous qui ronflent

de trous qui font du bruit
de trous qui s'ouvrent
de trous qui se ferment
de trous qui tètent
de trous qui sucent
de trous qui se pourlèchent
de trous qui lèchent
de trous qui pètent
de trous qui digèrent.

Le trou se dissimule partout. Sous les papilles de la langue la plus lustrée, sur le gland le plus lisse, sur la peau la plus polie, dit Ancyl.

1371. « Ne parlons pas de mes trous », me dis-tu, homme mon frère. « Car ce ne sont pas des trous, ce sont des orifices... »

Mais si, justement, parlons-en au contraire de tes trous!

Tu as encore beaucoup de chemin à faire, homme mon frère, pour accéder à tes trous. Pour les accepter comme tels et les nommer *trous* ainsi que tu nommes les femmes avec mépris depuis des siècles.

Pour t'aider, je te dirai que le Trou est le contraire du Rien, contrairement à ce que croient les Ψ, spécialistes du Manque, du Zéro, du 0 féminins...

Le Trou est le contraire du Rien, car il ne se présente jamais seul et il est toujours accueillant ou généreux de lui-même et de sa substance.

Si cela n'était, faudrait-il dire que le pénis, porteur du Trou qui éjacule, soit synonyme de porteur du Rien?

Que les seins, porteurs des trous qui allaitent, soient porteurs du Rien?

1372. Homme, mon frère, et toi aussi mon frère Ψ, cesse donc de te croire bouché à chaque bout et considère le Trou comme étant une partie intégrante de toi-même.

Mon frère l'homme, nous nous entendrons tous les deux quand tu seras aussi fier de tes mortaises que de tes tenons, dit Ancyl.

1373. Pourquoi, St Siegfried, tiens-tu le trou en si mauvaise estime? Pourquoi considères-tu la femme avec mépris sous prétexte qu'elle n'est qu'un trou? T'es-tu examiné? Serais-tu exempt du trou par hasard? Si tu le crois vraiment, serait-ce que tu résistes à reconnaître ta réalité physique et physiologique?

Te sentirais-tu blessé *en ton point décisif* que tu ne veuilles, en ce qui te concerne, appeler un trou un trou?

Et la clé de ton arrogance ne serait-elle pas au cœur de ton pénis que tu imagines sans orifice? Si, au contraire, tu sais qu'il est percé, pourquoi ne nous en as-tu jamais parlé?

1374. As-tu déjà pensé, cher St Siegfried, que si le pénis de ton père avait été exempt du trou, tu n'aurais pas vu le jour?

As-tu pensé que tes propres enfants sont venus en ce monde grâce, d'une belle moitié, au trou que tu as au bout du gland?

1375.   St Siegfried, rends grâce au trou!

Ne le traîne plus dans la boue, sinon tu t'y traînerais toi-même avec ta *blessure narcissique* qui est située juste sur le bout de ton pénis... Et avec ton OMBILIC, cette autre *blessure narcissique* si cuisante, ce trou de toi-même par où la vie t'a été généreusement versée goutte à goutte, alors que tu n'étais encore qu'une protubérance de femme...

1376.   La différence entre l'homme et la femme, cher St Siegfried, vient de ce que chacun porte son trou différemment: l'un le propulse vers l'extérieur, grâce à sa machine-pénis, l'autre l'incline vers l'intérieur grâce à sa machine-vagin.

Tous les êtres humains, ô St Siegfried, sont troués de part en part. Apprends cela avant qu'il ne soit trop tard.

Toi qui es si pénétrant de l'Inconscient, n'es-tu pas conscient de tes trous?

1377.   Nous sommes tous des ARBRES À TROUS, *des arbres fleuris de trous.*

Certaines de ces fleurs ont un épanouissement lent comme les seins des fillettes, certaines autres ont un épanouissement instantané, presque magique.

Moi, dit Ancyl, je crois que je suis née un de ces jours avec un pénis dans la main. Car, dans mes plus beaux rêves et mes plus jolies réalités, je sens ce pénis se gonfler dans ma paume. Et je crois que je suis née aussi avec des yeux d'homme dans mes yeux, car dans mes plus beaux rêves et mes plus charmantes réalités, je vois se dilater dans mes yeux ceux de l'homme dont j'ai le pénis dans la main. Ça, ce sont des choses qui m'émerveillent.

Toi, mon frère l'homme, toi dont j'aime outrageusement la bite orageuse, n'aie donc plus peur que mon vagin dévorant ne te la dévore. Lorsque j'offrais à boire à mon fils, je ne craignais pas qu'il me dévore les mamelles avec sa bouche dévorante. Laisse de côté ta peur d'être dévoré, mon frère, mon semblable et pense un peu au trou qui libère.

1378.   Mon frère l'homme, tu ne pourrais pas faire fuser ton magnum de champagne si celui-ci n'avait pas de goulot. N'aie pas honte de ce trou. Rends gloire à ce trou, car il te permet de faire jaillir un sacré geyser...

Mon frère l'homme, tu ne pourrais pas jouer de ta superbe flûte enchantée si celle-ci n'était pas percée. N'aie pas honte de ce trou. Rends gloire à ce trou car il te permet de jouer ton plus bel air sur ton plus bel instrument.

Et ne dénigre plus le trou de la femme: ce trou est aussi glorieux que le tien. Car c'est de ce trou qu'ont jailli les deux plus beaux enfants du monde: TOI, mon frère l'homme et notre sœur, la FEMME.

1379.   Et sache, mon frère l'homme, que les obélisques n'ont pas le pouvoir d'entrer en érection... Les tours, les obélisques et les phallobats n'ont pas de fonction orgastique: ils se caractérisent par la raideur consommée, la rigidité cadavérique, l'agression totale. Ils n'éjaculent pas non plus.

Mon frère l'homme, laisse les obélisques de pierre orner tes places publiques. Mais toi, n'y implante plus ton obélisque de chair, sinon, ne sois pas surpris de rentrer castré à la maison.

1380.   Pourquoi sommes-nous devenus des Phallus, nous aussi, et pourquoi sommes-nous tous des Phallus Ambulants?

Toi, ma sœur, dont le corps est plein et le vagin vide, pourquoi es-tu devenue ce *phallus ambulant?* Est-ce parce que tu as subi le non-désir et que tu ne t'en es pas remise?

Toi, mon frère arrogant sous tes manières civilisées, toi dont le pénis est dressé non comme un pénis mais comme un monolithe et toi qui n'éjacules que de la violence, que de la dominance ou que des cailloux de barbarie, comment es-tu devenu ce *phallus ambulant?* As-tu eu à subir un jour le non-désir que tu ne t'en sois jamais remis?

1381.   Toi ma sœur, « la femme mariée », tu n'as aucune idée de la détresse sexuelle de ton mari. Tu l'ignores. Tu ne veux pas l'entendre, tu aimes mieux te boucher les oreilles et tous tes autres trous de jouissance.

Et toi mon frère, « l'homme marié », tu n'as aucune idée de la détresse sexuelle de ta femme. Tu l'ignores. Tu aimes mieux fuir pour ne pas l'entendre...

1382.   Nous sommes tous des Phallus Ambulants, ainsi que nous veulent les Ψ, et nous en sommes tous malheureux comme les pierres.

Nous devons nous changer en ARBRES À TROUS, en arbres fleuris de trous.

1383.   Femme ma sœur, homme mon frère, que ton signe ne soit plus de la croix ni de la loi, mais *de l'arbre à trous.*

Au Nom du Trou accueillant, et du Trou pénétrant et du Trou évacuant, Amen.

1384.   Mon frère l'homme, écoute, dit Ancyl: voici venir *l'ère paramécienne.* Les champs autour de toi sont minés, tes murs sont tapissés de tessons de bouteilles, les barrières dont tu te protèges sont électrifiées, tes ultimes renforts sont des fils barbelés.

Mais toutes tes défenses n'empêcheront pas les *Paramécies* de venir jusqu'à toi et de t'emporter amoureusement dans leur flot libéré de toute entrave.

1385.   Mon frère l'homme, libère-toi de tes armes et de ton H majuscule. Prends-toi enfin pour ce que tu es: un être humain tendrement criblé de trous de jouissance et de puissance créatrice. Prends-moi enfin pour ce que je suis: un être humain tendrement criblé de trous de jouissance et de puissance créatrice.

Ne m'entrave plus.
Ne t'entrave plus toi-même.
N'entrave plus personne autour de toi.

Et dépose tes armes.

Et laisse enfin couler tes larmes.

1386.   Et sais-tu, dit Ancyl, ce que j'aimerais faire aujourd'hui par-dessus tout?

Ce serait de bercer dans mes bras mon père et ma mère qui ont si peu joui de leurs trous de jouissance parce que ces trous étaient frappés d'interdit.

Hélas, ma mère et mon père ne sont plus de ce monde et mes bras, parfois, sont déserts.

FIN DU TROISIÈME VOLET

ÉPILOGUE

— J'ai parlé du Trou, dit Ancyl. J'ai parlé de *l'Innommable*.

C'est à ce moment, je crois, qu'on entendit, d'un pôle à l'autre de notre planète, le formidable fracas que firent en se brisant les tables de la loi Ψ.

Ces choses se passèrent en ces temps-ci de notre Préhistoire, et moi, Bersianik, j'ai essayé de vous les rapporter fidèlement, en répandant goutte à goutte un flot d'encre sur une multitude de feuillets.

Car, ainsi que le dit un jour l'Euguélionne: « Qu'est-ce qu'un écrivain sinon quelqu'un qui répand de l'encre sur la Terre?

« Et qui répand aussi de l'encre sur le ciel quand le ciel passe sous ses pieds, a-t-elle ajouté.

« C'est ainsi, a-t-elle dit, que se répand un flot d'encre entre les étoiles afin que la nuit soit lisible quelque part dans cette immensité.

« Jusqu'à ce que, dit-elle, jusqu'à ce que la dernière goutte en soit le point final. »

F I N

Québec, Montréal, 1972-1974

remerciements:

*Merci à André mon frère, pour avoir
mis à ma disposition tout le matériel
nécessaire à la photocopie de mon
manuscrit.*

*Merci à lui, ainsi qu'à mes sœurs Hélène,
Françoise, Lise et Marguerite, pour
m'avoir aidée à faire ces photocopies.*

*Merci à mon amie Louise N., pour m'avoir
fourni des documents essentiels.*

*Merci à Jean mon compagnon, pour avoir
sculpté l'Euguélionne, et à mes amis et
amie photographes, pour en avoir saisi
l'image avec leur caméra.*

*Merci à Nicolas mon fils et à son père,
pour avoir supporté mes absences avec
philosophie, absences qu'a parfois
nécessitées l'avancement de mon travail.*

DOSSIER

EN MARGE D'UN ROMAN QUI N'EN EST PAS UN

(texte inédit de Louky Bersianik)

> « C'est un dur métier que celui d'écrire un livre. On est toujours tenté de se borner à le rêver. » (Bachelard)

L'*Euguélionne* n'a pas été créée pour **L'Euguélionne,** mais pour **Le Squonk,** roman dont *Sylvanie Penn* est l'héroïne. D'après la légende originaire de Pennsylvanie, le *squonk* est un animal fantastique dont l'appellation latine *lacrimacorpus dissolvens* signifie: qui se dissout dans ses larmes.* Écrit en 1972 mais encore inédit, c'est un roman extra-planétaire qui comptait, parmi de très nombreux personnages secondaires, une sorte de *Pasionaria* dont le nom était *l'Euguélionne.* Elle chantait l'urgence de la fuite à la porte des cabarets de *Scramville,* métropole de la planète *Eunorexie* dont le démiurge invisible mais à l'existence palpable s'appelait *Ail Eunore.* Tous les êtres conscients qui habitaient cette planète étaient des *Squonks,* la plupart déshydratés et desséchés. Leurs femelles donnaient naissance à deux espèces différentes: elles-mêmes surnommées les Pédaleuses, et les Législateurs. Ces êtres habitaient des interstices entre les espaces d'air irrespirable et de lumière crue, coupante, biseautée comme le cristal. Le représentant d'Ail Eunore était le champion du durcissement. C'est pourquoi *Scram* était le maître incontesté de la ville.

Au cours d'une manif monstre contre le scandale de la mort, l'Euguélionne jouait dans un spectacle intitulé: **Le linceul d'Hamlet** ou **La mort est un suicide.** Pendant qu'elle récitait les tirades d'un long plaidoyer pour l'immortalité, quatre mimes décomposaient ses gestes et ses paroles devant un âne de Buridan qui dansait sur le linceul d'Hamlet, ne sachant quel choix il allait faire, de mort ou de non-mort éternelle, puisque maintenant il avait le choix. Soudain les *Cocodrilles,* déguisés en chiens policiers, interrompaient le spectacle, faisant irruption au milieu de la foule et criant: « Il est interdit de parler contre la Mort! C'est la fidèle alliée de Scram. Lui seul détient le pouvoir de la donner, sous une

---

* Cf. *Chanson à Sylvanie Penn,* in **Axes et eau,** VLB Éditeur, Montréal, 1985.

forme ou une autre. Ce soir, elle vous est servie cachetée! » disaient-ils en s'éclatant d'une joie féroce. Et ils faisaient avaler des cachets aux quatre mimes qui tombaient raides morts aux pieds de l'Euguélionne. Celle-ci était sommée de se retirer tambour battant dans la *Forêt des Squonks* à défaut de quoi elle aurait affaire à Scram en personne.

C'était tout. On ne revoyait plus l'Euguélionne dans ce roman, sauf dans un court passage où elle décidait de quitter la planète Eunorexie et de partir à la recherche du mâle de son espèce. Les Législateurs avaient déporté sur une autre planète tous les mâles de l'espèce de l'Euguélionne, le jour où ils avaient décidé de capturer leurs femelles dans le but de s'en servir comme Pédaleuses.

J'avais fabriqué le nom de l'Euguélionne à partir du grec *euaggeion*, qui veut dire « bonne nouvelle » et qui a donné en français le mot « évangile ». C'est plutôt par ironie que je lui avais donné ce nom, parce que je voulais en faire une espèce d'anti-messie, essentiellement une étrangère à sa planète, dont l'anti-message était une conscience aiguë de la nécessité de fuir ce monde intolérable plutôt que d'essayer de le sauver malgré lui.

Du plus loin que je me souvienne que l'écriture existe, j'écris; que la lecture existe, je lis. Tous les livres qui pouvaient alimenter ma passion d'écrire, sur tous les sujets et particulièrement sur les nouvelles théories de littérature et d'écriture, je les ai eus sous mes yeux lisant, sous mon regard luisant de lecture. Et j'écrivais. Mais, comme beaucoup de gens de ma génération qui ne se souciaient pas de s'inscrire à tout prix dans l'histoire, je n'écrivais que pour mes tiroirs. Le reste, c'était du texte alimentaire: pour la radio, la télé, le film, ou pour les enfants. J'avais un bureau à moi: j'avais lu **Une chambre à soi** de Virginia Woolf à l'âge de vingt ans et l'avais toujours mise en pratique.

Les trois principaux déclencheurs de mon passage à l'acte d'écriture *dans le but précis de publier* se sont produits en 1971, j'avais tout juste quarante ans. *Un:* le 16 mars, trois mois et demi avant la fin d'une analyse qui durait depuis quatre ans, je pris la décision de m'offrir un *rendez-vous quotidien* et irrévocable avec ma table de travail, et non plus au hasard des tâches et de l'inspiration. *Deux:* le 20 mai, je commençais la lecture de **La politique du mâle** de Kate Millett et du numéro spécial de **Partisans: Libération des femmes année zéro**. *Trois:* je pris la résolution, le 11 novembre exactement, de m'éloigner de la maison après les Fêtes pour écrire mon bouquin. J'y fus même poussée par mon compagnon qui voyait là la condition sine qua non de notre entente future. Il y a quatorze ans, ce n'était pas du tout évident qu'une femme pût suivre ses penchants créateurs sans perturber profondément la vie autour d'elle.

Malgré de nombreuses difficultés de tous ordres mais avec la bénédiction de mes proches, je me suis donc installée dans un monastère de Recluses à Saint-Jérôme, le 24 janvier 1972, et j'ai attaqué la rédaction du **Squonk** qui allait devenir mon premier roman publié. c'est du moins ce que je croyais. Après deux mois d'absence, mon entourage immédiat s'attendait que je revienne avec un livre sous le bras! Je rapportais quand même, en plus d'une quantité impressionnante de cahiers de notes, un manuscrit de 244 pages qui était loin d'être terminé. Après tout, ce n'était pas mon premier roman inachevé!

La vie reprit son cours exigeant et moi, essayant de poursuivre l'oeuvre commencée, je me suis mise à l'écoute de l'Euguélionne dont le discours martelait mon cerveau et couvrait la voix de Sylvanie Penn. Six mois plus tard, en septembre 1972, j'eus l'idée d'un autre roman dont l'héroïne, cette fois, serait l'Euguélionne. Pendant plus de trois mois je pris des notes à la Bibliothèque nationale puis, en janvier 1973, je quittai la maison une seconde fois. J'établis mes pénates, i.e. mes manuscrits, mes dictionnaires et mes livres, dans une grande chambre face au fleuve sur la place Dufferin à Québec. Et je me mis à écrire. Jour et nuit. Ça n'arrêtait pas. Deux cent dix pages dans les douze premiers jours! J'arrivais à peine à dormir tellement j'étais survoltée. J'ai compris qu'il me fallait compter avec le temps et consentir à laisser mon manuscrit inachevé sur ma table quand la nécessité de prendre quelque repos se faisait sentir. Il n'allait pas s'envoler ni prendre feu instantanément. J'étais à ce point habitée par mon personnange que je sentais dans mon corps, dans ma tête et mes jambes, sa démarche fabuleuse, son pas ample et élastique, quand elle arrive dans le port de New York comme *la Statue de la Liberté* descendue de son socle, le poing levé et marchant sur l'eau. Pendant ce séjour de deux mois et demi qui se fit en deux temps (j'ai dû quitter dix jours à cause du Carnaval), j'éprouvai beaucoup d'angoisse à la pensée de la publication certaine de ce manuscrit. Je notai dans mon journal que j'en avais « des sueurs froides » et que « j'entendais les clameurs » de protestation autour de moi. De retour à la maison, je continuai mon travail à un rythme un peu plus lent, et, le 25 juin 1973, cinq mois après l'avoir commencée, je mettais le point final à la première version. Ce fut la plus belle fête de la Saint-Jean de toute mon existence.

Je fis deux autres séjours d'un mois chacun à Québec, au début et à la fin de 1974, avant que tout le manuscrit ne soit complètement récrit une troisième fois, ce qui fut fait quand je le tapai moi-même à la machine. Chemin faisant, il s'était enrichi d'un autre manuscrit. En effet, au cours de l'été 1974, alors que j'en avais dactylographié les quatre cinquièmes, je m'étais remise à prendre des notes et à rédiger de nouveaux chapitres que j'appelais « mon insertion ». C'était une critique du discours freudien sur la sexualité féminine. Après un travail acharné, je m'aperçus que l'« insertion » n'avait plus le ton de l'ensemble, et surtout qu'elle était impossible à intégrer dans le « roman » parce que beaucoup trop longue. J'en fis un ouvrage à part que j'intitulai: **Les cahiers d'Ancyl. Dialogues avec l'Euguélionne,** encore non publié à ce jour. Les deux manuscrits totalisaient 825 pages dactylographiées à une seule interligne (dont 165 pour **Les cahiers d'Ancyl**).

Avec **L'Euguélionne,** j'avais écrit une anti-bible aux versets numérotés comme dans les codes juridiques ou religieux des sociétés où règne une classe dominante. Par dérision, j'avais mis dans la bouche d'un reporter l'histoire complètement loufoque d'une supposée origine messianique de mon héroïne, à la manière biblique. Mais l'Euguélionne ne se prenait pas au sérieux. Son dernier conseil fut celui-ci: « Transgressez mes propres paroles. »

Quand j'avais commencé à écrire ce livre, il n'était pas encore question de l'Année de la femme. Cependant, pendant toute cette année-là, **L'Euguélionne** resta sur les tablettes des éditeurs. Quelle épreuve ce fut pour moi! Le 24 juillet 1975, je dépose les deux manuscrits aux Éditions La Presse et, dès le 15 août, Hubert Aquin prend une option sur eux. Deux mois plus tard, il me fait signer un contrat d'édition pour **L'Euguélionne.** Il veut le publier le plus tôt possible, dès le début de décembre. Il est enthousiaste. Il répète: « It's the book, the big book! »

Sur la couverture de mon manuscrit, apparaissaient les signes habituels d'identification d'un livre: le titre, le nom de l'auteure, le genre. Hubert trouve que l'ensemble de ces éléments sont trop empreints d'étrangeté. Aussi, il me demande si je ne veux pas ajouter un prénom au pseudonyme **Bersianik** que je me suis inventé. J'accepte de le faire précéder de **Louky** qui est devenu mon prénom usuel. Il adore cette combinaison. Il me demande encore si j'accepte de faire précéder le mot « triptyque » du mot « roman ». Je dis que ce n'est pas à proprement parler un roman, puisque le troisième volet est un long discours. On ne parlait pas d'« essai-fiction » à cette époque, pour qualifier les livres qui secouaient tous les genres afin de mieux les emmêler intimement. J'avais fait cela dans **L'Euguélionne,** avec, à l'esprit le mot de Sartre: « Nous recourrons à tous les genres littéraires pour familiariser le lecteur avec nos conceptions. » C'est ainsi que Sartre a écrit des essais philosophiques, des romans, du théâtre, sur les mêmes thèmes. Cependant, ce qui était inusité, c'était de suivre son conseil en condensant tous ces genres dans un seul livre. Aquin avance que le discours dans **L'Euguélionne** n'est pas dit par un narrateur mais par un personnage et que, pour cette raison, il s'agit bien d'un roman. Puis, il ajoute ceci que je n'ai jamais oublié et que je répète souvent: « Tu sais, on peut faire entrer n'importe quoi dans un roman, même un traité de physique, mais on ne peut pas faire entrer un roman dans un traité de physique. » Cet argument balaie mes réticences. Ensuite, il paraphe des clauses qui m'avantagent. Il dit: « Si cela ne dépendait que de moi, les auteurs auraient des contrats de rois. » Sa hâte à publier le livre fait qu'il ne me donne que très peu de temps pour en faire la révision et les corrections. Suzanne Lamy m'assiste dans ce travail. J'ai beaucoup apprécié sa présence et ses conseils judicieux.

Enfin, le « roman » paraît dans les premiers jours de février 1976 et tout de suite il marche bien. Hubert Aquin serait content de constater que, presque dix ans après qu'il l'eut accepté et défendu auprès de ses collègues, ce « roman » est réédité en livre de poche aujourd'hui.

En plus d'avoir été réimprimée à plusieurs reprises aux Éditions La Presse, **L'Euguélionne** connaît sa quatrième édition avec la publication actuelle dans la collection Québec 10/10 des Éditions Stanké. En effet, elle fut coéditée en France en 1978 par Hachette-Littérature; puis, traduite et publiée en version anglaise en 1982 chez Porcépic Press à Victoria/ Toronto. Elle pourra maintenant toucher un public plus vaste et continuer sa petite bonnefemme de route avec une vitesse de croisière accrue. J'ai confiance en sa marche incoercible. Car, qu'est-ce qu'un livre dans ses feuilles sinon un arbre reconditionné? Qui balaie le sous-sol de cette planète avec ses racines vivantes et qui réveille le ciel avec ses branches souples, des plus anciennes aux plus neuves, transportant un feuillage sans cesse épris de renaissance. Et qui parfois rencontre la lune car la lune aussi est une extra-terrestre.

Louky Bersianik
Verchères, mars 1985.

EXTRAITS DE LA CRITIQUE

Il ne faut pas se laisser rebuter par ce titre insolite et ce nom qui ne l'est pas moins: « L'Euguélionne » est un livre stupéfiant, touffu, poétique, symbolique, une réflexion en forme de comédie, de parabole, de cri, de poème, de confidence; un livre comme quelques femmes se sont mises à en écrire quand les portes de la pudeur « innée » du deuxième sexe, et de la « bonne » éducation — bonne pour les femmes s'entend — se sont ouvertes. Un livre qui est d'ailleurs dédié à Simone de Beauvoir « avant qui les femmes étaient inédites ».

Benoite Groult
F Magazine, no 6, juin 1978.

Elle signe (et explique pourquoi) Louky Bersianik. Et s'appelle, comme tout le monde, Lucille Durand-Letarte. Ce qu'elle a écrit n'est pas un roman, n'est pas une autobiographie, n'est pas une thèse. C'est un ours, un je ne sais quoi. Cela devrait être, selon toutes les règles de l'art, illisible.

Je ne l'écraserai pas en parlant, à son propos, de Rabelais, de Voltaire, de Nietzsche, de Gide, mais elle a une énorme santé, une puissance de dérision, le goût des mots qu'on se fabrique, le souffle des litanies burlesques. Elle a, cette ingénue au pays des Mascles, le vitriol allègre, de la grandeur, du prophétisme, de la hauteur. Et surtout, l'esprit de liberté.

Jacques Cellard
Le Monde, 4 novembre 1977.

Les combats tristes ne donnent pas de victoires décisives. C'est donc avec une joyeuse fureur que la Québécoise Louky Bersianik, dans ce « roman triptyque » qui sera certainement l'événement littéraire de l'année, entreprend de déboulonner le gigantesque monument de honte érigé pour leur propre gloire pour les humains du sexe mâle. En quatre cents pages absolument fascinantes et parfaitement convaincantes, elle expose par tous les moyens du langage, et avec un bonheur d'expression constant, le pourquoi et le comment de sa déclaration de guerre et de sa proposition de paix; elle défie les règles surannées de la logique des mâles, qui est une logique de l'oppression, pour inventer un nouveau contrat social, fondé sur une égalité et une complémentarité des sexes enfin dépouillées de toute hypocrisie et de toute imposture;

à un document qui aborde la condition féminine sous tous ses aspects, elle a su, en méprisant tous les canons des genres littéraires, produire une oeuvre tout à fait littéraire. La seule existence de « L'Euguélionne », que tous ceux et celles qui savent lire devraient lire, prouve que la fin du gai combat sera le début d'un monde nouveau. Le « roman triptyque » de Louky Bersianik, c'est à la fois un chef-d'oeuvre de lucidité, de passion et d'humour; c'est la mise à nu, tantôt grave et tantôt riante, d'une culture qui a rendu possibles toutes les formes d'oppression: c'est aussi, secondairement, un cadeau à la littérature québécoise.

Réginald Martel
La Presse, 20 mars 1976.

Par le féminisme, c'est la société entière qui est en cause. Curieux, foisonnant, le texte étonne, provoque. Optimiste et tendre, l'auteur a choisi le côté de celles et de CEUX qui disent oui à la vie, au grand dam de ceux qui s'accommodent de la laideur et de la « boursouflure » et ne savent prendre la vie qu'à contresens, à rebrousse-poil.

Suzanne Lamy
Le Jour, 26 février 1976.

Que l'on ne croit pas que Louky Bersianik ait écrit un essai et qu'elle flotte dans l'abstraction la plus austère. Tout au contraire — et en cela elle exprime magnifiquement son essence — elle travaille dans le concret et les situations qu'elle imagine sont de celles que nous connaissons et que nous avons tous vécues, d'un bord ou de l'autre: le mariage, le divorce, l'avortement, la belle-mère, le travail ménager le dimanche, les enfants. En ce sens, le personnage central, l'Euguélionne, n'est pas un symbole mais le signe même de la réalité, cette réalité que l'homme a construite et que la femme subit de l'intérieur même de son corps et de son esprit. Peut-être est-ce là l'une des grandes réussites de ce roman d'exprimer, souvent avec humour, tout ce que ressent la femme et, surtout, de réussir à le faire comprendre aux hommes.

Jean Basile
Le Devoir, 6 mars 1976.

OEUVRES DE LOUKY BERSIANIK

L'EUGUÉLIONNE, roman triptyque. Montréal, La Presse, 1976, Hachette-Littérature, Paris, 1978, 400 pages.

LA PAGE DE GARDE, poème, avec un embossage de Lucie Laporte. Saint-Jacques-le-Mineur, Éd. de la Maison, 1978, NP

LE PIQUE-NIQUE SUR L'ACROPOLE, Cahiers d'Ancyl, essai-fiction, gravures de Jean Letarte (reproductions). Montréal, VLB Éditeur, 1979, 243 pages.

MATERNATIVE, Les Pré-Ancyl, textes poétiques et dramatiques, encres de Jean Letarte (reproductions). Montréal, VLB Éditeur, 1980, 169 pages.

LES AGÉNÉSIES DU VIEUX MONDE, essai. Outremont, l'Intégrale Éditrice, 1982, 24 pages.

AU BEAU MILIEU DE MOI, Nucléa Épiphane suivie de Journal d'une Amande, suites poétiques, photographies de Kèro. Montréal, Nouvelle Optique, 1983, 85 pages.

AXES ET EAU, poèmes de « La bonne chanson », dessins de Francine Simonin. Montréal, VLB Éditeur, 1984, 231 pages.

Ainsi que quatre contes pour enfants sous la signature de Lucile Durand, illustrations de Jean Letarte.:

KOUMIC LE PETIT ESQUIMAU, 48 pages;

LE CORDONNIER MILLE-PATTES, 66 pages;

LA MONTAGNE ET L'ESCARGOT, 62 pages;

TOGO APPRENTI REMORQUEUR, 82 pages (Prix de la Province, section Jeunesse, 1966);

Montréal, Éditions du Centre de Psychologie et de Pédagogie, de 1964 à 1966.

Traductions

THE EUGUELIONNE, a triptych novel, traduit par G. Denis, A. Hewitt, D. Murray & M. O'Brien, introduction de Dr J. Wealti-Walters. Victoria/Toronto, Porcépic Press, 1982, 347 pages.

~~NOLI~~ ME TANGERE, poems, traduits par Barbara Godard, in Room of Ones's Own, N° 68-69. Vancouver, septembre 1978.

THE PICNIC ON ACROPOLIS, novel, traduit par Ann Dybikowski et Erika Grundmann, à paraître. Victoria/Toronto, Porcépic Press, 1985.

Québec 10/10

Roch CARRIER
La trilogie de l'âge sombre:
1. La guerre, yes sir! (33)
2. Floralie, où es-tu? (34)
3. Il est par là, le soleil (35)
La dame qui avait des chaînes aux chevilles (76)
Le deux millième étage (62)
Les enfants du bonhomme dans la lune (63)
Il n'y a pas de pays sans grand-père (16)
Le jardin des délices (70)
Jolis deuils (56)

Pierre CHÂTILLON
La mort rousse (65)

Marcel DUBÉ
Un simple soldat (47)

Gratien GÉLINAS
Bousille et les justes (49)
Tit-Coq (48)

Claude-Henri GRIGNON
Un homme et son péché (1)

Lionel GROULX
La confédération canadienne (9)
Lendemains de conquête (2)
Notre maître le passé, *trois volumes* (3,4,5)

Jean-Charles HARVEY
Les demi-civilisés (51)
Sébastien Pierre (78)

Claude JASMIN
Délivrez-nous du mal (19)
Éthel et le terroriste (57)
La petite patrie (60)